MÉCANIQUES DU CHAOS

DU MÊME AUTEUR

CHAGRIN LORRAIN, avec F. Baudin, Seuil, 1979.

L'ÂGE-DÉRAISON, Seuil, 1982.

TRANS-EUROP-EXPRESS, Seuil, 1984.

TANGER ET AUTRES MAROCS, Quai Voltaire, 1987 ; Le Livre de Poche, 2000.

L'ENTHOUSIASME, Grasset, Les Cahiers Rouges, 2006 (1ᵉ édition Quai Voltaire, 1988).

CHRONIQUE DU LIBAN REBELLE 1988-1989, Grasset, 1991.

LA PART DU DIABLE, Grasset, 1992.

LITTÉRATURE NOTRE CIEL, *souvenir d'Heinrich Maria Ledig Rowohlt*, Grasset, hors commerce, 1992.

LES FÊTES PARTAGÉES, *lectures et autres voyages*, NiL éditions, 1994.

MITTERRAND ET NOUS, Grasset, 1994.

DES HOMMES LIBRES, *La France libre par ceux qui l'ont faite*, avec Roger Stéphane, Grasset, 1997.

ALEXANDRIE, NiL Éditions, 1997 (Folio n° 3341).

TANGER ET AUTRES MAROCS, NiL Éditions, 1997 (Folio n° 3342).

JOHNNY, NiL Éditions, 1999, nouvelle édition 2009.

ISTANBUL, NiL Éditions, 2002 (Folio n° 4118).

DANS LA MARCHE DU TEMPS, Grasset, 2004 ; Le Livre de Poche, 2006.

CAMUS OU LES PROMESSES DE LA VIE, Mengès, 2005.

LES VIGNES DE BERLIN, Grasset, 2006.

JOURNAL DE LECTURES, Les Transbordeurs, 2007.

CARTHAGE, NiL Éditions, 2008 (Folio n° 4948).

MALTA HANINA, Grasset, 2012 (Folio n° 5572).

VINGT ANS ET PLUS, Flammarion, 2014.

BOXING-CLUB, Grasset, 2016.

(suite en fin d'ouvrage)

DANIEL RONDEAU

MÉCANIQUES DU CHAOS

roman

BERNARD GRASSET

PARIS

Photo bande : © JF Paga

ISBN : 978-2-246-68831-0

Pour Noëlle,

pour Habiba (la vraie !)
et ses compagnons d'infortune

« En étrange pays dans mon pays lui-même »

Louis ARAGON, *La Diane française*

« Ah ! sachez-le : ce drame n'est ni une fiction, ni un roman.
All is true, il est si véritable que chacun peut en reconnaître
les éléments chez soi, dans son cœur peut-être. »

Honoré de BALZAC, *Le Père Goriot*

*Je pourrais m'en retourner vivre
avec les animaux*

Musée archéologique, Le Caire, Égypte

Un jour d'octobre, à la fin des années 60, un Anglais aux allures d'adolescent a poussé la porte de mon bureau. L'après-midi était déjà bien entamé, le musée fermé depuis longtemps, j'étais seul avec les gardiens et je me préparais à partir. Bruce (je n'avais pas compris son nom quand il s'était présenté) venait d'abandonner son travail chez Sotheby's pour des études d'archéologie à Édimbourg.

« Je me demande si je n'ai pas fait une erreur en retournant à l'université, à mon âge, me dit-il...

— Pourquoi une erreur ?

— Vous n'êtes pas dépressif ? Ni suicidaire ?

— Je n'ai pas l'impression, mais je ne vois pas le rapport.

— Tellement d'archéologues veulent nous entraîner dans leur tombe. Je me demande s'il n'existe pas une malédiction. Vous avez de la chance d'être ici, au milieu de ces momies. Mon horizon, moi, c'est l'Angleterre romaine, l'intérieur du limes. Déprimant. Je me sens en prison. »

Bruce m'expliqua qu'il voulait rejoindre le Soudan où il était déjà allé, deux ans auparavant. Un ami journaliste vivant à Barcelone lui avait conseillé de passer me voir. Jeune veuf, je commençais mes études et j'avais déniché assez miraculeusement un stage au Caire. Bruce, plus âgé que moi, me paraissait aussi plus fou. Je l'ai emmené prendre un verre au café Nubien dans un hôtel des bords du Nil.

«Vous avez entendu parler des Béja? m'a-t-il demandé.

— Jamais.

— Ce sont des nomades du Soudan oriental. Kipling chante leur bravoure.

— Pourquoi vous intéressez-vous à eux?

— Ils sont exactement ce que nous ne sommes plus. Ces Bédouins ne font rien de leur journée, les hommes passent un temps fou à se coiffer. D'une agressivité guerrière exceptionnelle, *first class fighting men*, ils n'aspirent à aucun confort matériel.

— Tout cela vous paraît positif?

— Nous avons égaré le secret de la vie. Eux respirent encore l'air du paradis. Vous connaissez Walt Whitman…

— "Je pourrais m'en retourner vivre avec les animaux…"

— Excellent! Pour un Français, vous me surprenez. Jésus, notre grand chaman, était né dans une étable, près du bœuf et de l'âne. Le christianisme était alors une histoire de troupeaux, de brebis égarées…»

Avant d'arriver au Caire, moi qui n'avais jamais ouvert la Bible, j'avais acheté un Coran que j'avais lu et annoté.

J'avais pu parler à Bruce de la tradition du voyage dans l'islam et de la pérégrination comme «le djihad dans le chemin de Dieu».

«Vous avez raison, dit Bruce. Mahomet a dit que personne ne devient prophète sans avoir été berger auparavant.»

Cette nuit-là, j'avais hébergé Bruce dans ma chambre de l'Institut. Il m'avait demandé s'il pourrait donner mon adresse aux amis qui voudraient lui écrire pendant qu'il serait au Soudan. Le lendemain matin, je l'avais accompagné dans les rues du Caire. Il voulait absolument trouver des cartes postales qu'il s'était dépêché d'écrire et de poster. Bruce n'est jamais repassé chercher son courrier. Je ne l'ai jamais revu et le monde a bien changé depuis cette rencontre.

PREMIÈRE PARTIE

Petit monde

1

Les Tamaris, La Marsa, Tunisie

Je connais personnellement presque tous les personnages de l'histoire que vous allez lire. Les courbes de leurs vies ont un jour ou l'autre croisé la mienne. Pas de hasard ! Le destin avait préparé le carton de ma tapisserie. Je n'ai eu qu'à lancer le va-et-vient. Un kaléidoscope est apparu. Visages, villes, maisons, rivages. Les derniers paysages de ma vie. Des voix sont sorties de cette confusion, elles lui ont donné *une sorte d'unité indéfinissable*. Aujourd'hui, Habiba est celle qui parle au plus près de mon cœur.

2

Temple de Mnajdra, Malte

Elle ouvre les yeux, se parle à voix haute : «Je suis Habiba et je vis», et elle entend sa voix.

Déjà trois jours que la mer les a jetés sur les rochers. Hier après-midi, après avoir traîné son frère du rivage jusqu'à la grotte qui allait devenir leur abri, elle s'est écroulée. Pour la première fois depuis le naufrage, elle a dormi. Quand elle se réveille, elle entend son frère gémir. Il respire mal, inconscient, recroquevillé sur un tapis d'herbe.

Depuis combien de temps n'a-t-elle rien mangé ? Son dernier repas, c'était la veille de leur départ, à Tripoli. Du pain, du sucre et plusieurs portions de Vache qui rit. Hier, elle a cueilli quelques figues sur des cactées dans la lande. Pour tromper la faim, elle a mâché des algues et du fenouil sauvage. Une bouteille d'eau minérale jetée à peine entamée par un randonneur lui a permis d'étancher sa soif et d'apaiser celle de son frère, qui frissonne de fièvre.

Elle a les doigts écorchés, une entaille au poignet droit, la tête lui tourne, elle tremble, mais miracle du sommeil : se lever, marcher, sortir de la caverne, respirer, regarder la mer, tout lui paraît presque simple. *Je suis une morte qui marche et qui parle.*

La main sur la bouche, un peu abasourdie, elle s'assied sur une pierre face à l'intensité de la nuit. L'ombre est tissée de phosphorescences d'un bleu très dense qui enveloppent les creux des ravins, le miroir des eaux, l'immensité du ciel. Chaque parcelle de roche, sur cette rive qu'elle ne connaît pas, lui semble familière.

La nuit, les étoiles, les pierres sont devenues des amies.

Ses pensées escaladent le ciel et vagabondent vers les astres. Elle aperçoit son père, décédé depuis longtemps. Allongé sur des coussins, il pince les cordes d'un luth et fredonne une berceuse. Il lui sourit. *Mon père me voit, c'est pour moi qu'il chante, il me rassure comme il le faisait autrefois, quand j'avais peur, avant de m'endormir. Je n'ai plus peur, je suis Habiba et je vis et je chante avec mon père.*

Elle regarde les paumes de ses mains, les trouve aussi claires que des lampes, ça la rassure. Elle les porte à ses lèvres ; elle embrasse ces mains qui ont arraché son frère à la mer. *Je suis Habiba et je vis. Et lui aussi il vit, Dieu soit loué.*

Depuis combien de temps a-t-elle quitté le village de ses ancêtres ? Pourra-t-elle un jour remonter le courant de la vie et revoir sa mère qu'elle a laissée derrière elle ? Elle se souvient d'une chanson de Michael Jackson. *Billie Jean…* Un de ses cousins lui avait montré sur son portable la vidéo du chanteur. Elle s'était entraînée à reproduire le pas du *moonwalk*. Elle y arrivait presque à la perfection quand son père l'avait surprise en train de danser derrière la maison. Lui qui n'élevait jamais la voix était entré dans une colère terrible et avait chassé son cousin à coups de bâton.

Elle ne sait pas si c'est un bon souvenir.

L'air de *Billie Jean* s'installe dans sa tête.

La Méditerranée respire lentement. Tellement paisible…

Habiba recommence à trembler.

La peur est revenue. Elle lui fouille le ventre. Soudain elle pousse un cri. Elle revoit les horreurs qu'elle a endurées sur le bateau depuis le moment où la mer, labourée par des vents contraires, avait commencé à prendre un visage inquiétant. C'était la nuit. Ils dérivaient depuis quatre jours et avaient épuisé leurs réserves d'eau. Quelqu'un a crié que la côte était proche et que le jour n'allait plus tarder. Les deux moteurs Yamaha du dinghy étaient noyés.

Hagards, hébétés, brûlés par le soleil et le sel mais tremblants de froid, giflés à chaque instant par des paquets de mer, les voyageurs se sont blottis les uns contre les autres. Ils chiaient tous dans leurs culottes. La peur. L'odeur de la merde était devenue plus forte que celle de la mer. Beaucoup essayaient encore de croire qu'ils allaient bientôt quitter leur radeau en caoutchouc et poser le pied sur la terre d'Europe, ce n'était qu'une question de patience. Il fallait encore un peu de courage. Certains priaient à voix haute. Tous ceux qui ne pleuraient pas.

En quelques instants, leur situation était devenue intenable. Les vents venaient encore de forcir et barattaient la mer dans tous les sens. Les vagues se creusaient en rugissant, enflaient par soubresauts, montaient vers le ciel, soulevaient le dinghy dans des geysers d'écume, puis le rejetaient avec violence, l'écartelant à chaque fois dans leurs creux. Il avait suffi de quelques vagues, plus violentes encore, et Habiba avait vu ses compagnons éjectés par-dessus bord.

Disparus.

Elle se demande comment elle a échappé aux flots. Et son frère ? Qui leur a donné cette force ? Le Miséricordieux ? Les Sept Dormants ?

Cachée entre des rochers, son frère blessé auprès d'elle, à bout de forces, paralysée par la fatigue et l'angoisse, à demi inconsciente, elle a vu l'hélicoptère hélitreuiller des cadavres et les déposer sur une route où stationnaient des ambulances.

Des chiens couraient. Ils se rapprochaient.

La veille, en fin d'après-midi, elle a trouvé la force de les caillasser. Une pierre plus lourde que les autres a touché un bâtard épais au poil fauve, court sur pattes, le plus agressif de la petite meute. Crève ! Barre-toi charognard ! Crève ! Il avait roulé sur le sol en couinant, un long aboiement plaintif, puis s'était éloigné, la queue basse, suivi par ses compagnons.

Elle ferme les yeux.

Saloperies de chiens…

Calme-toi, tu es Habiba et tu vis.

3

Les Tamaris, La Marsa, Tunisie

Je m'appelle Sébastien Grimaud, je suis un archéologue qui pour l'instant se tient un peu à distance de ses chantiers. J'ai reçu la visite, au début de l'hiver, du fils d'un officier turc qui m'avait aidé autrefois quand je fouillais le site d'Éphèse. Il m'a poussé sans le savoir à reprendre mon carnet de notes.

J'avais rencontré ce militaire au début des années 80, à l'aéroport d'Istanbul, il rejoignait sa famille sur les rives du lac Tuz pour les vacances. Le trafic, pour une raison que j'ai oubliée, était fortement perturbé. Plusieurs avions, dont le nôtre, avaient plus de cinq heures de retard, nous avions sympathisé, malgré mon peu d'estime pour le régime qu'il servait.

J'observe mes semblables, je leur pose des questions et j'écoute leurs réponses avant de les juger. Cette forme de sagesse n'a longtemps été qu'une conséquence de ma timidité. Dans ma jeunesse, j'étais d'un caractère renfermé, trop passif pour intéresser les membres de ma famille. Longtemps les gens ont pensé que je n'étais pas de bonne composition. Plus tard, ils ont prétendu que j'étais snob. En fait, j'hibernais dans ma peau d'enfance, ne m'éveillant que face au miroir des labours où je cherchais après la pluie des éclats de silex ou des pointes de flèches, ou en rampant dans les couloirs d'accès aux chambres sépulcrales de la vallée du Petit Morin, des grottes délaissées par les visiteurs au pied d'un coteau.

Les questions que je n'osais pas poser à mes contemporains, parents ou amis, je les posais à ces inconnus qui, quelques milliers d'années auparavant, avaient creusé des puits de silex avec des bois de cerf dans les épaisseurs de la craie.

Cette conversation permanente avec les morts m'a aidé à entrer dans l'éreintante complexité des vivants. Heureusement, je n'ai découvert que tardivement cette phrase de Shakespeare qui me perturbe de façon rétrospective : « Maudit soit celui qui dérange mes os. » Si je l'avais connue plus tôt, je le crains, toute mon existence en aurait été changée.

L'aéroport d'Istanbul, à l'époque de ma rencontre avec Demir, était de dimensions modestes, malgré une activité internationale déjà importante. Un grand désordre régnait d'ailleurs dans le terminal où nous avions été invités à patienter. Il n'y avait pas assez de sièges pour tout le monde et beaucoup de voyageurs étaient assis par terre ou sur leurs valises. Des Américains, des Allemands, mais aussi des hommes d'affaires turcs. Des musulmans bulgares, plus ou moins chassés de chez eux, affalés dans une odeur de bouc sur des monceaux de bagages disparates et mal ficelés, formaient un groupe compact au centre du hall.

Des garçons en fez et en gilet ottoman avaient fini par nous proposer du thé et de grands plateaux de yaourts frais. Mon voisin m'avait observé par-dessus son épaule finir mon yaourt en hochant tristement la tête. Il avait sorti de son sac une flasque de whisky et m'avait tendu son gobelet. J'avais accepté, il s'était présenté : « Colonel Demir… » Je n'avais pas imaginé que cet homme aimable, francophone, portant des vêtements décontractés, pût appartenir à la junte alors au pouvoir à Ankara.

Plus tard, il m'avait présenté sa famille et m'avait rendu très souvent visite avec ses enfants, dont Levent (j'ai encore l'écho de son rire dans ma mémoire), sur des chantiers de fouilles qu'il avait favorisés en bousculant la lenteur et les réticences administratives des fonctionnaires des Antiquités turques. Il nous a ouvert tellement de portes qu'avec l'accord tacite de mes supérieurs, je lui ai offert un buste romain de l'Antiquité tardive, copie d'époque d'une statue célèbre. Nous sommes restés longtemps en contact, avant de nous perdre de vue.

Quel choc quand son fils s'est présenté à ma porte, il y a quelques mois. J'ai poussé un cri de surprise au moment où Rim, qui vit chez moi, est venue me dire qu'un certain monsieur Demir souhaitait me parler. Demir ! Quand j'ai vu Levent, pendant quelques secondes, j'ai vraiment cru que c'était son père. Même grain de peau, cheveux courts plantés de la même façon, des mocassins Timberland (j'ai tout de suite imaginé qu'il avait gardé les contacts de son père à Washington), le même timbre de voix.

« Mais comment m'as-tu trouvé ? Tu es venu d'Istanbul jusqu'ici pour me voir ? »

Il ne venait pas de Turquie mais de Libye. Des archéologues libyens lui avaient parlé de moi et lui avaient indiqué que je vivais ici, près de Tunis. « Tu arrives de Benghazi, en voiture ?

— Je suis parti hier soir, ça roulait bien, si je n'avais pas été bloqué bêtement au poste frontière... »

Je me doutais qu'il lui faudrait un peu de temps pour me parler du but de sa visite.

Je l'ai emmené déjeuner sur une terrasse en plein vent, près du port. Nous avons partagé une carafe de vin blanc et des filets de sardines crues. Je me concentrais sur ce que je mangeais en attendant qu'il se lâche. La chair des sardines était nacrée, d'un blanc très pur avec des reflets bleus. Au moment où j'ai demandé les cafés et l'addition, j'ai cru qu'il allait se livrer, mais ce n'est que tard dans la soirée qu'il est entré dans le vif du sujet en évoquant la situation en Libye où il séjournait fréquemment.

« Il n'y a plus d'État, plus d'institutions, la guerre civile fait rage...

— Les islamistes sont en train de prendre le contrôle du pays.

— Mon gouvernement cherche à apporter sa contribution à la stabilisation de la région... Et comme vous le savez, certains groupes ont commencé à détruire le patrimoine national. Les mosquées de la vieille ville de Tripoli, mais aussi les monuments de ces deux extraordinaires cités romaines qui avaient résisté à presque tout...

— Qu'est-ce que tu attends de moi ?

— Certains responsables libyens pensent qu'il vaut mieux faire sortir du pays un certain nombre de ces trésors plutôt que de les détruire... »

J'avais compris. Levent était bien le fils de son père.

En Irak et en Syrie, le trafic d'antiquités était, avec le pétrole, l'une des principales sources de revenus des islamistes. Ce qu'ils ne démolissaient pas, ils le vendaient. Levent était venu demander mon assistance et mon expertise pour l'aider à mettre en place en Libye un réseau du même genre. Je lui ai demandé un peu de temps pour réfléchir et pour qu'il m'organise quelques contacts exploratoires. Rim lui a préparé la chambre d'amis, il est reparti le lendemain matin.

Levent avait poussé ma porte à un moment où ma vie prenait un nouveau départ. Les chèques que je recevais depuis trois ans de mon éditeur avaient hâté mon éloignement du CNRS et m'avaient fait renoncer à deux ou trois chantiers de fouilles d'urgence, comme celles que j'avais l'habitude de mener chaque hiver depuis vingt ans, souvent loin de mes bases habituelles. Le succès inattendu de mon livre sur Alexandre le Grand avait bousculé le cours de mes jours.

Cet *Alexandre*, commande d'un éditeur scientifique de la rue des Écoles, je l'avais rédigé à partir de notes très anciennes. Ouvrage court, composé d'un journal de fouilles, agrémenté de réflexions personnelles, et enrichi de citations d'historiens grecs, persans ou arabes. Le genre de livre qui ne dépasse généralement pas les trois cents exemplaires. Mais une radio m'a demandé de l'adapter en «micro-récits» de sept minutes, diffusés quotidiennement pendant l'été. Décollage immédiat, libraires dévalisés, édition de poche promise au même succès, traductions.

Je n'ai pas hésité. Ma mère venait de mourir, j'avais fermé sa maison et l'avais mise en vente. Mon pays me fatiguait. Mes contemporains aussi. Ils réussissaient l'exploit d'être à la fois dépressifs et arrogants, s'abandonnaient à des politiciens médiocres. J'avais l'impression que le monde dans lequel j'avais grandi, avec ses points fixes et ce qu'on appelait ses mœurs, tout ce que j'avais pu trouver insupportable autrefois, était en train de disparaître sous mes yeux. Il m'arrivait de le regretter.

Ma « carrière » scientifique approchait de son terme, j'ai tourné le dos aux fossoyeurs, anticipé la guillotine de la retraite et je suis venu m'installer ici.

Quitte à vivre au milieu des ruines, autant choisir les siennes.

J'ai acheté Les Tamaris, une maison à La Marsa, près de Tunis. Non loin du rivage, dans une zone incertaine, sur les pointillés de cette frontière qui, tout autour de la Méditerranée, sépare l'argent de la misère. Et le passé du présent. Où puis-je me sentir chez moi ? demandait Nietzsche. Dans cette énorme baraque mauresque, un peu pouilleuse, humide en hiver, je me sentais chez moi, pour la première fois.

J'ai soixante-deux ans, je suis mince, taille moyenne, le cheveu noir, une énergie encore disponible, je mange, je bois, je bande, seulement quelques poils blancs dans la barbe, et c'est sur les pointillés de cette terre tunisienne que je vais vivre la nouvelle saison de mon âge. Nouvelle ou dernière ? C'est la question que m'a posée Levent, qui a aussi hérité de l'ironie de son père.

L'extérieur de la maison ne paie pas de mine. On est loin des villas patriciennes du quartier, entourées de bougainvillées, et gardées par des hommes en noir, reliés jour et nuit à leurs maîtres par des oreillettes. Rien d'ostentatoire donc, mais un reste d'élégance dans la façade décrépie, graffitée au goudron d'un vigoureux : BEN ALI DÉGAGE ! Le terrain vague qui descend vers le port, royaume de chats faméliques, est constellé d'immondices et de bois flottés. J'entretiens le flou. Des artisans tunisiens se sont occupés de rénover l'intérieur. Je n'ai pas lésiné et je me suis fabriqué un décor dépouillé et confortable.

De ma chambre au premier étage, j'entends les allées et venues de mon voisin. Il vit de la pêche et de son jardin. Le moteur de sa barque me sert d'horloge. Rim est venue habiter avec moi quelques semaines après mon arrivée. Comme tous les jeunes gens livrés à eux-mêmes, elle se réveille tard. J'ai toutes mes matinées pour écrire.

4

Ankara, Turquie

Levent aurait pu se rendre à Kobané en hélicoptère, mais il a préféré conduire. Au moment de quitter Ankara, avant le lever du soleil, il a même donné congé au garde du corps qui avait préparé la Range Rover, rempli des jerricans de secours. «Prends ta journée, je n'ai pas besoin de toi…» En passant devant le lac Tuz, suivant des yeux un envol de flamants roses, il se souvient être venu là en vacances avec son père (ensuite ils partaient tous chaque année passer quelques semaines en Floride).

Proche du général Kenan Evren, lié aux Américains, son père travaillait pour les services secrets, comme lui. Sous couvert de kémalisme, il coopérait avec la CIA. *La roue tourne, mon père combattait l'islamisme, moi je le soutiens, pour l'instant, chaque génération doit s'adapter à ce qui vient, il a eu du bon temps lui aussi, et nous en a fait profiter. Maintenant c'est à moi de jouer…* Ses pensées vagabondent, la route est longue.

Il pense à son rendez-vous de demain. Sa curiosité est piquée, plus qu'il ne se l'avoue, à l'idée de rencontrer ce nouveau cadre dirigeant de l'État islamique, dont tout le monde dit que c'est un formidable spin doctor. Il se souvient de ses amis du Pentagone qu'il ne voit plus aussi souvent, même s'ils restent en contact étroit, puis il refait mentalement l'estimation de tous ses comptes offshore (*au Luxembourg, à Singapour…*). Ces supputations quotidiennes, sa distraction préférée, le mettent à peu près dans le même état que les messages porno que lui envoient régulièrement les putains russes qu'il rencontre à chacun de ses séjours à Istanbul. Il essaie de chiffrer ce qu'il va laisser à ses deux garçons, quand il partira. *Le plus tard possible, j'espère… Inch'Allah. J'ai encore de belles années devant moi.* Normalement ses deux fils seront à l'aise jusqu'à la fin de leurs jours. Et leurs enfants aussi.

Comme certains hommes à la vie chaotique, Levent se rassure en cherchant précision et cohérence dans l'organisation de son quotidien. Chaque chose doit être à sa place. Un ordre rigoureux préside aux affaires qui ressortent à sa vie privée. C'est ainsi qu'il a exigé de recevoir (sur un téléphone codé et deux fois par jour) la position exacte de tous ses comptes à l'étranger.

Les spéculations sur sa fortune le ramènent, dans un enchaînement presque parfait, au souvenir de sa dernière rencontre avec Katiocha (*ses petites fesses rondes… du marbre chaud… On dirait une sculpture. Il faut que je la revoie, je dois l'emmener ailleurs, Istanbul, une fois, ça va, avec ces Russes, qui ne pensent qu'à se faire du fric, je dois rester prudent… Une manip est toujours possible…).* Le va-et-vient de ses pensées, le fric, le sexe, le sexe, le fric, tous les scénarios plausibles qu'il envisage le détendent. Il se sent en forme, secoué à intervalles réguliers par de puissantes montées d'adrénaline qui lui procurent un sentiment de bien-être. En doublant un long convoi militaire qui se dirige comme lui vers la frontière, il se demande s'il ne pourrait pas l'emmener à Malte, lors de sa prochaine mission. *On prendrait le ferry à La Valette, la traversée dure moins de deux heures et on filerait en Sicile. J'ai cinquante-huit ans, dans dix ans, les filles… Et celle-là, quel cadeau…! Le Prophète lui-même en serait dingue s'il voyait se dresser ses tétons…*

Levent commence machinalement à se branler, puis renonce. Il roule vite jusqu'à Adana, peu de circulation, mis à part les interminables cortèges qui se dirigent vers la frontière.

Il se demande combien de missions encore il devra effectuer en ayant l'impression de marcher sur un fil au-dessus du vide. Ce n'est pas la première fois qu'il pense au moment où il décrochera. *Aujourd'hui, le service a du cash, un maximum de cash, les événements nous donnent une marge de manœuvre inespérée… Erdogan a besoin de moi… je suis une pièce non négligeable dans son jeu… mais quand même… je donne quelques sucreries aux Américains… On coopère avec les islamistes… pour l'instant, tout cela n'est pas de tout repos… il faut savoir jongler... je sais, ça arrange tout le monde... sauf ces connards de Kurdes... tant que ça durera...* Les premiers embouteillages apparaissent à l'entrée d'Adana, après plusieurs heures de route.

Il fait le plein, s'arrête à une terrasse pour fumer une cigarette et s'offrir une brochette d'agneau, avec un verre de jus de navet fermenté, puis repart. Levent s'abandonne à nouveau au ronronnement d'une circulation fluide. *Heureusement que je suis parti seul, j'aurais eu ce crétin sur le dos pendant tout le trajet...* La route traverse d'immenses champs d'orangers et de cotonniers, entrecoupés de cultures maraîchères.

Il met un temps fou à traverser Osmaniye qui s'allonge dans un encorbellement de collines. Ensuite, il lui faut encore près de cinq heures pour approcher enfin de Kobané, *Ayn al-Arab comme ils disent*, par une route pourtant large, au milieu de nulle part. Arrivé quasiment à destination, Levent sort de la voiture et monte sur un talus pour observer la ville où Kurdes et djihadistes se battent au corps à corps depuis la fin de l'été.

De l'autre côté de la frontière, les derniers rayons du soleil empourprent la cité ravagée par des semaines de combats et de bombardements. Kobané semble proche, malgré sa ceinture de barbelés. Minarets miraculeusement debout, immeubles éventrés, maisons en ruines ou en feu, d'où montent d'épais panaches de fumée, taches vertes de quelques jardins sur l'ocre du sable, façades blanches. Des convois de troupes sillonnent la plaine en soulevant des nuages de poussière dans les champs moissonnés. Du côté turc, à vingt mètres de lui, des ambulances sirènes hurlantes se fraient un chemin au milieu d'une foule considérable.

Levent reste les yeux rivés sur cette population qui fuit les atrocités et a perdu tous ses repères. Vieillards courbés sur des bâtons, grappes d'enfants aux yeux grandis par la faim et la peur, paysannes en longue jupe, certaines portant leur enfant au sein, handicapés, mendiants, blessés et mutilés appuyés sur des béquilles de fortune, mais aussi, mêlés au flot continu de la misère, des petits marchands d'eau ou de fruits, de pain, des curieux et voleurs, des voyous fatalistes attendant leur heure, des dealers ou des prêteurs sur gages, costumes sales, joues mal rasées.

Levent apprécie cet instant qui lui donne l'impression d'être un homme debout dans les secousses de l'Histoire, à une place où rien ne viendra perturber sa liberté d'action et, d'une certaine façon, son confort. *Je suis un guerrier nomade, mes ancêtres ont écumé les corridors des steppes pendant des siècles, avant de conquérir la nouvelle Rome, nous avons l'agilité et la force, je ne serai jamais comme ces gueux, la force est en moi, je bouge, je joue. Et je nique des poupées blanches.*

Des combattants en armes, des journalistes, des photographes, des équipes de télévision venues du monde entier se mêlent aux hordes de réfugiés qui errent dans le labyrinthe des rues à l'arrière de la ligne de démarcation.

Depuis le début des combats, une autre ville est née et a grandi de ce côté-ci de la frontière.

Une mégapole à ras de terre, surgie du chaos.

De la boue et de la poussière.

Partout des campements, des feux, des montagnes d'ordures, des tranchées remplies de merde, de longues tentes de stockage paramilitaire, des nacelles rondes aux couleurs pastel fournies par des ONG, ou des abris bricolés avec des tapis et des couvertures tendus sur des armatures de branches. Beaucoup de réfugiés syriens. Plusieurs familles sont agenouillées dans la poussière et prient à voix basse. Des chrétiens...

À tous les check points, les masses vertes ou bleu foncé des militaires turcs. Ils contrôlent toutes les entrées et toutes les sorties.

De l'autre côté, la Syrie. *On te baisera Bachar, on te pendra par les couilles...*

Les passages se font au compte-gouttes.

Levent s'approche non sans peine d'un barrage et fait connaître sa qualité à un poste tenu par la police spéciale du président Erdogan. Immédiatement, un jeune lieutenant le conduit jusqu'à une villa isolée, sur les hauteurs, qui sert de quartier général aux officiers turcs qui passent la plupart du temps les yeux rivés à leurs jumelles. « Nous comptons les points et nous faisons des rapports, dit l'un d'eux à Levent. Mon commandant, dommage que vous ne soyez pas arrivé hier, la coalition était en action. Il est rare de pouvoir assister à des frappes aériennes dans de telles conditions. Les F-16 ont fait plusieurs passages dans la journée... très intéressant, je peux vous montrer les vidéos, mais aussi pas mal de paperasse en perspective, heureusement qu'ils ne tapent pas tous les jours... »

Il apprécie qu'on l'appelle commandant, bien qu'il n'ait aucun grade. Seulement un matricule dans le grand livre des services turcs.

Il dort dans la maison. Le capitaine lui a passé son lit. La nuit est courte. Le lendemain matin, un chauffeur en civil l'emmène jusque dans une autre villa, située à quelques kilomètres, à Suruç. Ici aussi, comme partout dans cette partie du monde, la vie quotidienne est bouleversée par la guerre. Villages de toile et alignements de cercueils au cordeau. Des bulldozers sont en train d'araser un terrain pour installer des préfabriqués et creuser des fosses communes. Déjà cinq camps de réfugiés, kurdes pour la plupart. Des camions de vivres attendent depuis plus d'une semaine au bord de la route l'autorisation de ravitailler Kobané.

La maison est vide, le propriétaire, patron d'une chaîne locale de supermarchés, a fui les combats. Le gardien, un vieil homme aux cheveux d'un blanc de neige, avec un bras en écharpe, lui prépare un café puis sort dans le jardin. À 9 heures précises, une voiture s'immobilise devant le portail. Le chauffeur se précipite pour ouvrir la porte du passager.

Levent assiste à la scène d'une fenêtre du premier étage, non sans une certaine excitation. L'apparition ponctuelle de ce personnage le conforte dans l'idée qu'il appartient, comme son visiteur, à la caste de ceux qui échappent aux lois de la vie ordinaire. L'homme, vêtu à l'occidentale, déploie une silhouette longiligne et presque maigre.

«*Salam alikoum*! Très heureux de vous rencontrer. Appelez-moi Mourad, d'ailleurs c'est bien le prénom que vous m'avez donné pour mon passeport, non?»

Il s'exprime dans un anglais correct, mais avec de curieuses intonations, en découpant des phrases courtes, de façon très articulée. Levent pense qu'il cherche à dissimuler son accent. Un visage ascétique, profil d'oiseau de proie, une brosse de cheveux noirs redressés vers l'arrière, la quarantaine. Les services de Levent n'ont jamais réussi à trouver sa véritable identité. Seule certitude: d'origine irakienne, ancien officier de Saddam Hussein, il a rejoint les bataillons islamistes depuis plusieurs années et se présente aujourd'hui comme l'un des cadres de l'État islamique chargé de l'international, ce qui ne veut rien dire.

«Les formalités de douane n'ont pas été trop…

— … trop compliquées? Certainement pas, grâce à vous, merci. J'ai bénéficié de documents de voyage irréprochables.

— Vous pourrez les réutiliser ce soir, en passant la frontière au même poste. Mais attention, vous portez une identité biodégradable. Demain, après sept heures du matin, si vous vous présentez avec ce document, vous serez arrêté sur-le-champ.»

Leur discussion dure trois heures. Les deux hommes sont en contact depuis longtemps mais c'est la première fois qu'ils se rencontrent. Mourad, très méthodique, conduit l'entretien qu'il envisage comme «un balayage assez général des dossiers chauds». Il propose qu'ils s'accordent pour commencer sur le secret absolu qui doit entourer leur rencontre. «C'est un préalable, dit

Mourad avec un sourire étrange. — On ne se connaît pas, acquiesce Levent. Nous ne nous sommes jamais rencontrés. Cette conversation n'a pas eu lieu.»

Commence aussitôt un échange d'informations très fouillé sur la Syrie, les intentions kurdes («À ce sujet, nous apprécions que vous n'ayez pas fermé totalement le robinet des informations», dit Mourad sans sourire), l'Irak, le Mali, le Liban, l'Égypte, la Libye, et bien sûr Kobané. Les deux hommes restent aussi concentrés l'un que l'autre pendant qu'ils se parlent, d'un ton toujours égal, sans jamais se quitter des yeux.

Mourad, les jambes croisées, allume régulièrement une cigarette qu'il ne termine pas. Le nez busqué et fin, la bouche prise dans deux rides, la barbe taillée et brillante, il porte sur son visage émacié la suffisance de celui qui a survécu à plusieurs attaques de drones américains. En face de lui, Levent fait plus pataud, plus rond, paraîtrait même plus fragile (mais il en rajoute). Il écoute avec attention son vis-à-vis (il a appris à se taire pour faire parler les autres) et l'enserre dans le faisceau de ses yeux noirs, sans que cela l'empêche de poser par rafales des questions brèves et incisives, dont la précision bouscule parfois son interlocuteur.

Ni l'un ni l'autre ne prennent de notes.

Réseaux, financements, armement, relations avec les États «amis», tout y passe. Des informations générales, en masse, plutôt de nature politique. Évidemment, intox et mensonges sont au menu de leur «balayage croisé».

Mourad n'hésite pas en passant à user de son art de la flagornerie, mais chacun de ses compliments ne réussit qu'à faire retentir un signal d'alerte dans le cerveau de Levent.

Ce sont deux chats qui s'observent, se reniflent, griffes sorties pour saisir ce qui se présente à leur portée, sans jamais cesser de chercher des points de convergence pour leurs intérêts communs. Leur dernier échange porte sur la Libye. Chacun a trouvé son compte dans cette conversation qui n'existe pas et chacun est en train de réfléchir à l'usage qu'il peut faire des renseignements glanés. Levent ouvre la fenêtre et demande au gardien dans le jardin d'apporter deux cafés. Avant qu'il n'arrive avec un plateau de plastique bleu, Mourad se lève et regarde la ville de Kobané qui brûle. Sans se retourner, il lance :

« Un détail encore. »

Jusqu'à présent, personne ne parlait de détails.

« Il me semble qu'il est temps de mettre en branle nos agents à Tripoli et à Paris.

— Objectif France ?

— Exactement. Objectif France. Ça sonne bien.

— Je serai à Tripoli la semaine prochaine. »

5

Taurbeil-La Grande Tarte, région parisienne, France

À l'arrêt du bus, sur le boulevard extérieur, trois barbus en capuche castagnent un adolescent. Les passants se sont évanouis et les voitures qui passent accélèrent en faisant crisser leurs pneus. Il y a toujours eu des incidents (vendettas, rackets, vols) à cet arrêt de bus, proche de la sortie du lycée, mais depuis quelques semaines, un groupe de voyous a déclaré la guerre au proviseur, une femme qui a commis la faute d'annoncer dans la presse sa volonté d'intégrer les meilleurs éléments du lycée de Taurbeil dans une grande école parisienne. Le directeur de Sciences-Po s'est déplacé pour sceller cette alliance entre le lycée Jacques Prévert, classé « zone d'éducation prioritaire », et l'établissement prestigieux de la rue Saint-Guillaume à Paris. « C'est un grand honneur pour nous de vous rencontrer », avaient déclaré deux ou trois élèves au directeur de l'Institut.

Depuis cette journée que la presse avait qualifiée de mémorable, les agressions se sont multipliées à la sortie des cours. Les salafistes attendent les élèves qui ramassent de bonnes notes, les dépouillent et leur mettent une branlée. Ça fait environ un mois que ça dure. Routine. Hier soir, la caméra du système de sécurité le plus proche a été arrachée et démolie à la masse. Pas de témoins. Ce matin, c'est un lycéen qui est ciblé. Les coups partent vite et dans tous les sens. Le gosse, treize ou quatorze ans, se débat et hurle en arabe, tout en se protégeant la tête avec les coudes, avant d'être jeté à terre et labouré de coups de pied. Le plus grand des encapuchonnés le tire par les cheveux et lui balance son pied dans le ventre, puis il le relève pour lui faire mordre une nouvelle fois le bitume. Un autre déchire son sac Quechua et en renverse le contenu sur la route. Les cahiers s'envolent. Une Golf noire attend les agresseurs un peu plus loin. Le lycéen met quelques secondes à se relever et s'enfuit, plié en deux. Sa chemise est tachée de sang.

Un adolescent noir assiste à la scène, immobile. Longiligne, maigre, presque sec, la tête crépue, des lunettes rondes sur le nez, un air d'enfance montée en graine sur toute sa personne, le buste enveloppé dans un blouson en laine, des jambes de sauteur de haie, un pantalon de survêtement, avec des zips sur les côtés, au niveau des chevilles. Son prénom, Harry, est écrit en lettres capitales, jaunes sur fond noir, au dos de son blouson. Pendant quelques secondes, tout son être tressaille. Muscles, cœur, nerfs. Le jeune homme se met en état d'hibernation sensitive, comme à chaque fois qu'il est confronté à des choses qu'il ne veut pas voir, violences ou sexe. Il enregistre mais ne ressent rien. L'idée que la police pourrait ne pas tarder à rappliquer le sort de son asthénie, il court jusqu'à l'arrêt de bus, ramasse une trousse (très belle, en skaï vert, avec un compas) et un livre, le seul qui n'ait pas été déchiré, puis disparaît dans le maquis des immeubles.

6

Sur la route de Tripoli, Libye

Il fait déjà chaud quand les miliciens, après avoir retourné mon passeport dans tous les sens, me laissent passer. Levent m'avait envoyé une voiture à la frontière libyenne, un Hummer kaki, une prise de guerre qui avait gardé ses plaques diplomatiques US, et une escorte lourdement armée. Ces attentions m'ont fait comprendre que j'avais une certaine importance aux yeux de mes hôtes. Bien que je n'aime pas laisser Rim seule trop longtemps, j'avais quitté La Marsa assez joyeusement. Cette expédition excitait ma curiosité, même si je me doutais que le chaos libyen serait déprimant et que je ne reconnaîtrais pas forcément ce pays où j'avais travaillé il y a trente ans, pendant une campagne de fouilles entreprise par des collègues italiens à Leptis Magna.

Les baraques de notre chantier étaient alors contiguës au temple d'Hercule, entre le Vieux Forum et la mer. Impossible de rêver mieux. J'arrivais sur le site le plus tôt possible, avant les mouches, en même temps que les flics qui nous surveillaient toute la journée. J'avais réussi à nouer un début de relation amicale avec le plus jeune d'entre eux, un garçon nommé Moussa, ni plus ni moins abruti que ses collègues, un pauvre type. Moyennant quelques dollars, il nous rapportait en douce de Tripoli, où il retournait tous les soirs, les produits qui venaient à manquer, savon, lames de rasoir et bien sûr du vin ou du whisky, quand il en trouvait, qu'il achetait très cher à un secrétaire d'ambassade égyptien.

Nous ne quittions Leptis que pour de rares soirées à Tripoli, en général le vendredi, toujours accompagnés de nos anges gardiens. L'ambassadeur de France, un arabisant, fils d'un ouvrier anarchiste, aimait réunir sans protocole quelques amis, dont une journaliste française, Jeannette (la fameuse maîtresse de Kadhafi, une blonde en minirobe verte, avec une voix un peu éraillée), pour dîner dans son jardin. Le lendemain, nous étions de retour au camp de base.

Notre bivouac était installé sur l'embouchure de l'oued Lebda, au plus près de la mer dont le souffle nous soulageait à peine de la chaleur. Nous passions de longues heures à bavarder en buvant du rosé glacé. Quiétude de ceux qui ont l'illusion de camper dans l'éternité… J'ai gardé un merveilleux souvenir de ces nuits sans autre objet que le polissage de nos obsessions, de nos certitudes et de nos doutes. Le monde que nous évoquions, avec ses complexités, ses mutations, ignorait les frontières du temps. Sous un ciel toujours étoilé, nous naviguions entre Septime Sévère et Kadhafi.

Je me souviens qu'un de nos collègues italiens, Enzo, un Milanais, avait un soir rappelé la fameuse phrase de Napoléon à Fontanes ; j'entends encore sa voix, grave et ironique, à la Mastroianni, son accent charmeur : « Il n'y a que deux puissances au monde ; le sabre et l'esprit. À la longue, le sabre est toujours vaincu par l'esprit. »

Leptis Magna, avec sa couronne d'oliveraies et ses routes en étoile vers Alexandrie, Tombouctou et Tingis (la future Tanger), avait été l'ombre portée de Rome quand elle projetait son orgueil civique jusque dans les sables africains. À Leptis Magna, les trônes s'étaient succédé dans les tourbillons du temps, le sabre et l'esprit avaient été vaincus. L'amour, le désir, les dieux s'étaient retirés de cette métropole où la vie avait bouillonné comme une lave. La ville était devenue muette.

Nos conversations n'en finissaient pas de tourner autour de cette énigme. Pourquoi ce silence ? La dernière présence humaine organisée dans cette métropole avait été une petite garnison byzantine, une quarantaine de soldats, au moment de l'invasion arabe. Nous nous demandions ce qu'avaient pu devenir ces guetteurs des confins. Oubliés par leur capitale ? Égorgés sur la plage ? Prudemment convertis ? Après eux, presque personne n'avait plus marché dans les rues de Leptis, jusqu'à l'arrivée des archéologues italiens avant la guerre de 1914.

La respiration de la mer troublait à peine l'épaisseur du silence. Quelques Bédouins passaient une tête de temps en temps, en voisins, sans s'aventurer sur le pavé romain. Ils se prétendaient les gardiens (et même les propriétaires) de la cité morte et veillaient sur les bougain-villées, les lentisques, les genêts qui jetaient de longues giclées de couleur sur les pierres dilatées.

Les vestiges dégageaient une énergie extraordinaire. Le souvenir d'une apothéose vivait en chacun de nous. La ville nous hantait.

Nous étions couchés sur nos lits de camp sans pouvoir dormir quand, une nuit, Enzo, en rallumant l'un de ces cigares torsadés et puants qu'il affectionnait, nous avait raconté qu'au XVIIᵉ, des voyageurs français, appuyés par notre consul à Tripoli, avaient acheté aux Bédouins des placages de marbre et des colonnades, qui furent transportés, avec l'autorisation du sultan de Constantinople, jusqu'au pavillon de chasse de Versailles et dans deux églises parisiennes, Saint-Sulpice[1] et Saint-Germain-des-Prés. Nous nous étions promis de nous retrouver à Paris pour boire un verre de champagne devant ces marbres rose et vert. « Bien frappé, le champagne ! » avait lancé Enzo qui dégoulinait de sueur sur son lit de camp, comme nous tous. La promesse n'avait pas été tenue, mais la vivacité de mes souvenirs m'avait fait accepter sur-le-champ la proposition de Levent de revenir à Leptis Magna.

*

Hôtel Corinthia, Tripoli, Libye

Après avoir franchi plusieurs check points et longé un champ de ruines dont les restes du palais de l'ogre Kadhafi, Bab al-Azizia, notre convoi est entré dans la zone d'accès du Corinthia. Une foule de combattants se bousculait sur le parvis. Je cherchais des yeux le contact de Levent qui était censé m'attendre. J'avais repéré un homme dans la quarantaine, habillé à l'européenne, et me dirigeais vers lui quand une très jeune femme coiffée d'un léger voile sortit du rideau des miliciens et s'approcha :

« Monsieur Sébastien Grimaud ? Vous avez fait bon

---

1. Il est possible aujourd'hui encore de voir des colonnes de Leptis Magna dans la chapelle de la Vierge, située derrière le maître-autel de l'église Saint-Sulpice à Paris. Le chirurgien Desplein, le héros de *La Messe de l'athée* d'Honoré de Balzac, assiste à la messe dans cette chapelle. (Honoré de Balzac, *La Messe de l'athée*, présentation et notes de Marie-Bénédicte Diethelm, Éditions Manucius, 2013.)

voyage ? Je vous montre votre chambre, le commandant Moussa vous recevra prochainement. »

Théoriquement, j'ai le droit de sortir de ma chambre. Théoriquement, je peux aller prendre un verre à l'un des nombreux bars ou me défouler sur un tapis roulant de la salle de fitness ou encore me faire masser au spa. Mais le bar ne sert pas d'alcool, les tapis roulants ne fonctionnent plus, les masseuses ont disparu, et surtout Levent, qui m'a appelé sur mon portable, m'a dit qu'en me baladant dans l'hôtel, je prenais des risques inutiles : « Tu ne sors de ta chambre que quand mes gardes du corps viendront te chercher. Les seuls clients de l'hôtel sont des businessmen hyperprotégés, quelques journalistes baroudeurs. Les derniers diplomates réfugiés au Corinthia sont partis. »

J'ai emporté quelques livres. Je passe des heures à lire, je pense à Rim, je me fais du souci pour elle, je l'imagine traînant avec les petits mecs de son lycée, je me raisonne, je me calme, je demande une pizza au room service, je prends des douches froides et quand la nuit est tombée, je regarde la télévision.

Je ne peux pas dire que l'envie d'appeler Rim ne me taraude pas. J'ai composé dix fois son numéro, mais j'ai raccroché dix fois avant que mon appel n'aboutisse. Je lui ai quand même envoyé un sms. Détaché et minimaliste. Tout va bien. N'oublie pas les maths. En appuyant sur la touche *envoyer*, j'ai su que c'était une erreur. Pas la peine d'espérer une réponse. Quelqu'un aurait-il accepté de jeter un œil sur ses allées et venues pendant mon absence que cela m'aurait soulagé. Mais je ne pouvais confier cette mission à l'un de mes voisins sans éveiller des soupçons. De toute façon, sa liberté lui semble essentielle, je dois vivre avec.

*

Sidi Bou Saïd, Tunisie

J'ai rencontré Rim il y a quelques mois, quand je visitais le tombeau de Sidi Bou Saïd situé derrière le café des Nattes, autrefois un haut lieu du tourisme branché. Le tombeau du marabout m'intéressait à divers titres. Les tombeaux des saints sont toujours des check points entre le ciel et la terre. Et j'avais entendu parler de cette légende qui prétendait que Saint Louis, avant de mourir, s'était converti à l'islam. Le roi des mendiants aurait donc été deux fois sanctifié. Ibn Khaldoun évoquait déjà cette étrange hypothèse. Saint Louis, alias Sanluwis, ibn Luwis, ou le Ridâfrans, transcription phonétique de Roi des Francs, continuait de hanter la mémoire arabe des côtes égyptiennes jusqu'à Carthage où il était mort.

La légende orientale de Saint Louis, négligée par les historiens occidentaux, n'a cessé de voyager avec le pollen des contes et des béatitudes. Elle restait étonnamment vivace dans l'esprit de cette femme dans la quarantaine, légèrement voilée, assez négligée, qui gardait le tombeau de Sidi Bou Saïd. J'avais frappé à la porte de sa maison. Elle m'avait d'abord répondu d'aller me faire voir ailleurs. «C'est une mosquée ici! Pas de visites!» Devant mon insistance, elle avait daigné se montrer sur le pas de sa porte. «Je suis une descendante de Sidi Bou Saïd, c'est lui

47

qui a converti Sanluwis en lui faisant prendre conscience de ses péchés…» Pendant qu'elle me parlait, j'observais une jeune fille qui lisait sous un abri près de la maison. «Tu regardes Rim? C'est ma cousine, ses parents ont été tués pendant la révolution…» Je lui ai donné dix euros. Elle m'a ouvert la porte du sanctuaire puis est retournée en traînant des pieds dans la cuisine.

La soirée était agréable, l'air parfumé par les fleurs, je suis rentré à pied, j'en avais pour une bonne heure de marche. La nuit tombait et à plusieurs reprises, j'ai eu l'impression d'être suivi mais sans jamais réaliser qu'une jeune fille se déplaçait comme un chat dans la même direction que moi.

J'avais décidé de relire une biographie de Saint Louis quand quelqu'un a frappé à ma porte. Il y avait plus d'une heure déjà que j'étais rentré. «C'est moi, Rim…», dit-elle simplement en entrant dans la pièce avant que je l'y ai invitée. Elle portait un sac avec ses cahiers, ses manuel de classe et deux livres de poche. «Est-ce que je peux dormir chez toi?» J'étais frappé par la résolution qui éclairait son visage. Un mélange de candeur et de volonté. Mais surtout j'étais bouleversé de voir combien elle ressemblait à ma femme, Valentine: mêmes yeux bleus, mêmes cheveux noirs, coupés court, le teint mat, des pommettes assez hautes, comme elle, ses expressions, ses gestes, c'était réellement troublant. J'avais rencontré ma femme sur les bancs du lycée et nous nous étions mariés le jour de ses dix-sept ans. Valentine s'est suicidée deux ans après, le jour de ses dix-neuf ans, à cause de moi. Personne n'avait pris sa place.

Rim attendait que je lui dise quelque chose et dansait d'un pied sur l'autre en regardant les livres de ma bibliothèque. «Pourquoi pas ? Ce n'est pas un mauvais choix…» Je me suis entendu prononcer ces mots avant d'avoir conscience de ce qu'ils allaient réellement signifier. Je lui ai offert un sandwich et un Coca, je lui ai montré sa chambre, la salle de bains. Je me traiterais plus tard d'irresponsable maladif, mais pour l'instant j'étais flatté. Quand elle est redescendue, elle a proposé de faire un thé à la menthe. Je l'ai regardée remplir la bouilloire et chercher des tasses en me disant qu'avec elle, j'allais devoir peser tous mes mots et réfléchir à chacun de mes gestes. Ne pas faire de projets, surtout pas.

7

Les Tamaris, La Marsa, Tunisie
Mes contemporains me paraissent souvent aussi mystérieux que les anciens habitants de Leptis Magna dont j'ai pu fouiller les maisons et les tombes. Je tape mes notes, je reviens sur mes pas, j'accompagne mes personnages, je les abandonne, je creuse le temps sans quitter mon bureau des Tamaris, et je retrouve l'allégresse qui était la mienne quand je tombais à genoux dans le sable et que je commençais à décaper le sol avec ma truelle. Elle me guidait comme la baguette fourchue emmène le sourcier vers l'eau sous la terre. Bouillonnement des

énigmes. Jamais je ne suis entré dans un hypogée, jamais je n'ai fouillé la poussière et exhumé des os blanchis sans demander : Qui es-tu, toi ? Comment priais-tu ? Et pour baiser... Parle-moi, raconte... C'est ce que j'ai eu tout de suite envie de demander à la fameuse Jeannette le jour où je l'ai revue. Parle-moi, raconte... C'est elle qui la première m'a raconté ce solstice d'été à Malte dans les temples de Mnajdra, et sa rencontre avec Habiba, rescapée d'un naufrage ordinaire. Levent était présent. Comme l'écrivait Flaubert (l'homme qui a ressuscité Carthage !) dans une lettre à sa mère, « tandis que mon corps va en avant, ma pensée remonte la carte et s'enfonce dans les jours passés ». En reprenant mes notes, mon seul but était de présenter chaque personnage avec ses contradictions et ses secrets. Ce matin-là, plusieurs passagers étaient installés dans le bus qui allait les emmener de La Valette jusqu'aux temples. Chacun d'eux était une énigme.

8

La Valette, Malte

Un message de l'ambassade avait confirmé la visite aux temples de Mnajdra. « Un minibus passera vous prendre. Rendez-vous dans le hall de l'hôtel Excelsior. Nous devons être sur place une demi-heure avant le lever du soleil. Le site est exceptionnellement ouvert pour nous et pour un groupe d'Américaines qui ont privatisé l'enceinte d'un des temples.»

Rifat Déméter, le chargé d'affaires français, angoissé malgré l'heure matinale, compte et recompte ses invités. C'est un diplomate d'une quarantaine d'années. Le teint très foncé, de longues mains osseuses, cheveux noirs et courts, dégarni sur les tempes, il porte des lunettes de vue rectangulaire et un élégant costume en lin blanc. Il aime se présenter en riant comme «entré au Quai par le concours d'Orient quand le ministère des Affaires étrangères devait afficher en son sein une diversité des parcours et des expériences reflétant, et parfois devançant, l'évolution de la société».

«Je ne comprends pas, dit-il en regardant vers l'ascenseur, on devrait être cinq avec le chauffeur… on dirait qu'il manque… quelqu'un…» À ce moment-là, une jeune femme d'une vingtaine d'années franchit le portail d'entrée et traverse le hall au pas de charge, en faisant claquer ses sandales sur les dalles. Silhouette longiligne, jean, corsage sans manches, un keffieh autour du cou.

«Emma! J'allais demander à la réception de te réveiller. J'avais oublié que tu habites en ville.

— Salut», lance-t-elle à la cantonade, une main devant les yeux comme pour se protéger de la lumière.

Brèves présentations, esprits encalminés de sommeil. C'est l'heure où l'on se parle sans se regarder. Les portes des ascenseurs s'ouvrent en même temps et un brouhaha de voix fortes remplit le hall. Rifat sursaute en apercevant les nouveaux arrivants, des journalistes américains, et s'esquive pour aller les saluer en lançant: «Une équipe de CNN… ils vont faire un reportage à Tripoli.» Les portiers accourent et emportent valises et matériel de tournage.

Rifat emmène ses «invités» vers un minibus noir. Le chauffeur a poussé la clim. «C'est une glacière», marmonne Emma dans la pénombre. La route rejoint les hauteurs de Floriana, traverse des villes endormies, puis une campagne noyée d'ombres. Beaucoup de marcheurs en survêtement dans les rayons des phares. Silhouettes sans visage, démarches somnambuliques.

Un représentant du ministère du Tourisme, barbu, avec une casquette, accueille les visiteurs à Mnajdra et les conduit vers le site par un chemin en pente qui taille dans la lande. La lune fait briller les toiles de protection tendues au-dessus des temples. La mer respire à bas bruit. L'air est envahi de fragrances méditerranéennes

Emma, étudiante française en stage à La Valette, silencieuse, la tête baissée et Jeannette, la journaliste aux yeux verts, une barre d'amertume au niveau de la bouche, marchent à côté de Rifat Déméter, voix forte, politesse un peu forcée et des Converse neuves. En tête, le Turc, Levent Demir, l'ami de Rifat, son paquet de cigarettes à la main.

Des lampes à gaz jettent des lueurs blanches de l'autre côté des temples.

«Les Américaines sans doute, dit le Maltais.

— Il faudrait faire quelque chose, murmure Jeannette. Elles vont nous empêcher de voir les étoiles avec leurs lampes!»

Ils s'assoient sur des couvertures et forment un cercle.

La lune étale une pellicule de lumière sur la dalle vivante de la mer, parcourue en surface par des filaments d'écume argentée. Ils ont tous la même sensation de flotter et d'être connectés avec quelque chose qui les dépasse.

« Je n'avais jamais vu une lune aussi brillante, dit Emma en chuchotant, comme si elle avait peur de sa propre voix.

— Ni aussi grosse peut-être. On dirait qu'elle se rapproche », ajoute le Turc.

Le barbu maltais esquisse l'histoire des temples : « Ils ont été construits par des navigateurs venus du fond de la Méditerranée au début du IVe millénaire avant J.-C., capables de lever et déplacer des pierres colossales. Leur connaissance du mouvement des astres n'en finit toujours pas d'intriguer les savants. C'est aujourd'hui jour de solstice, continua le fonctionnaire. Dans quelques minutes, le soleil va se lever. Vous assisterez alors à un spectacle inouï. Le premier rayon va traverser une ouverture creusée dans l'épaisseur de la roche et se poser au centre même de l'autel où les prêtres célébraient des sacrifices.

— Des sacrifices humains ? demande Emma.

— Les archéologues n'ont retrouvé que des ossements d'animaux, mais cela ne veut rien dire. »

Ils se lèvent pour attendre l'aurore. De l'autre côté du site, les Américaines éteignent leurs lampes. Un remous pâle signale un point de l'horizon, vers l'Orient. Le Maltais regarde sa montre, fait signe d'entrer dans le temple et de s'installer dans le deuxième oratoire : «Nous avons cinq minutes devant nous.»

Personne ne s'attendait à cette fulgurance : une lumière rouge, aussi éblouissante qu'un flash, surgit de la meurtrière qui perce l'enceinte colossale du temple et embrase l'autel. Le trait de lumière est salué par une salve de cris. Les Américaines aussi ont certainement dû voir quelque chose, car elles ont crié au même moment.

Ils se rapprochent les uns des autres et se penchent vers le point d'impact comme s'ils voulaient entrer ensemble dans la chaleur de l'incandescence qui dure quelques secondes encore. Ils assistent ensuite au lever du jour, remués par ce qu'ils ont le privilège de vivre.

«Ce n'est pourtant pas grand-chose, seulement un matin, semblable à tous les matins, dit Emma.

— Les doigts roses de l'aurore...», répond Jeannette.

La lumière déferle, s'étale sur la mer, sur la lande, balaie les mystères de la nuit, les précipite dans les vallons, détoure les temples, les sort de l'ombre, et frappe tous les participants en pleine face. Jeannette se souviendra plus tard du choc qu'elle avait ressenti à ce moment-là. «J'avais l'impression que le soleil me caressait en profondeur. Comme si ses premiers rayons avaient pénétré chaque pore de ma peau, expliquera-t-elle à Rifat, et qu'ils venaient chatouiller toutes mes terminaisons nerveuses.»

Dehors, une alouette chante.

Son chant est suivi d'une incantation bizarre, rauque, indéchiffrable, qui leur parvient très étouffée, comme si elle arrivait de très loin, par une autre percée dans la pierre qu'on appelle le trou de l'oracle. Ils sursautent. Le fonctionnaire maltais étouffe un rire :

« J'aurais dû vous prévenir. C'est un professeur qui fait une démonstration pour ses étudiantes.

— Un professeur ? s'étonne le chargé d'affaires.

— Un peu professeur, un peu gourou. Il s'occupe d'un groupe de femmes.

— Les Américaines ? demande le Turc.

— Elles nous ont d'ailleurs invités à partager leur *early morning breakfast*. »

Six femmes de tous âges, assises en tailleur, vêtues sommairement, offrent leurs seins au premier soleil. Le professeur les invite à se lever et à se rhabiller. C'est un Californien dans la quarantaine, barbe courte, en jean et chemise indienne. Il explique qu'il dirige un programme d'initiation spirituelle. L'initiation est un voyage, il promène ses « étudiantes » à travers le monde. Le temple de Mnajdra est la première étape de leur périple.

« Chaque mois nous quittons Palo Alto pour quelques jours.

— Objectif zénitude ? demande Emma.

— Exactement. Nous nous concentrons sur la recherche des bonnes vibrations.

— Ça me rappelle un film des années 60 sur les débuts de l'amour libre, continue-t-elle en pouffant.

— Nous nous inspirons de certaines philosophies de cette époque-là, dit le Californien.

— Le sexe a toujours été lié à la spiritualité », ajoute l'une des Américaines.

Un débat s'engage sur ce sujet sensible. Les Américaines ont apporté des Thermos de thé ainsi que des paniers de croissants cuits cette nuit par le pâtissier de leur hôtel à Saint Julian. Il commence à faire chaud, malgré la brise.

«Je trouve mon inspiration chez deux Français, dit le professeur au chargé d'affaires. Lacan et Lévi-Strauss.

— Tu fais cela depuis longtemps?

— J'ai commencé il y a trois ans.

— Il semblerait que ça marche.

— Mes stages sont complets pour deux ans. La plupart de mes clientes sont en quête spirituelle. Mais elles cherchent aussi, sans toujours se l'avouer, à revitaliser leurs activités sexuelles. Elles attendent des visites intimes imprévues. De bonnes surprises.

— Tu veux dire qu'elles veulent des pierres chaudes sur la chatte», lui lance Emma qui semble furieuse.

Le chargé d'affaires propose de faire une photo de groupe (pour le site de l'ambassade). Emma pose accroupie, les cheveux sur les yeux, l'air maussade, un peu en avant du groupe. Jeannette annonce qu'elle ne se sent pas très bien.

«Un coup de fatigue, ce n'est rien. J'ai besoin de marcher et de respirer, dit-elle, je vais descendre jusqu'à la mer.»

Il y a longtemps qu'elle n'aime plus les photos improvisées. Jetée hors de son lit par le réveil du concierge, elle avait à peine pris le temps de se maquiller. Et puis il y a cette présence sur l'horizon, invisible mais pourtant si proche, la Libye, qui lui rappelle soudain avec insistance combien le temps a passé. Elle s'éloigne d'un pas

56

volontaire pendant que les autres s'installent sur les couvertures. Emma fait bande à part, elle aussi, et grimpe comme une chèvre sur le sommet du temple où elle prend une pose méditative.

Une heure passe. Tout à coup Jeannette remonte en courant, hors d'haleine, en appelant à l'aide. Rifat Déméter est le premier à entendre ses cris. Il se précipite.

« Que se passe-t-il ?

— Vite, une ambulance !

— Mais pourquoi ? Pour qui ?

— Deux Africains, des gosses, à bout de forces, ils sont en train de mourir ! »

Allongée en travers d'un banc, elle peine à reprendre son souffle. Rifat et Mike la pressent de questions. La lande bruisse. Grésillements d'insectes, cliquetis métalliques des feuilles sèches. Jeannette répond par phrases décousues, se relevant de façon convulsive pour réclamer une ambulance.

Ils finissent par comprendre qu'elle s'est retrouvée nez à nez avec une adolescente africaine, une gosse épuisée qui l'a emmenée dans une grotte de la falaise qui abrite un jeune homme, grièvement blessé. « Un sac de fièvre, il a une sale blessure à la tête. » Le fonctionnaire maltais appelle Mater Dei Hospital puis explique à Rifat que Jeannette a sans doute retrouvé deux jeunes Somaliens qui tentaient de gagner l'Europe par la mer, comme des milliers d'autres : « Une embarcation de fortune qui transportait trente-huit immigrants clandestins a sombré devant l'îlot de Filfla, il y a quelques jours. Tout le monde pensait qu'il n'y avait pas de survivants. »

9

Hôtel Corinthia, Tripoli, Libye

Jeannette… Nous étions toujours enchantés de savoir qu'elle assisterait à la soirée de l'ambassadeur. Elle était l'un des attraits de ces dîners, avec le champagne glacé et les saillies provocatrices de notre hôte. À l'époque, je parle des années 80, c'était une très jeune femme, mince et féminine. Personne n'évoquait jamais sa relation avec le Guide, mais tout le monde savait. Elle portait souvent une robe verte, d'une seule pièce, découverte aux épaules.

J'avais appris à me méfier de ces amazones du journalisme parisien qui entretenaient alors des relations privilégiées avec des tyranneaux ordinaires et ne manquaient jamais de vanter leurs mérites. J'avais croisé à l'Institut français de Damas une journaliste française, très proche d'Hafez el-Assad. Ses analyses et ses reportages, publiés dans un journal pourtant attendu chaque soir par ses lecteurs comme les Tables de la Loi, participaient à une vaste entreprise de désinformation mondiale.

J'avais imaginé Jeannette sur le même modèle. Mais Jeannette était déjantée, plus folle que calculatrice, elle avait une vivacité, une générosité, un charme sexuel qui faisaient écran au jugement que l'on pouvait porter sur ses amours qui, par ailleurs, avaient quelque chose de fascinant. La transgression, sans doute.

Le Guide avait un vrai faible pour elle. Il la retrouvait plusieurs fois par an à Paris, le plus discrètement possible, dans l'appartement d'une de ses amies de

Libé. L'ambassadeur ne manquait pas de lui faire signe à chaque fois qu'elle séjournait en Libye. Avec son collègue et ami l'ambassadeur du Maroc, cousin du roi, un diplomate chevronné qui avait l'oreille de Kadhafi, Jeannette était la seule qui lui permettait de décrypter un pouvoir aussi opaque que fantasque et de nourrir ses télégrammes.

Elle avait d'ailleurs un ami au Quai qui lui photocopiait les télégrammes en provenance de Tripoli. Ainsi pouvait-elle, d'un séjour à l'autre, moduler les messages du Guide ou préciser ses propos. Jamais je ne me serais attendu à la retrouver à Tripoli, même sur un écran de télévision, plusieurs années après la chute de Kadhafi.

Mais j'anticipe ; pour l'instant, je reste bloqué au Corinthia, entre ma chambre et le lobby. J'ai pour consigne de ne pas sortir de l'hôtel. Depuis la révolution, le promeneur ordinaire, la ménagère qui fait ses courses, les enfants qui jouent au ballon, peuvent se faire rafaler sans avoir rien vu venir. Bruce, pendant notre soirée au café Nubien au Caire, m'avait dit que les révolutions (nous parlions de 68) ont été inventées par les peuples pour sortir de la mélancolie. Les guerres aussi, sans doute. La France est une nation qui s'ennuie, disait déjà Lamartine. « Il nous faudrait une bonne guerre… » J'ai entendu cette phrase dans la bouche d'un ministre de Lionel Jospin qui en avait marre de la neurasthénie française.

Les Français s'ennuient depuis trente ans. Il est facile d'imaginer combien les Libyens se sont emmerdés sous Kadhafi. La plupart ne travaillaient pas, ou très peu, ils recevaient les subsides du pétrole, avaient de quoi vivre, manger, des HLM pour abriter leur famille, des parcs pour passer leurs journées à pique-niquer, et pas de liberté, si ce n'est celle de balancer massivement leurs ordures par la fenêtre. Des milliers de sacs d'ordures, poussés par le vent, s'éparpillaient sur la côte, s'accrochaient aux arbres et dessinaient des fleurs de plastique dans le paysage. Maintenant ils se terrent. La rue est dangereuse. Je n'ai même pas pu passer devant la résidence où l'ambassadeur nous recevait parfois le week-end. J'ai tenté de négocier avec mes gardes du corps une sortie pour le tombeau de Dragut («Les Turcs l'entretiennent, Dragut était un grand djihadiste», m'a dit un de mes anges gardiens avec admiration) et la chapelle Saint-Léonard des chevaliers de Malte. En vain, je suis censé ne pas bouger en attendant que l'on vienne me chercher. Je passe une partie de mes nuits devant la télévision. Notre président, de retour d'Arabie Saoudite, se fâche avec la Russie, l'État islamique répand le sang des civils aux portes de Palmyre. Pauvre Syrie…

10

Hôtel Thalassa, Dinard, France

Bruno pense au commencement des choses, à la terre sans les hommes, quand les eaux étaient partout et que l'esprit de Dieu planait sur le silence. Mais Dieu s'écarte très vite. Sans doute ne supporte-t-Il pas l'air saturé de fortes odeurs de chlore. Les curistes obéissent aux consignes données d'une voix neutre par une femme en blouse. Ils exécutent des mouvements de jambes et de bras en luttant contre le courant des jets incrustés dans la paroi. Bruno barbote dans le dernier couloir, à l'extrémité du bassin, sans vis-à-vis. Il est gêné par l'élastique détendu de son maillot. Un boxer-short violet, en nylon mat, qu'il est fréquemment obligé de remonter. Acheté en soldes par Marie-Hélène aux Galeries Lafayette, avant leurs vacances à Marrakech. Une relique.

Autour de lui, sous des calottes plastifiées vert et bleu, les têtes des curistes semblent flotter dans les remous, à l'écart des corps qui les portent. Le sel céruse les barbes, pince les lèvres. Tous semblent un peu irréels ou absents. Ils donnent toujours l'impression de rester concentrés sur eux-mêmes. Et se déplacent avec peignoir, fiche de soins, journaux, livres ou iPad. D'une bulle à l'autre. Gaines de boues tièdes, camisoles chauffantes, sarcophages d'UV ou de rayons ionisants, bains d'algues. Et le soir, chacun dans sa cellule aux murs blancs.

Lambertin l'avait collé d'office en congés. Bruno fait partie de ces flics qui viennent au bureau tous les jours, même le dimanche. Il paraît que leur zèle perturbe la nouvelle DRH. Quand il a prévenu son chef qu'il partait respirer à Dinard, sans entrer dans les détails, Lambertin lui a lancé en riant : « Tu tapes dans la Bretonne maintenant ? »

Depuis sa séparation avec Marie-Hélène, il s'est fait malgré lui une réputation de séducteur. Ses collègues, qui en rajoutent, parlent de lui comme d'une bête de sexe. Il ne leur répond pas, se contentant de sourire (*c'est fou ce que je peux sourire depuis que j'ai toujours plus ou moins envie de mourir. Mourir, sourire…*).

Comme ses compagnons de travail, il sait rester discret. Une obligation si l'on veut durer dans ce métier. Il y a longtemps qu'il a appris à dissimuler qui il était, ce qu'il faisait et ce qu'il pensait.

La paroi vitrée de la piscine donne sur la crique. Une pluie fine cache les masses vertes des pins, à l'extrémité de la pointe. Ce crachin persistant étouffe le paysage. La brume ensevelit les balises, les îles, et masque un éboulement de roches qui coupe la plage en deux.

Si je pouvais regarder à l'intérieur de moi, je ne trouverais qu'un peu d'eau grise, quelques flocons d'écume et le visage de ma femme. Pas besoin de médecins, ni de psy pour analyser de quoi je souffre : dépression. Affaissement général post-traumatique. Inavouable sous peine d'être renvoyé illico presto au train-train d'un commissariat de quartier. Dépôts de plainte (sans suite), arrestation et libération dans la journée d'enfants voleurs roms, appels pour tapage nocturne, et petite bière le vendredi soir, autour d'un barbecue merguez. Mieux vaut sourire. Ou mourir…

Il est seul.

Seul avec ses tongs, son peignoir, et le sac qu'il doit récupérer au vestiaire.

Encore un quart d'heure avant la séance d'enveloppement d'algues. Un long couloir traversé de courants d'air le conduit à la salle de repos. Il s'installe sur un transat un peu à l'écart des autres et vérifie ses messages.

Marie-Hélène l'a appelé pour parler des filles. Un problème d'école et de dates pour les prochaines vacances. Elle commence toujours par se taire, pendant deux ou trois secondes, comme si elle avait besoin de reprendre son souffle avant de lui parler. Il plaque l'appareil contre son oreille pour écouter sa respiration. Dehors le paysage achève de se diluer.

Un couple s'installe à côté de lui. L'homme et la femme, assez âgés, marchent sans lever les pieds. Leurs semelles traînent sur le sol.

La vue des couples, pour Bruno, c'est ce qu'il y a de plus difficile à supporter. Il se demande comment ils sont arrivés à tenir. À franchir les épreuves. Alors que lui... *Quel désastre, putain, mais quel désastre !* Il se flanque un grand coup de paume sur le front. Le couple se retourne et le regarde. Il les salue d'un hochement de tête et sourit. Il paraît que c'est un écrivain et que sa femme serait psychanalyste. C'est ce que lui a raconté l'hôtesse d'accueil. Des habitués. Ils ont gardé malgré leur âge quelque chose de juvénile. L'homme, cheveux gris tirés vers l'arrière, a des yeux d'Asiatique. Il montre à sa femme la une de *Libération*. Une vedette un peu défraîchie de la chaîne cryptée Canal 12 se dit menacée d'une fatwa.

Bruno connaît bien l'affaire. Propos racistes à l'antenne, banalité ordinaire d'un animateur de télé. Fausse fatwa rédigée en lettres mal formées, imitant grossièrement la calligraphie arabe, signée d'un pseudo. Et qui se terminait par la phrase suivante : « Tu n'auras bientôt plus rien à donner à sucer aux petits garçons. Que ton gros cul puant. »

L'animateur a transmis à l'AFP et s'était répandu sur les ondes sur le thème : « Ils veulent mes couilles sur un plateau. »

Avec des commentaires détaillés sur les pratiques du FLN pendant la guerre d'Algérie. Résultat : une grosse mousse médiatique. Bruno avait été chargé de fournir une protection à ce pédophile enrobé qui n'osait plus sortir de chez lui.

Un spot violet éclaire la cabine. L'hydrothérapeute l'enduit de boues tièdes, l'enferme dans un sarcophage d'où n'émerge que sa tête, puis sort en laissant la porte entrebâillée. Il ferme les yeux. La chaleur irradie ses membres jusqu'à la moelle. La tiédeur l'engourdit. *Moi aussi je vis dans ma bulle. Personne ne sait ce que j'ai enduré, même pas Marie-Hélène. La dernière fois qu'on s'est parlé, elle était incapable de m'écouter, obsédée par son mec.*

Il se cadenasse. Rien ne sort.

Au bureau non plus, ils n'ont rien deviné. Pour Lambertin, il n'est qu'un divorcé de plus, dans une société où tout le monde divorce. *Il n'y a plus que les pédés pour croire encore au mariage.*

La thérapeute entre dans la cabine et appuie sur le bouton de l'hydrojet. Une eau tiède tombe en pluie sur ses cuisses. *Cette boue qui ruisselle sur les couilles, finalement…*

Il enfile son jogging et part sur le chemin côtier. *Courir, sourire, mourir.*

Après trente minutes d'échauffement, ses jambes le portent sans peine. Pas besoin de forcer. Sa tête fonctionne. Les endomorphines le dopent. Flux d'images et d'idées qui tournent autour d'un point fixe, Marie-Hélène. Depuis un an, il se repasse en permanence le film de leurs dernières années, cherchant à comprendre ce qui a pu jeter sa femme dans les bras de ce minable. L'on n'est pas flic pour rien. Il reconstruit l'enchaînement des faits, comme s'il menait une enquête sur leur couple, épiant sa femme dans tous leurs souvenirs, s'interrogeant lui-même, *qu'est-ce que j'ai pu lui faire pour mériter cette merde ?*, cherchant des indices dans le passé qui s'enfuit.

Il se souvient de chaque jour, de chaque instant.

Chaque seconde, vrillée dans ses souvenirs. La mémoire peut fonctionner aussi comme une machine à torture. Cette investigation, menée dans le coffre-fort de son cerveau, est la plus sérieuse de toutes celles qu'il a conduites en vingt ans de carrière. C'est aussi la moins réussie. Il accumule des indices, des détails d'une précision incroyable, reconstruit l'enchaînement de journées entières, mais rien de décisif. *Rien qui me permette de comprendre.* Il tourne en rond et n'arrive qu'à se construire un enfer avec ses questions. *Comment ai-je pu vivre si près d'elle sans rien voir ?*

Il se souvient d'un jour où il n'était pas arrivé à la joindre.

Rentré de Marseille avec presque vingt-quatre heures d'avance, en ayant réussi à boucler une banale affaire d'étudiants chinois suspectés d'espionnage, dès son arrivée au bureau, il s'était précipité sur son téléphone pour la prévenir qu'il serait là pour le dîner. Il avait acheté une bouteille de champagne à Orly qu'il avait laissée dans sa voiture. C'était un après-midi, au tout début de l'hiver. Il apercevait par la fenêtre un ciel bas et quelques flocons qui fondaient en tourbillonnant. Il insistait, elle ne décrochait pas.

Son collègue de bureau s'était foutu de lui gentiment. Bruno et Marie-Hélène passaient pour un couple sans histoires. «Si c'est ta femme que tu appelles comme ça... N'insiste pas. Elle est en train de se faire niquer, tu ne vois pas que tu déranges...»

Le soir, Marie-Hélène lui avait dit en l'enlaçant tendrement : «Bruno, mon portable était sur vibreur, j'ai raté tes appels. Je suis désolée. Quelle chance que tu sois déjà à la maison...» *C'était quand déjà, cet épisode ? Trois jours avant Noël. Il y a deux ans. Un peu avant les vacances de février, ou juste après, deux mois plus tard, elle m'avait demandé de ne plus l'appeler les jours où elle participait aux séminaires de formation Sanopty.*

«... Une demande formelle du labo. On a très peu de temps pour travailler. Comme tout le monde a un portable...»

Quand il s'est décidé à piéger son téléphone avec un logiciel d'écoute (un kit acheté à la Fnac), elle avait déjà acheté un autre portable.

Combien de temps je vais continuer à me repasser le film...

Elle l'avait prévenu le 1er janvier dernier. Il s'était souvenu plus tard qu'elle avait refusé de faire l'amour à plusieurs reprises, sous des prétextes divers. Indispositions, maux de tête, fatigue, etc. Ces dérobades survenaient toujours le matin, quand il se réveillait avec un bâton entre les jambes.

Ce matin-là, elle s'était levée en pleine forme, malgré une nuit trop courte et une légère gueule de bois. Ils avaient réveillonné chez des amis, en Picardie. Seuls! Les filles expédiées pour une semaine chez leurs grands-parents. En ouvrant les yeux, il l'avait attirée contre lui et avait posé ses yeux contre les siens. Marie-Hélène avait toujours eu un solide appétit sexuel. Elle s'était blottie dans ses bras, puis s'était allongée de tout son long, les lèvres entrouvertes. L'année ne pouvait pas commencer sous de meilleurs auspices.

Trois heures plus tard, sur l'autoroute, au milieu des embouteillages de Roissy, elle lui avait parlé de ses doutes, d'un trouble qui ne la quittait plus, de questions. Elle ne savait plus où elle en était. Tu veux qu'on se quitte? *J'avais posé la question sans penser une seconde qu'elle pourrait me répondre: oui.* Derrière eux, un type klaxonnait comme un malade. «Écoute, je ne sais pas. Il faut peut-être qu'on fasse un break.» Il avait cru qu'elle dramatisait. Ce n'est que le lendemain, après une nuit de cris et de discussions dans leur maison de Bourg-la-Reine, qu'il avait commencé à s'interroger lui aussi et s'était rappelé une phrase que répétait souvent son père: «Il n'y a jamais de divorce heureux pour les enfants.»

Elle était partie pour sa consultation à l'hôpital comme si de rien n'était. *Pour Marie-Hélène, c'était un autre jour, une nouvelle semaine, une nouvelle année qui commençait. Une nouvelle vie. Elle courait vers ce qui l'appelait. Moi, je ne comprenais pas, j'avais simplement entendu la porte claquer derrière elle.* Cinq minutes plus tard, il l'avait entendue revenir. *J'avais cru qu'elle allait me dire : Pardonne-moi, je ne sais pas ce qui m'a pris. Je t'aime, comment vivre sans toi ?* Elle avait oublié son trousseau de clefs et était repartie sans lui parler.

Elle contrôlait la situation.

Il entendait son pas dans l'escalier.

Calme.

Elle marchait comme quelqu'un qui n'a rien à se reprocher.

Il avait appelé le bureau pour dire qu'il était malade. Une gastro. Il avait raccroché et s'était assis sur le plancher près de la fenêtre, la tête dans les mains, avec une véritable envie de vomir. Il voulait arriver à se dominer, comprendre ce qu'il lui arrivait. *Réfléchir, plutôt que de défoncer la maison à la masse.* Il était resté près de trois heures sans penser à rien, désintégré. À midi, il avait pris sa voiture et était allé se garer devant l'hôpital, derrière un camion de déménagement, assez loin de sa Clio noire, stationnée sur un emplacement réservé aux médecins, encastrée entre une Mégane et une grosse Mercedes, et il avait attendu qu'elle sorte.

Quand il l'avait aperçue à travers les portes vitrées de l'entrée principale, vers 13 heures, l'angoisse l'avait tassé sur son siège. Marie-Hélène parlait avec deux infirmières qui fumaient leur cigarette sur le perron. Elles avaient enfilé un pull par-dessus leur blouse blanche et sautillaient sur place pour se réchauffer. Marie-Hélène portait un manteau beige à brandebourgs qu'ils avaient acheté à Florence, deux ans auparavant.

Elle avait salué les infirmières, s'était dirigée vers la Clio avec sa démarche magnifique, sans cesser de sourire. Sa respiration faisait un très léger nuage de vapeur autour de sa bouche. Son casque de cheveux blonds brillait sous le froid soleil de janvier. Elle avait tourné la clef de contact et sorti la Clio avec une aisance incroyable, sans la moindre manœuvre, puis avait pris la direction de Bourg-la-Reine. *À ce moment-là, comme un con, j'ai pensé qu'elle allait rentrer à la maison.*

La Clio n'était pas dans le garage. Il avait tenté de l'appeler sur son portable mais n'avait eu droit qu'à la voix synthétique de la messagerie. Il était ressorti pour acheter des pâtes fraîches, un petit bloc de foie gras, deux parts de tarte aux pommes, il avait dressé une table pour deux, avec deux bougies rouges, et lui avait écrit qu'il l'avait trouvée superbe sur le parking de l'hôpital, dans ce manteau qu'elle portait avec une classe folle.

Dix heures venaient de sonner quand il vit par la fenêtre la Clio se garer devant la maison. Il lui avait ouvert la porte en pensant qu'il avait eu raison. *Ne rien lui reprocher, l'accueillir, sourire, l'aider à ôter son manteau, lui proposer un verre de vin...* Elle l'avait embrassé avant de jeter les clefs de la Clio sur la commode de l'entrée. Comme s'il ne s'était rien passé. Il ne put pourtant s'empêcher de lui demander où elle était. J'étais tellement inquiet, je me demandais ce qui était arrivé. Il parlait avec une voix de petit garçon. Elle portait une robe en laine qui lui laissait les bras nus. Elle avait répondu qu'elle n'en savait rien. J'ai roulé au hasard des rues, je me suis retrouvée dans un village, je me suis arrêtée pour prendre un café, et puis je suis rentrée. Tu as vraiment conduit pendant tout ce temps ? Oui, je réfléchis mieux quand je conduis. Tu réfléchis ? J'ai fait le vide, j'en avais besoin. Tu as faim ? Un peu.

Cette discussion avait permis quelques mises au point. Marie-Hélène s'était excusée et après quelques hésitations, lui avait avoué qu'elle avait failli avoir une aventure avec un professeur de Necker rencontré pendant une conférence sur les enfants contaminés par le virus du sida.

« Tu te souviens, je t'avais parlé de cette conférence.

— Qu'est-ce que cela veut dire, failli avoir une aventure ?

— Bruno, on n'est plus des enfants. J'ai failli, ça peut arriver à tout le monde, mais il ne s'est rien passé.

— Rien ?

— Rien je t'assure, quelques attouchements, un flirt, c'est tout. »

Un flirt. Bruno l'écoutait en caressant ses bras. *Elle me bombardait de leurres après m'avoir enveloppé de brouillard et moi, mister super connard, je gobais.*

« Je te le promets, sur la tête des filles, il ne s'est rien passé. Rien de grave, un non-événement. »

Elle lui souriait, elle avait *failli*, ce n'était rien, elle avait raison, on n'est plus des enfants, on n'allait pas faire une histoire parce qu'un type avait eu envie de la sauter, cela prouvait seulement qu'il avait du goût.

Elle avait raconté qu'il l'avait raccompagnée en voiture un soir, tu sais le jour où j'avais laissé les phares allumés, la batterie était à plat, et qu'elle avait déjeuné plusieurs fois avec lui.

«J'aurais dû t'en parler tout de suite, j'ai été idiote. Ce mensonge m'a…, comment dire, j'ai vécu deux ou trois mois enfermée avec ce mensonge.

— Trois mois, ça dure depuis trois mois?

— Écoute, je n'ai pas compté, quatre semaines.

— Comment s'appelle-t-il?

— Tu veux vraiment le savoir? Ça n'a aucune importance, il n'existe pas pour moi.

— Non mais c'est par curiosité, si un jour je le rencontre.

— Écoute, si tu y tiens, il s'appelle Trichez.

— Trichet? Comme le banquier?

— Non, Trichez avec un z, il n'a aucun intérêt. C'est un type sûr de lui comme on en rencontre tellement. Je m'en veux d'avoir failli me laisser avoir. C'est d'une telle banalité.

— On a donc bien traversé une crise, c'est bien ce que tu dis? C'est derrière nous, tu me promets?

— Bruno, je t'en prie…»

Les mots me rassuraient. J'avais tellement envie de la croire. Elle avait poussé le bouchon un peu trop loin, mais sans conséquence, et surtout: c'était fini. Elle avait une façon de prononcer mon prénom, Bruno, avec une douceur que je ne lui connaissais pas.

71

Il était captivé par son visage. La lumière des bougies éclairait son sourire. Elle le regardait paisiblement, comme s'il avait été loin et qu'elle communiquait avec lui à travers des vitres épaisses pendant qu'il faisait griller les toasts. Comme si elle lui parlait d'un autre monde où elle serait arrivée la première, en le laissant très loin derrière elle, et que maintenant elle se retournait gentiment pour l'attendre. *En fait, je lui faisais pitié.* Il avait préparé des pâtes au pesto, elle les aimait *al dente.*

Ils avaient fait l'amour dans la cuisine.

Pendant les semaines qui suivirent, leur vie retrouva un cours à peu près paisible. Les filles revenues de vacances ne soupçonnèrent jamais, à ce moment-là, que leurs parents venaient de traverser un épisode qui aurait pu être fatal. Bruno se comportait comme un convalescent. Il n'oubliait pas qu'il avait failli perdre sa femme. Quand il était seul, il réfléchissait, se parlait à lui-même, argumentait. Un mauvais rêve.

Nous avions retrouvé une complicité amoureuse qui me rappelait les premiers mois de notre rencontre. Avec ce sentiment d'accomplissement que donne parfois un amour qui dure. Une nouvelle poussée d'énergie positive. Bienheureux ceux qui savent faire alliance avec le temps qui passe.

Un matin, Marie-Hélène est allée chez le coiffeur à Paris. Elle en est revenue avec des cheveux ultra-courts. Pendant un quart de seconde, Bruno l'avait à peine reconnue. Sa nouvelle coupe la rajeunissait. C'était agréable de la voir plus « en adéquation avec son paysage mental », comme elle disait.

«Tu en avais marre de ton coiffeur de Bourg-la-Reine?

— Une copine de la Salpêtrière m'a donné une adresse, dans le VIIIᵉ, rue du Faubourg Saint-Honoré. Ça te plaît?

— Beaucoup. Tu es la même et tu es différente, j'ai l'impression d'avoir deux femmes en une.»

Il redoublait de prévenance. De son côté, elle lui téléphonait dix fois par jour, lui disait où elle était, ce qu'elle faisait, ce qu'elle pensait, elle le prévenait dès qu'elle était retenue par une urgence à l'hôpital et quand elle avait passé deux journées à Paris pour un séminaire sur la médecine néonatale, elle lui avait même proposé de venir la rejoindre pour déjeuner ensemble dans un bistrot proche de la fac de médecine. *Elle s'était dédoublée. Il y avait bien deux femmes en elle. La nouvelle me faisait la guerre et ne négligeait rien.* Il avait décliné la proposition pour lui montrer qu'il lui faisait confiance.

Chacun de ses appels semblait destiné à lui transmettre la réalité même de sa vie.

En fait chacun de ses appels travestissait cette réalité, elle ne faisait que mentir, elle me déchirait.

Il vécut cette période dans un état étrange. Culpabilisant de n'avoir pas été, pendant toutes ces années, tout à fait à la hauteur. C'est pour cela qu'elle avait failli… Failli quoi? À tout moment des charges d'angoisse explosive continuaient de lui traverser l'esprit. *Et si elle n'avait pas osé me dire la vérité?* Il se posait la question. Puis attendait la voix consolatrice qui surgissait du plus profond de lui-même. *Pas de panique. Elle est là, respire, détends-toi, relaxe, et je vais te dire, dans les meilleurs scénarios, je parle de ceux qui se finissent bien, il y a toujours des moments où les héros trébuchent. Personne n'est éternellement innocent.*

La nuit, elle redoublait de tendresse. De tendresse ou d'audace ? Les deux. Elle l'avait invité à la pénétrer comme jamais il ne l'avait fait. *J'ai compris plus tard que ce connard l'avait enculée.* Cette possession inédite avait achevé de le rassurer. Elle avait trouvé une solution pour se redonner à lui.

Il passa une période assez dure, se désintéressant de tout ce qui n'était pas elle, et même de son travail. Elle lui disait que c'était normal, il avait reçu un choc. Elle le traitait comme un malade qu'il fallait aider à vivre dans une bulle stérile.

Le troisième dimanche de février, l'avant-veille de leur onzième anniversaire de mariage, ils étaient allés faire leur jogging dans la matinée. Soixante minutes, à bonne foulée, épaule contre épaule, sous une pluie fine. Les filles étaient à leur leçon de tennis et ne devaient pas revenir avant le déjeuner.

En rentrant, Marie-Hélène avait expédié sa mère qui l'appelait sur son portable, puis s'était dépêchée de monter prendre une douche. Bruno s'était installé avec une bouteille d'Evian dans le grand sofa du salon. Il parcourait le *Journal du dimanche* en écoutant un CD de Count Basie. Le portable de Marie-Hélène, posé sur la table basse, avait vibré à plusieurs reprises.

Il avait jeté un œil sur l'écran pour vérifier que ces appels ne venaient pas de l'hôpital. Marie-Hélène n'était pas de garde, mais restait à la merci d'une urgence.

Le nom de l'expéditeur était masqué. Il n'y avait pas de texte, seulement quelques photos, qui semblaient toutes sorties d'une revue porno, sans aucun doute prises du portable qui les avait envoyées. Deux gros plans d'un sexe masculin. Le premier au repos, l'autre en érection. *Celui de Trichez, sans doute.* Sur les deux autres, Marie-Hélène, nue, dans la position qu'elle semblait affectionner depuis quelque temps.

Le grand orchestre de Count Basie jouait *Lil' Darlin'* en sourdine. Elle venait de sortir de sa douche et lui demandait de lui apporter son peignoir de bain, resté dans la buanderie. Il enfila sa veste de cuir, mit le portable sans y penser dans sa poche, prit les clefs de sa voiture, referma la porte derrière lui sans faire de bruit. Trichez n'existait pas. Il y avait quelqu'un d'autre.

L'autre jour, sa fille aînée lui a dit qu'elle préférait ses parents depuis qu'ils sont séparés. Elle prétend qu'elle s'entend mieux avec eux.

«Je vous trouve plus détendus, lui a-t-elle dit avant de rentrer chez sa mère, plus…

— Plus cool ?

— C'est exactement ça, plus cool.»

Le lendemain, il était arrivé au bureau avec les yeux bistrés, les traits tirés, l'air malade. Il avait salué ses collègues en criant dans un grand éclat de rire : «Morts aux cool ! Je déteste les cool !»

Retour à l'hôtel. Douche brûlante. Son portable sonne. Un sms de Lambertin qui lui demande de l'appeler à 13 heures précises sur son numéro sécurisé.

Bruno est prié de rentrer d'urgence et de se présenter le plus vite possible à la villa. À la réception, il retrouve l'hôtesse qui lui avait parlé de ce vieil écrivain aux yeux bridés. Il la prévient de son départ anticipé.

« Déjà ? Mais vous venez d'arriver ! »

Il la regarde fixement, le visage parcouru d'une convulsion incontrôlée. L'hôtesse, brune et ronde, sous son uniforme bleu clair, comprend qu'il se passe quelque chose. Il sursaute. Tous ses traits s'affaissent, sans qu'il cesse de sourire. Elle le dévisage, le trouvant touchant, et cherche son dossier dans son ordinateur. Il lui explique qu'il est obligé de partir. Un imprévu.

« Rien de grave, j'espère ?

— Non, rien de grave. Les emmerdements habituels. Le boulot… »

Dans trois secondes, il va lui proposer de venir prendre un verre dans sa chambre. Il a déjà changé de ton. La drague habituelle. Elle éclate de rire.

« Vous avez besoin de réconfort ?

— Oui.

— D'accord, un verre. Je dois être chez moi à 9 heures, rien qu'un verre…

— Promis ! »

Neuf heures moins le quart. Quatre mignonnettes de gin gisent sur la table de nuit, toutes aussi vides les unes que les autres. L'hôtesse se rhabille. Elle vient frotter une dernière fois ses seins piqués de taches de rousseur contre ses joues. Il attend qu'elle dégage en tortillant le pli de son pantalon. Elle lui demande : « Tu me téléphoneras ? »

11

La Sorbonne, Paris

Bruno avait été l'un de mes étudiants l'année (la seule) où j'étais intervenu en maîtrise à la Sorbonne. L'archéologie était encore une parente pauvre de l'Histoire. Les archéologues étaient de fait une sorte de brigade auxiliaire des historiens. Des supplétifs, les mains dans la poussière, dans la boue, dans le sable, habitués à retrousser leurs manches pour descendre dans les entrailles de la terre. Beaucoup de mes collègues avaient des idées très surprenantes sur l'archéologie. Seul un petit nombre d'étudiants s'étaient inscrits pour suivre mon TD. À peine avais-je terminé de parler qu'ils s'égayaient dans les couloirs et je ne les revoyais plus pendant une semaine.

Deux ou trois seulement, toujours les mêmes, prenaient parfois le temps de m'attendre à la fin du cours pour discuter. Bruno était l'un d'entre eux. Il poussait la porte de mon bureau, jetait un œil interrogateur, et abordait avec moi des sujets variés, qui touchaient à l'actualité autant qu'à l'histoire et à ses lectures. Sans doute aurais-je oublié cet élève sérieux et plutôt effacé, presque timide, si un jour, c'était au printemps – un rectangle de lumière tombait de la fenêtre et éclairait son visage poupin –, il ne m'avait interrogé sur les événements de Sétif.

Le 8 mai 1945, une manifestation avait été organisée pour fêter la victoire sur les forces allemandes. Un jeune scout musulman agite un drapeau algérien. Un policier tire et le tue. Ce crime avait déclenché un massacre. Cette journée marquait le début d'un cycle de violences ininterrompues pratiquement jusqu'à nos jours. Depuis cette date, le peuple algérien n'avait plus jamais connu le repos.

J'ai hoché la tête en l'écoutant, surpris par cette question. Bruno n'appartenait pas au cercle des étudiants politisés, et le sujet des événements de Sétif restait assez confidentiel. Plutôt que de lui répondre directement, je lui ai demandé pourquoi Sétif le préoccupait. Il a hésité, passé sa main droite dans ses cheveux courts. Son visage ressemblait à celui d'un jeune homme sur un bas-relief romain. J'ai craint d'avoir été indiscret. «Je suis d'une famille de rapatriés. Mon père est né à Sétif. Il m'a raconté ce que ses parents et lui ont vécu ce jour-là…»

Sans être un spécialiste de l'histoire contemporaine, j'avais quelques idées sur le déroulement de cette journée tragique. Je lui en ai parlé pendant un assez long moment, avec prudence, la prudence du maître face à l'élève. L'enseignement, avait dit Michelet, c'est une amitié, et plus encore, un échange.

«Votre question, lui ai-je encore dit, pointe les difficultés de notre travail. Lucien Febvre disait que l'Histoire était autant fille du temps que science du temps.»

Un autre cours l'appelait. Avant qu'il ne parte, je lui avais conseillé de faire un tour aux archives de l'armée, à Vincennes. «Je ne sais pas si tout est déjà disponible, mais vous trouverez peut-être quelques réponses à votre question.» Les examens étaient proches, l'année universitaire arrivait à son terme, je ne l'ai pas revu. Jamais je ne lui aurais imaginé une carrière dans la police.

12

Temples de Mnajdra, Malte

«Qu'est-ce qu'elles foutent, ces putain d'ambulances?» Jeannette marche de long en large, de plus en plus énervée. Elle s'est blessée en sortant de la grotte. Un peu de sang a coulé le long de son poignet. Rifat a pris les choses en main, avec une certaine autorité.

Les deux adolescents sont immobiles sur des brancards de fortune dans un petit bâtiment en parpaings blancs, qui fait office de billetterie. Le reste du groupe parle à l'extérieur.

Rifat tente de joindre l'ambassadeur qui ne répond pas. Un renvoi automatique le dirige vers le portable d'un policier de permanence.

Jeannette chausse des lunettes rondes pour nettoyer le visage de la jeune fille avec des lingettes démaquillantes tout en essayant de lui poser quelques questions. La fille ne balbutie que quelques mots. «Je suis Habiba...»

Jeannette réussit à comprendre qu'elle a quinze ans et que le garçon est son frère. Trente ans de métier lui ont appris à communiquer avec ceux qui sont à court de paroles.

Elle lave la tempe du garçon. Le Turc veut l'aider. Ils ouvrent sa chemise tachée de sang, la découpent sur lui, puis essaient de le faire boire. Le jeune homme ne réagit pas. Penchés sur lui, ils guettent chacune de ses respirations, de plus en plus faibles.

« Son état est sérieux, dit le chargé d'affaires, il ne faut pas le déplacer. »

Il a filmé l'intégralité de la séquence sur son portable. La sortie de la grotte, guidée par les commentaires de Jeannette. La remontée des brancards. Deux ou trois travellings, assez longs. Sa dernière image : deux ambulances bleues qui s'éloignent. Jeannette en pleurs au premier plan. Dans le ciel, l'alouette qui continue à chanter.

Jeannette appelle du bus son collègue de l'AFP à Rome, côtoyé à *Libé* dans les années héroïques. Elle lui explique la situation. Il la laisse parler sans faire de commentaire.

« Ça vaut peut-être une dépêche, non ? conclut-elle.

— Tu me réveilles pour deux clandestins, qui sont vivants en plus ? Franchement, où est l'info ?

— Tout le monde les pensait morts depuis une semaine, c'est un miracle.

— Je crois que tu es complètement déconnectée. Tu sais combien de migrants ont crevé en mer depuis dix ans ? Tu le sais ? Non tu ne le sais pas ! Eh bien je vais te le dire : vingt mille ! Tu sais combien j'ai fait de dépêches pour l'Agence ? Trois ! Alors, avec tes deux enfants du miracle ! Je te le répète : tu ne sais plus ce que c'est que le journalisme ! Déconnectée, t'es complètement déconnectée. AFP, cela ne veut pas dire Agence Femme Presse. »

Une façon de lui rappeler qu'elle est une *has been*. *Quand je pense qu'à* Libé*, ce minable me léchait les bottes pour arriver à passer un petit papier, la plupart du temps sans intérêt, dans les pages du service étranger.* Le minibus entre dans La Valette par le *by pass*, difficilement praticable à cette heure, à cause des premiers embouteillages ; les Maltais se lèvent avant la chaleur. À 6 heures du matin, tout est saturé. Au moment où le véhicule prend la bretelle qui descend vers l'hôtel en longeant un cimetière, Jeannette reçoit un appel.

« Je suis un journaliste de CNN, on s'est croisés de loin ce matin. Nous venons d'apprendre ce qui vous est arrivé. On peut se voir dans une heure ?

— Mais je pensais que vous partiez en Libye ?

— On annule, il y a des combats à Tripoli. L'aéroport est fermé pour quarante-huit heures. »

Vers 18 heures, Rifat Déméter les emmène regarder CNN chez l'attaché de défense américain, John Peter Sullivan. Il les reçoit dans une pièce haute de plafond à l'étage noble d'un palais à moitié abandonné. Décor et mobilier minimaliste. Un grand divan, d'aériens fauteuils bicolores, design italien, un immense écran télé, un bar avec plusieurs marques de whisky, une petite bibliothèque. Et une vue magnifique sur le port. L'ancienne crique des Galères, couverte de yachts pharaoniques, la crique des Français, où avait mouillé l'*Orient* de

Bonaparte, la dentelle des grues de la CMA CGM qui se reflètent dans les eaux sombres des bassins. Les façades des Trois Cités flambent sous les rayons du soleil. Le dégradé des couleurs confère aux murailles une tonalité chaude et apaisante.

«Tant de massacres ont eu lieu ici...», dit Emma. Elle porte une petite veste noire assez stricte, a relevé ses cheveux en chignon et s'exprime d'une voix douce et agressive. «Tant de gens égorgés ou éventrés sous ces murailles. Pourquoi?

— Ouais», dit John Peter Sullivan (tout le monde l'appelle JP) d'un ton prudent. Il s'excuse auprès d'elle de lui avoir infligé son uniforme (une chemisette à trois galons de la marine US). Il a servi pendant deux ans à Paris comme officier de liaison à l'OCDE et parle un français très correct. Elle rit. Un ferry quitte le port dans des remous d'eau. L'interview de Jeannette et Habiba sur CNN est annoncée. La journée a commencé par un lever de soleil dans un temple de plus de cinq mille ans et elle s'achève devant une image diffusée à des millions de téléspectateurs dans le monde entier.

Une pub pour Emirates. Une autre pour les plages du Portugal. Une dernière pour les placements financiers sécurisés à Dubaï.

JP monte le son avec sa télécommande. Rappel des titres. Puis tout de suite l'interview du jour par l'une des stars de la chaîne en duplex depuis Londres. Habiba est assise sur un lit de l'hôpital Mater Dei. Un voile jaune, très léger, fait ressortir le modelé régulier de son visage. Deux médecins maltais en blouse blanche à son chevet, à gauche de son lit. Emma fait remarquer que l'on dirait une séquence de la série *Urgences*.

Jeannette ne s'est pas sentie aussi bien depuis longtemps. À l'image, personne ne lui donnerait son âge. Elle a brossé ses cheveux vers l'arrière. Ses traits dégagent une joie anxieuse, elle tient Habiba par la main et ne la lâche pas.

« C'est vraiment l'Africaine au bois dormant, explique Jeannette. Habiba a dormi pendant deux jours sous un rocher, en serrant dans ses bras son frère qu'elle avait réussi à remonter sur le rivage, à moitié inconscient et grièvement blessé à la tête.

— À propos de son frère, est-ce que vous pouvez nous donner des nouvelles rassurantes ? avait demandé le journaliste.

— Ses blessures sont sérieuses, mais les médecins estiment qu'il va s'en tirer. Il est très bien soigné. »

Le lendemain, les miraculés font la une de tous les journaux et une chaîne info française diffuse le film de Rifat. Personne n'ose lui demander s'il l'a donné ou vendu.

Ils ont décidé de retrouver Jeannette après l'émission dans un bar de La Valette, logé à mi-hauteur des remparts et qui surplombe le port.

Emma grimpe dans l'Audi surélevée du Turc. En s'installant au volant, Levent donne sa carte à Emma. *Levent Demir, diplomate et avocat, Ankara, Istanbul.* Emma la regarde, aussi concentrée que si elle déchiffrait un papyrus.

« Diplomate et avocat. Ankara et Istanbul. C'est amusant, on dirait que vous menez une double vie...

— Les diplomates ne sont jamais simples.»

La conversation glisse sur le cinéma pendant que Levent, qui a pris une mauvaise route à la sortie de La Valette, tourne en rond en sautant d'un *by pass* à l'autre. Ils partagent un même goût pour les films de Tarantino. Quand Levent manque une nouvelle fois la route qui aurait dû le conduire vers le port, il s'écrie :

«Oh, nom de Dieu !

— Pas de blasphème !», rétorque Emma sans sourire.

La nuit tombe vite, la ville offre ses façades de pierre jaune, zébrées de nombreux néons, aux derniers feux du couchant, la mer dessine des rectangles de gelée bleue à l'extrémité de chaque rue. Ces couleurs chaudes donnent un air de fête au crépuscule.

Au Knight's Lounge, l'air bourdonne de rires, de musiques et de bavardages dans un grand méli-mélo d'anglais et d'italien. Les barmen philippins font le show en jonglant avec les bouteilles de vodka et de gin. Sur l'autre rive, le palais Manuel a été privatisé par un importateur de voitures allemandes. La fête bat son plein, ponctuée par des tirs de feux d'artifice.

Levent et Emma se fraient un chemin jusqu'à la table du chargé d'affaires. Rifat Déméter salue chaleureusement leur arrivée.

«Nous commencions à nous inquiéter. Est-ce que par hasard vous vous seriez perdus ? C'est un classique…»

Jeannette fait une place à Emma qui se met aussitôt à grignoter les olives disposées sur la table. Mince, presque maigre, pâle, cheveux très courts, Emma installe autour d'elle une distance que l'on pourrait prendre pour de la timidité ou de l'agressivité. Mais quand elle prend la parole, sa voix trahit une force volontaire. Jeannette, épanouie, semble radieuse d'avoir contribué à sauver ces deux vies. Et de l'avoir fait savoir.

« Je n'avais pas réalisé que vous étiez une spécialiste du Moyen-Orient, lui dit Rifat. Heureusement je vous ai googlisée cet après-midi. Le nombre de gens que vous avez rencontrés, c'est impressionnant. »

Cette journée a effacé des années de galère. Depuis son départ de *Libération*, elle n'a jamais retrouvé l'électricité de ses grands reportages au Maghreb ou au Moyen-Orient. Dans les années 80, elles étaient deux ou trois femmes seulement à sillonner le monde musulman pour en revenir avec des informations inédites et des interviews des leaders arabes qui terrorisaient la planète.

« Vous aviez même interviewé Kadhafi ? Pas banal…

— Quelques mois avant l'attentat de Lockerbie, oui. Cette interview avait été reprise dans le monde entier.

— Il était comment Kadhafi ? demande Emma. Sympathique ?

— Horrible je suppose, répond Rifat.

— Et vous Emma, qu'est-ce qui vous a conduite sur cette île ? demande Jeannette en consultant les messages qui affluent sur son portable.

— Mes études, répond-elle avec un sourire sans joie. Je termine une école de commerce, le stage est obligatoire. Tout le monde fait des stages maintenant, ça commencera bientôt à la maternelle. J'ai trouvé une entreprise française qui m'acceptait ici pour deux mois. »

Seules les lampes d'ambiance du bar et les bougies sur les tables apportent un peu de lumière dans le restaurant. L'humidité de la mer entre par les fenêtres et sature la salle d'une chaleur moite. Ils sont serrés les uns contre les autres sur des sièges inconfortables, ils n'arrêtent pas de remettre de la glace dans leur verre de vin, ils parlent.

Levent et Jeannette sont plongés dans leurs souvenirs des années 80 ; ils ont à peu près le même âge, à cinq ou six ans près, Levent est le plus jeune, et ils imaginent qu'ils se sont croisés à Beyrouth ou ailleurs. Emma, toujours aussi pâle, les jambes croisées, mais plus détendue, moqueuse, répond aux questions de Rifat sur son école de commerce.

« On dirait que ça vous passionne, mon école... »

Il la regarde avec de gros yeux ronds qui dégagent un magnétisme particulier, légèrement inquiétant, et change de sujet de conversation.

Il évoque la magie des rues du Caire puis se lance dans une discussion sur les sites de musique qui balancent des millions de chansons gratuitement sur le Net. La sono vient justement d'envoyer un tube de Taylor Swift, une chanteuse de country américaine qui avait annoncé qu'elle quittait Spotify. Emma, qui suit tout d'une oreille, lui demande qui est cette Taylor Swift dont il fait grand cas et lui lance : « Quel âge avez-vous donc ? On dirait un teenager... »

À 1 heure du matin, Déméter donne le signal du départ après avoir vidé son dernier whisky. « Comme dit mon ambassadeur, pour les Africains, l'origine du monde, c'est le tambour, pour les Chinois, c'est le signe, pour nous Méditerranéens, c'est le verbe, nous l'avons encore prouvé ce soir. Maintenant nous avons tous besoin d'aller dormir.» Jeannette lui demande avant de partir de rappeler la police locale pour avoir des nouvelles de ses deux «protégés».

13

Hôtel Corinthia, Tripoli, Libye

Marre d'attendre un rendez-vous qui ne vient pas. J'ai rappelé Levent, qui m'a prêché la patience. À 3 heures du matin, ouvrant avec les dents un énième paquet de noix de cajou (jamais d'alcool dans les minibars en Libye!), je tombe sur la redif de l'interview d'une femme qui avait contribué à sauver deux immigrants sur la côte maltaise. Je l'ai reconnue tout de suite, malgré les années, un peu épaissie peut-être mais les traits presque inchangés, de longs cils redressés par le maquillage, la silhouette prise dans une robe stricte mais avantageuse, une voix un peu éraillée. C'était Jeannette. Malgré mes préjugés à son égard, j'avais appris à l'apprécier pendant nos dîners. Sa liaison avec Kadhafi jette aujourd'hui une ombre sur sa personnalité. Chacun se demande, moi le premier, comment une femme de sa qualité pouvait coucher avec un type aussi monstrueux? À cette époque-là, peu de gens se posaient la question. Kadhafi gardait un peu de son aura révolutionnaire tiers-mondiste. À la pointe du panarabisme, défendant (en théorie bien sûr) la démocratie directe dans son pays, il était l'un des visages réputés attrayants de la Révolution, comme Fidel Castro à Cuba qui représentait pour beaucoup «un socialisme acceptable», comme l'a dit un ministre de Sarkozy, dont la première femme fut la maîtresse de Fidel. Bon, je m'aperçois que je suis en train de lui chercher des excuses. Jeannette n'en a pas besoin. En tout cas, avec elle, Kadhafi n'a pas été avare de cadeaux (notamment un extravagant manteau en zibeline) et a favorisé sa carrière de journaliste, puisqu'il décrochait son téléphone dès qu'elle souhaitait interviewer un dirigeant arabe. Jeannette lui doit la plupart de ses scoops. Quand Kadhafi l'a larguée, elle est sortie assez vite des radars, sa signature a disparu des journaux que je lisais, j'avais fini par oublier qu'elle existait. Je n'imaginais pas que j'allais la retrouver sur un écran de télévision, à Tripoli, là où nous nous étions rencontrés.

14

Taurbeil-La Grande Tarte, région parisienne, France

Une grappe de Blacks ventouse l'entrée de l'immeuble. Un nuage d'insultes éclate autour de Sami quand il entre sous l'auvent. Fils de pute, enculé de ta mère. Il se fraie un passage à travers le ballet de lunettes noires. Ne pas répondre, ne jamais répondre, endurer les mots qui salissent et parfois les crachats. C'est la règle si l'on veut survivre.

Le grand écran plasma d'une télévision neuve occupe une partie de la pièce principale de l'appartement de ses parents. Sa mère est en train de regarder une émission de télé-réalité. Elle devient sourde et a poussé le son au maximum.

Sami lève les sourcils et hurle : « Vous avez gagné au Loto ? » Le visage de son père s'est assombri. Il hésite avant de répondre, comme si son esprit, pendant quelques secondes, avait voulu s'éloigner de toute pensée impure : « J'en voulais pas, tes frères ont insisté. »

Sami se reproche d'avoir posé une question dont il connaît la réponse et qui met son père dans l'embarras. Il n'a pas la force de se mettre en rogne. Plusieurs fois par mois, à jours fixes, les bandes écoulent les marchandises provenant de camions volés ou d'entrepôts pillés. Raides défoncés, ils installent leur camionnette devant une entrée d'immeuble. Les clients attendent avec leur liasse de cash à la main. Son père a beau réprouver ce trafic, quand il y a une occasion à saisir, il prend. Comme tout le monde.

À quoi bon se fâcher ? Son père est un vieillard maintenant. Tellement fragile. Forces déclinantes, joues creuses, blanchies par une barbe rare, les yeux éteints, et un maigre sourire où brillent des fausses dents en métal. Sami lui tend une enveloppe fermée avec du papier kraft.

« Je n'ai plus de place chez moi, ce sont des documents bancaires confidentiels, je préfère qu'ils soient chez toi.

— Je les rangerai avec les autres, dans le meuble de la salle de bains… »

Saisi par une quinte de toux, il ne peut terminer sa phrase.

Sami tend cinq billets de cent euros à son père qui sourit sans avoir la force de les refuser. Aucune ambiguïté : ce sourire, c'est sa façon de ne pas pleurer. Sami a pris son après-midi pour voir ce père au bout du rouleau. Une affection chronique lui mine les poumons depuis plusieurs années. Le médecin de la Sécu lui a interdit de fumer. Sa soif de vivre s'est envolée, comme son envie de retourner au pays.

Il avait longtemps caressé le rêve de finir ses jours au soleil à Sétif, quand il travaillait encore aux Grands Moulins. Combien de fois a-t-il pétri cet espoir ? Il se voyait en djellaba dans la cour de la maison de ses parents, près du vieux puits, sous l'ombre souveraine du figuier, entouré d'anciens camarades de jeunesse, devenus de vieilles choses fripées, eux aussi, mais il n'est jamais arrivé dans ce monde paisible.

Ô mon pays, ma lumière, mon azur… Ô mon pays fertile, toi que j'ai perdu… Écoute mon cœur.

Il n'arrive pas non plus à exprimer ce que lui inspirent les images d'Algérie qu'il reçoit par satellite.

C'est seulement quand il est seul avec sa femme qu'il laisse échapper quelques mots. Il en veut aux corrompus, aux mafieux, aux menteurs, à Boutef et à tous les autres qui ont confisqué l'Algérie.

Il a compris depuis longtemps qu'il n'arriverait pas à se libérer de sa peine, sa voix se bloque. Il n'achève plus jamais ce qu'il a à dire. À quoi bon ? Qui s'en soucie ? La nostalgie recouvre son cœur comme un linceul.

Il ne parle pas non plus de la France.

De quoi parle-t-il alors ? De rien.

Il est arrivé à Taurbeil-La Grande Tarte au début du printemps 1969, un jour de neige, ce printemps était glacial. Il avait dix-sept ans. Sa première nuit, il l'avait passée près de Melun, dans un foyer où des hommes grelottaient sous des couvertures. Ses cousins avaient partagé une chorba avec lui. Plus de quarante ans après, il garde le goût de cette soupe brûlante. Le lendemain, le plus âgé du groupe l'avait réveillé. Ils avaient pris le bus jusqu'à Taurbeil-Centre.

Du haut du quai, il avait découvert les Grands Moulins. Plusieurs bâtiments en brique sombre, très hauts, et une tour immense, avec de faux mâchicoulis, un belvédère posé à son sommet, surmonté d'un toit en zinc, à la hauteur des nuages.

«C'est là, lui avait dit son cousin non sans fierté.

— C'est grand.

— Normal, les Grands Moulins.»

Il était resté silencieux, les yeux écarquillés sur ce pays qui n'était pas le sien.

La puissance du fleuve, en forme d'arc, avec des reflets de marbre vert, la franchise du courant, l'obscurité du ciel, le tournoiement des nuages, les péniches serrées les unes contre les autres qui attendaient de se faire gaver de farine, ce soupçon de neige sur la route...

Il se souvient de tout.

Il regrette de n'avoir rien raconté à Sami, son fils aîné. Trop tard. *Sami ne me parle pas. Bonjour, au revoir. Il arrive que ça m'inquiète. Il a une bonne situation, c'est un bon garçon, mais il n'a pas de femme. Pas d'enfants... Qu'est-ce qu'il fait de sa vie ? Je n'en sais rien...*

Deux heures après son arrivée aux Grands Moulins, il passait les tests, et le lundi suivant était embauché à un poste qu'il n'avait quitté que le jour de sa retraite, il y a quelques années.

C'est en France qu'il a travaillé, c'est en France qu'il va mourir.

Sami ne se souvient pas l'avoir entendu tenir devant lui un propos contre les Français. Maintenant Sami lui en veut. *Oui Papa, je t'en veux, pour ton silence, tes mains croisées, tes pensées nouées. Tu n'es pas forcé de tout accepter. Elle est où Papa ta liberté ?* Il lui en veut d'avoir été un homme sans courage, sourd aux humiliations, aveugle aux injustices. Il lui en veut d'être fait du bois tremblant de l'exil. Il lui en veut d'être si vieux et malade. Déjà. À son âge ! Quel âge ? Soixante-quatre.

Son père considère que les peuples et les hommes sont des jouets dans les mains du Destin. *Le Destin s'amuse, il les précipite les uns contre les autres. Peuples, nations, hommes, femmes et enfants dans le même chaudron. À chacun de se débrouiller pour tenir sa place, avec honnêteté, ni plus ni moins, là où Dieu l'a fait naître. Je me suis pas trop mal débrouillé. Sami aussi s'en est bien sorti. Comme j'apprécierais qu'il me parle, qu'il me dise s'il connaît quelqu'un, s'il fait avec elle des projets d'avenir...*

Travaille et tais-toi ! Il a travaillé. Il s'est tu. Ne le regrette pas.

Le temps a passé. Trop vite, bien sûr. Mais pas plus vite que pour les autres. Le problème d'ailleurs n'est plus sa vie, mais sa mort. Il respire mal, les angoisses le prennent à la gorge, il suffoque. Le souci de savoir que ses os blanchiront dans le cimetière de la Grande Tarte.

Et Sami qui n'est jamais allé à Sétif. Quelle tristesse !

Sami n'a jamais respiré l'air des sommets ni bu l'eau glacée des sources qui dévalent de la montagne. Le vieux n'y est jamais retourné depuis son arrivée en France, sauf pour l'enterrement de son propre père. Quand il était plus jeune, il répétait souvent ce proverbe en riant : « Chaque être goûtera à sa mort. » C'était sa façon d'accepter les épreuves à venir. Mais il n'avait jamais imaginé qu'un jour, il ne serait plus chez lui en Algérie ni qu'il serait quotidiennement humilié, ici, par les négros, dans cette cité qui ressemble de moins en moins à la France. Et plus du tout à l'Algérie.

Dans quelle terre s'allongera-t-il quand l'ange de la mort le ramènera vers le Seigneur ? Le béton d'une fosse ? Il craint que son âme ne soit condamnée à l'errance. Sa vue qui décline ajoute à ses angoisses. Et si ses yeux ne perçoivent même plus la lumière qui sort de lui comme de tout être humain, comment reconnaîtra-t-il la présence du Miséricordieux ?

Il n'avait pas toujours été cet homme qui tremble. Enfant, il n'avait pas hésité, pendant la guerre, à manifester avec ceux qui réclamaient l'indépendance. Plus tard, aux Grands Moulins, il avait rejoint la section CGT de l'usine, avant de déchirer sa carte syndicale, deux ans après. Tous des vendus.

Il était jeune alors… Il se souvient… La vie coulait dans ses veines.

Ces épisodes appartiennent à un passé qui n'existe plus que dans l'un de ses rêves récurrents où il se voit affronter différents périls de cette époque (et notamment ce contremaître raciste qui fut son chef aux Grands Moulins), protégé par l'ange Gabriel, son cher Sidna Djibril, avant de retrouver sa femme, dans l'apogée de sa fraîcheur, allongée sur un lit nuptial dans une chambre aux murs clairs saturée d'odeurs de savon.

Quand il ouvre les yeux, il la regarde qui dort à côté de lui, une vieille chèvre, et la reconnaît à peine. Et lui ! À quoi ressemble-t-il ? À un chameau au bout du rouleau.

Ses dernières colères, il les réserve (de loin, bien sûr) aux caïds qui roulent dans de grosses cylindrées volées sur la nationale 7, aux barbus qui fraient avec des trafiquants et pourrissent l'avenir des jeunes de la cité désireux de retourner à l'islam. Assis devant sa fenêtre à l'heure où la nuit tombe, il éructe entre ses lèvres en observant leurs va-et-vient :

« Comment les Françouias peuvent-ils accepter cette situation ? Tant de tromperies ? »

Depuis quelques mois, c'est à la mafia negro qu'il en veut. Les Noirs sont des cafards, ils ont pullulé comme des cafards et leurs fils cafards ont pris la rue. Ils font la loi dans l'immeuble. Il doit courber la tête quand il est obligé de passer devant ces fils de pute. Sami non plus ne peut pas les voir. D'après lui, ils travailleraient pour un Arabe.

Sami n'a jamais contredit son père. Il ne va pas commencer maintenant.

94

Il n'a jamais su non plus trouver l'occasion de lui parler. Encore moins aujourd'hui qu'il vit avec ses secrets.

Son père va mourir.

Le vieux quitte son logement pour se rendre à la mosquée, chaque vendredi à midi. Il fait le tour de la cité, rue Gustave-Courbet, rue Pablo-Picasso, rue Paul-Cézanne, jusqu'à l'avenue du Général de Gaulle, en bas de laquelle brillent les toits verts de la mosquée.

Dans la rue, personne ne le salue, ça ne lui fait ni chaud ni froid, il n'a besoin du salut de personne. Ses voisins ne le connaissent pas. Son temps est passé, pfuuuit! fini, envolé, et l'avenir n'existe pas, même dans ses pensées.

Quand il se promène, appuyé sur sa canne, il croise des Arabes avec leurs sacs en plastique remplis de légumes et de fruits, des négresses en boubou, des gosses qui se bourrent de hot dogs hallal, voyous, bons garçons, on ne fait plus la différence, tous le même uniforme, même son Bouboule ne quitte pas ses Nike, son jean et son pull à capuche. Il passe devant les grosses mendiantes assises comme des tas à même le trottoir, sans les voir, il écoute le prêche de l'imam, se prosterne devant le Très-Haut, réchauffe son âme à sa flamme, puis rentre d'un pas lent, perturbé.

Il passe ses journées assis sur un fauteuil devant la fenêtre. *Heureusement j'ai mes fils. Ma joie. Les deux cadets, Mohamed, dit Bouboule, encore lycéen, un garçon dégingandé, prometteur; Abdelhamid le Timide, sérieux, qui travaille au centre commercial Youssri. Et Sami le Merveilleux, j'espère qu'il va bien, j'espère...* Il use

95

ses yeux à scruter les rues de la ville où il a passé son existence. Les flots des voitures, les gens qui marchent, les gosses qui frappent dans un ballon lui parviennent comme d'un autre monde.

Dans le lointain, la forêt dessine un cercle mystérieux.

Le vieux garde toujours dans son portefeuille la carte de visite de son fils : *Sami Bouhadiba, directeur financier*. Son aîné ne lui a apporté que des satisfactions. De l'école à l'université, et maintenant dans son travail, toujours sérieux, jamais eu un seul reproche à lui faire. Un regret, pourtant. Sami avait commencé par être prof, après sa licence de maths. Remplaçant. Puis il avait passé le Capes. Un succès. Il aurait voulu que son fils s'en tienne là. Professeur, c'était énorme. Mais Sami avait voulu continuer. Parti comme il était, disait-il souvent en parlant tout seul, il ira loin, très loin, inch'Allah.

Sami lit des pics de panique dans les silences de son père. Il souffre et maudit leur impuissance. Celle de son père, la sienne. L'impuissance générale des Arabes. Leurs divisions... *Ça ne durera pas*. Il annonce à son père qu'il part pour son travail au Maroc.

« Pour longtemps ?

— Une petite semaine. Peut-être moins, je peux revenir très vite.

— C'est vrai que maintenant, avec l'avion... »

Le vieil homme ferme les yeux, regarde en lui-même et ne voit que vide et souffrance. Ce voyage à Marrakech ne lui dit rien de bon. Il y a deux ans, Sami était parti en Égypte. Il y était resté trop longtemps et en était revenu différent, moins de gaieté. Il sait qu'un père doit laisser partir ses fils.

«Tu te souviens des dattes que j'avais rapportées de Sétif?»

Sami garde sur la langue le goût de ces dattes fraîches sorties de la valise de son père. Ce soir-là, il s'était couché tard et son père lui avait apporté une dernière datte dans son lit. Il s'était endormi en pensant aux gens du désert, aux sommets enneigés de Sétif, au long voyage de son père, de l'autre côté de la mer : «Je t'en rapporterai de Marrakech, ça nous permettra de comparer, je suis sûr qu'elles seront moins bonnes.» Sami étreint son père en silence, embrasse longuement sa mère dans la cuisine et part en refermant la porte. Son père tire le verrou. Ses parents vivent dans une prison.

Le bruit dans l'escalier lui compresse le cerveau. Les vibrations d'une sono font trembler les murs et les portes. Ses neurones aussi. Il prend son souffle avant de descendre.

Ça schlingue à mort dans la zone infernale. Une puanteur de shit et de bouses africaines. Sur les murs, des graffitis, des zobs missiles, des geysers de sperme, des fesses volcaniques, avec des culs qui fument, des gros termas de salopes. Toutes les ampoules des plafonniers volées ou cassées, il fait sombre. Sami aperçoit dans un coin des types effondrés qui cuvent leur dope et leur bière. Leurs deux rottweilers psychopathes, parés de colliers cloutés, se chamaillent et bavent dans leurs muselières. Sami traverse le hall en essayant de ne toucher personne. Une dizaine d'ados s'engueulent. *Saletés de bamboulas, deux fois plus grands que Papa, il doit avoir l'air d'un brin d'herbe quand il passe à côté d'eux. Le pire c'est qu'il les retrouve à la mosquée ! Il faudra bien un jour nettoyer cette engeance, revenir à la vérité.* Leur radio crache un rap débile. Le martèlement de la musique couvre les cris d'un règlement de comptes – une banale correction – qui proviennent du local technique, utilisé comme minisupermarché de shit, gardé par deux costauds.

Sami et ses frères, comme leur père et tous les gens de l'immeuble, ont appris à se rendre invisibles. Ils ne voient pas les voyous et ils espèrent que les voyous ne les verront pas. Ce statu quo peut durer, ou pas. Sami a souvent proposé à son père de l'aider à déménager. Le vieux ne veut pas en entendre parler. Sa maison est ici, dans ce F3 ; Taurbeil-La Grande Tarte, c'est son douar. Il a pris prétexte des travaux de rénovation entrepris dans la cité après les émeutes pour ne pas bouger.

15

Taurbeil-Paradis, région parisienne, France

J'ai travaillé pour l'Inrap dès sa création en 2002. Pardon ! Pour l'Institut national de recherches archéologiques préventives. Un organisme qui assure la détection et l'étude du patrimoine archéologique menacé par les travaux d'aménagement du territoire. Beaucoup de gens nous détestent. Nous sommes des empêcheurs de tourner en rond. Des retardateurs de mise en exploitation, des ralentisseurs de profits. Construction d'autoroute, voie de TGV, implantation de zone commerciale, il est rare que les bulldozers ne découvrent pas d'étonnants vestiges du passé. Une course contre la montre s'engage alors (si le propriétaire a l'honnêteté de ne pas faire passer ses bulldozers sur le site pour tout araser, ça arrive), car évidemment, les propriétaires, agriculteurs, collectivités locales ou promoteurs sont pressés de réaliser leurs projets. Des archéologues sont « parachutés » sur les sites pour expertiser dans l'urgence les découvertes, les inventorier et sauver ce qui peut l'être.

La création de l'Inrap témoigne de l'importance prise par la recherche archéologique en France depuis les années 70. J'ai été l'un des petits soldats de cette force d'intervention très pacifique, comblé de revenir en France après des années d'expatriation. Pendant deux ans, j'ai effectué plusieurs missions (une dizaine) sur le territoire français. L'une de mes premières actions m'a conduit à Wissous, une emprise de l'aéroport Paris-Orly, où un impressionnant site gaulois venait d'être découvert, sur le territoire des *Parisii*, révélant la présence d'une puissante ferme datée du IIe siècle avant notre ère. Mobilier métallique, outils, bijoux, grosses amphores romaines, donnaient des indications sur la variété des activités exercées à Wissous, mais aussi sur la prospérité de ses habitants, leurs connexions commerciales et la pérennité du site.

Je ne m'attendais pas à être si heureux de participer, modestement, à la réévaluation d'un épisode de l'histoire gauloise. Cette mission m'a fait retomber un peu dans l'enfance de notre pays. Notre ancien testament national.

La Gaule, c'était l'embryon de la France qui commençait à bouger dans le ventre de la forêt celte. Les Gaulois, ces semi-nomades aux grands corps blancs et mous, des vaincus, avaient été délaissés par les historiens. Je découvrais alors les livres de Camille Jullian, professeur au Collège de France qui, d'une certaine façon, inventa la Gaule que nous étions en train d'exhumer un demi-siècle plus tard.

Depuis Le Caire, j'avais mené presque continûment une vie d'expatrié. C'est agréable d'ailleurs, cette existence toujours un peu flottante, dépaysée, confortable, abandonnée au lointain, sans autres liens que ceux du travail. À force de respirer *outside*, on finit toujours par oublier d'où l'on vient et peut-être même qui l'on est. J'ai donc vécu ce chantier de Wissous comme un retour bienvenu au bercail, il était temps, surpris pourtant, au moment où je renouais avec mon pays natal, de constater que mes compatriotes, ceux qui n'étaient jamais partis, semblaient s'être écartés de ce pays au point de n'avoir plus avec la réalité et avec l'histoire de l'Hexagone qu'un lien distendu et assez flou.

La municipalité de Taurbeil-La Grande Tarte (pas très loin de Wissous) avait décidé de construire une nouvelle école primaire pour remplacer les baraquements préfabriqués. Les ouvriers du chantier avaient mis au jour des vestiges médiévaux au lieudit le Paradis. Je suis arrivé à Taurbeil-Paradis le lendemain de la fermeture du chantier de Wissous. Le cahier des charges précisait que le nouveau bâtiment devait être opérationnel pour la prochaine rentrée. Nous avons mis les bouchées doubles.

Il m'a fallu un certain temps pour m'apercevoir qu'un vieil homme restait des heures à nous observer d'un terre-plein en surplomb de notre terrain de fouilles. Nous nous étions habitués à sa présence silencieuse. Son immobilité, sa maigreur, ses mains posées sur ses hanches, les doigts écartés, son regard fixe (un peu vague) sur notre chantier, et un demi-sourire figé lui donnaient un air énigmatique. Je m'étais demandé s'il ne souffrait pas des séquelles d'un accident vasculaire cérébral. Il avait l'air d'une statue penchée vers le sol. Un Rodin revu par Giacometti. Nous étions habitués à sa présence silencieuse. Quand par hasard il n'était pas là, son absence nous inquiétait, l'on se demandait s'il ne lui était pas arrivé quelque chose, il nous manquait.

Un soir, avant de partir, je suis allé le trouver et je lui ai dit que s'il avait des questions sur notre travail, ce serait un plaisir de lui répondre. Il a commencé par se présenter, «Monsieur Bouhadiba, retraité des Grands Moulins». Puis il a ajouté avec une certaine brusquerie : «Je suis de Sétif, algérien…» Il n'a pas tardé à sortir de sa poche un article découpé dans un journal algérien sur la restauration d'une fresque du début du VIᵉ siècle de notre ère et qui avait été découverte fortuitement dans le quartier des basiliques à Sétif, suite à des pluies intenses. Cette fresque avait été transférée vers l'ancien musée en 1968 puis au Musée national d'archéologie de Sétif en 1985. La ministre algérienne de la Culture expliquait dans une interview «l'importance et l'impact d'une telle œuvre», soulignant que «les mosaïques, réminiscences de la mythologie et de littérature, témoignent de la culture et de la richesse de la société romano-africaine».

Cette première conversation était restée un peu asymétrique. Je lui avais posé des questions, il avait répondu en demeurant sur la réserve. Lui-même, contrairement à ce que j'avais imaginé, n'avait pas d'interrogations concernant notre intervention. Il avait l'air de comprendre ce que nous étions en train de faire, il avait tenu à exprimer, avec des mots très simples, son admiration pour notre travail.

Le lendemain, dès que monsieur Bouhadiba est arrivé, je l'ai rejoint sur son poste d'observation pour lui faire une surprise. J'avais préparé mon coup. J'ai installé mon Toshiba devant lui, j'ai commencé à pianoter sans lui préciser ce que j'étais en train de chercher. Mes étudiants et mes collègues levaient vers nous des visages intrigués. Personne ne pouvait soupçonner que j'étais en train de lui montrer des vidéos sur les vestiges romains de Sétif et des interviews de collègues algériens. J'avais même retrouvé celle de la ministre dont il m'avait parlé. Bouhadiba ne pouvait détacher son regard de ce qu'il voyait, la lumière de l'écran se reflétait sur ses joues grises et à plusieurs reprises, j'ai vu son visage se contracter, comme s'il allait pleurer. Il a ébauché un sourire, et dans un geste très lent, un peu maladroit, il m'a pris par les épaules pour me remercier. Dans ses doigts posés sur moi, je sentais sa maigreur, les osselets de sa main, son émotion, il tremblait. Il avait besoin de s'accrocher à quelqu'un pour ne pas tomber. J'étais heureux d'être là.

Ayant pris l'habitude de discuter un peu avec lui tous les jours, j'ai réalisé que nous avions à peu près le même âge. Il avait trois fils, dont l'un avait réussi des études d'ingénieur. C'était l'aîné, il s'appelait Sami.

Sami faisait sa fierté. « Un bon gamin, m'a-t-il dit un jour. Lui aussi il se sert de l'Internet. Il y passe même beaucoup de temps, d'après ce que je sais. » J'avais compris qu'il rêvait que son fils Sami regarde avec lui les vidéos de Sétif que je lui avais montrées. J'ai noté quelques références Wikipédia et YouTube sur un morceau de papier ainsi que mon téléphone et mon adresse électronique. « Pour votre fils, il pigera tout de suite, et il pourra même vous en montrer d'autres. Qu'il me contacte s'il veut plus d'informations. »

Monsieur Bouhadiba ne m'a jamais dit si Sami lui avait montré ces vidéos, Sami ne m'a pas contacté. Le visage du vieux s'illuminait toujours quand il parlait de son fils aîné, mais il l'évoquait sans entrer dans les détails. J'avais deviné une anxiété dans ses pudeurs de père. Il ne comprenait pas pourquoi Sami, avec sa situation, ne se mariait pas. Un jour, il a failli me parler, puis s'est arrêté. J'ai pensé qu'il se demandait si son fils n'était pas gay et que c'était pour lui une angoisse assez obsessionnelle.

16

Paris VIIe, France

Le Service antiterroriste a la jouissance d'un petit hôtel particulier, derrière la tour Eiffel, dans une rue sans passage qui donne sur l'avenue de Suffren. Ce bâtiment appartient à la Marine, mais le ministère de la Défense en a concédé l'usage au Service action à l'époque du Général. Depuis plus de cinquante ans, personne ne l'a réclamé. Cette anomalie (une faille dans le système) tient du miracle et surtout d'un certain laisser-aller administratif. L'existence de ce bien sans maître officiel a longtemps arrangé nos ministres de la Défense ou de la Police, quand ils n'en n'ignoraient pas totalement l'existence. Ils se gardaient la Villa sous la main, au cas où. La Marine par ailleurs continuait à l'utiliser, sans jamais le revendiquer, pour se coordonner avec différentes unités de renseignement avant d'envoyer ses commandos dans des zones où ils n'auraient jamais dû se trouver. L'autonomie de la Villa (un sanctuaire à plus d'un titre) avait un prix. Personne n'y faisait jamais de travaux, si ce n'est l'entretien minimal de maintenance, effectué par des ouvriers polonais payés de la main à la main, sur des fonds extrabudgétaires. Ce bâtiment de deux étages est entouré d'un minijardin, lui-même protégé de la rue par un châssis de grilles avec des plaques de fonte, peintes en vert, et qui dissimulent aux passants les lézardes de la façade. Il arrive à Lambertin d'y dormir pendant le week-end. Il en a pour ainsi dire fait sa maison de campagne, comme il le rappelle parfois en plaisantant. Bruno se souvient qu'un jour, l'un de ses collègues lui a confié en baissant la voix : « C'est son baisodrome, j'en mettrais ma main au feu. »

Le vieux est veuf depuis vingt ans. Pas remarié. Pas de liaison. Il a recours à quelques professionnelles, toujours les mêmes, des trentenaires qui lui coûtent les yeux de la tête.

L'ameublement est sommaire. De grandes tables et des chaises Habitat, des lampes halogènes sur pied, quelques bureaux, des ordinateurs reliés par des faisceaux de câbles. Il y a aussi un poste de télévision surmonté d'une antenne, et au premier étage, trois matelas posés sur le plancher, dont un avec draps et couvertures, et une table de chevet en acajou, ainsi qu'un fauteuil club, dans ce qu'on appelle la chambre du patron.

Dans la solitude de cet endroit où flotte en permanence une légère odeur de renfermé, Lambertin avait fomenté une succession de coups de force qui avaient abouti à l'étranglement puis à la disparition des célèbres réseaux Vargas. Le Vargas en question était un ancien directeur de la police qui avait réussi à garder plus qu'une influence, des hommes et des contacts, à la Défense et au Quai d'Orsay, avec la complicité d'un ministre et d'une poignée de hauts fonctionnaires, policiers et ambassadeurs, dont il avait fait la fortune, en les associant à de juteux trafics, stocks d'armes neuves ou d'occasion, matériels de guerre, barils de brut.

Pendant deux ans, Lambertin (en tandem avec le dircab du ministre des Affaires étrangères, futur ministre) avait passé tous ses week-ends à identifier et à démonter ces réseaux parallèles, un par un, avant de gagner cette guerre secrète, l'une des plus difficiles qu'il ait eu à mener, se faisant au passage quelques mortelles inimitiés. Le président de la République, qui avait couvert l'enquête de Lambertin, s'était quand même cru obligé de recaser tous ces délinquants de haut vol, hors de leur corps d'origine.

Après la chute de Vargas, le ministre avait décoré Lambertin lors d'une cérémonie discrète en même temps qu'on lui confiait la charge de relever le prestige d'un service qu'il connaissait mieux que personne. La menace islamique commençait à peser sur notre pays. Lambertin s'était mis au travail sans rien changer des habitudes de secret et de méfiance acquises pendant ces années d'une lutte sournoise et sans merci, instaurant une distance prudente avec sa hiérarchie, celle-là même qui lui avait fait confiance, mais qu'il savait de plus en plus sensible aux angoisses des politiques et au jugement des médias.

Bruno l'a rarement entendu évoquer ses débuts. Il a essayé de le questionner, mais Lambertin reste avare de confidences. Cet « âge d'or » semblait frappé du poinçon de ses maîtres, qui avaient été chargés de lutter contre l'OAS.

« Ça ne rigolait pas. De Gaulle leur avait demandé de mettre le paquet. Ils ont fait le boulot, sans état d'âme, on y croyait, en ce temps-là, et ils savaient qu'ils seraient couverts. Il y avait de la loyauté. »

L'ancien professeur sait bien que la France, comme tous les pays, et sans doute plus que les autres, a ses hauts et ses bas. *Avant, les désastres finissaient par des résurrections. Même l'Algérie, on s'en est sortis. Maintenant c'est autre chose. Les gens ne savent plus ce qu'ils veulent, Lambertin a raison, il n'y a plus de loyauté, tout le monde est flou, les aruspices des instituts de sondage interprètent des chiffres mystérieux. Les réseaux sociaux fabriquent du brouillard.*

Le patron, avec sa carapace de mots fatals, a l'air de sortir d'un autre âge. Dans la maison, quelques blancs-becs commencent à lui reprocher en sourdine ses méthodes du passé et leur manque de transparence. Il leur arrive de plus en plus souvent de lever les yeux au ciel quand ils évoquent son nom.

Bruno gare sa petite Audi avenue Charles-Floquet et reste quelques instants au volant en se faisant ses réflexions presque à voix haute. Ça lui arrive de plus en plus souvent de parler tout seul. Le mot de Lambertin, *il y avait de la loyauté*, lui fait encore l'effet d'une décharge électrique, à cause de Marie-Hélène.

Il glisse son badge dans la serrure de la porte de service (la porte d'entrée, donnant sur un petit perron, est condamnée), avec une demi-heure d'avance, impatient de savoir ce que Lambertin attend de lui. Un planton a apporté du café et du thé. Plusieurs de ses collègues discutent dans la pièce de réunion, où sont stockés les extincteurs.

À 9 heures précises, les responsables de la lutte anti-terroriste sont assis autour de la table ovale avec un dossier bleu devant eux. La réunion commence par un exposé sur une filière de l'État islamique où apparaissaient deux Français d'origine algérienne, et un rapport sur l'infiltration de la police par des éléments radicalisés.

Lambertin, visage rond, sans aspérité, des yeux clairs et facilement ironiques dissimulés sous des lunettes d'écaille, les cheveux rares et ras, le teint rose, un carré de limaille blanche en guise de moustache, n'a pas son pareil pour éplucher un dossier et en isoler les points faibles. Il ne s'exprime jamais tant qu'il estime n'avoir pas toutes les cartes en main. C'est presque en médium, comme il le dit lui-même, qu'il s'est plongé dans les nébuleuses du terrorisme islamique. Il y a longtemps qu'il est entré dans les mécanismes de pensée des hommes attirés par l'aura criminelle de Ben Laden et de ses épigones.

Son intuition se fonde sur sa connaissance des réseaux, des comportements, et sur ses expériences en Asie centrale. Il réfléchit toujours en se mettant dans la peau de ceux qu'ils traquent. Il se demande ce qu'ils lisent, ce qu'ils mangent, il les imagine terrés dans des planques de fortune, dans des bleds merdiques, dans des immeubles de Raqa, où ils attendent leur transfert, en buvant du thé devant des écrans de télévision allumés vingt-quatre heures sur vingt-quatre. Qu'est-ce qu'ils regardent? La propagande de Fox News? Celle d'Al Jazeera? Les matchs de foot sur Eurosport?

«L'islamisme a changé, a-t-il conclu. La guerre en Irak a formé des centaines de combattants, venus de partout. L'État islamique campe aux portes de Damas, la Libye et le Sahel, une partie de l'Afrique sont contaminés. Les deux atouts des islamistes: une grande autonomie de décision et beaucoup de souplesse dans l'exécution. On est plus proche du franchising que du Komintern. N'oubliez pas que nous avons souvent affaire à des nomades, ils nouent des contacts, des amitiés. Certains se sont fixés sur les confins des grands empires, ce sont des sentinelles qui attendent leur heure, mais le plus souvent, ils ont déjà pactisé avec des chefs de tribus et règnent sans se cacher sur des territoires immenses. La toile s'élargit, Cachemire, Yémen, Pakistan, Nigeria. Partout beaucoup de business.»

Dans les dossiers bleus se trouvent des cartes où plusieurs circuits convergents ont été matérialisés. Armes, drogue, hommes, argent. Quand Lambertin commente ses documents, deux rides plissent ses joues autour de sa bouche :

« Suivez les flèches noires. On voit très bien comment l'argent peut se mettre à tourner à une vitesse folle, des sommes colossales, entre le Caucase, le Pakistan, la Turquie, la Libye et la Somalie... C'est comme à la roulette. Là où la boule va s'arrêter, vous pouvez être sûrs que ça va être chaud. L'argent anticipe l'arrivée des combattants et des trafiquants. Les marchands investissent, avancent le cash, achètent et vendent tout ce qu'ils peuvent. Quand c'est fini, ils ramassent et ciao. »

Les projections, encore gardées secrètes, tendent à prouver que les banlieues des grandes villes françaises sont maintenant entourées d'une ceinture verte. Les différents rapports commandités par la place Beauvau sur l'islamisation présumée de la banlieue ont été mis au placard. Trop explosifs. Mais une enquête, commandée à des sociologues de l'université de Lyon par la commission des évêques de France, vient de conclure qu'il faut envisager une islamisation à moyen terme de l'Europe. Le cadre de l'enquête dépasse les frontières des zones de banlieues. Les chercheurs ont interrogé plusieurs milliers de personnes, dans toutes les grandes villes, et dans des quartiers différents. Une majorité de sondés reconnaît s'être détournée du catholicisme, mais garder une soif de spiritualité. Beaucoup (notamment chez les jeunes) accepteraient de se bricoler une religion en kit. Un peu de bouddhisme, un peu d'islam, pourvu que ce ne soit pas contraignant. Et le moins de catholicisme possible, qu'ils estiment répressif ou ringard.

À l'heure du déjeuner, Lambertin fait chercher des sandwichs et de la bière dans une brasserie voisine tout en continuant la discussion de façon informelle. Après la réunion, il prend Bruno à part.

« C'était bien la Bretagne ?

— Un peu court.

— Je t'ai appelé parce que plusieurs rapports signalent une activité étrange dans un quartier de Taurbeil.

— La Grande Tarte ?

— Exactement. Rien de précis, mais… Cela peut être seulement une coïncidence, ou pas, je préférerais que tu ailles faire un tour, le plus discrètement possible.

— Nous avons un contact ?

— Le commissaire de Taurbeil s'appelle Nguyen. Je pense que tu l'as déjà rencontré. Appelle-le et fais le point avec lui. Tu peux lui faire une confiance absolue. Tiens-moi au courant. »

17

Ambassade américaine, Tripoli, Libye
Une activité variée règne dans le compound de l'ambassade américaine. À l'intérieur du bâtiment principal,

un drapeau américain, à moitié brûlé, est suspendu au-dessus du portrait d'Obama grossièrement retouché au crayon feutre. L'artiste, qui n'a pas fait dans la dentelle, a ajouté un commentaire sous la photo «détournée»: «Singe américain se prenant pour le maître du monde».

L'entrée de la villa est gardée par trois hommes affalés dans des fauteuils à l'ombre des palmes. Ils ne quittent les jeux vidéo de leurs portables que pour aller jeter un œil aux écrans de télévision.

Moussa Aba, la quarantaine enrobée, barbe drue et brillante, l'un des commandants du secteur, pieds nus dans ses bottes en peau de serpent (un peu trop grandes pour lui) sur le bureau, répond aux interviews de la presse anglaise et américaine.

Devant lui, un plateau repas avec un poulet Kentucky. Moussa raffole du poulet pané et frit! Hier réserve des chambres froides de l'ambassadeur. Aujourd'hui sa réserve personnelle... Il dévore les croquettes tout en parlant, s'essuie la bouche sur sa manche, écarte le téléphone pour réclamer en hurlant de la sauce piquante à la moutarde, «Oui, à la moutarde, pour le poulet!», le grand Noir qui lui sert d'esclave, parti en courant, revient vingt secondes plus tard, mine basse. Il n'a pas bien compris, «quelle sauce exactement...?». Moussa lui balance une fiole vide avec une étiquette jaune aux lettres rouges qu'il évite et attrape à la volée.

Moussa parle, il s'amuse, il dévide son écheveau. Les journalistes se succèdent au téléphone. Certains se laissent griser par son baratin. «Oui, nous occupons

111

tout le périmètre... Non, aucune dégradation n'a été commise. Je vais vous envoyer une photo de la salle de fitness, vous verrez, elle est nickel chrome ! Nous pouvons affirmer que grâce à nous l'ambassade US est sécurisée... » Le milicien hurle de rire car pour une fois il ne ment pas. Il a sécurisé toute la zone pour empêcher d'autres fractions de s'emparer de ce butin qui fait rêver tous les islamistes de la terre : une ambassade américaine. Les heures défilent en express dans sa tanière hyperclimatisée et bourrée de technologies.

Pendant qu'il parle, l'un de ses adjoints reçoit des informations des différents fronts libyens. Le milicien, jeune, barbe sérieuse, en jean et chemisette écossaise, transmet à voix basse de brèves informations pendant que Moussa Aba continue de répondre aux interviews. « Combats dans les quartiers est ! De l'autre côté de la ville... une incursion de ces bâtards de Zintan... On dirait que ça se calme à Benghazi... – Et ces connards de parlementaires ? – Le Parlement est réuni dans les cales d'un ferry à Tobrouk. – Dans les cales d'un ferry grec à Tobrouk ! C'est ce qui pouvait arriver de mieux... ces rats vont tous mourir noyés ! » hurle Moussa en mettant la main sur son portable.

Dans le bureau, qui est devenu le sien, il n'a touché à rien, mais a fait installer un mur d'écrans pour regarder le maximum de canaux d'information en même temps. Moussa garde toujours un œil sur le monde.

Ce monde devient passionnant. Avec chaque jour de nouveaux barbus... Tiens, à cet instant justement, deux images : sur Euronews, le concert d'une drag queen à la barbe drue, «Conchita la Saucisse, dans une enceinte officielle européenne!» et sur la BBC, des images de colonnes de barbus suréquipés progressant dans les sables d'Irak! France 24: conférence de presse de Hollande qui répond aux accusations de son ex! «Je trouve qu'Hollande devrait se laisser pousser la barbe», commente Moussa, interrompu par son esclave qui fait un retour en trombe.

«La sauce moutarde commandant!

— Pas trop tôt, mon poulet va être froid, maintenant dégage cul noir, tu pues!» Le commandant s'excuse (il a toujours le *Guardian* en ligne): «Sorry, wait a second…», secoue la fiole, l'ouvre et asperge ses croquettes de poulet d'une sauce jaune, assez épaisse. Il en balance autant sur sa salopette que dans son assiette.

Quelques instants plus tard, son adjoint l'avertit qu'il vient de recevoir un message URGENT IMPORTANT CONFIDENTIEL des Combattants mahométans de l'Armée d'Allah. «Une vidéo, assez longue, je suis en train de la télécharger. — Je raccroche, fais sortir les gardes.» Ahmed transfère le message filmé sur le boîtier central des téléviseurs. Tous les écrans sont envahis par la même image. Une sourate du Coran calligraphiée en lettres blanches sur un fond noir pendant que les haut-parleurs sont saturés par la voix d'un muezzin. *Jetez l'effroi dans le cœur des mécréants, frappez-les au-dessus du cou.* Sourate 8, 12.

Après des accusations contre l'Occident énoncées par un otage occidental puis par son bourreau cagoulé, le silence envahit les haut-parleurs, où résonnent des grésillements parasites. Un poignard ouvre la gorge du sacrifié. Le geste du bourreau a tranché en profondeur dans le cartilage du larynx. Fluide et précis. Gros plan. Le sang jaillit. L'otage se vide.

Dans le bureau de l'ambassadeur, les deux hommes se taisent. Tendus vers les écrans, passant de l'un à l'autre, les yeux ne suffisent pas pour absorber l'offrande du sang. L'adrénaline dilate leurs pupilles. Ils sont en face de Dieu. Enfin. Le Très-Haut est avec celui qui tient la lame. Il est cette lame qui jette l'effroi dans le cœur des Nazaréens, Saint est son Nom.

Après la dernière image, Moussa Aba se racle la gorge et dit : « Tu as remarqué la tenue orange que portait ce porc juif ? – Bien sûr. – Tu sais d'où ça vient ? – C'est la tenue que les Américains nous font enfiler quand on arrive à Guantánamo. – Exact. Tu devrais récupérer du tissu de cette couleur et faire fabriquer une série de tenues, on ne sait jamais, on peut en avoir besoin... »

Comme tous les mercredis, c'est jour de réunion pour les amis de Moussa. Amayaz et Ali. Des gens sérieux, avec qui il peut parler de tout. Il a pris une douche, légèrement taillé sa barbe et enfilé une salopette propre. Toujours dans le même style, marron, avec des zips aux manches, aux bas du pantalon et sur la poitrine (la fermeture descend jusqu'à l'entrecuisse). Maintenant qu'il devient un personnage (« You're a legend », lui a dit un journaliste saoudien), il doit faire attention à son look. Ce Saoudien lui a passé une biographie de Che Guevara. Le Che lui a donné l'idée de se faire appeler commandant.

Avec ses boots en peau de serpent à reflets mordorés, c'est vrai qu'il en jette. L'image qu'il contemple dans la glace lui convient. Un guerrier arabe.

Aïssata la Sénégalaise vient balayer sa chambre et lui apporte du thé. Aïssata est un cadeau d'Amayaz, elle a été livrée avec l'avant-dernière cargaison de cocaïne. Ronde et courte (mais grandie par des babouches à talon), toujours de bonne humeur, des épaules couleur de miel et de dattes, grande bouche aux lèvres ourlées, elle mérite bien son nom (Grace en français). Il la préfère aux Somaliennes, trop longues, efflanquées comme des chèvres tuberculeuses et toujours mal lunées.

La prochaine fois qu'on lui demandera ce qu'il veut comme cadeau (Amayaz lui a promis qu'Aïssata n'était qu'un début), il a pensé qu'il demanderait une blonde. Une salope à l'occidentale. La meilleure façon de combattre les mécréants, avant de leur faire tâter du poignard, c'est déjà de niquer leurs gonzesses.

Un rayon de soleil – le divin rayon du soir – filtre à travers les palmes et s'invite dans la tanière du commandant Moussa. Les gardes du corps jouent aux dés assis par terre devant la porte, kalachnikovs à portée de main. Amayaz et Ali sont calés dans leurs fauteuils autour d'une bouteille de whisky. Sous leurs pieds une moelleuse épaisseur de tapis disposés sur le sol du bureau comme une mosaïque. L'air pulsé par les climatiseurs empeste le bouc, le tabac et la laine humide. Ces tapis sont également un cadeau d'Amayaz qui prétend en posséder plus de dix mille, tous plus précieux les uns que les autres, récupérés dans tous les pays de l'islam, et entreposés dans une grotte de l'Adrar des Ifoghas. «Maintenant j'espère que tu m'appelleras le Généreux», lui a dit tout à l'heure Amayaz en déballant ses cadeaux.

Amayaz dit le Cruel, le Médium ou encore le Félin.

Moussa lui dit souvent en riant : « Les gens qui te connaissent pas te font confiance. Tu as l'air de tout sauf de ce que tu es : un mec pourri jusqu'à la moelle. C'est ce que j'aime chez toi. »

Né il y a plus de soixante ans au creux d'une dune, près d'un point d'eau, réceptif aux ondes du désert depuis qu'il est sorti du ventre de sa mère. Son grand-père lui a enseigné le langage des pierres et la sagesse des tribus. Son grand-père est mort. Son père est mort (sédentarisé, il avait planté sa tente dans la cour de son immeuble) et ses frères aussi (assassinés par des Algériens du Front islamique du salut dans les années 80).

Le jour le plus triste de sa vie, c'est celui où il est allé à l'école. Il s'est senti attaché comme une mule à un piquet.

Les défaites ont raviné ses traits, blanchi sa barbe, noirci le cuir des joues. Toujours vaincu, manipulé, combattant avec les Palestiniens, mercenaire de Kadhafi, traquant les islamistes, obligé de tout reconstruire après la mort du Colonel, il a retourné sa veste, une nouvelle fois.

Le Sahara est sa boule de cristal. Rien n'échappe à ses yeux aussi bleus que son chèche. Ils sondent, mémorisent, cartographient. Un réseau d'informateurs équipés de téléphones satellites et une flotte de pick-up équipés de moteurs V10 viennent en renfort de ses qualités de spirite. Un otage à localiser ou à transférer, une livraison d'armes ou de drogue à cacher, une grotte à viabiliser

116

pour abriter un détachement de combattants : « J'arrive », dit le Félin. Il est l'un des seuls à pouvoir parcourir aussi librement l'étendue du désert, avec la légèreté du vent et de la poussière, cuirassé de soleil. Précédé par sa réputation. Le Cruel.

Avec le commandant Moussa, il a conclu un deal gagnant-gagnant. Lui qui dans sa jeunesse était fou de son désert, de ses ondulations et de ses ravins, où il cherchait la présence du Très-Haut, fou de ses arbustes et de ses sources, ivre des ciels où il lisait comme dans un livre, il ne pense plus qu'à rentabiliser. Il habite sa vie sans s'épargner, sachant qu'il court avec sa rage au-devant de la mort. Très efficace pour le business. C'est pourquoi Moussa lui a confié la sécurité des entrepôts du Nord-Mali et la responsabilité de tous les frets Mali-Tripoli.

Les deux hommes ont engrangé beaucoup de bénéfices depuis dix-huit mois. Et laissé un certain nombre de cadavres derrière eux. Il y a plusieurs années qu'ils vivent au-dessus des lois. Dansant sur les cornes du diable, rançonnant et tuant au nom du Miséricordieux.

Plus d'État, plus de police, plus de juges, plus de lois, plus de freins. Ils ont fait leur pelote dans ce chaos et rejoint la planète fric. *Money*. En apparence, parce que le monde des riches est ancré dans le dur tandis qu'ils sont à la merci d'une rafale. À chaque instant. Cette précarité leur donne un sourire étrange. Leur alliance prospère sur une joie singulière. La joie du crime.

L'esclave somalien (Moussa ne le nomme que *saqlab*, l'esclave ; pour lui, tous les Somaliens sont interchangeables. À quoi bon les nommer ?) passe sa tête. Il apporte une salade de crevettes et une nouvelle bouteille de whisky. Les crevettes fraîches sauce cocktail, avec beaucoup de tabasco, c'est le péché mignon d'Ali.

Moussa multiplie les petites attentions à l'égard d'Ali, ancien responsable des raffineries sous Kadhafi. Ali le rend toujours un peu nerveux, même s'il fait pourtant pleinement partie de leur petite confrérie et qu'il n'a rien à lui cacher.

La cinquantaine encore svelte, ses compétences techniciennes (qui impressionnent Moussa) font de lui un oiseau rare. Il a abandonné pendant la guerre civile son bureau panoramique et sa petite garde prétorienne au ministère (après la défection de son patron, Choukri Ghanem, en mai 2011) et s'est installé à Malte. Une adresse postale, une secrétaire, une société d'import-export conseil. Un grand sens de l'épargne (jamais de dépenses inutiles, il économise même son sourire). Une certaine raideur, de la discrétion et une ouverture à toutes les propositions raisonnables.

Autrefois interlocuteur privilégié des technos de l'Ente Nazionale Idrocaburi (ENI), surtout depuis la privatisation de 1998. Aujourd'hui très proche de la Turkish Petroleum Overseas Company et de la Qatar Petroleum. Il se comporte comme une antenne parabolique dès qu'il y a une promesse de cash à l'horizon. *Money?* J'arrive. C'est lui, Ali, Super Ali, qui a pensé à Malte pour envoyer la cocaïne en Europe. La marchandise est chargée en ballots hermétiques sur un bateau de pêche libyen. Le Libyen balance les paquets à la mer, avec une balise, en bordure des eaux territoriales. Dix minutes plus tard, un pêcheur maltais de Marsaxlokk les ramasse. Reconditionnée, la drogue est envoyée dans une banlieue française. Filière sécurisée à cent pour cent, pouvant éventuellement servir pour autre chose que de la came.

À eux trois, ils forment l'un des nombreux noyaux du pouvoir à Tripoli. Beaucoup de dossiers à gérer. Le contrôle des raffineries, les ventes sauvages de brut, les opérations de police dans le secteur de l'aéroport, les livraisons d'armes et de coke. Et maintenant les antiquités. À chacun son job. Pour Ali, les négociations avec les sociétés étrangères. Pour Moussa, les opérations spéciales, financement, exécution. Amayaz a une compétence géographique. Avec ses pick-up, ses guerriers nomades qui tournent autour de la passe de Salvador, le Sahara lui appartient.

Ali s'exprime en détachant les mots. Il se goinfre de crevettes entre chaque phrase et demande à Moussa de faire le point sur une demande un peu particulière des frères de Syrie, « concernant le projet français ». « Ça roule, dit Moussa. J'ai pris contact à Genève avec le chef du réseau français. Nous avons déjà fait passer l'argent. Quand ils nous le demanderont nous enverrons le reste. Par Malte, comme d'habitude. »

L'adjoint du commandant entre dans le bureau et se glisse en crabe jusqu'à la hauteur de Moussa pour lui parler à l'oreille. Moussa fronce les sourcils et prend la télécommande pour chercher CNN et remonter le son.

Il sursaute en découvrant Habiba. Elle faisait partie de son staff de cuisine depuis quinze jours. Il l'avait repérée et avait demandé qu'on la lui mette de côté. Son frère aussi travaillait pour lui. Ils ont disparu tous les deux depuis huit jours. «C'est embêtant, dit Ali en fronçant les sourcils à son tour. Très embêtant, Moussa (il est le seul à ne pas l'appeler commandant), ce type sait trop de choses. Je t'avais bien dit de n'utiliser ces nègres que pour ta maison…» Deuxième choc quand il voit l'image de la journaliste française. Cette pétasse lui dit quelque chose.

18

Ambassade américaine, Tripoli, Libye

J'y suis. Enfin! Le portrait d'Obama en singe est la première chose que j'ai remarquée en pénétrant dans le bureau de l'ancien ambassadeur US. Le commandant s'est levé de son bureau: «Welcome back monsieur Grimaud!» J'ai mis un certain temps à le reconnaître. L'âge, la barbe, les grosses Ray-Ban, la salopette… Il m'a mis sur la voie et je suis tombé dans ses bras. Moussa était l'un des flics qui nous surveillaient à Leptis Magna, celui grâce à qui nous ne manquions jamais ni de whisky ni de lames de rasoir.

C'était inattendu de retrouver Moussa dans le fauteuil du représentant de la première puissance du monde. Le contentement qu'il manifestait d'être là, le rire dont il ponctuait ses phrases, en renversant la tête vers l'arrière, m'ont donné le vertige. Le commandant tordait la bouche chaque fois qu'il voulait parler : « Toujours dans les vieilles pierres, monsieur Grimaud ? » Il donnait l'impression de faire une congestion cérébrale à chaque seconde. « Toujours alcoolique monsieur Grimaud ? ah, ce que j'ai pu vous en rapporter des bouteilles de votre whisky préféré… »

J'avais pris quelques risques en acceptant de venir à Tripoli et je m'étais préparé à une rencontre insolite, sans doute un peu extravagante, possiblement dangereuse. Mais jamais je n'aurais imaginé cela : des gardes du corps défoncés à l'entrée du bureau, la clim qui transformait le bureau en glacière, la cacophonie venue du dehors, les hurlements des miliciens qui plongent du toit dans la piscine, et ce pauvre type complètement barge, avec ses rictus de cocaïnomane, dans le fauteuil d'un ambassadeur.

« Vous frissonnez monsieur Grimaud ? Je constate que vous n'avez plus besoin de rasoirs, vous êtes comme nous maintenant. Bienvenue dans le monde des barbus ! »

Sur le coup, j'ai essayé de mobiliser des souvenirs du commandant à Leptis, quand il n'était qu'un petit flic aux yeux baissés, plus aimable que les autres. Plus aimable ou plus corrompu.

L'homme que j'avais en face de moi était armé d'un pouvoir de vie et de mort dans un monde qu'il simplifiait à l'extrême, aussi déterminé à tuer qu'à mourir. Très à l'aise, apparemment, dans cette violence binaire.

Je me suis souvenu que nous avions invité nos deux ombres archicollantes de flics à dîner, un soir, dans une gargote proche des ruines. Un endroit pourri, mais nous

n'avions pas le choix. Il avait fallu une longue délibé-
ration car l'idée de se payer ces deux minables à notre
table nous était pénible, mais ils nous faisaient pitié.
Notre bonté l'avait emporté. J'ai cru bon d'évoquer ce
moment, tout en réalisant mon erreur au fur et à mesure
que je parlais.

«Je me souviens très bien de cette soirée, Grimaud,
éructa le commandant Moussa. Avec cet Italien raciste
qui m'avait installé à table juste en face de la porte des
chiottes! Ce putain de rital colonialiste ne m'a pas
adressé la parole de la soirée.»

Personne ne leur avait parlé, je m'en souvenais, à quoi
bon, ils n'auraient pas répondu. Ils avaient mastiqué
leurs merguez pendant que nous déblatérions à leurs
côtés en oubliant leur présence. L'invitation était déjà
une erreur. L'évoquer ramenait Moussa à son insigni-
fiance et à l'ennui de son existence d'alors. J'ai pris le
scotch sans glace qu'un Noir venait de m'apporter et je
l'ai avalé d'un trait. Ali est arrivé, le commandant s'est
calmé. Nous sommes entrés dans le vif du sujet.

19

Taurbeil-La Grande Tarte, région parisienne, France
Il a un petit accroc avec les costauds de l'entrée qui
ne peuvent pas s'empêcher de bousculer le chouchou
du boss avec son sac plein de croissants frais dans les

bras. Ses lunettes tombent. Ils ont la délicatesse de ne pas les piétiner. «T'as pas un croissant pour nous? demande l'un des Noirs. – Tu sais bien que tout est pour Patron M'. – Et les 400 euros que tu nous dois?» Harry Potter sort de sa poche deux coupures. «Le restant demain... – T'es en retard, Patron M'Bilal a déjà téléphoné pour savoir si on t'avait vu...»

Il y a des jours où tout le fatigue, comme aujourd'hui. Ça l'épuise de vivre sempiternellement sur ses gardes. Heureusement, à cette heure-là, il ne rencontrera personne dans l'escalier de l'immeuble. Inch'Allah. Un Mauricien loue tous les appartements du bas à des éboueurs maliens. Il empoche les loyers et les allocations logement de ses locataires. Un gros business. Le Mauricien serait également propriétaire d'un hôtel pourri porte de la Chapelle, à l'entrée de Paris. Le dernier étage de l'immeuble appartient à Patron M'. Il a fait démonter les portes entre tous les logements du cinquième niveau et s'est bricolé une surface de plus de six cents mètres carrés, avec vue circulaire sur la forêt et Taurbeil-Centre.

Les chiens ont pris l'habitude de pisser et de chier dans l'appartement. Quand il ouvre la porte, Harry prend l'odeur de la merde en plein nez. Les chiens aboient en l'entendant approcher, puis filent en jappant vers la cuisine où les femmes leur jettent des carrés de mouton qu'ils déchirent sur le carrelage. La chambre de Patron M' est au fond de l'appartement. Harry traverse avec prudence (on ne sait jamais qui dort où exactement) l'enfilade des pièces, assez lumineuses, toutes dans un désordre semblable. Par terre: des tapis, des matelas, des palettes de costumes en éventail, les trois-pièces de Patron M', des robes sur leurs cintres, des boîtes de chaussures.

Patron M'Bilal le reçoit dans son lit, pachydermique, adossé à une montagne de coussins, en pyjama boubou bleu électrique, ouvert sur un torse qui semble dégager une vapeur chaude. Une dent de caïman est pendue à une chaîne en or autour son cou. « Approche-toi grand con, qui est-ce qui va t'apprendre à être à l'heure ? Hein qui c'est ? » dit-il en lui tordant les couilles à travers son jean. En face de lui, trois écrans mangent le mur. Un placard est réservé aux DVD.

Les yeux mi-clos, il écoute Harry Potter (c'est lui qui lui a trouvé ce surnom, quand il l'a récupéré, à la mort de ses parents, après avoir vu à la télévision le film tiré du roman de J.K. Rowling. Il en est assez fier, même s'il se demande maintenant comment islamiser son nom) faire son rapport quotidien sur la vie de la cité.

Harry est plus que son coursier. Ses yeux et ses oreilles dans la cité. « La grosse affaire, ce matin, c'est l'école de Taurbeil-Paradis… On ne parle que de ça. – Bien brûlée ? – Un tas de cendres. Le premier étage s'est effondré… Avec la carcasse de la voiture bélier… »

Patron M' ne déteste pas l'écouter parler, si possible en lui pelotant les couilles, comme ce matin. C'est un Black qui ne dit jamais de bêtises. Harry fait son rapport d'une voix retenue.

À quatorze ans, physiquement il est déjà touché, comme quelqu'un qui aurait encaissé plus que sa dose. Les traits tirés, les yeux tombants derrière ses lunettes rondes, la bouche dans le pli des rides, grand (une asperge) et très maigre, il irradie une tristesse dégingandée à force de se mouvoir avec ses secrets et ceux des autres, sans jamais aller gambader ailleurs, mais dans la minceur de son sourire (quand il sourit) il y a «une fraîcheur de Bambi», comme dit Patron M'Bilal.

Patron M' lui a dit un jour: «Ton trésor, c'est ta dégaine. Tu vas plaire aux hommes et aux femmes. Laisse-moi m'occuper de toi...» Il a des idées précises sur son plan de formation: un matelas de cynisme sous sa peau de tendron et surtout de la cruauté. «Il te faut des crocs, si tu veux les déchirer... garde ton look de jeune marié africain et concentre-toi sur ton potentiel de cruauté... Les crocs... comme un chien... ne leur montre pas... souris... Mais apprends à t'en servir... comme un chien...»

Les pitbulls déboulent et sautent sur le lit. Patron M' Bilal tend les bras à ses «bébés». Ils lui lèchent les mains, entre les doigts, les poignets, la jointure des coudes, ils se frottent contre la soie du boubou, ils bavent. Patron M'Bilal est persuadé que la bave des molosses pénètre les pores de sa peau, migre jusqu'à sa moelle osseuse via son système lymphatique et qu'il récupère ainsi un peu de leur férocité. De même est-il certain que le contact permanent de sa dent de caïman avec son épiderme lui confère un peu des pouvoirs de l'animal.

Pour ses quatorze ans, Patron M'Bilal a offert à Harry un blouson floqué à son nom et une femme de sa maison, avec un gros terma, plus un mode d'emploi (vidéo et trois lignes de coke pour la décontraction). Harry n'était pas chaud, intimidé, effrayé même. «Tu te souviens Harry, pour ton anniv… – Oui Patron… – Ça t'a plu ? – Fantastique Patron. – Je t'ai déjà dit de ne plus m'appeler Patron. Appelle-moi Papa M'Bilal. D'accord Harry ? – D'accord.»

Harry Potter s'oblige à le regarder dans les yeux, à soutenir son regard, bien que ça lui donne toujours un peu la nausée.

Sur les trois passeports (algérien, malien, français) de Patron M', il est écrit : Ali Condé (mère algérienne, père malien). Mais quand il se regarde dans la glace, qu'est-ce qu'il voit ? Un monsieur. Un vrai. Alors par égard pour ses costumes pied-de-poule, ses chemises cintrées, ses cravates flashy, il a demandé qu'on ne l'appelle plus que Monsieur. Quand il s'est aperçu que dans son dos, on l'appelait Patron, il a eu cette «idée de génie» : Patron M'.

Et maintenant Bilal. Il a pensé à ce nom quand il a commencé à travailler sérieusement avec Tripoli. Bilal : le compagnon du Prophète. Ça pose. Au moment où la cité s'intéresse de plus en plus au Prophète, ce nouveau pseudo est passé comme une lettre à la poste.

«Harry, on m'a gravé un DVD, dit-il en bâillant… Des reportages… je voudrais te montrer…» Il appuie sur sa télécommande. «C'est sur les esclaves chrétiennes en Irak. Des images filmées hier ou avant-hier, repiquées d'une chaîne info, anglaise apparemment.» Le panoramique d'un marché en plein air, puis une série de zooms sur des femmes enchaînées. Plans fixes sur la croix entre leurs seins. Quelques interviews d'acheteurs. «Ça m'a donné des idées. Je n'arrête pas d'y penser. Tu vas aller voir le Crab's, chez lui, on te laissera passer, et tu lui diras que j'ai besoin d'une chrétienne, pour moi, à la maison. Une blonde, la trentaine, au moins la trentaine, tu me suis? Les jeunes pour le sexe, ça ne vaut rien. Tiens…»

Patron M' soulève son matelas: «Tu connais ma banque…» Une trentaine d'enveloppes de papier kraft sont alignées. Il en prend une, qui laisse sa marque imprimée sur le sommier. «Je te donne déjà 4 000, une avance pour le Crab's. Et pour toi 400. Tu ne me demandes jamais rien, tu as tort. Je t'ai déjà dit… – D'accord Papa. – Et puis après tu feras le tour des spécialistes. Tu comprends ce que je dis? – Oui Papa. – Tu diras aux spécialistes qu'ils viennent chez moi aujourd'hui. *Meeting* à 17 heures. Tous les sept. Important. On va bientôt passer aux choses sérieuses. Les Nazaréens vont en chier…»

Le gosse est sorti de la pièce quand M'Bilal le rappelle: «J'ai oublié de te dire. Je voudrais faire un cadeau au sénateur, tu te souviens du sénateur? – Oui Patron, votre ami, le big boss… – Exactement. Tu sais ce qu'il aime par-dessus tout? – Les montres. – T'es vraiment un mec fiable. – Vous voulez que je lui en trouve une? – T'as tout compris. Dès que tu as trouvé quelque chose de bien, tu me l'apportes, on fait comme d'habitude, je paye à la livraison…»

C'est un courant d'air avec de grandes jambes qui traverse la cité dans tous les sens, dissimulé sous une

127

décontraction de surface. Il maîtrise en finesse son côté binoclard monté en graine, aussi insignifiant que cool. Son regard grimpe jusqu'aux toits des immeubles, balaie les vitres des rez-de-chaussée, sonde les rues où il s'engage, il entre dans les halls, se faufile, claque sa paume dans d'autres paumes, je ne fais que passer, dit-il d'une voix neutre, il tape sur une épaule, sur une autre, salue, s'efface, rencontre des gens qui lui ressemblent, il les reconnaît rien qu'à leurs regards opaques, ce sont des ombres qui respirent l'air du même cauchemar que lui, et traînent leurs fouillis d'angoisses.

Il fait ce que Patron M' demande, c'est tout, il marche, il mate les montres, il bloque ses pensées sur son détecteur de danger, et quand il a fini de délivrer ses messages, pour s'aérer la tête, alors seulement il se permet un détour par l'avenue Léon-Blum, solitairement, pour regarder les arbres dont le feuillage s'obstine à rester vert, malgré les premiers froids et les averses de plus en plus fréquentes, comme si l'hiver n'allait jamais venir.

Leur spécialité c'est le vol de papiers (cartes d'identité, permis de conduire, passeports, cartes de séjour) ou le vol de véhicules, voitures ou poids lourds, et le détournement de fret. Ils sont sept, maîtres d'un monde où en moins de deux minutes, tu cognes sur un conducteur à coups de crosse tout en tordant le bras de sa passagère s'il a décidé de ne pas voyager seul. Zone d'intervention : feux rouges proches de la cité (pour les papiers) et région parisienne (pour le reste). Avec eux, Harry n'aura aucun mal à trouver la montre que cherche M'Bilal. Pour le lourd, ils ne travaillent que sur renseignement (même si pour garder la main, ils s'offrent de temps en temps un extra non déclaré). Domaine d'activité privilégié : les semi-remorques chargés jusqu'à la gueule de métaux non ferreux (alu, cuivre, plomb, zinc, titane, etc.) et les limousines arrivant de Roissy avec VIP à bord (mallettes de grosses coupures dans le coffre et bijoux dans le sac de la dame). Directeur commercial : Patron M'Bilal. À son actif, un réseau d'informateurs bien placés (dans des entreprises ou des ambassades ; hommes de ménage ou de la sécurité...) et deux points de chute à la fiabilité éprouvée (des ferrailleurs ayant pignon sur rue ; un dans la périphérie, un autre à Béziers, pour les poids lourds). Les limousines sont revendues en Bosnie. La prudence de Bilal assure la viabilité de l'entreprise, mais limite les gains. C'est pourquoi quand on est venu lui parler de Tripoli, il a tout de suite dit oui.

Ils savent être ponctuels et se présenter presque en tir groupé, mais à intervalles très brefs, les uns après les autres, car les *meetings* chez Patron M' obéissent toujours à un certain protocole. Sa mère, une vieille Algérienne couverte de bracelets en or, est préposée à la porte. Elle conduit les visiteurs auprès de son fils puis s'efface pour laisser la place à une adolescente malienne assez large, perchée sur des talons Jimmy Choo (prise de guerre, origine : une remorque remplie de centaines de paires de talons de 14 cm). Bilal a troqué son boubou pour un trois-pièces mohair et soie, gris perle. Il fait asseoir ses visiteurs sur le tapis, un peu à l'écart de son lit, en cercle, à l'ancienne. Pendant qu'elle sert le thé, la Malienne se débrouille pour faire tourner ses fesses à la hauteur des sept paires d'yeux écarquillés, puis disparaît après une dernière salve d'ondulations dans sa robe jaune imprimée, serrée à la taille par une ceinture de cuir tressé rouge. Patron M' savoure l'effet de sa nouvelle recrue, puis reste planté au milieu de la pièce, jambes écartées. «J'ai des choses importantes… Concernant l'a-ve-nir.» Ils considèrent Patron M' comme une créature maléfique et se soumettent volontiers à son charme massif. «Nous sommes plutôt très à l'aise depuis quelques mois. Pas vrai?» Il baisse la tête en plissant à nouveau des yeux, réprime un bâillement: «Pas vrai? – C'est vrai Patron M'. – Vous savez pourquoi? – Le nouveau business? – Exact. Le nouveau business… On a investi dans la coke… Pour les armes, on a un catalogue d'enfer. Mortiers… fusils d'assaut… Caméras GoPro. Nos nouveaux partenaires veulent développer notre… coopération… Je compte sur vous… mais avant je vais vous montrer un petit film… Pas très long…»

Un montage d'une quinzaine de minutes qui leur fait oublier la petite pouffe. Les caméras ont suivi la progression d'une colonne de djihadistes en Irak. Des jeeps neuves, des pick-up lestés d'armes lourdes, des chars supermanœuvrants. Une armée de barbus se fraie un chemin dans le sable, entre des palmes. Derrière eux des ruines et des villages brûlés. Ils restent collés devant l'écran, lâchent de temps en temps un commentaire, très bref, sans finir leurs phrases: «Oh Patron, un Komet H… tout neuf… comme…» Patron M' Bilal monte le son. Il y a des jours comme aujourd'hui où il est vraiment fier de s'être collé cette étiquette de Bilal sur le front. *Sacrée anticipation...* Un verset du Coran rappé plus que psalmodié fait trembler les cloisons. Ils entendent le Saint Livre résonner à l'intérieur d'eux-mêmes, dans les fondations de leurs cellules. Ils ont le sentiment de sortir d'un long sommeil.

«Patron, on dirait qu'ils volent... – Oui, ils volent et font voler le drapeau de l'islam, regarde, la Shahada, en lettres coufiques blanches, "Il n'y a de vrai Dieu qu'Allah", et là... le sceau de Muhammad, le truc rond, le ballon tout blanc, écriture noire, "Muhammad le prophète d'Allah"... Ils volent vers la victoire, inch'Allah. – Inch'Allah...»

C'est facile pour Bilal, après cet intermède, de leur dessiner un avenir. «On va mettre un peu en veilleuse nos activités ordinaires, d'accord? Je vous dédommagerai toutes les semaines pour le manque à gagner. On est sur un gros coup. Les Nazaréens vont morfler...»

Harry refait un tour de piste. Comme tous les jours en fin d'après-midi. Pour le feed-back. Pour les montres... Sur le boulevard extérieur de la cité, des voitures passent et repassent au ralenti. Leurs conducteurs, qui ont signalé leur arrivée et passé leur commande par téléphone, patientent au volant en attendant d'être appelés et invités à s'arrêter dans la contre-allée devant l'une ou l'autre des entrées du bâtiment qui longe le boulevard. Ils stationnent alors devant la porte, en laissant tourner le moteur, se précipitent derrière les faux moucharabiehs, la transaction dure quelques secondes à peine, et ils repartent. Patron M'Bilal a mis au point ce système de commercialisation de la coke depuis trois mois. La réussite du *Bilal drive*, comme il dit, dépasse ses espérances.

Les sept l'ont bouclé en sortant de chez Patron M'. Il paraît qu'ils étaient seulement un peu excités et qu'ils répétaient : « Les Nazaréens vont morfler… » Personne n'a compris de qui ils parlaient. Le mot a fait tilt dans la tête d'Harry. Bilal l'avait déjà employé devant lui.

La nuit est tombée. Il traverse avec prudence les terrepleins qui s'étendent derrière le parking, une zone assez anarchique et qui se prête à toutes sortes d'utilisations. Dépôts d'ordures sauvages, deals et commerce de sexe en tout genre, drogue. Il se redresse en arrivant à « son » terrain vague, des friches que rien n'a structurées, où personne ne s'aventure, le purgatoire avant son petit paradis, l'air sent l'herbe et le sous-bois, une brume épaissit l'horizon de la Grande Tarte, il commence à se détendre.

Presque arrivé chez lui, il fait deux fois le tour de l'immeuble, pour être certain que personne ne l'observe, puis il escalade un tumulus d'où dépassent deux cheminées d'aération, dernier coup d'œil circulaire, personne, il soulève une trappe de béton dans le gazon et se glisse dans son trou, une petite pièce aveugle jouxtant la salle des chaudières de l'immeuble Verlaine, un ancien dépôt que Patron M' lui a fait aménager après la mort de ses parents dans un accident de voiture. Ce qu'il appelle : *mon abri antiatomique. Quand la Grande Tarte sera bombardée, je serai le seul survivant.* Une télé, un lecteur de

DVD, un frigo, une collection complète du *Journal de Mickey*, un matelas, et un sas de communication avec un point d'eau, près des chaudières.

Sans Patron M', il serait à la rue ou dans un foyer avec des tordus. Il en voit toute la journée des tordus. Patron M' n'est pas le moindre des tarés de son environnement, mais au moins, il n'est pas obligé de vivre enfermé entre quatre murs avec lui. Ce trou, pour lui, c'est un royaume. L'endroit où il peut lire, manger, dormir. Seul. Le déferlement du Mal s'arrête à la trappe qu'il referme sur lui tous les soirs. Et ses parents peuvent venir le visiter pendant son sommeil sans que personne ne leur cherche d'ennuis. Il parle avec eux comme s'ils étaient là. Le rythme de leurs incursions dans ses rêves ne faiblit pas, au contraire. Il note leur fréquence dans un petit carnet posé près de son matelas. Ces apparitions le soulagent du poids qui pèse sur son cœur depuis qu'ils sont partis sans lui dire adieu.

20

Taurbeil-Paradis, région parisienne, France

Nos interventions sur le site dit de Paradis avaient mis en évidence l'existence d'un atelier de chaudronniers au Moyen Âge. Dans un ancien fossé, nous avions retrouvé des pièces de vaisselle en bronze et en laiton. Après la période de sondage et d'inventaire, dès mes premiers contacts avec le maire, qui se définissait comme «centriste de gauche», un homme charmant et pragmatique, nous étions arrivés à un accord qui facilitait au maximum l'intervention de l'Inrap. Une fois les axes de travail définis et surtout la date butoir fixée, il m'avait confié à un jeune immigré après m'avoir expliqué que cet homme était un maillon important dans son dispositif municipal : «Ali Condé m'a beaucoup aidé pour les élections, mobilisant ses amis. C'est un ancien "grand frère", l'un des fondateurs de SOS Racisme dans le quartier, et ami de notre ancien député, un homme proche du président. Quand Ali Condé a perdu son emploi, je l'ai aussitôt embauché à la mairie. Il s'occupe des activités dédiées aux jeunes. Sports, divertissements, activités éducatives. Grâce à lui, vous ne serez importunés par personne.» J'ai découvert très vite qu'Ali Condé, mon ange gardien qui ne s'appelait pas encore Patron M'Bilal, était l'un des dealers de la cité. Plusieurs tentatives d'explication avec le maire ne donnèrent aucun résultat. Ali était une pièce importante dans les rouages du pouvoir municipal. Mais après tout, ce n'était pas mes affaires, le maire était un élu modéré, de commerce aimable, qui se mettait en quatre pour faciliter notre travail, et rien ne fut jamais dérobé sur le chantier. En revanche, j'avais remarqué que monsieur Bouhadiba s'éloignait dès qu'Ali arrivait. Déjà.

DEUXIÈME PARTIE

La dolce vita est terminée

1

Tripoli, Libye

Levent ne tenait pas à mettre tous ses œufs dans le même panier. Il avait soufflé au commandant Moussa l'idée de vendre sur le marché parallèle des statues ou des mosaïques de Leptis Magna. L'État islamique débitait et écoulait chaque jour des pièces du patrimoine syrien et irakien, en même temps qu'il dynamitait des sites prestigieux sous le regard de ses caméras de propagande. L'offre avait suscité un énorme marché. Les acheteurs se bousculaient au portillon des intermédiaires. Beaucoup d'Américains et d'Arabes, quelques Européens aussi. Levent avait anticipé. Avec Moussa, ils avaient sélectionné une équipe d'« archéologues », en fait de simples tailleurs de pierre. Il pensait avoir trouvé avec moi l'expert qui leur manquait. Moussa souhaitait que je leur signale les pièces valables, que je rédige de courtes notices sur chacune d'entre elles et éventuellement que je rencontre les clients les plus importants. Ils voulaient faire de moi un archéologue marron. À mon âge...

137

Je l'observais pendant qu'il parlait. Son visage s'était durci, malgré la barbe, il avait pris du poids, il paradait dans une salopette ridicule, mais je retrouvais celui que j'avais connu trente ans plus tôt. Le regard en coin, le goût pour la combine, une sorte de veulerie répandue sur toute sa personne. Je ne pouvais m'empêcher en l'écoutant de penser aux personnages du roman d'Anatole France, *Les Dieux ont soif*. Sous certains rapports, les hommes, même quand ils sont plongés dans la tourmente de l'Histoire, ne changent pas. Ce fut la honte de ma vie de constater que ces gens pensaient vraiment que j'allais me prêter au jeu sous le seul prétexte qu'ils pouvaient me couvrir de cash. C'est surtout Levent qui me décevait. Je ne pouvais pas m'empêcher de reporter sur lui la sympathie que j'avais eue pour son père. Il m'a fallu du temps pour admettre que c'était un salaud.

En écoutant Moussa faire ses propositions, je m'étais souvenu de ce que m'avait dit Bruce au Caire à propos des archéologues dépressifs. Je n'étais pas dépressif, je jouais dans la cour des grands, et je n'en avais rien à foutre de leur fric. J'étais décidé à ne pas les laisser faire, et pour cela, je devais faire semblant d'entrer dans leurs magouilles. J'ai accepté de venir chaque mois contrôler l'état des travaux, avec l'idée de les baiser à la première occasion.

Pour ma sécurité et surtout pour ma réputation, je me suis dépêché d'envoyer un message sibyllin à mes deux collègues français spécialistes de la Libye, O. L., et J.-B. M., pour les avertir que je ne serais pas en France avant un certain temps mais que je souhaitais les rencontrer dès mon retour à Paris.

2

Istanbul, Turquie

Levent et Emma atterrissent à Rome un peu avant midi. Il serait assez difficile, pour qui les observerait, de deviner la nature de leur relation. Levent porte un costume clair qui ne masque pas son ventre, mais tombe bien. Dans la foule de Fiumicino, il pourrait passer pour l'un de ces innombrables VRP de la mondialisation, même s'il y a quelque chose qui cloche chez lui. Sa moustache à la Clark Gable? Sa petite mallette en cuir tressé? Ses poches sous les yeux? Quelque chose qui lui donne un air vulnérable. Emma, pas maquillée, les cheveux un peu en désordre, très fraîche, voyage en jean, perchée sur des talons. Ils se tiennent proches l'un de l'autre, mais ne se touchent jamais. Juste avant d'embarquer, Levent lui dit:

«Je vais les prévenir.

— Tu crois que c'est nécessaire?»

La salle d'embarquement résonne d'annonces, – départs et derniers appels pour des passagers à la traîne.

«J'ai peur qu'ils nous attendent, on devait se retrouver à l'ambassade…», répond Levent en sortant son portable.

À La Valette, Jeannette est assise dans le bureau de Rifat qui lui montre les photos de sa femme et de ses deux enfants. Au mur, une vue panoramique du Caire, un cliché de Rifat avec des militaires de l'US Navy (dont John Peter Sullivan), sur un croiseur dans Grand Harbour. Et son tableau de semaine, avec de courts mémos rédigés en arabe pour n'être compris que de lui seul.

Rifat reconnaît le numéro de Levent quand son portable se met à sonner. «C'est Levent, je suppose qu'il s'est encore perdu dans La Valette», dit-il hilare en décrochant. Jeannette suit la conversation, assez brève. Quelque chose dans la voix de Rifat a changé. Une déception inarticulée... Il raccroche: «Ils ne peuvent pas venir, ils partent à Is-tan-bul. – Ensemble? – Oui. – Emma aussi? – Oui, ensemble. Ils appellent de Rome. – Ils rentrent quand? – Après-demain. – C'était prévu? – Je ne pense pas...»

Ils se regardent d'un air incrédule. «Franchement, elle n'est pas dégoûtée», dit Jeannette, qui regrette aussitôt ce qu'elle vient de dire. Elle ajoute:

«Qu'est-ce qu'il fait exactement dans la vie?

— C'est un diplo. En mission à Malte pour acheter une résidence. La Turquie ouvre des ambassades un peu partout. Ils sont à l'offensive. Ils se débrouillent bien d'ailleurs. Ils ont un passé, une ambition, une vision.

— Et surtout des moyens...»

La veille ou plutôt tôt ce matin, Levent avait dragué Emma en la raccompagnant à Sliema. Elle s'était

140

contentée de le toiser d'un regard acéré dans la pénombre du 4 × 4. En arrivant devant sa porte, il avait proposé de partir le jour même pour Istanbul.

«J'ai prévu de faire un aller-retour dimanche. On part tous les deux, avec un jour d'avance...

— Je voudrais bien, avait dit Emma d'un ton absent, mais je crois que je suis trop chère pour toi.»

Il avait écarquillé les yeux, comme si sa réponse le projetait dans une réalité improbable. Elle l'observait qui réfléchissait avec une lenteur méthodique et lisait sur son visage la façon dont il faisait le tri entre les hypothèses qui s'offraient à lui.

Est-elle sérieuse ?... Non, cette petite conne se moque de moi... Franchement Istanbul, ce n'est pas très prudent. Ni pratique, avec l'agenda qu'ils m'ont collé sur le dos... Elle est top... Ce serait idiot de passer à côté... Et si c'était vraiment une pute... C'est de plus en plus fréquent chez les étudiantes... Je peux taper dans mon enveloppe de frais...

«Alors salut... on se voit plus tard.

— Tu es déjà allée à Istanbul ?

— Je t'en prie.

— Tu me pries de quoi ?» avait-il demandé en fouillant dans la poche de sa veste. Il avait sorti 2 500 euros en coupures de 200 et de 100.

«2 500, ça te va ?

— Pour le week-end ?

— Oui, pour le week-end.» Elle avait mis la liasse dans son sac en faisant claquer le fermoir.

Les fenêtres de la chambre de l'hôtel donnent sur le Bosphore. Elle reste accoudée au balustre du balcon. Des trains de bateaux défilent devant ses yeux. Tankers, caïques, cargos, hors-bord, ferries, elle ne voit que ce courant d'eau bleu qui tranche dans le dur de la cité, l'ouvre par son mitan, irrigue ses fondations, palais et mosquées, ses deux fronts, et répand une lumière irréelle sur les rives.

À la verticale des eaux monte un croissant de lune alors que le soleil baigne encore les collines de la rive asiate. Des lampes s'allument sur les quais, des cormorans volent en nuées, Levent s'approche d'Emma. Il se demande ce qu'il fait avec cette fille de vingt ans, française, très mince et compliquée. *Dangereux, c'est dangereux. Et puis elle me coûte les yeux de la tête. Quand je l'aurai baisée, ça ira mieux.* Levent a souvent recours à des *escorts*, mais elles sont bien en chair et la plupart du temps arrivées la veille de Moscou, comme Katiocha. Avec les Russes, tout est simple. *Je n'ai jamais eu envie de me promener avec elles. Et elles non plus. Celle-ci...* Il lui dit : « De l'autre côté, c'est l'Asie... – Levent, tu viens de quel côté ? Europe ou Asie ? » Il montre l'autre rive en tendant son doigt. « D'Anatolie. – C'est loin ? – Un autre monde. Mais j'habite Ankara. – Tu es marié ? – Oui, j'ai trois garçons. »

Elle veut se promener avant la nuit.

C'est elle qui décide.

Ils marchent jusqu'à la mosquée bleue, puis s'enfoncent dans les ruelles de la ville alors que le soir tombe sur le détroit et la tour de Galata. Les terrasses et les restaurants sont bondés. Partout règne la même insouciance festive. Dans certaines brasseries, des filles dansent sur les tables en agitant des foulards. Des familles pique-niquent sur les quais ou dans des jardins. Levent comprend dans les regards de ceux qu'ils croisent qu'ils se demandent comment un Turc bedonnant, avec des yeux si fatigués, peut sortir avec une fille aussi sublime, qui fait dix centimètres de plus que lui. À la longue, ça pourrait devenir gênant, mais il n'en a rien à faire, au contraire, *je les emmerde.*

Dans l'une des arcades qui donnent sur l'Istiqlal, il s'arrête devant l'échoppe d'un marchand d'œufs et de fromages. Après une brève conversation avec Levent, le commerçant fait entrer le couple dans une arrière-salle qui communique avec une cave. Ils descendent quelques marches et s'avancent sous des voûtes moyen-âgeuses. Les lumières de la rue filtrent par un soupirail et éclairent faiblement trois tonneaux posés l'un à côté de l'autre. Le marchand soulève le couvercle du premier fût et promène le rayon de sa torche. Emma fait un pas, intriguée. Teintes d'or gris, reflets de perles et de diamants : « Qu'est-ce que c'est ? – Vous n'avez qu'à goûter. – Caviar ? – Beluga russe, esturgeon sauvage. » Levent se rapproche d'Emma qui demande au commerçant : « Je peux ? – Vous êtes chez vous. » Elle plonge la cuillère dans cette masse humide et se tourne vers Levent, avec un sourire : « Tu veux ? »

Il est pressé de rentrer à l'hôtel avec sa boîte en fer remplie de beluga. Il attrape un taxi, se laisse tomber sur la banquette défoncée, et l'embrasse. C'est la première fois. Dans la chambre, elle court sur le balcon. Elle crie : «Regarde!» Comme tous les samedis, c'est la fête et chaque coude du Bosphore envoie des rafales de musique techno-orientales. Sur les ponts des bateaux transformés en night-clubs, les évolutions compactes des danseurs dessinent des masses mouvantes dans des aquariums de lumière. Il la plaque contre le balustre, lui embrasse la nuque, cherche ses seins, soulève sa jupe, baisse son pantalon. Emma se tend sans cesser de regarder la nuit. Son regard erre dans un ciel d'encre pavoisé de feux d'artifice, sa vue se brouille à force de suivre les phosphorescences du Bosphore.

Le lendemain matin, elle se réveille la première : «Regarde, il reste encore un peu de caviar pour le petit déj!» Il lui attache les poignets aux extrémités de la tête du lit, dépose une cuillerée de beluga sur ses seins, elle crie : «C'est froid!», il jouit de son corps maigre et pâle, de ses tétons dressés, il les mord, lui fouille la bouche et la chatte, cherche dans ses yeux ce qu'elle ne dit pas, elle jouit, il voudrait rester enfermé toute la journée avec elle, et les jours suivants, muqueuses contre muqueuses, mais il doit partir. «Je serai là vers 18 heures. Demain matin, notre avion est à 11 heures, vol direct pour La Valette. Si tu as envie d'aller te promener, profites-en...»

En partant, il oublie l'un de ses deux portables, s'en aperçoit, revient le chercher, décide de le lui laisser, au cas où elle voudrait l'appeler. «Sur la liste des contacts, je suis le premier numéro. D'accord? – D'accord, mais

144

je t'appellerai pas. Salut, bonne journée.» Elle se rendort. Fait des rêves désordonnés, se réveille au milieu de l'après-midi, prend une douche brûlante, commande des œufs brouillés et un jus de pamplemousse, s'installe sur le balcon. Elle ne finit pas ses œufs. Les oiseaux font une razzia sur son plateau. Elle ouvre le portable de Levent. Plus pour passer le temps que par intérêt pour le personnage, elle explore rapidement ses mails, ses sms, sa liste de contacts, surprise de retrouver le nom de l'un de ses anciens «clients», *enfin lui, c'était plus qu'un client*, fouille dans son sac, ne trouve qu'un godemichet et quelques vêtements.

Dans la salle de bains, sa trousse de toilette est bourrée de médicaments. Parmi eux, des comprimés de Viagra et surtout un petit flacon de poudre blanche. Étiquette médicale. Elle mouille son doigt, le plonge dans le flacon, le passe sur sa langue. Cocaïne.

Elle est nerveuse, légèrement agressive quand il rentre. Il s'inquiète de savoir si elle a déjeuné. «Un peu d'œufs brouillés, oui. – Tu ne manges rien… – Je ne veux pas devenir une grosse vache, je suis déjà sur la mauvaise pente.» Le lendemain, en la déposant à la porte de son studio, à La Valette, il ne peut pas s'empêcher de lui poser la question – *je ne devais jamais lui demander cela, elle va me claquer le beignet, elle joue déjà avec moi comme le chat avec la souris.*

«Ça t'a plu Istanbul? – J'ai adoré. Le Bosphore, c'était top. Salut! – On se revoit quand?» Elle rit: «Cette semaine, je suis occupée. Rappelle-moi la semaine prochaine, on verra. » Elle est sur le trottoir, et le regarde de très loin. Levent est prêt à tout pour cette fille.

3

Leptis Magna, Libye

Première intervention sur le site. Levent débarquait de Malte, il devait me rejoindre vers 15 heures. Mes « gardes du corps » avaient roulé à tombeau ouvert, car ils s'étaient organisé un déjeuner de brochettes dans l'une des gargotes proches du site (l'une de celles qu'il m'était arrivé de fréquenter autrefois), et nous étions arrivés avec deux heures d'avance. Je leur ai proposé, sans trop y croire, de me laisser dans Leptis Magna (les flics de Kadhafi n'auraient jamais accepté). Je me portais mieux sans avoir ces tarés sur le dos. J'étais donc seul quand je me suis avancé sur le *decumanus*, cette chaussée droite aux grands pavements presque intacts, et j'ai traversé la ville d'est en ouest, sous un soleil qui semblait avoir volatilisé tout ce qu'il y avait de vivant sur ce coin de terre.

À l'intersection du *decumanus* et du *cardo*, je me suis arrêté sous l'arc de triomphe édifié en 203 à l'occasion d'une visite de l'empereur Septime Sévère dans sa ville natale. Leptis Magna vivait alors à l'heure de Rome, et sur le même tempo. Leptis est l'un de ces « îlots d'orgueil civique dont les Romains avaient parsemé l'Afrique du Nord », comme l'écrit Peter Brown. Big business, art de vivre, thermes, *salute per aqua* (spa), orateurs, juristes, gladiateurs. L'autre arc de Septime, l'une des merveilles de la Ville éternelle, au pied du Capitole, avait d'ailleurs été construit exactement la même année, en 203. Rome s'était choisi un prince africain. Carthage était vengée.

Je reconnaissais chaque monument, chaque bâtiment, chaque rue, mais ce jour-là, les pierres avaient pris une couleur d'os sortis de la terre ; elles me parlaient moins que dans mes souvenirs, peut-être parce que, les sachant menacées, je les regardais d'une façon différente, même si je n'oubliais pas que l'Histoire est longue. Rien ne dure, tout change, en permanence, la roue tourne. Tout passe, même le pire.

À la fin du XIXe siècle, un État islamique avait existé au Soudan, dirigé par un certain Mohamed Ahmed ibn Abd Allah, se proclamant le Mahdi (le Sauveur). Le Mahdi a fait tuer le gouverneur britannique, Gordon Pacha, tous les Égyptiens et une grande partie des habitants soudanais de Khartoum, livrée au pillage et à la destruction. Quinze ans plus tard, le Mahdi est liquidé et l'on n'en parle plus. « L'humanité se fait », comme disait Michelet, paraphrasant Vico. Les peuples se font et se défont de leur énergie propre, « s'engendrant de leur âme et de leurs actes incessants » pendant que le temps s'écoule à son rythme imperturbable.

Le soleil d'or chanté par Virgile embrasait les pierres de Leptis. Je marchais dans une fournaise. Un essaim d'abeilles nageait dans l'air chaud, je l'ai suivi des yeux jusqu'au moment où il a disparu dans l'ombre d'un temple envahi par une végétation où prospéraient câpriers et mélisse. J'avais aperçu le baraquement qui nous hébergeait autrefois, il paraissait intact, je me suis dit qu'un pèlerinage s'imposait et j'ai envoyé un sms à Enzo qui jouissait de sa retraite dans sa maison toscane : Hello Enzo, ici Leptis Magna. Rien n'a changé, mais grosse domination du sabre sur l'esprit. Pour l'instant. Baci. Grimaud.

J'ai eu un mouvement de recul quand j'ai poussé la porte. Dans la pénombre et la chaleur, une dizaine d'Africains étaient allongés à même le sol. Ils se redressèrent en se serrant au fond de la pièce comme des animaux apeurés. L'angoisse brillait dans leurs yeux. Ils étaient maigres, fiévreux, mal en point, certains n'avaient pas quinze ans. L'un d'eux, Ahmed, parlait anglais. «Nous venons de Somalie, me dit-il, et nous voulons aller en Allemagne ou en France, mais nous sommes bloqués en Libye depuis deux ans. » C'était à mon tour d'expliquer qui j'étais et les raisons de ma présence. «Vous êtes le boss alors ? » demanda Ahmed. Ces esclaves étaient les «archéologues» dont avait parlé Moussa. Les seules créatures vivantes dans la cité qui, ce jour-là, me paraissait plus morte que morte, comme si l'âme de Leptis avait fini par retomber, sèche et flétrie, sur ce champ de ruines. Je leur expliquai qu'en aucun cas, je ne serais leur boss, seulement un expert de passage. Ils étaient en train de me dire qu'ils survivaient depuis deux ans à la merci de n'importe quelle bande de Libyens qui les faisaient travailler de force et avaient

148

sur eux un droit de vie et de mort, quand nous avons entendu des bruits de moteurs. Je suis sorti précipitamment et me suis éloigné du baraquement.

L'arrivée de Levent ne pouvait pas passer inaperçue. Trois Chevrolet noires, plus la Fiat de mes «gardes du corps», roulaient à vive allure sur le *decumanus*. Levent a sauté de la deuxième voiture et s'est précipité vers moi, le sourire aux lèvres. Je retrouvais à nouveau chez lui l'énergie de son père. Comme tous les gens qui aiment l'argent, l'appât d'un gain proche le mettait dans un état d'excitation qui facilitait ses relations avec les autres et surtout ceux dont il avait besoin. Après une conversation très amicale, il m'a même demandé des nouvelles de Rim, j'étais surpris qu'il se souvienne de son prénom. Je l'ai suivi vers un bâtiment préfabriqué qu'il venait de faire construire, pas très loin du port, pour stocker les pièces destinées à l'exportation.

Des climatiseurs ventilaient un air frais dans la pièce principale où étaient entassées des caisses métalliques contenant des statues, des frises de marbre, et des caisses plates en bois, prêtes à accueillir des mosaïques. J'ai sorti mon iPhone et commencé à photographier chaque pièce, en expliquant à Levent que j'allais rédiger «une fiche d'identité» pour chacune d'entre elles. «J'en ai au moins pour trois bonnes heures…» Il a décidé de retourner à Tripoli et a proposé qu'on se retrouve à dîner le soir au Corinthia. «Dans ta chambre, je ferai appel au room service, on sera plus tranquilles…»

Cela aurait pu être une soirée presque agréable – nous avons liquidé une bouteille de Chivas en grignotant des

149

pizzas caoutchouteuses –, si je n'avais été obligé de me tenir sur mes gardes et de lui mentir à peu près sur tout. J'étais bien conscient que chacun de mes mots avait maintenant une importance particulière. Cette expérience, nouvelle pour moi, jouer un personnage, m'a paru plutôt excitante, même si j'ai dû fournir un effort constant de concentration, jusqu'à 2 heures du matin, d'autant que je restais troublé par sa ressemblance avec son père. Lui, en professionnel de la double ou triple vie, était très relax, il me traitait avec déférence et sympathie, parlait d'abondance, très gai, mais ce n'est qu'après coup, en récapitulant toutes les étapes de notre conversation, que je me suis aperçu qu'il ne m'avait rien dit, si ce n'est qu'il était tombé raide dingue d'une petite Française nommée Emma. J'ai tout de suite compris que s'il m'avait interrogé sur Rim, c'était seulement pour me parler de cette fille, Emma. Le lendemain matin, en me réveillant avec un léger mal de tête, je me suis quand même rappelé qu'il avait déjà fait partir des pièces par la mer, jusqu'à Malte, «très en dessous du prix, c'est pourquoi j'ai besoin de toi».

4

La Valette, Malte
Rifat vient d'avoir une longue conversation au téléphone avec l'ambassadeur, toujours à Paris. Il profite de

son absence pour mettre au point une sorte de règlement intérieur de l'ambassade concernant les stagiaires. La plupart ont des rapports très flous avec la hiérarchie. Hier il a été obligé de se fâcher contre une étudiante de Sciences-Po. Dans le projet qu'il rédige depuis une semaine, et qu'il a fait frapper par sa secrétaire, il exige que les stagiaires, *les petites morveuses*, soient placées sous son autorité et qu'il ait barre sur elles. Il suffit que l'ambassadeur valide son *draft* à son retour. Il en est là de ses réflexions quand la secrétaire hurle à travers la cloison :

« Rifat ! L'ambassadeur… Urgent.

— Je viens de lui parler.

— Urgent, je vous le passe. »

L'ambassadeur commence par s'excuser non sans un peu d'hypocrisie d'abuser de son téléphone et en profite pour lui demander ce qu'il fait :

« Monsieur l'ambassadeur, je vous en avais parlé, je travaille sur le règlement intérieur des stagiaires, leur attitude est souvent très limite.

— Ils rendent de grands services. Vous êtes au courant pour le Somalien qui est hospitalisé ?

— Bien sûr, monsieur l'ambassadeur, je suis le dossier, il va beaucoup mieux.

— Rifat, il va tellement mieux qu'il est mort. Hier, dans l'après-midi. Le ministre de l'Intérieur vient de m'appeler sur mon portable. Vous n'étiez pas au courant ? Alors au lieu de matraquer les stagiaires, foncez à l'hôpital et rappelez-moi. »

151

À l'hôpital Mater Dei, il rencontre les médecins qui ont soigné le frère d'Habiba. Au début de leur conversation, il trouve que les deux hommes le regardent avec une certaine suspicion. *Vous êtes peut-être surpris qu'un diplomate français puisse avoir le teint aussi foncé ? Non je ne suis pas somalien, mais français, d'origine égyptienne...* Il prend un ton de chargé d'affaires pour questionner les toubibs qui confirment que le Somalien a été assassiné dans sa chambre. Son assistance respiratoire débranchée, il a été étouffé avec le linge retrouvé au pied de son lit.

«La presse est informée ?

— Pour l'instant non, répond le médecin chef, un homme d'une trentaine d'années. Nous avons prévenu la police dès que nous nous sommes aperçus de son décès, les inspecteurs sont arrivés sur place vers 17 heures. La famille est avertie. Sa sœur a prévenu, semble-t-il, des cousins logés dans l'un des camps de l'île.»

De retour dans son bureau, après un point avec les deux policiers du poste, il s'occupe enfin du dîner qu'il est censé donner pour quelques Maltais amateurs de bordeaux, très introduits parmi les vignerons de Saint-Émilion. Il aimerait être reçu grâce à ces Maltais dans une confrérie bordelaise. Il commence à lire les fiches du guide Parker quand il reçoit un appel sur sa ligne directe :

«Allô Rifat ? Vous allez bien ? Pas de violences sur une stagiaire ?

— Non, monsieur l'ambassadeur.

— Et qu'est-ce qu'on vous a dit à l'hôpital ?»

Rifat lui fait son rapport.

« Encore une fois, Rifat, vous êtes à côté de la plaque. Non seulement il est mort, mais son corps a disparu. »

5

La Marsa, Tunisie (je me souviens de mon mariage)
Quand Levent m'avait interrogé sur Rim, je lui avais dit qu'elle ressemblait à ma femme. Il m'avait regardé d'un air étonné : « Je ne savais pas que tu étais marié. – Petite négligence dans le fonctionnement de tes services, mon cher. » En fait, personne ne le savait, et ceux qui avaient pu le savoir l'avaient oublié. Nous nous connaissions depuis nos premières années de lycée et nous avions vécu un étrange amour d'enfants-adolescents.

Au lycée, notre amour avait grandi avec nous, d'une classe à l'autre, au fil des ans. On se donnait de moins en moins de petits baisers dans le cou, nous ne nous cachions plus sous les porches, nous avions fini par former un couple. Ce couple désorientait les parents de Valentine et catastrophait les miens qui s'arrachaient les cheveux de m'avoir confié à un cousin parisien pour que je fasse ma scolarité à Paris. Notre charme maniéré, nos attitudes d'enfants terribles, sans doute aussi naïves que touchantes, ostentatoires, manifestaient l'intensité de notre relation. Nous déconcertions nos amis, nos professeurs, d'autant que nous prétendions nous autoriser une grande liberté dans notre vie intime. Je n'en ai d'ailleurs jamais usé. En première, Valentine avait pris l'habitude de disparaître parfois pendant deux ou trois jours, en se contentant de me donner de vagues explications, toujours assez énigmatiques. Je ne savais jamais où elle était, et franchement je m'en moquais, d'autant que l'une de ses amies avait fini par m'avouer qu'elle se contentait d'aller dormir chez ses parents.

Quand elle rentrait, habillée encore comme une petite fille, avec une robe à col marin, son collier de coquillages autour du cou, elle prenait souvent un air désespéré. Elle se jetait dans mes bras.

Nous restions collés l'un contre l'autre pendant des heures.

J'attendais (et elle aussi, je crois) ces instants qui nous exfiltraient de la médiocrité et nous projetaient dans un no man's land où rien ni personne ne pouvait nous atteindre.

Une sorte de symbiose s'était installée, peau à peau, bouche à bouche, qui brassait nos sentiments, nos pensées et nos désirs les plus secrets. Je m'enivrais de ses traits, de leur pureté parfaite, l'ovale léger du visage, l'ombre des fossettes, la porcelaine de ses yeux de poupée, ses cheveux courts qui bouclaient légèrement sur son front, le sang sous sa peau, le velours de ses lèvres.

Quand nous avons décidé de nous marier (nous en rêvions depuis longtemps…), Valentine, musicienne surdouée, venait de commencer des études de chant avec un professeur du conservatoire et moi je me prenais déjà pour un archéologue.

Jamais un mariage ne ressembla si peu à un mariage. Tout le monde, et d'abord le maire qui célébrait notre union, semblait pressé que cela finisse. Valentine avait l'air d'avoir douze ans et en rajoutait. Des amis m'ont dit, bien après la mort de Valentine, que cette journée, le passage express en mairie, puis la bénédiction à l'église par un jésuite ami de mes parents, leur avait paru totalement irréelle. J'entends encore leurs mots : une pantomime pour spectacle de fin d'année au collège.

Nous avons fêté notre mariage avec nos témoins au New Morning qui, ce soir-là, accueillait le trompettiste Chet Baker, le musicien préféré de *ma femme*. Ce fut l'apothéose de toutes les années que nous avions déjà passées ensemble. Le trompettiste nous rendait l'âme musicale. Sa musique nous enveloppait comme des gouttes d'eau lustrale qui seraient tombées en divines caresses sur notre couple. Surtout quand il avait bissé *You Don't Know What Love Is* puis *Let's Get Lost*. Cette magie d'un soir nous servirait de passeport, pour toujours.

Nous n'envisagions l'avenir qu'inséparables, siamois *for ever*. Jamais perdus. *Never lost.*

Pour les dix-neuf ans de Valentine, j'ai organisé une fête dans notre petit appartement de l'avenue des Gobelins. J'avais bu plusieurs grands verres de vodka, Valentine aussi, un étudiant du conservatoire avait apporté un peu de cocaïne, une trentaine d'invités dansaient dans le salon, la nuit parisienne entrait chez nous par les fenêtres grandes ouvertes, je me suis retrouvé dans la cuisine en train d'embrasser une de nos amies de lycée. Valentine est entrée, nous a regardés d'un air étonné, elle s'est mise à rire, puis elle est retournée dans le salon, j'ai couru pour la rejoindre, mais je suis arrivé quand elle sautait par la fenêtre. Je me suis dit que je devais faire un geste, et que le seul geste possible, c'était de la suivre et de sauter moi aussi.

6

Tour Cimenlta, la Défense, Hauts-de-Seine, France

Sami Bouhadiba parle au téléphone avec le conseiller économique d'un ministre saoudien qui voudrait devenir partenaire de Cimenlta au Maroc. Son interlocuteur plaide pour le respect de la loi islamique, qui interdit la rémunération des intérêts dans des opérations de leasing ou d'investissement immobilier. «Le Prophète a prévu des produits bancaires qui respectent sa volonté, pourquoi s'en priver?» Le mot *charia* revient à plusieurs reprises dans sa bouche, comme un simple argument technique. Le Saoudien explique qu'il s'agit du moyen le plus sûr de faire venir à eux l'épargne populaire. «De plus en plus de gens retournent à l'islam, nous ne devons pas laisser dormir leurs économies. Dieu qui est grand nous en voudrait!»

La secrétaire du président, Martine, fait irruption dans son bureau. Elle se tortille sur ses talons pour lui faire comprendre qu'il y a une urgence. Sami propose de finaliser la discussion par mail et raccroche. «Excuse-moi, dit Martine, mais mon président devait se rendre à un cocktail à l'École militaire. Il vient d'avoir un pépin. Petit accident de voiture en revenant du Bourget. Rien de grave, mais il reste à Necker en observation jusqu'à 20 heures. Il m'a demandé que tu le représentes. Ce soir, oui. C'est hyperimportant. Le ministre sera là... »

La présence de l'armée française au Mali a permis à plusieurs entreprises de continuer leurs activités sur place. Tout le monde à Paris est tombé d'accord pour éviter un remake du scénario libyen. La France avait conduit l'action militaire mais au moment du partage du gâteau (un gâteau avec de grosses bougies de pétrole), les Italiens et les Anglais ont raflé l'essentiel du marché, avant que la situation ne se dégrade. Au Mali, un certain nombre de sociétés, et non des moindres, Vinci, Areva, Cimenlta, Total, maintiennent une présence active. Cimenlta est représentée par une de ses filiales spécialisée dans l'adduction et le traitement de l'eau. Son PDG, Monmousseau, répète à qui veut l'entendre que le sous-sol malien n'a jamais été exploré et qu'il pourrait réserver d'heureuses surprises.

Martine quitte le bureau de Sami quand Monmousseau la rappelle :

« Vous êtes dans le bureau de Sami ?

— Président, il est en face de moi.

— Passez-le-moi... Allô Sami, tout va bien, ne vous inquiétez pas. Martine vous a dit, pour l'École militaire ? Demandez-lui qu'elle vous passe mon discours, vous le lirez en mon nom. Quelques mots, très simples, pour remercier le ministre. »

Sami boucle sa journée, mémorise le texte qu'il doit prononcer, prend un costume dans le minidressing de son bureau et s'apprête à quitter les lieux quand Martine revient en feu follet, très excitée :

« Monmousseau vient de me rappeler, je lui ai demandé si je pouvais t'accompagner, tu sais ce qu'il m'a dit ? "Au contraire, vous allez lui donner un peu de pep's…" »

La nuit tombe quand ils arrivent devant la façade de l'imposant bâtiment à colonnades construit sous Louis XV. Une équipe de sécurité privée filtre l'accès à la cour intérieure. « On va être hypercontrôlés, c'est le plan Vigipirate, j'ai peur que ça soit long… » Plusieurs voitures sont déjà bloquées à l'entrée. « Il y a du beau linge, j'espère que je vais être assez chic, qu'est-ce que tu en penses… », dit Martine en se remaquillant devant le miroir du passager. Sami ne répond pas. « Pour un petit Arabe de Taurbeil-La Grande Tarte, je trouve que tu te débrouilles pas trop mal dans la vie… », continue Martine en le caressant.

Encore deux Mercedes, plaques diplomatiques chef de mission, puis c'est au tour de Sami de pousser le museau de sa Volkswagen devant la barrière. Il baisse sa vitre, sort ses papiers que dédaigne le vigile, vêtu d'un pantalon et d'une parka noirs.

« Votre nom ?

— Sami Bouhadiba, société Cimenlta.

— Vous venez pour l'événement ?

— Pour la conférence…

158

— Nous somme invités par le ministre!» crie Martine.

Le vigile, sourcils froncés, reste penché sur une liste où il ne trouve ni le nom de Sami, ni celui de Martine. Celui de Monmousseau a été barré. Pas remplacé. Derrière eux, la file s'allonge. Le vigile appelle un de ses collègues.

«Ahmed! Un problème, je le trouve pas...

— Ni son nom ni sa voiture?

— Rien...»

Le deuxième vigile prend la liste et la parcourt en déchiffrant péniblement quelques noms. À la fois excédé et décidé, il interroge Sami: «Vous venez pour quoi? Pour l'événement?

— Oui, répond sobrement Sami.

— Vous savez où c'est?

— Nous avons un plan avec l'invitation...»

L'homme se retourne vers son collègue et lui lance avec un air las: «C'est bon, laisse passer!»

Sami est le dernier orateur. Il remercie les autorités françaises, le ministre, le chef d'état-major et le général qui dirige l'opération au Mali, devenu un «ami personnel» de Monmousseau depuis qu'il l'a emmené survoler en hélicoptère les massifs cristallins de l'Adrar des Ifoghas. Il lit le texte de Monmousseau sans hésitation (il avait d'ailleurs participé à sa rédaction) mais avec la retenue qui convient à un collaborateur, et reçoit des applaudissements polis. Le chef d'état-major, dans son mot de conclusion, n'omet pas de le remercier en évoquant la France multiculturelle (se tournant vers Sami), puis déclare le buffet ouvert. C'est le rush.

Martine et Sami déambulent dans la bibliothèque dont les salles de lecture ont été pour la soirée transformées en salons de réception. Martine force un peu sur le Moët et se laisse embarquer par un capitaine qui la prend par le bras pour lui montrer les boiseries et les plafonds peints.

Une heure plus tard, ils sortent de l'École militaire aussi facilement qu'ils y étaient entrés. Martine a trouvé « très, très sympathiques » tous ces militaires qu'elle a croisés ce soir. En arrivant chez elle, elle propose de dîner dans le salon. « Il n'est que 10 heures. Ouvre une bouteille. J'ai du tarama et des tranches de cheddar dans le frigo, je vais préparer des sandwichs… »

Sami n'a pas une grande habitude du commerce des femmes, il lui arrive même de traverser de longues périodes d'insensibilité à leur égard. Indifférence ? Angoisse ? Un peu d'angoisse, beaucoup d'indifférence. Seules le troublent celles qui pour rien au monde n'accepteraient d'exhiber leur beauté. Les vierges. Il attend l'heure où il rencontrera une fille vierge qui l'attirera et sera capable de l'aimer. Il n'empêche qu'il commence à apprécier, en dépit de ses barrières mentales, ses *after* avec Martine (ce soir, comme c'est parti, ce sera son troisième). Il ne les souhaite pas, mais il les accepte. La dissimulation a du bon.

Après un sandwich et deux gorgées de champagne, Martine se lève et disparaît dans sa chambre. BFM diffuse un reportage sur l'engagement des troupes françaises au Mali. Sami reprend un verre. Il a deviné qu'elle

160

est en train de se changer et craint le pire. Il a cru comprendre lors de leur dernière rencontre qu'elle considère toute forme de déguisements comme un piment nécessaire à la réussite de ses rencontres sexuelles.

Une jupe ultracourte, en daim, un chemisier transparent, largement dégrafé. Poussant un youyou inattendu, elle fait parade de ses atouts avant de s'asseoir à côté de Sami sur le canapé en face de la télévision. Elle crie en reconnaissant sur l'écran le général qui commente l'action des drones : «C'est celui qui est venu te parler tout à l'heure…»

Sami ne peut s'empêcher de constater non sans regret que cette femme de quarante ans, *quarante ans, c'est ce qu'elle dit, sans doute est-elle plus âgée, cinquante ? cinquante-cinq…* le fait bander. Elle écarte les cuisses, prend sa main et la guide vers son sexe. Après avoir joui très vite, elle s'agenouille devant lui pour lui lécher les couilles. Tout à coup, elle éclate de rire de façon étrange. «Je ris parce que tu pourras dire que, ce soir, tu as vraiment remplacé Monmousseau, à la tribune et dans mon lit. D'ailleurs tu veux que je te dise, je préfère ta belle bite d'Arabe à la sienne…»

Il n'a jamais rien entendu d'aussi effrayant.

Il dort chez elle. Une première. Les reflets d'une pancarte lumineuse éclairent la chambre par intermittence. Martine lui pose des questions sur sa vie sexuelle. *Je ne sais pas pourquoi je lui réponds.* «Ma vie sexuelle ? Très pauvre. Une lycéenne, très jeune. La seconde, une mère de famille italienne connue sur un site de rencontres. Et toi.

— Tu l'avais rencontrée comment ta lycéenne ? Je te vois mal faire la sortie des lycées… Raconte je t'en supplie, et donne-moi des détails… »

La pudeur de Sami dresse des murs autour de lui.

Il ne dit rien. Il pense à sa vie, et à sa solitude dans cette chambre où palpite la croix verte d'une pharmacie. Elle insiste, elle est sotte, pour elle, le monde est le verger des plaisirs, elle tend la main, elle ramasse, elle jouit.

Il la fait sortir de son champ visuel, il se recule pour ne plus la toucher, il se raisonne, cherche la sérénité, cela lui prend du temps pour se recadrer. Elle se recolle contre lui : « Dis-moi tout… » Une idée lui traverse le cerveau. *Puisqu'elle veut savoir, elle va savoir.*

« Un soir de pluie, la lycéenne avait sonné à ma porte. Un coup de sonnette très bref. J'avais jeté un coup d'œil à ma montre avant d'ouvrir. "C'est moi." Non seulement elle était ponctuelle, mais elle ressemblait à la photo, celle de l'annonce. C'était une fille très mince, grande, engoncée dans un imper noir, le visage frais, qui paraissait honnête et discrète. Un sourire triste. Je lui ai demandé de venir faire le ménage trois fois par semaine.

La plupart du temps, elle était partie quand je rentrais du bureau. Hormis les laconiques passages de consigne, je n'avais guère eu l'occasion de parler avec elle, jusqu'au jour où je suis rentré chez moi avant l'heure habituelle. Ce soir-là, je l'avais surprise en train de déclamer, sa voix couvrant le ronronnement de l'aspirateur. Elle avait sursauté, j'avais cru la voir rougir, j'étais gêné, elle avait arraché les écouteurs de ses oreilles pour s'excuser.

Notre conversation est restée balbutiante, et elle était partie très vite.

Deux semaines plus tard, je n'avais pas été surpris en rentrant de voir de la lumière dans le salon, car il m'arrivait de partir en laissant les lumières allumées. J'avais déposé *Le Monde* dans l'entrée et je m'étais débarrassé de mon manteau. Ce n'est qu'en faisant un pas de plus que je l'ai aperçue. Elle était penchée sur l'écran du home-cinéma, une peau de chamois à la main. Elle aurait dû être partie depuis plus d'une heure déjà. Le plus surprenant, c'était sa tenue : un body noir. Dieu le Miséricordieux, quel choc ! Elle a posé peau de chamois et bombe antipoussière, comme si tout était normal.

"Je sais ce que vous allez me dire.

— Qu'est-ce qui vous prend ? Vous êtes folle ?

— Je voulais vous faire une surprise.

— Ça vous arrive souvent ?

— Chez tous mes clients.

— Mais je ne vous ai rien demandé.

— Vous êtes le seul. Et puis c'est toujours tellement propre chez vous. Je ne passais l'aspirateur que pour vous faire plaisir."

J'avais gardé la main sur la poignée de la porte du salon. J'aurais voulu ne plus la voir, mais mes paupières ne m'obéissaient pas. Elle se dirigea vers la salle de bains et revint drapée dans mon peignoir qui la rendait encore plus fragile.

"Il y a du saumon dans le frigo, dit-elle. Et de la salade ! continua-t-elle en éclatant de rire. Vous avez de la vodka ?"

La maîtrise de ma vie m'échappait. Elle a sorti une salade du compartiment à légumes du réfrigérateur. Quand elle me regardait, en plissant les paupières, deux lames bleues grandissaient au fond de ses orbites. Son dos se reflétait dans le cuivre du plateau que j'avais accroché au mur. Ses épaules presque blanches, le filet d'osselets de la colonne vertébrale, ses fesses rondes. À ce moment-là, je pensais encore que j'allais la mettre à la porte.

Elle m'a entraîné dans la chambre. Elle s'est couchée sur le dos pour ouvrir son body fermé par des pressions à la hauteur du pubis, puis s'est relevée pour me déshabiller. Mon sexe restait inerte, c'était la seule partie de mon être qui lui résistait encore. Quand elle fut certaine d'avoir gagné la partie, elle conduisit ma main jusqu'entre ses jambes. Elle ronronna très vite sous mes doigts, puis son corps se tendit comme un arc, seuls sa tête et ses pieds touchaient encore les draps, et elle cria d'une voix étouffée: "Sami, viens, viens vite."

Depuis mon déménagement, j'avais attendu quelqu'un.

Mon métier, mon compte en banque, mes réussites deviendraient des fruits amers si je ne trouvais pas quelqu'un avec qui les partager. "Les choses ne se passent jamais comme on l'imagine." J'avais parlé tout seul, d'une voix très basse. Je ne pensais pas qu'elle m'entendrait. "Heureusement, quel ennui sinon", répondit-elle sur le même ton, presque sans ouvrir les lèvres.

Sa peau nacrée dégageait une clarté particulière, sa voix était portée par des vibrations qui semblaient venir du plus profond d'elle-même. Je n'arrivais pas à l'imaginer avec des parents ou une famille et préférais me dire qu'elle venait de naître dans mes bras, comme elle était, avec des petits seins, des talons, des cheveux courts et noirs, et des yeux bordés de longs cils. Elle se releva, s'installa à califourchon sur mes hanches et dit en riant : "Tu sais que tu ne m'as jamais regardée ? Jamais ! Je me suis même demandé si tu n'étais pas homo !"

Je lui ai posé une question sur ses parents, pour dire quelque chose. C'était idiot, son passé ne m'intéressait pas. Elle a expliqué qu'elle était la fille d'un couple de pharmaciens de Morlaix. "Des bourgeois qui s'emmerdent et ne pensent qu'au fric. Pas d'idées, seulement des a priori et un respect ignoble pour les comptes en banque bien garnis. Je me suis sauvée de chez moi quand j'étais encore en seconde. Vécu plusieurs mois dans un squat à Rennes, une ville sympathique, les Bretons sont des gens très ouverts. Là-bas, j'ai rencontré un homme qui m'a tout appris. Plus âgé que mon père, la cinquantaine bien sonnée, un anarchiste, avec du fric, Pierre. Il m'a sortie de mon squat et m'a installée chez lui, dans une grande maison avec un parc. C'était quelqu'un qui ne travaillait pas, mais il ne restait pas inactif. Il lisait beaucoup, et deux ou trois fois par semaine, prenait sa vieille Mercedes pour aller sur la côte. Il me disait qu'il était photographe et qu'il aurait pu facilement gagner sa vie en vendant ses photos d'oiseaux. C'est lui qui m'a fait lire Nietzsche, les anarchistes russes, et découvrir Nico et le premier album du Velvet ou encore Louise Michel. Ce qu'il aimait chez Louise Michel, c'était sa franchise. Il prétendait que je lui ressemblais. Il m'a obligée à m'inscrire au lycée de Rennes et m'a aidée à reprendre des études.

— C'était un bon professeur ?

— Tu veux savoir s'il me baisait ? Il m'a fait voir une quantité incroyable de films pornographiques – il en avait une collection impressionnante –, et quand il m'invitait à dormir dans son lit, ce qui arrivait une ou deux fois par semaine, il ne me pénétrait pas. Il ne voulait pas que je prenne l'amour au sérieux. Avec les hommes, tu dois jouer, c'est tout, disait-il, c'est tout. Le sexe est le jeu qui reste aux hommes quand ils deviennent adultes. Il me donnait de l'argent chaque semaine, j'avais des billets plein mon sac, j'aimais bien les toucher, les froisser au fond de mes poches. Un jour, je me suis aperçue que j'avais accumulé de quoi vivre un an à Paris ou ailleurs. Je venais de réussir mon bac avec mention, j'ai fait la fête avec des amis, et quand je suis rentrée à la maison, il faisait jour. Pierre n'était pas là. J'ai trouvé un mot dans la cuisine. Il était parti 'avec son Leica sur la côte. La lumière va être exceptionnelle'. 'Les oiseaux ont plus besoin de lumière que d'air pour voler', disait-il encore. Il prétendait que la lumière captée sur la surface des ailes se transformait en énergie. J'ai pris mes affaires, mon fric et je suis montée dans le train pour Paris.

— Tu ne l'as jamais revu ?

— Jamais. Il m'avait toujours dit qu'il fallait que j'apprenne à ne dépendre de personne. J'ai suivi ses leçons. À Paris, une hypokhâgne a bien voulu de moi. J'ai vécu sur mon pécule pendant un an. À la rentrée suivante, au moment d'entrer en khâgne, il a fallu que je m'organise.

166

J'ai passé une annonce sur Internet pour faire des ménages. J'ai reçu plusieurs dizaines de réponses. Des types qui voulaient me draguer. Le lendemain, j'en ai sélectionné qui paraissaient plus sérieuses. Quand je suis arrivée chez mon premier client, c'était aussi propre que chez toi. Il m'a laissée balayer sa cuisine pendant quelque temps, puis il est revenu uniquement pour me voir travailler, sans parler. C'était horriblement gênant. Quand il m'a proposé cinquante euros pour continuer à faire la même chose, mais en petite tenue, j'ai pensé à ce que m'avait souvent répété Pierre à propos des hommes, qu'avec eux, je devais jouer et gagner, et je lui ai répondu : 'D'accord, mais c'est cent euros et seulement un quart d'heure.' Ce fut le premier d'une longue liste. Les clients sont plus ou moins gentils – j'élimine les violents ou les mecs malades, et j'ai toujours l'impression de les dominer. Je monte mes tarifs, je leur fais faux bond. Mais ma grande jouissance, c'est quand je m'assois au lycée, au milieu de tous ces petits bourges qui prennent des airs et qui s'y croient. Quels cons…

— Tu n'as pas d'amis dans ta classe ?

— J'aimais beaucoup une Marocaine qui s'appelait Fatima. Ils l'ont virée parce qu'elle ne voulait pas quitter son foulard. Une histoire totalement absurde, tu as dû en entendre parler dans les journaux.

— Je ne me précipite pas sur ce genre d'informations.

— Tu devrais être concerné, toi aussi tu es arabe, non ? Et musulman ?

— Si tu veux.

— Fatima est partie, je n'ai plus eu d'ami. C'est peut-être à cause d'elle que je me suis intéressée à toi.

Finalement je crois que je préfère les Arabes, les Noirs, les Jaunes, tous les mecs de la planète pourvu qu'ils ne soient pas membres de la société des petits Blancs nantis."

Le lendemain, une odeur de pain grillé flottait dans l'appartement. Elle était assise devant un thé, habillée, avec ses écouteurs autour du cou. Elle m'annonça qu'elle partait. "J'ai une colle à réviser, dit-elle en soulevant ses écouteurs. À la bibliothèque Sainte-Geneviève, il faut que je me dépêche…"

Son visage était dans mon œil.

Il n'y avait aucun apprêt de maquillage sur ses traits juvéniles, un jean noir serrait ses hanches, la fermeté de ses petits seins avait disparu dans les formes vagues d'un T-shirt gris et elle était chaussée de vieilles Nike. Je lui ai demandé le programme de sa colle et elle m'a parlé des soulèvements d'esclaves de l'histoire romaine, qu'elle mettait en parallèle avec les révolutions française et russe.

Elle évoqua brièvement son professeur principal, un ancien de Mai 68 pour qui elle paraissait avoir une affection particulière. Après avoir sacrifié sa jeunesse sur l'autel de la révolution, dévoué sa vie au savoir et à ses élèves, sans rien perdre de sa liberté d'esprit, cet homme entré dans l'âge s'abandonnait de plus en plus souvent au regard sans illusion et non sans amertume qu'il portait sur sa propre personne. Sans l'en informer, elle avait enregistré ses cours qu'elle avait gravés sur CD et passait l'aspirateur avec sa voix dans ses écouteurs. Elle déclamait les passages où elle le trouvait à son meilleur, comme certains chantent leurs tubes préférés dans les soirées de karaoké. En l'écoutant, je n'ai pas pu m'empêcher de me demander si elle passait aussi l'aspirateur chez lui. Comme si elle avait lu dans mes pensées, elle ajouta qu'elle aurait bien aimé aller faire la poussière dans sa bibliothèque, mais qu'elle n'avait jamais osé lui proposer.

"Il y a donc quelque chose que tu n'aurais pas osé ?"

J'avais aussitôt regretté ma question. Elle faillit renverser son thé. Mais retrouvant son calme, elle avait posé sa tête sur mon épaule puis regardé sa montre : "J'ai encore cinq minutes. J'aime bien commencer mes journées par un peu de musique, pas toi ?" Dans ce domaine aussi, ses préférences tranchaient sur celles de son époque et de son âge. "Le R'n'B et le rap me donnent des boutons. J'adore Léo Ferré, tu connais ? Non ? Je m'en doutais. C'était un anarchiste des années 60 qui préférait sa guenon à sa femme." De ma fenêtre, je l'ai suivie, déjà loin, qui marchait d'un pas de ballerine vers la station de métro Volontaires. Elle ne s'est pas retournée. »

Sami regarde les phosphorescences vertes de la pharmacie qui balayent la chambre toutes les trente secondes. Martine ne dit rien. Allongée sur le ventre à côté de Sami, appuyée sur les coudes, elle frissonne. Pourtant le thermostat de sa chambre reste bloqué à 24 ºC, sa fille lui dit toujours que c'est mauvais de dormir dans une pièce surchauffée. Le froid vient de cette lycéenne. À cause de cette gamine sans seins, elle se sent vieille. *Elle m'a foutu vingt ans dans les gencives, je la déteste. Et puis, la façon qu'il a d'en parler... Comme si c'était... Sûr qu'elle est moche. Moche mais jeune... Horriblement jeune...* Elle demande

à Sami de lui caresser les fesses, «oui, mets ton doigt…».
Avant de s'endormir, il lui dit «elle se nommait Emma».
Après une nuit perturbée par des cauchemars, il se réveille
tôt, dévale l'escalier avec la joie du prisonnier qui s'évade.

7

Tripoli, Libye – La Marsa, Tunisie

Je suis rentré à Tripoli avec Levent. Il m'avait déposé
à l'ancienne ambassade US avant d'aller à l'aéroport.
Il repartait pour Malte en hélicoptère et m'a laissé ses
coordonnées pour que je puisse le joindre à tout moment
et l'informer du bon déroulement de ma «mission».
Nous avions prévu une dizaine de visites sur le site, à ma
convenance. J'ai proposé de revenir tous les quinze jours.
Levent souhaitait que je lui rende compte sans passer par
le commandant Moussa. Ce jour-là, il était persuadé que
j'allais l'aider à monter son petit business. Moussa aussi,
vu l'accueil chaleureux qu'il me réserva. Il avait préparé
une enveloppe de cash en dollars, à titre d'avance. Je refu-
sai son argent en prétextant que je n'en avais pas besoin
tout de suite et que surtout, retournant en Tunisie, j'avais
peur qu'on me dérobe une somme aussi importante, ce
qui l'a fait hurler de rire, car il détestait les Tunisiens.

Le trajet m'a paru long jusqu'à la frontière, il faisait
nuit, la route était balayée par des rafales de vent de
sable, le chauffeur roulait trop vite, et les deux miliciens

qui m'accompagnaient n'ont pas arrêté de fumer. Je me suis enfermé dans mes pensées et je n'ai pas ouvert la bouche de tout le trajet. J'avais pris connaissance avant de partir de mails envoyés par des collègues rapportant les exactions de l'État islamique sur des sites d'Irak et de Syrie. Palmyre à son tour était menacée. En Orient aussi, à Lattaquié, on trouvait un arc de Septime Sévère, comme à Dougga en Tunisie. Ces monuments seraient-ils un jour dynamités ? C'est en Syrie que Sévère le nouveau César avait consolidé son pouvoir, en se débarrassant de son rival Caius Pescennius Niger, qui avait fini décapité près de Palmyre. Lui-même était mort très loin de là, à York (encore une ville fondée par les Romains) en 211, sur un champ de bataille, après avoir consolidé le mur d'Hadrien. Ces princes d'empires tellement vastes qu'ils ne pouvaient les parcourir que dans le monotone balancement de leur litière ou de leur *carpentum* – l'Air Force One de l'Antiquité – régnaient toujours sur une solitude. Aller de leurs palais d'Orient aux brouillards de leur chambre à coucher du Yorkshire, l'ancienne Britannia Inferior, allongés dans leur nacelle, provoquait chez eux une sorte de balancement de la pensée qui trahissait la perte du contrôle qu'ils avaient sur les hommes et les événements, et les poussait à l'indécision. Était-ce pour cette raison que « l'empereur Sévère aima d'abord les chrétiens, comme l'écrit Chateaubriand, mais qu'il changea de conseil dans la suite et provoqua une persécution générale » ? Toute cette histoire de persécution d'ailleurs n'était pas claire, les historiens n'étaient sûrs de rien. Je me demandais aussi comment j'allais retrouver Rim. Elle ne m'avait donné aucune nouvelle.

Il était 4 heures du matin quand j'ai garé la voiture devant la maison. Des lumières étaient allumées dans le salon. Que faisait-elle ? Était-elle seule ? Elle ne m'a pas entendu arriver et je l'ai trouvée en train de regarder la rediffusion d'un documentaire sur Amy Winehouse. Pas étonnée de me voir, malgré l'heure matinale, elle m'a souri et m'a demandé si j'avais faim. « J'ai encore un peu de salade, il y a des briks dans le frigidaire. Je vais te préparer des œufs sur le plat. »

Il n'était pas question de dormir, elle a tenu à me raconter la vie de la chanteuse britannique pendant que je terminais une bouteille de vin rouge entamée. Rim m'a demandé si elle pouvait en prendre un verre puis a chantonné *Love Is A Losing Game*, une chanson que je ne connaissais pas. Je n'ai pas osé lui parler de ses résultats au lycée, pas certain d'ailleurs qu'elle y ait mis les pieds. Quand le jour est entré par les fenêtres du salon, elle m'a proposé de descendre jusqu'à la mer. Elle s'est collée contre moi, me tenant par la hanche, et nous avons marché. En bas de la maison, nous avons croisé des pêcheurs en mobylette avec leurs filets sur l'épaule. Quand nous sommes arrivés sur la plage, près des thermes, un souffle d'air poussait une brume dorée sur la masse encore sombre de la mer. Un soleil bas caressait l'échine de la côte. Sur l'horizon, un paquebot s'approchait du port de la Goulette. « Il y a donc encore des touristes qui viennent en Tunisie ? » J'avais parlé sans m'en rendre compte.

8

Courcy-la-Chapelle, Aisne, France

Après avoir pris connaissance du sms de Marie-Hélène (ton père décédé ce matin, suis de tout cœur avec toi), Bruno annule son départ pour Malte et passe à la Villa. Le vieux trouve les mots justes et s'inquiète de la date de l'enterrement : « Je ne sais pas, je dois parler avec mes frères. – Il faudrait que tu partes assez vite, si c'est possible. »

C'est la mauvaise heure, les bouchons commencent à la hauteur de Bercy, l'accès à l'A4 est saturé. Infotrafic prévoit qu'il faut 90 minutes pour arriver au péage de Coutevroult et annonce des sangliers sur la voie au niveau de la bretelle de Metz. La file des voitures, pare-chocs contre pare-chocs, avance de vingt mètres, s'arrête à nouveau, repart à une vitesse d'escargot. Bruno essaie de rassembler les souvenirs qu'il peut avoir de son père. Il met bout à bout quelques bribes de sa vie, mais sa mémoire le trahit, les images et les noms se dérobent, il a l'impression de tomber dans un puits et n'arrive à saisir dans cette chute que quelques éléments épars, incomplets, flous, comme si la mort avait déjà creusé un abîme entre lui et son père.

Il croit l'entendre (sa voix chaude, lente, avec cet accent pied-noir dont il ne s'est jamais défait) le jour où il avait raconté leur arrivée en 62, les bagarres sur le bateau, leurs valises (tout ce qu'ils avaient pu emporter) jetées dans les eaux du port de Marseille par des dockers de la CGT, le train jusqu'à Paris. Le soulagement de voir quelqu'un de la famille les attendre sur le quai de la gare de Lyon, puis le choc, le froid, la solitude, le manque d'argent, et surtout l'accueil sans accueil de ce pays qui refusait de les voir.

Le froid évoqué par son père, plus que les frimas et les ciels gris, c'était celui des Français du continent, leur hospitalité glaciale. Plus d'une fois, il avait senti la haine. Les débuts avaient été difficiles. Une tante leur avait prêté une maison minuscule et sans confort (pas de chauffage, pas d'eau chaude) dans un petit village près de Château-Thierry. Le père de Bruno avait trouvé un poste de professeur d'histoire (il enseignait à Alger) qu'il avait dû quitter après qu'un commissaire de police l'avait dénoncé comme un ancien de l'OAS, ce qui n'était pas tout à fait vrai.

Son père ne lui avait parlé qu'une seule fois de ce retour. Plus tard, quand il l'avait questionné, il n'avait jamais eu droit qu'à un silence qui donnait à Bruno la mesure de l'irréparable. Ses parents avaient fait une croix sur l'Algérie, ils s'étaient bâillonnés. À quoi bon parler ? Puisque personne ne voulait entendre, comprendre n'en parlons pas, même si sa pauvre mère s'en allait parfois en répétant toute seule : « Quel gâchis... »

Il se souvient d'une photo, une vue cavalière d'Alger, en noir et blanc, dans un cadre en bois de cèdre posé sur une table, dans la chambre de ses parents. Deux portraits en médaillon, un peu flous, un jeune homme aux cheveux gominés tirés vers l'arrière et une femme avec des lunettes de soleil, étaient incrustés dans le ciel de la photo, à droite.

Avec le temps, les choses s'étaient arrangées. Son père avait retrouvé un emploi dans une banque, toujours à Château-Thierry, sa mère (décédée depuis dix ans) avait donné des cours particuliers de mathématiques et ils avaient pu acheter, puis restaurer et même agrandir un peu la maison qui leur avait été prêtée, où Bruno et ses frères avaient grandi, dont il ne gardait que de bons souvenirs.

Il a du mal à se repérer. Une zone commerciale interminable, un Nevada Grill, un McDo, un Leclerc drive, des ronds-points à chaque carrefour ; la campagne est mangée par des tôles et du béton. Quand il sort de cette banlieue industrielle, il emprunte la nationale qui longe la Marne, puis une départementale bordée de forêts et de cultures.

La maison est au bout du village. Bruno gare l'Audi sur le trottoir, devant l'ancienne boulangerie. Il baisse sa vitre et respire en cherchant dans l'air humide une odeur qui lui rappellerait son enfance. Un coup d'œil à la maison. Petite, un toit en tuiles mécaniques rouges, une extension couverte d'ardoise, avec une véranda, un morceau de pelouse, un cerisier, un pommier, une haie de framboisiers le long du muret en parpaings pour cacher l'horrible pavillon des voisins. Ses frères l'attendent dans la salle à manger. Échanges de poignées de main, quelques commentaires sur la circulation. « Ça fait deux heures qu'on t'attend… » Rien d'étonnant, il y a longtemps qu'avec eux, les relations sont réduites à une hostilité à peine déguisée. Quelque chose est cassé.

« Je peux voir Papa ?

— Il est dans sa chambre. Lui aussi t'attend… »

La pièce est plongée dans une demi-pénombre. Bruno s'assied à côté du corps de son père et fixe son visage comme s'il voulait le graver au plus profond de lui-même. Des traits reposés, fermés, un teint nacré, la bouche relevée, signe d'une souffrance ou au contraire esquisse d'un sourire d'adieu, le modelé des fossettes affaissé, des cheveux gris dépeignés sur le côté droit

Il ne ressent rien. L'amour pour son père n'est pas en question, mais sa douleur reste muette. Elle ne s'exprime pas. Face à la mort, il ne pense rien. « La vie, ce n'est donc que cela, dit-il à voix haute, comme s'il s'adressait à son père, beaucoup de gâchis comme disait Maman, et l'oubli… » Quand il prononce le mot *gâchis*, il pense à Marie-Hélène et aux filles.

Ma vie avec Marie-Hélène a tout monopolisé et exclu de fait les relations cordiales ou affectueuses que j'aurais pu avoir avec les uns ou les autres, et aussi avec mes frères. Le gâchis est général. Si je me cherchais un ami, un vrai, dans le monde entier, je n'en trouverais pas.

Il aperçoit la photo, sur la table, à côté du lit. Deux visages sourient à la vie en surplomb d'une ville blanche. Ses parents avaient quitté leur maison, leurs amis, leurs tombes et avaient accepté le sort qui leur avait été fait. Le silence avait été le prix de leur soumission. Bruno se demande ce qu'est devenu son père à l'intérieur de ce silence. La photo forme un point d'hypnose où le regard de Bruno se trouble. Il aimerait rentrer dans le cadre, se glisser entre ses parents, sourire avec eux au photographe.

Brève discussion avec ses frères au sujet de l'enterrement car ils sont tous les deux pressés de repartir. «Tu comprends, on a du boulot…» Sous-entendu, pas comme toi, dans la police… Il les retient avec quelques questions sur la façon dont leur père est décédé.

«Il a quitté la maison de repos il y a une semaine, n'en faisant qu'à sa tête. Tu le connais, têtu comme une mule, il prétendait qu'il était autonome. On l'a retrouvé dans son lit. Crise cardiaque.

— Et pour l'enterrement, vous avez déjà prévu quelque chose?

— Tu verras, il y a un dossier *Pompes funèbres* sur la table de la salle à manger. En principe, on attend l'accord de la mairie, il sera enterré dans deux jours. Jeudi après-midi. Il avait retenu sa concession…

— Il y aura une messe?

— Une messe! On voit bien que tu ne sais plus comment ça se passe ici. Mais si tu y tiens, on n'a pas d'objection…»

Ils partent en convenant de se donner des nouvelles dans la soirée.

Pas surpris, mais perturbé par l'attitude de ses frères, Bruno pense à l'affection qui les liait autrefois tout en se dirigeant vers le presbytère, où le prêtre de la paroisse leur avait enseigné le catéchisme à tous les trois. Sa mère, pratiquante, avait eu droit à des obsèques religieuses; son père, non pratiquant, était catholique. Il n'avait pas laissé de dernière volonté mais à l'évidence, il n'y a pas de raison de le priver d'une dernière messe.

177

Il pense d'abord s'être trompé en arrivant au presbytère. Les rosiers que le prêtre soignait, traitait et taillait
avec constance ont été arrachés et l'espace qui leur était
dédié a été bitumé. La façade a été rénovée. Peintures
criardes, pierres meulières agressives. La maison est
méconnaissable. Bruno sonne à la porte. Un voisin
l'interpelle.

« C'est pour louer ?

— Je cherche le prêtre.

— Mon pauvre, il est mort depuis deux ans. C'est moi
qui ai racheté le presbytère, c'était dans un état... Je le
loue à des gens de passage, si ça vous intéresse.

— Vous savez où je pourrais trouver un prêtre ? C'est
pour un enterrement... »

Il sillonne avec méthode les alentours avant de réaliser
qu'il ne trouvera pas de prêtre pour enterrer son père.
La plupart des églises sont fermées, et les regroupements
de paroisses ne laissent que des messages évasifs sur le
répondeur de leur téléphone. Par curiosité, il se rend à
l'église de son village. La porte principale est ouverte, les
battants claquent. En entrant, il est frappé par le vide
et par l'odeur. Les chaises et les bancs ont disparu. Les
saints ont été tirés de leur niche. La statue de Jeanne
d'Arc en plâtre, dont les bras tendus accueillaient les
fidèles, a été renversée, elle a perdu sa tête et son étendard. Diverses immondices, les restes d'un foyer, un
vieux matelas et des bouteilles vides témoignent que des
occupants sans titre ont trouvé abri dans une des cha-
pelles latérales. Des chandeliers sur pied ont été mis en

pièce, des croix murales démontées et sans doute vendues. En apercevant dans la nef des emblèmes religieux martelés pendant la révolution, il se dit que son époque est peut-être plus terrible que celle des hommes de 1789. Derrière l'autel, le tabernacle a été fracturé. Il est vide. Le vent siffle dans les vitraux cassés, l'église semble gémir. Il est abasourdi par l'abandon de ce sanctuaire qu'il avait connu chaque dimanche animé par les chants des bénédictins en rochet, venus d'un couvent voisin, et où flottait en permanence une odeur d'encens. La mort le rattrape. Il se sent fatigué, tendu. Il n'a pas l'impression d'avoir perdu simplement son père, cet être cher, soudain trop loin, mais le pays de son enfance.

Ses frères lui ont laissé une clef. Il entre sans faire de bruit, rend une visite à son père, le dévisage encore une fois, puis trouve dans la salle à manger le dossier *Pompes funèbres* sur la table. Il téléphone à l'entreprise dont le numéro est écrit à la main sur la chemise du document. Ses frères lui ont demandé de régler les détails de la cérémonie. Une femme lui répond.

« C'est pour qui ?

— Pour mon père.

— Mes condoléances, Monsieur, c'est toujours un moment très triste. Soyez certain que nous serons à vos côtés. Vous êtes musulman ou catholique ?

— Catholique.

— Je vous demande cela car nous avons un service spécial pour les musulmans, dans le respect de la sounnah. Catholique, donc. La messe aura lieu où ?

179

— Il n'y aura pas de messe. Je n'ai pas trouvé de prêtre.

— Je comprends. Le mieux serait que vous puissiez passer au bureau, à Château-Thierry, que je vous montre notre catalogue.»

L'employée, une petite brune de son âge, cheveux courts, assez forte, l'accueille avec un demi-sourire professionnel, adapté aux circonstances :

«Vous avez réfléchi au cercueil ? Quel âge avait votre père ?

— Soixante-quatorze ans.

— Nous avons des cercueils pour les baby-boomers. En général, ils aimaient le rock et le football. Nous avons un modèle *Azur foot*, qui touche avec brio les amoureux du stade. Un modèle *Gibson éternité*, très étonnant, pour les fans de guitare... Dans le même genre, nous avons un modèle *Vagabond*, en forme de camping-car, les gens de cette génération aimaient les voyages et la liberté. Ils avaient raison d'ailleurs...

— Je préférerais plus classique.

— Nous avons un modèle très simple, il s'appelle *Papa*.

— *Papa* conviendra.

— Pour le cimetière, nous avons un *master of ceremony*. C'est lui qui va vous guider à chaque pas, donner le signal du dernier recueillement, distribuer les fleurs, des roses en papier, à jeter dans la tombe avec vos messages personnels pour accompagner le défunt dans son long voyage vers l'éternité, puis enfin, il lira un texte en votre nom, vous avez des frères et sœurs ?

— Deux frères…

— En votre nom à tous, il lira donc un texte qui vous apportera la consolation des mots : "Papa n'est pas mort, il nous attend sur l'autre rive." En général, ça plaît bien. »

Bruno n'a plus la force de parler. Toute la tension de la journée vient de l'abandonner. Il signe le devis. L'employée sort du magasin avec lui. Il vérifie ses messages sur son répondeur. L'Inrap lui transmet les coordonnées de l'un de ses anciens professeurs qui cherche à le joindre. Cela paraît urgent. *Grimaud… Un prof que j'aimais bien… Curieux… Qu'est-ce qu'il peut me vouloir…* Au moment de saluer la femme qui vient de fermer à clef la porte du magasin, sur le trottoir, il risque une parole aimable :

« Vous habitez dans la région ?

— Non, je rentre à Paris, je me dépêche car j'ai un train dans vingt minutes.

— Je rentre à Paris aussi, je suis en voiture, je peux vous emmener… »

Elle habite un studio près de la gare de l'Est, au-dessus d'un restaurant turc.

9

Les Tamaris, La Marsa, Tunisie
Bruno m'a rappelé, mais il n'avait pas le temps de me parler, son père venait de mourir. Sa voix n'avait

pas tellement changé. Nous sommes convenus de nous contacter au début de la semaine prochaine. Je suis assez impatient de savoir s'il va pouvoir me conseiller ou m'aider, trop conscient de m'être lancé dans cette histoire sans prendre de précautions. Qu'est-ce qui m'a pris de me comporter comme un aventurier que je ne suis pas? L'écœurement devant les saloperies des islamistes? Un réflexe corporatiste? Peut-être tout simplement le dégoût de voir des ignorants débrancher tous les fusibles de mon petit logiciel perso: le savoir, ma curiosité maladive du passé, la passion de l'Histoire qui me taraude toujours.

Dans les jours qui ont suivi mon retour, j'ai emmené Rim dans les ruines. Dès que je suis près d'elle, ma vocation pédagogique reprend le dessus. Ne doit-elle pas passer le bac à la fin de l'année scolaire? Je la récupère à la sortie du lycée (plus exactement devant un arrêt de bus assez éloigné du lycée) et nous allons marcher jusqu'au coucher du soleil sur le site abandonné par les touristes. Je veux qu'elle respire les odeurs de la terre à l'endroit où trente siècles auparavant, une femme a fondé une ville neuve, Qart Hadasht, dont nous avons fait Carthage. Carthage, cette branche de l'histoire des hommes qui a été coupée et n'a jamais repoussé, est un bon sujet de méditation pour une jeune fille qui grandit dans un pays menacé par les djihadistes.

Assis l'un contre l'autre sur une pierre, dans les vibrations de la lumière, nous progressons sans effort dans les renverses du temps. Je lui raconte l'histoire d'un écrivain nommé Thibaudet qui n'avait emporté que trois livres dans son sac de soldat, en 1914. Elle m'a fait répéter plusieurs fois cette phrase tirée de *La Campagne avec Thucydide* : «Un soldat de 14 pouvait être un homme qui vit avec poésie un moment important de l'Histoire, et comme à l'étape, on puise dans sa main l'eau des sources, confondues ici avec des essences éternelles, en Montaigne, je puisais l'eau de la vie, en Virgile l'eau de la poésie, en Thucydide l'eau de l'Histoire. »

Elle m'écoute en fronçant les sourcils, et répète à voix haute : «L'eau de la vie, l'eau de la poésie, l'eau de l'Histoire. » Les rayons du soleil déclinant commencent à raser les collines de Byrsa. La lumière lisse les vagues, la baie plonge dans l'ombre. Nous reprenons la voiture pour nous baigner sur une plage un peu écartée de la route. Un faisceau de lune coupe la mer en deux surfaces obscures.

Nous avons dîné sur un quai. Un garçon nous a proposé des oursins qu'il venait de tirer du port. J'ai demandé de la bière, pour accompagner les oursins. Rim buvait discrètement dans mon verre. Nous étions les derniers clients. Le patron avait éteint ses lampions et accélérait le service, mais je lui ai quand même réclamé une autre Stella en même temps que l'addition. Rim m'a donné un baiser sur la bouche pendant qu'il rangeait ses casseroles. «Pour l'eau de la vie. » Elle avait les cheveux en désordre, à cause du bain, et me fixait d'une façon étrange. J'ai étiré le temps autant que j'ai pu, maîtrisant les accès de puérilité ou de gâtisme qui me menaçaient. Je devais profiter de ces instants sublimes sans penser à rien. Le lendemain matin, nous nous sommes réveillés tard, la tête dans le polochon. Rim semblait furieuse. «À cause de toi, j'ai raté le lycée», dit-elle, pressée de sortir.

10

Taurbeil-La Grande Tarte, région parisienne, France

Plus de la moitié des caméras de surveillance de la cité ont été mises hors d'usage dans la nuit. Les dégâts sont considérables. Harry Potter l'a compris dès qu'il est sorti de son abri antiatomique (non sans regret car il a commencé un roman russe qu'il a trouvé dans les décombres de la médiathèque, qui vient d'être une nouvelle fois incendiée). Malgré la pluie et l'heure encore léthargique (il est 10 heures du matin), quelques excités s'en donnent à cœur joie et jouent les Zorro à moto sous les yeux crevés des caméras du boulevard Jean-Jaurès. Pas la peine d'attendre les consignes, il sait ce qu'il a à faire.

Parce que c'est le fantasme de Bilal de tout savoir, Harry plonge dans la cité. Il veut faire un pointage du matériel endommagé. Patron M'Bilal est friand de ce genre d'informations. *Le Patron n'a pas besoin de caméras, il a des yeux partout. Et le meilleur de tous ses yeux, c'est moi. Il me l'a encore dit hier : Tu es une grande asperge, mais je ne sais pas comment tu te débrouilles, tu passes partout, t'es fiable.* En chemin, il croise un groupe de salafistes. *Patron M' m'a dit de me méfier et de ne surtout jamais les contrarier, il est obligé de travailler avec eux.*

Patron M'Bilal reçoit ses visiteurs dans la pièce centrale de sa forteresse, dans son décorum habituel : ses fringues, ses chaussures, ses DVD, ses clebs baveux et ses magazines de cul. Harry a franchi le piquet des gardes du corps, qu'il a trouvés nerveux. Depuis une dizaine de jours, ils sécurisent la cage d'escalier à partir du hall du rez-de-chaussée. Et ils confisquent les portables des visiteurs, ça aussi, c'est nouveau. *Le Patron travaille beaucoup en ce moment. De plus en plus d'affaires à régler, de conflits à apaiser, de nouveaux marchés à satisfaire. «Je monte en puissance», c'est sa rengaine.*

Harry attend son tour en se remémorant tout ce qu'il doit dire à M'Bilal. Par les vitres sales, il regarde l'immensité de la cité, les blocs multicolores, et la couronne sombre des forêts au loin, sur un plateau de terres imbibées de pluie. Des voitures de police sillonnent le boulevard extérieur, sans jamais s'arrêter. L'habituelle odeur de merde et de patchouli flotte dans l'appartement. Une fille pâle, en minirobe bleue, avec une énorme croix en or autour du cou, lui apporte du thé à la menthe. La nouvelle, sans doute. Il boit son thé debout, les yeux dans le vague, avec cette fille à ses côtés, sans parler. Quelqu'un crie. «Je crois que M'Bilal t'attend, c'est ton tour», lui dit-elle en ouvrant la porte. Accent slave. Une Ukrainienne. Défoncée.

À moitié allongé sur son lit, les pieds sur un pouf brodé, Patron M'Bilal est au téléphone. Il éructe, rit, grimace, gronde, vocifère. Il arrive qu'il se taise, et découpe alors ses phrases, comme le font souvent les Africains, dans ces silences inattendus. Il articule comme un dingue, d'une façon très théâtrale, sa langue (d'ailleurs merveilleuse par la vivacité de ses formules et la variété de son vocabulaire) est son hachoir, la machette qui tient la cité, sa machine à marabouter le sénateur et les gros bonnets de la zone.

Ses mots, des balles de lave, tournent dans la pièce sans meubles, puis s'envolent vers des impacts lointains. Le reste de son corps, comme si la coke n'avait d'effet que sur sa verve et ses yeux exophtalmés, reste immobile. Sa corpulence remplit sans faire de plis les mohairs et les soies coupés par un maître tailleur de Berluti qui vient tous les deux mois de Paris pour les essayages et les retouches. Chemise blanche à col napolitain, avec poignets mousquetaires brodés de noir, largement ouverte sur sa dent de caïman, manches retroussées sur ses montres (deux au même poignet) et ses bracelets, gilet noir, pantalon noir, chaussettes blanches, mocassins vernis à pompons que les chiens mordillent. Deux pots de yaourt vides sont renversés près du lit.

M'Bilal fait signe à Harry de s'approcher et lui caresse l'entrejambe. Petit Harry plonge ses yeux dans les siens, disparaît dans ce regard injecté de sang et s'oblige à sourire. Combien de temps aura-t-il la force de continuer cette mascarade ?

Comme à chaque fois qu'il se retrouve en face de lui, c'est-à-dire tous les jours, il a l'impression de rencontrer un individu d'une espèce supérieure, tellement son visage palpite d'énergie et de ruse. De méchanceté et d'intelligence. Il aspire une bouffée d'air et dit :

« Bonjour Patron.

— Bonjour fils… Tu te souviens de l'enseignement numéro un de Papa Bilal ?

— Savoir être cruel.

— Super ! ! Alors maintenant raconte… »

La mémoire d'Harry est son trésor. Il parle doucement, en articulant lui aussi, mais sans exagération, n'omettant rien, avec un certain talent de conteur. Talent qui va croissant d'ailleurs, nourri par ses lectures et notamment par cet énorme roman russe qu'il ne quitte plus, au point que l'odeur de carton brûlé de la couverture lui colle à la peau. Depuis quelques jours, il se plaît d'ailleurs à emprunter certaines formules à l'auteur qu'il replace, un peu à tort et à travers, dans ses rapports à M'Bilal, un peu ébahi, et qui continue de miser sur lui. *Dans dix ans, j'en ferai mon lieutenant, mon fils adoptif, le vrai fils du Diable, il faut simplement que je l'aide à devenir un carnassier de sa putain de race.*

Détails d'ambiance, faits et gestes des petits dealers, ronde des rumeurs. Tout ce qui mérite d'être rapporté est dit.

Ce matin, il fait un point « géolocalisé » sur les vingt-quatre caméras hors d'usage. Sa conclusion évoque l'ombre et la lumière qui font le charme de la vie.

« Tu sais combien de temps prendra la réparation ?

— Ton copain des services techniques de la ville m'a dit que ce serait très long, plusieurs mois. Ils n'ont pas le matériel de rechange et doivent le commander chez le fabriquant. Il nous préviendra.

— Et les caméras qu'ils devaient installer sur le boulevard du Bilal drive ?

— Ils n'en parlent plus. Je crois que c'est abandonné.

— Excellent. Cela signifie que nous sommes à l'abri pour les deux mois qui viennent. Et à l'arrêt de bus ?

— Les nouveaux barbus ont encore déchiré un lycéen... Ils lui ont interdit de lire autre chose que le Saint Coran. Ses parents vont le changer de lycée... chaque infortune a sa physionomie particulière... La police est arrivée un quart d'heure plus tard.

— Il faut écouter les barbus. Tu sais que je travaille avec eux, ils sont devenus incontournables, et j'ai besoin d'eux. Surtout maintenant. Ils contrôlent les idées, les lectures, les filles, les voiles, c'est tout. Normal. Le reste est à nous. Chacun son job. Méfie-toi de tout le monde, fils.

— Je sais Patron. »

M'Bilal reprend son portable et appelle un numéro mémorisé. Un nom s'affiche sur l'écran. Le signal du départ pour Harry qui a le temps de comprendre que Bilal cherche à joindre l'un de ses nouveaux associés, un Marocain de Taurbeil-Tarte. « Viens embrasser Papa avant de partir, je t'aime, dit Bilal en posant la main devant son portable... Quand t'as besoin d'une gonzesse, tu me le dis, t'as vu la nouvelle, la pâlotte, avec sa croix ?... Tiens, prends ça... – Merci Patron. » Le portable de Bilal sonne dans le vide. Harry a posé sa tête sur son épaule, la sonnerie résonne, il ferme les yeux, il ne pense plus à rien, il se repose dans l'odeur animale du mohair, ça sent la ferme, l'Afrique, la petite baraque en torchis et palme de son défunt papa, la maison qu'il n'a jamais connue que par ouï-dire, au pays des grands arbres et des femmes à la rivière, ça sent bon, il y a une chèvre et une vache, un bélier tout noir, des chiens couleur de terre, il aimerait s'en retourner vivre avec les animaux. La sonnerie s'arrête, quelqu'un vient de décrocher. Contraction des muscles de Bilal sous la peau du costume, Harry se redresse, esquisse un salut, file avec deux coupures et se jette dans les escaliers. *Un jour, un jour, je partirai, le plus loin possible, et j'irai là où je peux me sentir chez moi.*

11

Les Tamaris, La Marsa, Tunisie

La semaine dernière, grosse panique. Rim n'est pas réapparue à la maison et m'a laissé plusieurs jours sans nouvelles. Je lui ai pourtant offert un portable avec un forfait confortable. Un soir, après avoir longuement tourné en rond dans ma chambre, je lui envoyé un sms. Pas de réponse. Je me suis affolé, ça m'arrivait. Est-ce que je n'avais pas fait une énorme connerie en la recevant chez moi ? Je craignais d'être à la merci du premier procureur salafiste qui aurait eu envie de m'accuser de pédophilie, et surtout je constatais que mon équilibre intérieur se dégradait. Rim s'y entendait pour jouer avec mes nerfs.

Depuis le suicide de Valentine, j'ai toujours recherché la compagnie des adolescentes. Elles s'étaient succédé de loin en loin, *Love Is A Losing Game*. Sans vrais problèmes ni pour elles ni pour moi : Valentine vivait de l'une à l'autre, le transfert s'était toujours fait en douceur, j'avais réussi à ne jamais souffrir, Valentine ne me quittait pas.

Avec Rim, c'était différent.

Elle ressemblait de façon troublante à ma femme. Elle lui ressemblait tellement qu'elle a cru que j'avais encadré une photo d'elle quand elle a aperçu un portrait de Valentine la première fois qu'elle est entrée dans ma chambre. J'aimais de plus en plus ses digressions, sa façon de me parler, ses naïvetés, vraies ou fausses, son assurance juvénile, bref, je contrôlais de moins en moins la situation. Je m'en étais rendu compte ce jour-là quand j'avais ressenti des picotements à la place du cœur.

Ce n'était plus Valentine qui vivait en Rim, mais elle qui vivait à la place de Valentine. Ça changeait tout. Sa désinvolture, ses absences et ses silences m'imposaient des sautes de tension de plus en plus fortes. Esclave de mon portable, j'attendais un sms qui ne venait pas, je n'arrivais pas à me concentrer, je me torturais avec mes questions, c'était l'enfer. J'avais l'impression d'être monté sans le vouloir dans une voiture lancée à pleine vitesse vers un mur en béton armé. C'était Rim qui tenait le volant, c'était elle qui appuyait sur l'accélérateur, à fond la caisse, et naturellement, elle sauterait du véhicule juste avant le crash.

Le troisième jour, vers 2 heures du matin, la pleine lune était cachée par des nuages, j'étais en train de lire des magazines ineptes dans le salon, quand j'ai entendu un bruit de moteur devant la maison, puis des pas dans l'entrée. Elle a débarqué, la bouche en cœur, sans aucune gêne, de bonne humeur, hypervive, joyeuse, tout était normal. Elle dégageait autour d'elle un cercle lumineux.

Oubliées les piqûres d'angoisse dans le cœur, je lui ai tout pardonné. Pardonné quoi au juste ? Elle avait un mode de vie aléatoire, j'avais l'âge que j'avais, le mieux pour moi était de l'accepter.

Rim mourait de faim, j'ai préparé une omelette et ouvert une bouteille de vin tunisien. Ce soir-là, elle m'a dit qu'elle aurait voulu vivre à l'époque hippie, «partir sur la route, en fumant des joints, comme Kerouac et ses copines». Je lui ai fait remarquer que Kerouac n'avait pas beaucoup d'amies filles et j'ai pensé qu'il fallait absolument que je lui parle d'Ibn Arabi, le Kerouac du soufisme andalou, mais il était tard, et j'ai décidé de garder cette cartouche pour un moment plus propice.

Le lendemain, quand je me suis réveillé, Rim était partie au lycée. Dans la matinée, sa tante, la gardienne du mausolée, a frappé à ma porte. Elle m'a expliqué que les pèlerins étaient de moins en moins nombreux et m'a demandé de la dépanner. «Vous auriez besoin de combien ? – Trois cents euros…» C'était l'équivalent de deux smic tunisiens, j'ai eu peur du scandale. C'était une erreur, une de plus, mais j'ai pensé que personne ne saurait qu'elle était venue chez moi. Mes voisins les plus proches étaient des pêcheurs vivant dans une certaine anarchie familiale. Ils ne fréquentaient pas la mosquée et jetaient des bouteilles de bière vides dans la vase, quand ils rentraient de la pêche. Ils avaient l'air de se foutre totalement de ce qui se passait dans leur quartier. Je lui ai donné ce qu'elle me demandait. Rim lui avait expliqué qu'elle venait habiter chez moi pour faire le ménage et préparer mes repas. Quand j'ai raconté cette visite à Rim, elle s'est mise en colère contre sa tante, la traitant de grosse pouffe paresseuse, et aussi contre moi, qui avait cédé si facilement à «une jeteuse de sort professionnelle, et en plus, elle est bien plus riche que toi !». Elle est restée quelque temps de mauvaise humeur, presque agressive, puis tout est rentré dans l'ordre.

12

Taurbeil, région parisienne, France

Une camionnette est garée près de la Villa, à une vingtaine de mètres, du même côté de la rue. Au moment de pousser la grille d'entrée, Bruno se retourne et fait un bras d'honneur en direction de la Kangoo. *Alors les gars, on se les gèle...*

Les derniers attentats ont mis en évidence des failles dans le fonctionnement de la police. Mauvais climat. Le vieux a pris des mesures pour protéger son service et ses hommes. Codes d'accès changés, usage des portables (soi-disant cryptés) réduit au minimum, etc. La camionnette fait partie de son dispositif d'autodéfense. À l'intérieur, deux hommes et une caméra.

Bruno est arrivé avec cinq minutes d'avance. Le vieux le prend à part dans un couloir et lui reparle de son père.

«Il était dans une maison ?

— Chez lui, il est mort seul.

— Le jour où j'ai perdu le mien, dit Lambertin, j'ai compris pour la première fois ce qu'il représentait pour moi.

— Les choses importantes, je ne sais pas pourquoi, on les comprend toujours trop tard…»

Bruno a retrouvé dans les papiers de son père une lettre jamais envoyée, où il lui demandait de ne pas divorcer. *Il m'en a voulu. Pourquoi ne lui ai-je pas expliqué ce qui se passait ?*

Pendant qu'il enterrait son père, les équipes de la Villa s'étaient focalisées sur les informations qui remontaient du Web et du terrain, filatures, écoutes, quelques rapports d'indics. Leurs conclusions confirmaient une tension du côté de Taurbeil-Tarte, circulation en hausse de cash et de cocaïne, en même temps qu'un tassement inattendu de la grosse délinquance. «Les collègues maltais, dit Bruno, m'ont informé que deux types se sont fait descendre. Un immigré et un pêcheur.

— Trafic avec la Libye ? demande Lambertin.

— Probable.

— Nous ne sommes pas compétents pour ce genre d'affaires. Dans plusieurs rapports, poursuit Lambertin, on parle pourtant d'une filière maltaise. On parle aussi du Landy, le tunnel…

— Près du Stade de France, le tunnel sur l'A1, quand on va à Roissy.

— C'est sous le tunnel que se font braquer les ambassadeurs qui vont chercher leurs ministres à l'aéroport, un classique.

— Se faisaient braquer, je dis bien : se faisaient, cela fait deux mois qu'il n'y a même pas eu un petit vol à la tire sous le tunnel.

— Dites voir, avant de partir pour Malte, vous auriez le temps de faire un tour à Taurbeil-La Grande Tarte ? Ça serait quand même bien qu'un flic mette les pieds là-bas, même en touriste ! »

Ses collègues l'ont mis en garde. « Ne traîne pas. Tu vas te retrouver dans un territoire de 90 hectares, sans plus aucune trace de souveraineté régalienne. Vingt mille personnes vivent dans cette bulle, les centres commerciaux sont loin, la ville n'est rattachée à l'extérieur que par une seule ligne de bus, les gens se ravitaillent au marché, il y a bien un Franprix, mais son activité principale, c'est le blanchiment, il ouvre un jour par semaine, et encore.

— Beaucoup de chômage ?

— Énorme. Ceux qui bossent travaillent à la sécurité d'Orly, c'est rassurant… Trois familles marocaines (dont l'une liée au sénateur de Taurbeil) et deux caïds maliens tiennent la ville, avec l'appui tacite de conseillers municipaux, d'anciens communistes.

— Les islamistes ?

— Rôle périphérique mais croissant. Le pouvoir, ce sont ces familles mafieuses. Deux d'entre elles se sont fait construire d'énormes villas en Seine-et-Marne et gèrent leurs affaires de loin. Elles délèguent à leurs hommes de main. Plus aucun service de l'État ne fonctionne, plus de commissariat, bien sûr, mais pas de bureau de poste non plus, pas de commerces, sauf une boucherie hallal. Un mec décidé.

— Je peux le voir ?

— On te passera son numéro de portable. Il tient la barre avec ses employés, ils ne quittent jamais leur couteau de boucher. Seuls les écoles primaires et le collège ont été autorisés à fonctionner normalement, dans des horaires encadrés. Après 18 heures, c'est la loi des dealers, la Grande Tarte devient la Cité interdite. »

Bruno se gare sur un parking extérieur, remonte sa capuche. Il est frappé par le sentiment d'irréalité qui se dégage de cette ville à la campagne, interdite aux voitures. Aucune route. Des sentiers goudronnés serpentent entre les bâtiments qui semblent avoir été jetés au milieu des prés comme les dés d'un joueur sur une piste de 421.

Les blocs de Taurbeil-Tarte, petits, bas, gondolés sur des zones herbeuses, se font face de façon décalée et dessinent un labyrinthe de couleur. *On dirait la farce d'un architecte fumeur de shit.* Il progresse entre les formes sinueuses, aux couleurs psychédéliques, rêve d'un bâtisseur qui a eu les moyens de son délire. *J'ai lu quelque part que l'architecte avait voulu construire une ville pour enfants. Le problème, quarante ans après, c'est que les enfants jouent à balles réelles avec des kalachnikovs.* Il s'était préparé pour cette expédition en solo, mais n'avait pas prévu le cafard qui lui tombe dessus en entrant dans ce paysage complètement déstructuré.

Il évite un mendiant, encore jeune, assis en tailleur, dont la tunique blanche laisse voir quatre moignons violacés couverts de croûtes. Toutes les femmes sont voilées, sauf quelques Noires. Elles portent des sacs en plastique remplis de fruits et de légumes, entourées de nuées d'enfants, à pied ou à bicyclette. La place du marché, balayée par un vent froid, est livrée au branle du commerce à l'étal. Cris des bateleurs, rires, odeurs, fumées, disputes, palabres. Debout derrière des montagnes de clémentines, de parkas, de jupes longues, de chaussures, de corans, les vendeurs emmitouflés apostrophent les passants en arabe et en français. Un prêcheur vend des planches d'éducation coranique et des remèdes contre le mauvais sort. Grosse cohue devant la boutique en plein vent du fameux boucher. Bruno l'observe à distance. Les clients stationnent autour de ses marmites fumantes. Six commis en tablier blanc, en rang d'oignons, constamment à la manœuvre, vendent à la louche des escargots et des tripes de mouton, mais aussi des ailes de poulet grillées, tout est travaillé sur place.

Les immeubles qui abritaient l'ancienne galerie marchande sont à l'abandon. Dégradés, crasseux, cassés, lézardés, le bar tabac est muré. Bruno comprend qu'il a été repéré quand des cris de chouette commencent à l'accompagner d'un immeuble à l'autre. *Hou-hoooou!* Chaque bloc possède son *chouf*, son guetteur attitré, *Hou-hoooou!* Deux hommes en parka sortent d'un immeuble. La cinquantaine, posés, barbes blanches bien taillées, très calmes, aucun signe d'énervement. Ils se mettent en travers du chemin et lui demandent qui il est et où il va. Questions posées d'un ton anodin, non sans une certaine courtoisie, malgré le tutoiement d'office et l'imperceptible ironie. Bruno sort sa carte. «Je suis flic.» Les deux hommes sourient. L'inversion des rôles les amuse. «Tu as besoin de quelque chose? – Non, je me promène. – Attention, la nuit tombe vite, et tout le monde te repère avec ta capuche…» Dix minutes plus tard, il quitte la zone dans sa voiture.

Le lendemain, il récupère le numéro du boucher et lui donne rendez-vous dans un parking, à dix kilomètres de Taurbeil-La Grande Tarte, près d'un centre commercial. C'est un homme désespéré qui se raisonne en parlant. Bruno n'a pas besoin de lui poser de questions, les vannes sont ouvertes. «Je suis le dernier des Mohicans. Sans le soutien de ma femme, que Dieu le Miséricordieux la bénisse, et de ma fille, sans l'aide de mes six commis, il y a longtemps que j'aurais mis la clef sous la porte. Ils n'attendent que cela, récupérer mes murs, mon fonds de commerce, pour quoi faire j'en sais rien. On résiste à l'adrénaline. Les petits salafistes, je suis assez grand pour m'en occuper. Ils me voient aiguiser mes lames tous les matins. Ils savent que je suis prêt à leur couper les couilles avec mon couteau. Ils sont venus me chercher deux ou trois fois, on en a chopé un et on lui a fait prendre un peu de bon temps dans la chambre froide. Ils n'ont pas insisté. En revanche, les Familles, c'est autre chose. Intouchables. Ils utilisent les salafistes quand ils en ont besoin. Ce qui m'enrage, c'est qu'ils sont marocains, comme moi. Avec des connexions partout. Chez les Français, politiques, truands. Ils contrôlent la cocaïne et le shit. Ils viennent de faire alliance avec un Malien qui aurait doublé leurs sources d'approvisionnement, en installant ce qu'ils appellent un *Bilal drive*. Vous n'avez qu'à voir la queue des acheteurs en bagnole sur le boulevard extérieur. Depuis deux mois, ça n'arrête pas.»

197

Il repart avec ses questions. *Comment récupérer ces zones abandonnées depuis si longtemps ? Combien de mosquées sont-elles financées depuis l'étranger ? Faudra-t-il un jour envoyer la troupe ? Et quelle troupe ?* Son passage à la Grande Tarte lui a mis le moral dans les chaussettes. Et Marie-Hélène qui commence à râler parce qu'il n'arrive plus à assumer la garde des filles un week-end sur deux. *C'est au-dessus de mes forces. J'ai beaucoup de mal à être dans le même espace qu'elles. Impossible de leur parler normalement, de prendre un repas avec elle, de les emmener au McDo, d'évoquer leurs résultats au lycée, comme s'il n'y avait plus de lien entre nous. Malgré toute la tendresse que je voudrais leur prodiguer, je n'y arrive plus. Je suis devenu un type assez monstrueux. Marie-Hélène en profite pour me sucrer mes week-ends de garde et s'éloigner encore un peu plus, je ne peux pas lui en vouloir, elle a raison, je suis piégé.*

La sonnerie de son portable annonce un sms.

Sandra.

Il erre entre les femmes.

Baiser pour tuer le temps, pour ne plus penser à Marie-Hélène.

Un souvenir le poursuit. Il entend le réveil qui sonne dans leur maison de Bourg-la-Reine. *Marie-Hélène le faisait sonner tôt pour que nous puissions tous profiter du petit déjeuner. Elle se serrait contre moi, on parlait à voix basse, puis elle se levait pour préparer le café, les jus d'orange et le pain grillé, l'odeur des toasts se répandait dans tout le rez-de-chaussée. J'allais réveiller les filles,*

198

je faisais couler leur douche pour que l'eau soit chaude, je leur préparais leur bol de muesli avec du miel et des pommes râpées. Les filles riaient, se chamaillaient, Marie-Hélène parlait de sa journée…

Quand il gare sa voiture à l'extrémité du parking de la zone commerciale de l'autre côté de Taurbeil, une serveuse du Buffalo Grill fume devant la porte, assise par terre. Le hall de l'hôtel est envahi par des Maliens qui viennent d'arriver. En attendant d'être dispatchés dans des foyers, certains sont couchés par terre, des bâches tirées au-dessus de la tête. Les autres racontent leur voyage. Le bus a roulé quasiment sans s'arrêter depuis Gibraltar (ils étaient arrivés par le ferry de Tanger) jusqu'à Taurbeil. Bruno se dirige vers le bar. Nguyen l'attend à une table, éclairée par une lampe rouge. Il fait un sort à un ravier de cacahouètes.

« Hallucinant… il en arrive tous les jours. Et maintenant, les Syriens. Pour la première fois, je pense qu'on ne va jamais s'en sortir.

— Naturellement, personne n'a de papiers ?

— La plupart ont détruit leur passeport pour qu'on ne puisse pas les renvoyer chez eux. À part ça, tu es au courant de ce qui m'est arrivé il y a deux jours ?

— J'ai vu la brève dans *Le Parisien*.

— J'avais des certitudes sur un arrivage de cocaïne. Je disposais de renseignements précis, le nom du dealer, l'adresse de l'appartement où la drogue était stockée, sur une des contre-allées, avant d'être mise sur le marché. J'ai monté une opération au petit matin, avec plusieurs inspecteurs, et une dizaine de policiers pour nous couvrir. Routine… On n'a jamais pu approcher du hall d'entrée. Des guetteurs ont signalé notre arrivée. En moins de trois minutes, j'avais six ou sept blessés. C'est un miracle que personne de chez moi n'ait tiré. Jamais vu un niveau de violence pareil.

— Même Lambertin commence à se poser des questions. On n'est pas sortis de l'auberge.

— Tu m'avais demandé à rencontrer des gens de la cité. C'est compliqué mais je crois que j'ai quelqu'un qui pourrait t'intéresser. Naturellement on va prendre le maximum de précautions.

— Je peux le voir quand?

— Dès demain si tu veux. C'est un enfant, ou presque, un ado. C'est comme si je te confiais mon fils.

— Tu l'as connu comment?

— Je venais d'arriver à Taurbeil…»

Nguyen avait l'habitude de se faire déposer en dehors de la ville pour faire son jogging. D'épaisses forêts calottent les collines en surplomb de la Seine. Mitées par des usines, pourries par des centres commerciaux, hachées par des routes à quatre voix, mais celui qui connaissait la zone pouvait s'offrir un marathon sans sortir du sous-bois. Cette forêt représentait pour Nguyen son «atout solitude». Il s'est tracé un circuit de dix kilomètres. Dans une nature encore forte, au milieu des bourdonnements d'insectes et des odeurs d'humus, il libère des flux d'endomorphines qui lui donnent l'impression de retrouver la force de ses ancêtres.

Pendant des milliers d'années, les forêts de l'Asie du Sud-Est avaient été habitées par des cultivateurs nomades qui déboisaient des parcelles pour pratiquer des cultures par rotation. Ces peuples avaient survécu aux catastrophes de l'Histoire. Dans ce ventre végétal, Nguyen se voyait survivre à la chiennerie de la cité.

Il ne rencontrait jamais que deux joggeurs, toujours les mêmes, toujours aux mêmes heures, venus de cités voisines, des pompiers qui surveillaient leurs battements de cœur sur leurs montres connectées. Les autres, ceux qui venaient nuitamment des cités balancer leurs immondices, se taper des putes ou cramer leur voiture avant d'en déclarer le vol à leur assurance, restaient prudemment sur la lisière, au plus près de la route, parce que la forêt, avec ses rochers et ses fondrières, son odeur de boue et de racines, leur faisait peur.

Il avait sursauté quand il avait aperçu une silhouette affalée dans un repli de la terre au pied d'un arbre, il y a moins d'un an, après les vacances de Pâques. Pensant à un piège, il s'était approché avec prudence. Pour la première fois, il avait regretté de ne pas porter son arme de service.

Une taille de grand adulte, longiligne, des jambes interminables, une maigreur animale, mais un visage d'enfant, à moitié inconscient, les yeux retournés sous des lunettes rondes, l'inconnu tremblait de tout son corps. Nguyen avait trouvé dans la poche de son jean une boîte de barbituriques presque vide et une carte du club de judo de Taurbeil. *Je me demande si ce n'est pas l'un des hommes de Bilal. On m'a parlé d'un gosse qui*

201

lui sert de facteur. Il l'avait traîné jusqu'à sa voiture et l'avait emmené dans la clinique d'un copain médecin, rue Georges-Bizet, à Paris.

Ce jour-là, il lui avait sauvé la vie.

Harry avait été placé sous surveillance pendant trente-six heures. Il avait reconnu Nguyen dès qu'il avait repris ses esprits, ce qui ne l'avait pas poussé à reprendre goût à la vie. *Putain, un flic, il ne manquait plus que ça.*

C'est en pensant à ses deux fils que le commissaire était venu chaque jour au chevet d'Harry. Cela n'avait pas été une mince affaire que de lui faire raconter son histoire. Assis sur une chaise près de son lit, en commençant à chaque fois par des sujets légers ou inoffensifs (mais en fait, plus rien n'était léger ou inoffensif pour Harry), Nguyen avait essayé de comprendre.

Harry le Conteur, désespéré d'être en vie, lui répondait en le fixant dans les yeux, par des phrases courtes, à peine formulées, d'une voix pâteuse, sans contrôler ses pulsions de haine ou de dégoût. Quand ce qu'il avait à dire était trop difficile, il pleurait, le visage dans les mains.

Le commissaire passait matin et soir à la clinique. Le quatrième jour, la voix de l'adolescent s'était éclaircie et il avait commencé à regarder Nguyen de façon différente. *Après tout, cet homme m'a sorti du trou, il ne me demande rien, on dirait qu'il veut simplement m'aider.* L'odeur aigre qu'il avait longtemps dégagée malgré les soins disparut de la chambre. Nguyen proposa de lui apporter un livre. « Qu'est-ce qui te plairait ? Un roman, une BD ?

202

— J'aimerais bien un dictionnaire…»

Il était trop angoissé pour lire, même un dictionnaire. Il passa son premier jour de «convalescence», en attendant Nguyen, à tourner en rond dans sa chambre.

Le lendemain, Harry l'avait cueilli au foie avec sa question : «Et maintenant qu'est-ce qu'on fait ?

— Je vais te sortir de là, te trouver un foyer, une famille d'accueil, tu ne retourneras jamais là-bas, fais-moi confiance.

— Vous n'avez pas compris, je veux y retourner, et si ce n'est pas moi qui dois mourir, alors c'est eux. Je vais vous aider.»

Une autre conversation avait commencé. Pas évidente. Face à la détermination d'Harry, le commissaire l'avait emmené dîner dans un bistrot proche de la clinique. Il était encore tôt, ils étaient les seuls clients.

«Je ne m'attendais pas à cela, et moi-même jamais je n'aurais osé… c'est impossible, dit Nguyen.

— Vous me sous-estimez ? Vous avez peur ?

— Tu es très jeune.

— Justement, personne ne pensera…

— Trop dangereux. Je ne veux pas te faire courir de risques.

— Vous me faites doucement rigoler, vous n'en faites jamais travailler des petits indics ? Vous voulez que je vous dise leurs noms ?» Harry avait repris une gorgée de Coca. Une gaieté nouvelle logeait dans ses yeux noirs, derrière les cercles de ses lunettes.

Nguyen avait commencé à hésiter au moment de quitter la clinique. Ils étaient dans le hall, prêts à se souhaiter une bonne nuit. Harry avait lancé :

« Faisons un essai… Un ou deux mois… S'il vous plaît. Si ça ne marche pas, vous m'exfiltrez et vous m'embauchez chez vous comme jardinier. »

Le rapatriement d'Harry, après plus d'une semaine d'absence inexpliquée, posait quelques problèmes, vite résolus par Nguyen. Harry était rentré dans la cité en panier à salade, débarqué menottes aux poings devant le commissariat, avec un coup de pied dans le cul, à l'heure de la sortie des bureaux et relâché dans la soirée. Les flics avaient fait circuler l'information selon laquelle il venait d'être arrêté à Paris avec d'autres voleurs à la tire près de la tour Eiffel. Tentative de fuite, poursuite, transfert à Taurbeil-Tarte. Autant de brevets de *bonne conduite* déposés dans l'oreille de Patron M'Bilal.

En sortant du commissariat, Harry avait appelé M'Bilal qui avait hurlé dans son téléphone : « J'attendais ton coup de fil. Je suis au courant. Viens me raconter… Tu te souviens de ce que Papa t'a toujours dit ? – Oui Patron. – Redis-le, ça me fait bander. – Ne jamais oublier d'être cruel. »

*

Le Mandarina, Paris
Il fallait trouver un endroit pour débriefer Harry. Bruno a commencé par chercher en banlieue. Une planque ou un entrepôt. Trop dangereux. Des yeux

partout. Chez lui, impossible. Finalement il a pensé au Mandarina. Un palace parisien, en période de rodage, financé et construit par les Chinois, où il avait des entrées. Il s'est fait remettre pour lui une lettre d'embauche. Un stage d'apprenti en cuisine. CDI. Harry était couvert. Personne n'irait le chercher là. Trop dépaysant, trop neuf : les caïds de banlieue n'ont pas encore percuté que le Mandarina était sorti de terre. D'une façon générale, ils se méfient de Paris – et des Chinois, et quand ils sortent leur Ferrari, c'était pour prendre le large. Direction Cannes. Portofino. Ou la Suisse pour les pervers. M'Bilal a l'habitude de descendre par l'autoroute à Genève ; il retrouve au Richmoon Estate une calviniste SM, toujours la même, à peine plus jeune que lui. Il ne trouve rien de plus exotique que cette suite à 6 000 dollars la nuit où il peut manier le fouet en répandant des nuages de cash sur une Wanda à chignon gris.

Le Mandarina est l'endroit le plus labyrinthique de la capitale. Des folies de lounge, de spas, des jacuzzis bouillonnants, des écrans, des décors high tech, des espaces hyperlumineux, mais aussi des couloirs très sombres, éclairés seulement par des rubans phosphorescents incrustés dans la moquette et des salles à la pénombre médiévale délicatement organisée, des ascenseurs utilisables uniquement par les clients munis d'un code, etc. Tout a été conçu pour des habitués avides de discrétion. Ils pourront passer six mois au Manda sans rencontrer personne d'autre que les femmes de chambre, les sommeliers et les masseurs qui leur sont dédiés.

Le directeur, un Français qui travaille pour la Maison, a facilité le projet de Bruno et lui a donné un passe pour l'entrée du personnel, à l'arrière du bâtiment, dans une rue en pente, toujours déserte. Le barman, un Chinois en veste crème et cravate noire, est un « ami ». Il règne sur un minibar, deux tables, *VIP only*, abrité par un paravent or et noir, au deuxième sous-sol, accessible exclusivement par ascenseur. Le directeur et le Chinois veilleront sur les passages d'Harry.

La première fois, Harry est venu avec Nguyen. Le commissaire est resté pour la prise de contact, puis s'est éclipsé pour téléphoner. Harry scrute Bruno avec un regard méfiant. Ses pieds font du bruit sur le plancher laqué.

Bruno ne l'avait pas imaginé si jeune. Ça le déstabilise, un ado qui, malgré ses traits tendus, son visage marqué, a l'air d'avoir douze ans comme si l'enfance vivait au fond de ses yeux.

Il a mis au point le système pour fixer les rendez-vous. Au moins un par semaine. Maintenant qu'on se connaît, plus question de se quitter. D'accord ? C'est toujours Harry qui appellera. Jamais d'un portable. D'un téléphone public ou d'un bar. Jamais de nom. Bonjour, on se voit dimanche ? Ok, dimanche, c'est parfait. Dans leur code, dimanche, c'est lundi, lundi, c'est mardi, et ainsi de suite. Toujours la même heure de rendez-vous : 17 heures. Je te laisse le passe, tu peux venir ici quand tu veux. En cas de problèmes graves, nécessitant une rencontre immédiate, une seule phrase sur ma messagerie :

le roi lion est très fatigué, ce qui signifie, on se voit dans l'heure qui suit. Si je ne suis pas là, j'envoie quelqu'un.

« Tu as gardé des amis dans la cité ?

— Je connais tout le monde, mais je ne peux compter sur personne. Mon seul ami, c'est un vieil Algérien. Le seul avec qui je puisse parler sans penser à rien. Et vous, vous avez beaucoup d'amis ?

— Des collègues, comme Nguyen, mais pas tellement d'amis.

— Vous avez des enfants ?

— Deux filles, un peu plus jeunes que toi.

— Donc vous avez une femme ?

— Oui. Divorcé… »

Bruno cligne des yeux.

« Pour les enfants, un divorce, c'est lourd… », lâche-t-il presque malgré lui. Savoir être cruel, pense Harry. Si Patron M' avait raison ? Ce type saura-t-il être cruel ? Aura-t-il les couilles face à M'Bilal ? Son inquiétude va et vient. Il a besoin d'être autocentré pour gagner. Il le sait. Il va remettre sa vie entre les mains de cet homme, normal qu'il se pose des questions. Il se rassure en pensant à ce que lui a dit Nguyen : « Ce sera un père. » Depuis qu'il a donné sa parole au commissaire, il est décidé à aller jusqu'au bout. Il fixe Bruno et lance : « Vous pouvez m'aider. J'ai des comptes à régler. J'ai besoin de vous. »

Les tubes de lumière chaude en forme de dragon n'arrivent pas à dissiper l'obscurité du bar. Du visage émacié de son interlocuteur, Bruno ne voit que les yeux et les reflets des néons sur les verres de ses lunettes. Marie-Hélène est oubliée, zappée par cet ado noir et spectaculairement maigre. Lui parler n'est pas évident. Il y a chez lui quelque chose qui le dérange. Qui l'intimide. Comme si Harry avait plusieurs longueurs d'avance sur lui. Le gosse aussi hésite, il baisse la tête et se frotte les yeux sous ses lunettes. Il se tait. La fatigue. Il pense à ses parents et décide de faire confiance à ce flic, qui a l'air bon, peut-être parce qu'il est déprimé.

Il faut encore de longues minutes à Bruno pour oser poser des questions sur la cité, sur sa vie. Harry hoche la tête, donne des réponses assez lapidaires, puis tout à coup, commence à raconter.

13

Les Tamaris, La Marsa, Tunisie

Dans les souks de Tunis, je suis tombé sur un carton de livres français datant des années 70 que j'ai achetés en pensant à Rim. Au moment où je partais, le vendeur m'a donné trois exemplaires d'un magazine anglais, *The Tatler*. Je les feuilletais sur la terrasse pendant que Rim était censée faire ses devoirs. Tout à coup, une photo m'a intrigué. En noir et blanc, un visage lumineux, très structuré, des cheveux courts, la clarté d'un sourire… «Mais c'est Bruce! Pas possible, mais si, c'est lui…» Rim a rappliqué et m'a arraché le magazine. «Tu le connais? – Je l'ai rencontré au Caire, tu n'étais pas née… mais je ne savais pas qui il était ni même comment il se nommait.»

J'ai passé une partie de la nuit avec Rim sur Internet pour en apprendre un peu plus sur sa vie et sur sa mort, puisqu'en même temps que je découvrais son identité, Bruce Chatwin, sa célébrité d'écrivain, j'apprenais aussi qu'il était décédé en 1989, à Nice. Nous avons dévoré tout ce qui défilait sur notre écran. Articles, biographies, extraits de livres, commentaires. Le lendemain, Rim m'a quasiment renvoyé à la figure les livres que j'avais achetés au souk. Elle voulait que je commande l'intégrale Chatwin sur Internet. Nous nous sommes jetés sur ses livres dès qu'ils sont arrivés.

Rim a complètement oublié son portable et moi, j'ai beaucoup appris sur lui en quelques jours. C'est étrange d'entrer avec tant de curiosité et de passion dans la vie de quelqu'un que l'on a croisé il y a longtemps. Rim considérait Bruce comme une sorte de hippie, semblable à ceux qui continuaient de hanter la légende de Sidi Bou Saïd. Je ne lui ai pas dit que Bruce considérait que les hippies défiguraient les pays où ils passaient – je venais de m'apercevoir qu'il parlait d'eux avec une certaine animosité dans un récit sur son séjour à Balkh, une ville d'Asie centrale. Là, Bruce avait demandé à un fakir le chemin d'un mausolée qu'il voulait visiter, le fakir lui avait répondu : «Je ne sais pas, il a dû être détruit par Gengis.» C'était pour moi l'occasion d'expliquer à Rim mon attirance pour ces villes abandonnées à la narcose d'un islam des confins, où l'État islamique n'avait pas encore réussi sa percée, inch'Allah, mais où les peuples vivent dans un léger et constant bouillonnement de la mémoire, se souvenant de Gengis Khan ou d'Alexandre le Grand. Nous avons ensuite discuté très longuement pour essayer de répondre à l'une des questions que Bruce se posait à travers ses livres : «Pourquoi l'homme se déplace-t-il?»

Ce fut une journée délicieuse qui m'a permis de reparler de la fondation de Carthage et du voyage des dieux du vieil Orient tout autour de la Méditerranée. Il y avait «un miracle Bruce». Rim se montrait avide de savoir et de comprendre. En quelques jours, l'adolescente était redevenue une enfant me posant des questions avec timidité, comme si elle venait de comprendre l'impulsion qui l'avait poussée à me suivre et à s'installer chez moi. Pour ma part, j'avais l'impression d'être un chaman sorti d'un roman de Bruce, encore éloigné du «mystique religieux originel», mais capable de transmettre ce que je pouvais lui apprendre, trouvant sans peine les mots qui allaient percuter son imagination.

14

La Valette, Malte

Lambertin a appelé Bruno : «Tu pars pour Malte. Décollage à Orly, 11 h 15. Il y a urgence.» Dès que l'avion touche le sol maltais, Marie-Hélène fait un retour en force dans ses pensées. Il avait l'habitude de la contacter dès qu'il arrivait quelque part. Réflexe conditionné.

Maintenant c'est elle qui le rattrape à chaque atterrissage. Le réflexe tourne au tsunami mental, il se sent débordé.

Pendant que l'avion roule sur la piste, il ne peut pas s'empêcher de lui envoyer un sms : À Malte pour quelques jours, embrasse les filles. Le train d'atterrissage grince, l'avion vire vers le bâtiment de l'aéroport, les hublots se remplissent d'une lumière blanche. Les passagers se lèvent, prennent leurs bagages, passent des coups de fil, l'hôtesse fait l'annonce d'accueil : il reste recroquevillé sur son siège. En apnée. *Qu'est-ce qui te prend ? Tu ne peux pas te passer d'elle ? Tu n'as pas compris qu'elle n'en a rien à cirer de ce que tu fais ? Tu penses qu'elle va te répondre ?*

Il marche au milieu d'une coulée de touristes, emprunte un escalier roulant, se dirige vers la porte *Rien à déclarer*. Il regarde sa montre : ça ne fait pas dix minutes que l'avion a atterri. Lambertin a pensé à tout. Un collègue de Rome l'attend en face de la sortie. Ils ne se sont jamais vus mais se reconnaissent tout de suite. Il lui présentera ses amis des services maltais. « Ce sera vite fait, ils ne sont pas très nombreux mais ce sont des gens fiables. On les voit dans une heure. Je repars demain matin, mais je te laisserai la voiture. Je t'ai pris une chambre pour une semaine dans un hôtel de La Valette. Si tu as besoin de quoi que ce soit tu m'appelles. »

Ils roulent dans une Ford Escort de location. Chaleur hallucinante. Une avenue de palmiers, une vieille chapelle, des cactées, un monument en forme de bite multicolore, des maisons basses, des villes blanches.

« Tu as une idée de ce qui se passe ? Quelqu'un t'a expliqué pourquoi nous sommes là tous les deux ?

— Les Maltais ont des signes convergents. Un rapport d'écoute téléphonique évoquerait l'éventualité d'un attentat en France.

— C'est du réchauffé, une vieille écoute ?

— Le suivi n'a rien donné. Ils ont eu écho de la conversation d'un Somalien dans un camp qui se serait confessé à un prêtre.

— Et cet immigrant assassiné avant-hier ?

— Ça a été le déclencheur. »

Un portable vibre. Bruno décroche. Une voix d'homme, un peu stressée : « Je suis à l'aéroport, où êtes-vous, je ne vous trouve pas. Je m'appelle Rifat Déméter, je suis le chargé d'affaires. L'ambassadeur est en mission à Paris… » Bruno met sa main sur le portable et se tourne vers le conducteur : « C'est le chargé d'affaires, tu le connais…

— Dis-lui que nous passerons le voir en fin d'après-midi, dans son bureau, après nos rendez-vous. J'ai oublié de lui dire que je passais te prendre. »

Bruno a déjà ses habitudes dans un hôtel des hauts de La Valette, tout près de Castille, le palais du Premier ministre. Ce matin, il a pris son petit déjeuner sur la terrasse. Vue sur les remparts et au-delà, vers la mer, des deux côtés de l'île. Il se laisse descendre en direction de l'ambassade au hasard des ruelles. La lumière met du rose sur le miel des façades.

Les habitants de la vieille cité, où rien ne semble avoir bougé depuis sa fondation en 1565, vaquent à leurs occupations ordinaires. Livraisons, courses, café-ciga-rette-discussion, sur le bord du trottoir, à l'extérieur des bars. Les commerçants ouvrent leurs magasins, installent des sièges en plastique devant leurs portes, des porteurs courent vers les docks, des femmes balaient et lavent les trottoirs à grande eau, des enfants remontent au dernier étage d'une maison des paniers de provisions suspendus à un filin, un homme rentre son cheval dans son sous-sol.

Bruno se souvient à nouveau des moments où Marie-Hélène avait à plusieurs reprises refusé de faire l'amour, sous des prétextes divers. Il entend le ton qu'elle prenait pour le repousser, sous la chaleur des draps : « Bruno, pas aujourd'hui, je ne sais pas ce que j'ai... » *S'il y a bien un con sur terre, c'est moi, pas possible que je n'aie rien vu venir.* Des gouttes de sueur lui coulent sur le front.

Il a rencontré les agents maltais. Des professionnels, manquant de moyens et d'hommes. Ils lui ont reparlé de cet enregistrement. Entre un Turc de l'ambassade et un homme d'affaires libyen, un certain Ali. Pas grand-chose. Une mention d'attentat possible, évoqué furtivement. « Nous travaillons à l'italienne, on écoute beaucoup les téléphones », a dit l'un d'entre eux en se marrant.

« Est-ce que je peux interroger des réfugiés somaliens ?

— On va vous arranger ça, à l'extérieur du camp, mais je doute que cela soit utile.

— Vous avez une idée sur la disparition du corps ?

— La nouvelle du décès a été reprise par Internet, sur un site somalien qui a organisé une collecte pour rapatrier le corps en express. Ils se sont débrouillés pour le récupérer et l'évacuer. Ceux que nous avons interrogés prétendent qu'il est parti aussitôt pour Le Caire via Athènes, par un avion de Turkish. Impossible de vérifier exactement. »

Le chargé d'affaires, Rifat, l'a invité à dîner dans un restaurant italien situé sous le théâtre Manoel. Bruno lui fait raconter tous les événements depuis cette fameuse expédition aux temples de Mnajdra.

« Vous connaissiez tous les participants ?

— Pas du tout. La journaliste avait demandé à voir l'ambassadeur, c'est moi qui l'ai reçue. L'étudiante avait un problème de papiers perdus. Je l'ai rencontrée la veille dans mon bureau. Levent, le Turc, c'est différent. Il m'a contacté à son arrivée, deux mois avant. Il cherchait une maison, un petit palais, à louer ou à acheter pour y loger la résidence de l'ambassadeur.

— Ces gens se connaissaient entre eux ?

— Absolument pas.

— Ce diplomate turc, vous avez pu l'aider ?

— Il y a des jours où je me dis que je devrais travailler dans le business plutôt que dans la diplomatie, avait gloussé Rifat. J'avais entendu parler d'une grosse maison à Ta' Xbiex, près de notre ancienne mission économique. C'était exactement ce qu'il lui fallait.

— Votre ami turc, j'aimerais bien le rencontrer, si c'est possible.

— L'ambassadeur US donne ce soir une réception dans les jardins d'Upper Barrakka, Levent y sera, c'est près de votre hôtel, venez, je vous le présenterai. »

Trois cents personnes sont rassemblées sous un ciel étoilé, dans une chaleur lourde et humide. Des hôtesses en tailleur rouge distribuent les casquettes rouges d'un porte-avions américain mouillé au large. L'ambassadeur, un quaker néo-conservateur rallié à Obama, fait un éloge de l'Amérique et de ses grands hommes. Petit, cheveux courts et gris, allure de clergyman, il s'exprime avec un ton de prêcheur exalté, on dirait un acteur. À côté de lui, sa première conseillère, dans une robe au décolleté impressionnant, un amiral de l'US Navy et l'attaché militaire, John Peter Sullivan. Le speech est retransmis sur un écran énorme.

« Il est toujours comme ça ? demande Bruno à Rifat.

— C'est la première fois qu'il donne une réception aussi importante. Tout Malte est là. La politique et le business.

— Avouez qu'il est spécial.

— Vous voulez un whisky ? Je vous mets des glaçons ? demande Rifat en jetant des regards légèrement embarrassés autour de lui.

— Ce mélange de puritanisme et d'hystérie… De temps en temps, je me dis que les Américains ressemblent aux islamistes. Vous croyez qu'il la saute, sa première conseillère ? dit Bruno en faisant tourner ses glaçons dans le verre rempli à ras bord.

— Oui, je crois que oui, enfin, non, sincèrement je n'en sais rien, ce n'est pas mon problème, lâche Rifat soudain très perturbé d'avoir répondu à une question dont il n'était pas censé connaître la réponse.

« — Rifat, je ne voulais surtout pas vous mettre mal à l'aise. Chacun fait sa vie, n'est-ce pas ?

— J'aperçois Levent, suivez-moi. »

L'Américain a fini de parler. Une fanfare de Marines entame des classiques du rock'n'roll. Un Noir en uniforme d'apparat fait chanter les sonorités les plus chaudes de son saxophone. *Whole Lotta Shakin' Goin' On.* Rifat fend la foule qui boit et bavarde en se dandinant. Levent est entouré de quelques Maltaises élégantes, trois sœurs, et de leurs maris. Une jeune Française se tient derrière lui, silencieuse. Rifat présente Bruno comme un fonctionnaire français de passage.

« On dirait que la vie est assez douce chez vous ? » dit-il aux trois jeunes femmes. Leurs cheveux cascadent en boucles brunes, leurs yeux brillent. Leur bronzage satiné a l'éclat d'une santé inaltérable.

« Nous sommes nées pour la mer et pour la fête, répond Violetta, en se moquant d'elles-mêmes.

— La vie est belle, nos femmes superbes, ajoute un homme dans la cinquantaine, cheveux blancs, en blazer de yachtman et pantalon blanc. Mais pour vous Français, cette île serait difficile à vivre.

— Pourquoi ? demande Rifat.

— Notre pays est tellement petit, tout se sait, cela rend l'adultère quasi impossible.

— C'est vrai que c'est très compliqué de tromper nos maris, répond celle qui semble sa femme, presque impossible. Nous sommes obligées d'aller à l'étranger, c'est plus cher… »

Rifat tente d'intéresser ses amis au problème des quotas de pêche au thon pendant que Levent parle business. Sur l'estrade, les fauteuils blancs des officiels sont vides. L'orchestre se promène dans le répertoire du rock *revival*… La plupart des invités commencent à être légèrement ivres. Dans les regards et sous les mots anodins s'ébauchent des idylles qui ne dureront que le temps de la soirée. Un air chaud gonfle les courtines de drap blanc tendues derrière l'estrade. Bruno demande à Violetta ce qu'elle fait dans la vie :

« Je suis avocate à La Valette, spécialiste du droit de la mer. Pas très original, tous les Maltais sont avocats.

— Très intimidant. Je dois dire que je suis aussi impressionné par cet endroit, on dirait… que nous sommes les passagers d'un vaisseau prêt à décoller.

— L'embarquement pour Cythère peut-être ?

— Exactement », répond-il du tac au tac avec un petit sourire, sans avoir compris exactement de quoi lui parlait cette avocate qui s'était crue obligée de parler d'adultère.

Bruno boit une longue gorgée de whisky. Le mot adultère a provoqué chez lui un effet dévastateur. Il essaie de reprendre pied. Ne pas oublier Levent.

« Vous avez des origines italiennes ? Vos yeux, vos cheveux… »

Avec Marie-Hélène, est-ce qu'il y a un espoir de réconciliation ? Il faudrait qu'elle revienne. Et si elle revient… Elle batifole avec son VRP, ça ne durera pas, impossible, je la connais… Comment faire pour mener une enquête discrète dans ce pays où tout se sait. Il faut que j'aille vite. Dès mon retour, il faut que je fonce à Taurbeil-Tarte. Cette

Maltaise est somptueuse. Dommage que son mari ne la quitte pas des yeux. Peut-être que ça l'émoustille…

« Italienne un peu, forcément, phénicienne aussi peut-être, et sans doute arabe, avec un peu de sang juif. »

Bruno a sursauté. Il avait oublié sa question à Violetta. C'est son mari qui a répondu. Une femme d'un certain âge, portant pantalon noir et haut blanc, grosses lunettes noires, s'approche de leur groupe avec un grand sourire.

« Voici la femme la plus dangereuse de Malte, s'écrie le mari de Violetta en l'embrassant chaleureusement. Mary Delaunois chronique chaque semaine notre vie mondaine dans *The Independant*.

— Avec autant de férocité que de talent. Grâce à elle, nous sommes tous des *people* », lance Rifat qui lui saute au cou, pendant que la « commère » maltaise sort un appareil photo de son sac et demande aux « mâles présents » et à la jeune Française d'entourer les trois sœurs. Puis Bruno propose à Mary Delaunois de prendre sa place pour faire une photo d'elle et de ses nouveaux amis. Il s'assure que Levent est bien dans le cadre.

*

Saint-Aloysius College, Birkirkara, Malte
Tout le monde l'appelle Father Peter.

Father Peter a tout de suite accepté de recevoir Bruno dans ses bureaux du Jesuit Refugee Service, une organisation internationale créée dans les années 80, au moment du drame des boat people en mer de Chine, au Saint-Aloysius College de Birkirkara. Ce collège réputé est depuis une centaine d'années la petite fabrique des élites maltaises. Les bons pères dispensent à leurs élèves une éducation résolument chrétienne ainsi qu'une initiation à la vie sociale, teintée d'esprit *british*, dans de vastes bâtiments de pierre calcaire entourés de terrains de sport où ils ont l'occasion d'épancher leurs excès d'énergie vitale. Depuis 2002, Father Peter s'occupe en première ligne des immigrants africains jetés par les vents et les courants sur les côtes de l'île. Il apporte la présence du Christ dans tous les camps où les naufragés attendent parfois pendant de longs mois d'être fixés sur leur sort. Et il plaide leur cause auprès de ses compatriotes tentés de résumer cette tragédie à une nouvelle invasion.

Une volontaire de l'ONG, une Française d'une trentaine d'années, attend Bruno dans le hall du collège et le conduit sans un mot par un dédale de couloirs jusqu'au QG du prêtre.

Une tête de plus que lui, très mince, presque ascétique, serré dans une chemise de clergyman à col romain, le jésuite le reçoit dans son bureau sous une photo en noir et blanc, prise au Japon, du Père Arrupe, son maître spirituel, celui qui avait recadré en son temps l'action des jésuites qu'il trouvait trop exclusivement tournée vers les privilégiés de la société.

L'ancien supérieur de l'Ordre et Father Peter ne se ressemblent pas, mais il y a des similitudes dans leurs visages. Father Peter, à l'image de son maître, se considère comme un soldat de Dieu. Il sourit pour accueillir son visiteur : un instantané de douceur passe sur son visage d'oiseau de proie, encadré d'une barbe courte et déjà blanche. Une flamme s'allume au fond de ses yeux noirs, derrière le filtre de fines lunettes. Il va parler, mais soudain retient ses mots, comme s'il voulait d'abord regarder Bruno, qui a le sentiment d'être passé aux rayons X.

« Mon Père, je suis venu pour vous parler de ce pauvre Somalien. Je sais que votre temps est compté et je…

— En quoi puis-je vous aider ?

— Cet homme a été assassiné à l'hôpital. Dans son lit.

— Vous êtes venu de Paris spécialement ?

— Nous avons reçu des informations sur l'existence d'un réseau djihadiste qui passerait par Malte.

— Je ne vois pas le rapport.

— Moi non plus. Sauf que… Ces immigrés arrivent de Libye. Il est possible qu'ils…

— Vous faites fausse route. Mais je vous aiderai, dans la mesure de mes faibles moyens. Vous avez une carte ? »

Bruno lui donne une carte avec son numéro de portable. La Française, qui a assisté à l'entretien sans se départir d'une moue dégoûtée, se prépare à raccompagner le visiteur mais Father Peter prend Bruno par le bras et se dirige avec lui vers la sortie. Il s'arrête sous une fresque naïve, dessinée par des enfants, qui représente leur terrible voyage. Les vivants et les morts peints avec des couleurs tonnantes.

« Les enfants qui ont dessiné sont des survivants. Ils ont vu mourir leurs parents, leurs grands-parents, leurs frères ou leurs sœurs. C'est étonnant, car ils ont retrouvé une forme de dessin qui s'apparente à ceux que l'on peignait sur les murs des églises et des cimetières quand l'Europe était dévastée par les guerres, la famine et la peste. Regardez cette précision : cet homme en jean, avec des lunettes de soleil, c'est un passeur, ce squelette qui danse avec un chapeau sur la tête, c'est le père d'un des enfants.

— Je peux imaginer les situations auxquelles vous êtes confronté.

— J'ai vu arriver les chrétiens d'Irak, les réfugiés bosniaques, et maintenant depuis près de vingt ans, c'est l'Afrique et le Moyen-Orient qui se vident sur nos côtes. Je pense que vous vous trompez en cherchant chez ces immigrés une filière djihadiste, je n'ai jamais entendu parler de rien, jamais, mais je peux me tromper. En Turquie, peut-être, ici non.

— Mon Père, vous visitez les camps tous les jours, si vous entendez ne serait-ce qu'une rumeur, s'il vous plaît, passez-moi un coup de fil.

— Je n'y manquerai pas.

— Quant au garçon assassiné…

— C'est moi qui l'ai découvert dans sa chambre. Celui qui l'a tué a sans doute quitté l'hôpital au moment où j'arrivais.

— Vous n'avez rien remarqué d'anormal ? Pas d'indice ?

— Rien. »

Le lendemain matin, Lambertin l'appelle. Sans préambule, il demande : « Tu as regardé tes mails ? »

Bruno a décroché en cherchant sa montre. Un rayon de soleil filtre à travers les volets de bois. *Qu'est-ce que Lambertin peut me vouloir à cette heure matinale ?*

« Quelle heure est-il ?

— Sept heures ! Je peux te parler, tu es conscient ? Tu es seul ? Pas de petite Maltaise dans ton lit ? Alors, écoute-moi bien. C'est à propos de la photo que tu as prise pendant cette fête avec ton iPhone. J'ai fait identifier tout le monde. Je viens de recevoir à l'instant les résultats du labo. Dans l'ensemble, rien que de l'ordinaire, à une exception près.

— Le Turc ?

— Levent Demir. Diplomate. Fils d'un responsable des services turcs. Nommé à Rabat, Beyrouth, Paris. Jamais très visible. Des postes techniques. S'est mis en congé du ministère, sans difficulté. A rejoint un cabinet d'avocats à Istanbul. Tout en restant chargé de quelques missions par son corps d'origine. A notamment négocié l'achat d'immeubles pour la Turquie qui étend son réseau diplomatique. Officiellement, c'est pour cette raison qu'il est à Malte.

— Et officieusement ?

— C'est toi qui nous le diras. Il a toujours travaillé pour le MIT, nos confrères turcs. Et il nous semble qu'il est monté en puissance depuis l'éviction d'un certain nombre de militaires. Tu te souviens qu'il y a deux ans, les Turcs avaient livré secrètement à Bachar quelques rebelles syriens (que pourtant ils soutenaient déjà) contre des Kurdes du PKK. Double jeu, comme d'habitude. Jeu sinistre, car tous les prisonniers échangés ont été exécutés, des deux côtés. C'est Levent Demir qui s'était occupé de cette affaire. On peut imaginer qu'il n'est pas à Malte uniquement pour choisir le papier peint de la chambre à coucher de leur ambassadeur. Débrouille-toi pour en savoir plus.

— Dès que j'ai du neuf, je vous rappelle.

— Une chose encore.

— Oui…

— Sur ta photo, il y avait une jeune femme.

— Emma Saint-Côme. Une étudiante…

— Levent Demir l'a emmenée à Istanbul le week-end dernier. Il faut que tu saches pourquoi.»

15

Luha, salon d'honneur de l'aéroport, Malte

Bruno m'a rappelé de Malte. Heureusement. Il y a des moments où l'idée de retourner à Tripoli commençait à m'angoisser, bien que ma détermination n'ait pas changé. Même si je lui en dis le moins possible, Rim a conforté sans le savoir ma décision de ne pas me défausser face à ces barbares. Je ne veux pas que plus tard elle me reproche d'avoir été lâche. Bruno devait rester trois jours à La Valette avant de regagner Paris. Je lui ai proposé de faire un saut à Malte. Nous nous sommes rencontrés le surlendemain, dans un salon privé de l'aéroport mis à sa disposition, je n'ai même pas eu à sortir de la zone internationale. Pour la discrétion, c'était parfait. Une hôtesse m'a conduit jusqu'au salon où il m'attendait en lisant des journaux. J'ai mis quelques dixièmes de seconde à le reconnaître. Son visage n'avait pas tellement changé, mais le regard était différent. La vie se hâte souvent d'éteindre la flamme dans les yeux de ceux qui n'ont plus vingt ans.

Nous avons commencé par faire un tour d'horizon en parlant de nos vies respectives – il était divorcé, avec deux filles, j'étais toujours veuf, son père qui venait de mourir, nos métiers qui auraient dû nous éloigner, mais qui nous rapprochaient. Je lui ai raconté ma rencontre inattendue avec le fils d'un de mes anciens amis turcs. À plusieurs reprises, sans que j'en sois certain, il m'a semblé qu'il se désintéressait de la conversation. Ses yeux regardaient vers les pistes où les avions roulaient avant de prendre leur envol. J'aurais été incapable de dire s'il réfléchissait ou s'il était vraiment ailleurs. J'en étais arrivé à ma rencontre avec le commandant Moussa quand il a tendu un bras vers moi : « Au fait, comment s'appelle-t-il, votre Turc ? » J'ai répondu : « Levent Demir. » Il a sursauté, une lumière a traversé son regard, et il s'est rapproché.

Ce fut son tour de m'expliquer qu'il était à Malte sur la piste de djihadistes susceptibles de préparer un ou des attentats à Paris. Il venait d'apprendre qu'il devait s'intéresser à un certain Levent Demir ! Bruno est allé au *duty free* acheter un portable à son nom et me l'a donné. Je ne devais utiliser cet appareil que pour communiquer avec lui. Ce qu'il attendait de moi : la liste des pièces

224

archéologiques avec leurs fiches d'identité, qu'il communiquerait à Interpol, et tous les renseignements que je pourrais glaner lors de mes rencontres avec le commandant Moussa et Levent.

Au moment de le quitter pour reprendre mon vol retour (je tenais absolument à être à la maison avant que Rim ne rentre du lycée), je me suis souvenu avoir entendu un aparté en arabe entre Moussa et l'un de ses adjoints. Je ne parle pas l'arabe, mais j'arrive à le comprendre. Moussa ne s'en doute pas. Ils avaient évoqué l'arrivée d'un petit groupe de Français, des Blacks apparemment, venus de la région parisienne via la Tunisie, et ne savaient que faire. Le maquis du Sud où ils avaient prévu de les envoyer était saturé. Ils avaient continué à parler en baissant la voix, mais j'avais nettement entendu Moussa lancer pour conclure : « Tu n'as qu'à envoyer ces négros dans "le camp des Tunisiens", à Sabratha ! » C'est l'évocation du nom de Sabratha, cette ancienne cité fondée par les Phéniciens et devenue un centre commercial important de Rome, symbolisée par la mosaïque d'un magnifique éléphant dans la salle des corporations à Ostie, qui avait retenu mon attention. Quand j'ai quitté Bruno, nous avions retrouvé un peu de cette éphémère complicité qui nous avait liés à la fin de mon année d'enseignement à la Sorbonne. Il m'a expliqué qu'il devait assister à l'interrogatoire de la Somalienne rescapée du naufrage (son frère a été assassiné) par les services d'immigration maltais et il a filé en disant qu'il attendait de mes nouvelles.

Police immigration document, Malta

Un policier français assiste à l'interrogatoire, mais n'est pas autorisé à poser des questions.

Grille de lecture

Nom : Habiba FADJI

Police de l'immigration : 087_FKG

Téléphone mobile : 214 73 260

(Mineure non accompagnée)

Date de naissance : 16-4-99

Âge (dernier anniversaire) : 15

Lieu de naissance : El Dar, Lower Shabelle, Somalie

Situation de famille : Célibataire

Groupe ethnique : Geledi (Dir-Mirfile)

Dernier emploi : femme de ménage (Tripoli)

Âge et situation de votre père ? « Mon père a quarante-deux ans. Il était ouvrier agricole et travaillait dans une ferme qui a été attaquée par une milice. Les combats ont duré longtemps, la ferme a été prise. Le propriétaire et sa famille ont été tués. Mon père et les autres ouvriers (une dizaine) ont été faits prisonniers et enlevés. Je n'ai plus de nouvelles de lui. »

Âge et situation de votre mère ? « Ma mère a quarante ans, quatre enfants et ne travaille pas. Le jour de l'attaque, on s'est cachés à l'extérieur du village avec ma mère et mes frères et sœurs. »

Avez-vous des nouvelles de votre mère ? « La dernière fois que j'ai vu ma mère, elle était blessée et perdait beaucoup de sang sur le bord d'une route. Quand les miliciens ont quitté le village avec leurs prisonniers, ma mère est sortie de notre cachette, mes deux petites sœurs l'ont suivie, elle s'est avancée vers les miliciens en les suppliant d'épargner son mari. Elle brandissait mes sœurs (trois et deux ans) dans ses bras et les implorait au nom de Dieu le Miséricordieux de leur laisser la vie sauve à tous. Ils ont répondu avec leurs kalachnikovs. Mes sœurs ont été déchiquetées et ma mère est tombée. Mon père hurlait dans le pick-up. Des miliciens l'ont assommé à coups de crosse. Je suis resté cachée avec mon frère jusqu'à la tombée de la nuit. Des miliciens s'étaient installés chez nous. Ils faisaient la fête. On les entendait crier et chanter, c'était affreux. Ils avaient bu. Vers 3 heures du matin, ils sont partis. On a décidé de revenir dans notre maison, dévastée, comme toutes celles du quartier. J'espérais retrouver mes grands-parents. Ils étaient au marché quand l'attaque avait commencé. On n'a trouvé que le cadavre de ma grand-mère nue et pleine de sang. Mon grand-père avait été mutilé et à moitié décapité. Sa tête pendait au bout de son cou. Ses yeux vides me regardaient et me criaient de partir, de partir, le plus loin possible. »

De quelle façon êtes-vous arrivés en Libye ? « Mon frère a dit qu'il fallait fuir vers le nord. On a marché en évitant la route de Mogadiscio. Dès qu'on entendait un bruit de voiture, on se cachait. À plusieurs reprises, ce jour-là, on a vu des pick-up chargés de Chehab. Dans les deux sens. Par précaution, on a décidé de ne plus marcher que la nuit, et puis la nuit, il fait moins chaud. Pendant deux jours, on n'a pratiquement rien mangé. On a croisé un camion de l'ONU, mais personne ne nous a vus. Le troisième jour, on dormait sous un acacia, derrière une rangée d'épineux. Quand je me suis réveillée, je me suis mise à hurler parce qu'un homme nous regardait. Je ne sais pas depuis combien de temps il était là. Il avait à peu près quarante ans, son pick-up était garé un peu plus loin. Il a demandé où on allait. Mon frère lui a expliqué que nous marchions en direction du nord, pour rejoindre un de nos oncles qui possédait un élevage dans le Haud, une région de la Somalie riche en pâturages. Mon frère lui a précisé qu'il habitait près de la ville d'Imi. Il a fait semblant de nous croire et nous a dit qu'il allait dans cette direction, lui aussi. C'était un commerçant, il se nommait Sadiiq. On a roulé toute la journée et toute la nuit. Mon frère était assis à côté de lui, Sadiiq ne lui a pas parlé. Moi, j'étais sur le plateau arrière avec deux chèvres. De temps en temps on roulait dans des oueds asséchés pour aller plus vite. La végétation a commencé à changer, la route est entrée dans des montagnes. Il a pris un chemin de pierres jusqu'à une petite maison. Nous sommes descendus, j'avais tellement envie de me dégourdir les jambes, et je mourais de soif. Sadiiq nous a dit que cette maison lui appartenait. Il est entré et en est ressorti aussitôt avec un pistolet, nous a mis en joue et nous a enfermés dans la cave, sous sa maison. Chaque jour, il nous apportait du thé et deux galettes de pain. Une fois seulement, il nous a donné une gamelle avec du riz et un peu de légumes. Ce jour-là, il nous a dit qu'il allait nous vendre comme esclaves. On pensait qu'il allait nous livrer aux Chehab ou aux milices d'Al-Qaïda basées dans la montagne, plus au nord. Mon frère, depuis le premier jour, avait commencé à gratter le mur autour de la serrure de la porte. Il ne faisait que cela toute la journée, avec une pierre, et je le relayais quand il n'en pouvait plus. Quand on a su qu'il voulait nous vendre, on s'est remis à gratter le mur comme des fous. Une nuit, on a réussi à s'échapper sans réveiller Sadiiq. Nous avons suivi un chemin à travers le maquis, jusqu'à une sorte de paroi rocheuse, très haute, et qui nous paraissait infranchissable.

Je ne sais pas exactement pendant combien de jours on a marché. Je me réveillais le matin et je priais face à un décor magnifique, une création de Dieu. Cette prière du matin et la beauté des paysages me donnaient de la force. On progressait par des petites vallées sèches, en évitant les maisons et les troupeaux des nomades. On a passé la frontière avec l'Éthiopie sans même s'en apercevoir. Quand nous avons été arrêtés par une patrouille de militaires éthiopiens, ils nous ont fait monter dans leur jeep et nous ont interrogés. Nous étions très faibles, j'avais à peine la force de parler, on leur a raconté notre histoire. Quand ils nous ont demandé où nous allions, on leur a répondu tous les deux qu'on allait en Europe. C'était la première fois qu'on parlait d'Europe, mais c'était le seul endroit au monde où on voulait aller. Les deux gendarmes nous ont proposé de travailler pour eux. Ils nous ont promis de nous donner l'argent du bus jusqu'à la frontière soudanaise si nous acceptions. Nous avons été séparés. Mon frère travaillait dans les champs de l'un des militaires et gardait son troupeau, et moi je travaillais dans la maison de l'autre, près d'une ville qui s'appelle Bolo Bay. Cela a duré plusieurs mois. Quand je voyais mon frère, une fois par semaine, on essayait de réfléchir à la suite. C'est lui qui a demandé à nos patrons de nous donner chaque mois un peu d'argent correspondant à une part de notre voyage en bus. Après une longue discussion, ils ont accepté, pour eux c'était rien, un ou deux birr. Je travaillais toute la journée. Pas une minute de repos. Les repas, le linge, le ménage. Je n'étais ni bien ni mal traitée. Il fallait que je travaille. Ce n'étaient pas des musulmans mais des chrétiens orthodoxes. Je préférais être chez eux que chez les Chehab. Un jour, mon frère n'est pas venu au rendez-vous. Il s'était passé quelque chose. Mon patron m'a simplement dit qu'il s'était sauvé.

Le soir, j'ai sorti les cinq billets que j'avais cachés, je les ai roulés dans mes cheveux, et je me suis échappée. Je me suis rendue à Addis-Abeba, assez difficilement. Dans la rue, j'ai rencontré une dame. C'était une sœur catholique. Elle m'a emmenée et soignée à la Fraternité de Saint-Jean. Il y avait plus d'une semaine que je dormais dans la rue en mangeant ce que je trouvais dans les ordures, pas grand-chose. Je suis restée plusieurs jours à la Fraternité, pour me reposer et me nourrir, puis elle m'a donné un billet de bus pour Khartoum, un peu d'argent et l'adresse d'une de ses amies soudanaises. Quand je suis montée dans le bus, la sœur m'a embrassée et m'a dit : "Petit à petit, l'œuf avec ses jambes marchera, Dieu te garde Habiba."

À Khartoum, je n'ai jamais pu trouver l'amie dont elle m'avait parlé. J'étais effrayée par cette ville, en même temps cette ville était tellement énorme que personne ne faisait attention à moi. Un épicier m'a surprise en train de lui voler des dattes. Il a menacé d'appeler la police. Je tremblais de peur et je ne pouvais pas m'empêcher de pleurer. Il m'a proposé de travailler et de m'héberger la nuit dans sa boutique. Je dormais sur le sol, et j'avais droit à une galette de pain, une mangue et un citron de temps en temps. J'avais droit aussi à ce qu'il me demandait de faire avec lui, mais je suis restée vierge. Un jour, j'étais devant sa boutique, et j'ai aperçu mon frère. Dieu est grand ! Il me restait un peu d'argent sur moi, presque rien, quelques livres soudanaises, j'ai quitté la boutique. Mon frère m'a emmenée à l'endroit qu'il s'était fabriqué avec des planches dans le quartier d'Al-Azahri. Il m'a raconté ce qui lui était arrivé, et qu'il avait rencontré des réfugiés somaliens, comme nous, qui connaissaient un passeur et tentaient d'organiser un passage en Libye. Mon frère avait un peu d'argent car il avait travaillé sur un marché et il avait aussi participé à un pillage au moment d'une émeute pour l'eau, mais cela ne suffisait pas. Il m'a présenté au passeur, un coiffeur somalien qu'on appelait Johnny, il avait soi-disant une boutique de coiffure au centre d'Addis-Abeba. Johnny m'a tout de suite dit qu'il nous aiderait et nous a proposé de voyager en bus jusqu'à Tripoli, à condition que j'accepte de travailler pour ses amis quand nous serions arrivés.

Le voyage a été horrible. Pas de bus, mais un camion pourri. On était une cinquantaine, hommes, femmes et enfants, entassés sur la plate-forme. Il faisait une chaleur de bête, on crevait de soif. La route était longue, je crois que nous sommes passés deux ou trois fois en Égypte. On zigzaguait sur les pistes entre les deux pays. En fin d'après-midi, le camion s'est arrêté et les passagers, des Somaliens comme moi pour la plupart, mais il y avait aussi des Érythréens et deux Soudanais, ont dû descendre et continuer sur leurs jambes. Il paraît qu'on risquait de tomber sur des contrôles imprévus. Le soir, on a dormi dans un campement improvisé. Un homme qui travaillait pour Johnny est venu voir mon frère pour lui demander un supplément en disant qu'il y avait des problèmes à la frontière. Mon frère avait versé 650 dollars à Khartoum, il lui restait 150 dollars. Il a été obligé d'en donner la moitié.

On a fini par franchir la frontière à pied. Cela a pris presque trois heures, en pleine nuit. Le matin, un camion libyen est venu nous chercher. J'ai eu un problème quand ça a été mon tour de monter. Le Libyen a dit que je n'avais pas payé ma place. Il a eu une très longue discussion derrière le camion avec mon frère qui heureusement a pu joindre Johnny sur son portable. Johnny était dans sa boutique, il a donné un ordre et j'ai pu monter. Le Libyen m'a dit qu'à Tripoli, je devrais lui obéir. Je lui ai promis d'être sa servante. Notre camion est tombé en panne, en plein désert, près d'un vieux minibus abandonné où l'on pouvait voir les cadavres momifiés de nos frères qui avaient été abandonnés. Je ne voulais pas montrer ma peur, mais à l'intérieur de moi, je pleurais. J'étais sûre que nous allions mourir près de ce camion, comme les autres. Mon frère ne m'a pas quittée. Sans lui, je serais morte, ce jour-là. Ma tête éclatait, j'étais malade du ventre, je grelottais de fièvre et j'avais soif. Mon frère a travaillé comme mécanicien dans un garage en Somalie et il a pu aider le chauffeur à réparer la panne. Tout le monde a hurlé de joie quand nous avons entendu, après un très long grognement, le moteur qui tournait à nouveau. Moi aussi, comme les autres, j'ai hurlé ma joie et je me suis mise à pleurer.

On a fini par arriver à Koufra mais nous n'avons pas pu entrer dans la ville à cause de combats entre deux tribus (les Toubous et les Zouwayas) qui s'affrontaient dans le quartier du centre. Des maisons brûlaient, il y avait beaucoup de blessés et de tués. Une partie de la population campait à l'extérieur et nous sommes restés bloqués avec un convoi qui arrivait d'Égypte. Plusieurs camions énormes. Les chefs du convoi se sont organisés. Ils ont placé des sentinelles en armes, jour et nuit, autour de leurs engins. On s'est installés sous des palmiers. Un jour, j'ai vu mon frère qui discutait avec l'un des contrebandiers, il m'a dit que c'était un Égyptien, mais je crois que c'était un Qatari. Le soir, il m'a dit qu'il fallait que je coupe mes cheveux et que je m'habille en homme. Les Égyptiens avaient besoin de deux hommes pour faire leur cuisine. J'ai coupé mes boucles et il m'a acheté des habits d'homme. Nous avons travaillé tous les deux comme cuisiniers pendant quinze jours, jusqu'au moment où la route a été rouverte. Mon frère a négocié avec les trafiquants qu'ils nous emmènent à Tripoli. Ils ont accepté. Pendant le voyage, nous avons appris qu'ils livraient du matériel militaire à un émir islamiste de Tripoli. Dès que nous sommes descendus du camion, mon frère a appelé le numéro que lui avait donné Johnny le coiffeur. Quelqu'un est venu nous chercher, puis nous a emmenés dans une ferme pas très loin de l'aéroport, où se trouvaient presque une centaine de Somaliens. Le chef s'est mis à hurler en me voyant. On lui avait promis une femme et il se trouvait en face d'un garçon épuisé. Mon frère lui a raconté ce qui s'était passé. Il s'est approché de moi et a exigé de voir mes seins, puis il a rigolé. Trois jours après, je commençais à travailler en cuisine chez le commandant Moussa, en attendant que mes cheveux repoussent et qu'il se lasse des deux favorites du moment. Nous avons passé trois mois chez le commandant Moussa, et nous nous sommes enfuis quand le passeur a appelé mon frère en lui disant qu'on partait la nuit suivante. On a payé 2 000 dollars pour la traversée. Deux mille par personne. Mon frère a tout payé, je n'ai pas su comment il avait trouvé l'argent. »

TROISIÈME PARTIE

L'amour, la mort, les mots

1

Ambassade américaine, Tripoli, Libye

Le vacarme de rafales et d'explosions qui résonne dans l'antichambre du commandant Moussa fait écho aux détonations que l'on entend à intervalles réguliers du côté de l'aéroport. Les gardes ont découvert une nouvelle version de *Falling Skies* et passent leurs journées à repousser des envahisseurs venus d'une autre planète en buvant du thé. Cramponnés à leurs tablettes, ils n'arrêtent pas de hurler. Le jour tombe sans qu'ils s'en rendent compte, l'éclairage automatique des jardins se met en route, la lune monte dans l'axe du bureau de l'ambassadeur.

Moussa reste seul dans la pénombre. Il pense à la révolution, à ce qu'elle lui apporte. Plus de satisfactions qu'il n'en avait jamais espéré, inconcevables après tout ce qu'il a enduré, même s'il lui arrive de se dire qu'il ne sortira pas vivant de cette putain de résidence.

L'une de ses hantises, ce sont les drones.

La mort s'affaire partout, sans s'annoncer, elle peut surgir à tout moment. Pour l'instant, la *Muerte* est à sa main, elle lui obéit comme un chien, mais il la sent qui prend un peu trop ses aises autour de lui.

Dans ses cauchemars, il se voit souvent carbonisé par un *exterminator* descendu d'un nuage.

Cette image le renvoie dans les années 90. Cette boule dans le ventre, ces nausées violentes, cette envie de mourir, toutes ses cellules qui se contractent, se tétanisent, se soudent, cette répulsion des viscères pour ce qui n'est pas lui : réactivation accélérée d'un certain nombre de symptômes qui lui pourrissent la vie. Les médecins qu'il a consultés, y compris un spécialiste new-yorkais de Human Rights Watch, lui ont tous dit la même chose : *État de stress post-traumatique.*

Son corps revit son arrestation et la suite. Surtout la suite.

Kidnappé un soir dans une rue du Caire, au début des années 90, à la sortie du hammam, quand les flics de Moubarak pourchassaient les Frères musulmans. Balancé dans une voiture. Roué de coups, matraqué jusqu'au sang. Jeté dans un avion. Débarqué sur un aéroport inconnu (ce n'est que plus tard qu'il apprendra que c'était l'aéroport de Tirana) avec trois de ses Frères.

J'avais fui la Libye pour rejoindre les Frères en Égypte.

J'aurais pu rester un petit flic de Kadhafi chargé de surveiller les étrangers.

Grimaud et les autres.

Le temps que j'avais pu passer à m'emmerder avec ces enfoirés de colonialistes, à leur faire des risettes, à leur trouver du whisky, des lames de rasoir... Ce jour-là, au Caire, j'aurais tout donné pour être encore leur larbin et pouvoir leur cirer les pompes et le reste pendant toute ma vie. Comme avant…

Tirana. Un aéroport bouclé par des forces spéciales US en treillis noirs. Moussa avait aperçu le rose de l'aube sans imaginer qu'il allait oublier ce qu'était la succession des jours et des nuits. Le temps était extraordinairement chaud. On l'a poussé en bas de la passerelle, il avait été obligé de courir, sans comprendre que ses jambes le menaient dans la gueule d'un avion-cargo C-17 qui venait de se poser et l'attendait en bout de piste. Les réacteurs crachaient leur haleine brûlante (anticipation des pots d'échappement des Humvee sous lesquels les Marines lui apprendront plus tard à respirer pour le « reposer » des séjours en baignoires glacées). Le C-17 avait redécollé aussitôt. Officiellement, il ne s'était jamais posé.

L'avion était équipé pour les « séances d'interrogatoire ». Le matraquage avait commencé alors que le C-17 roulait encore sur la piste. Moussa s'était retrouvé à poil et en sang, la clavicule cassée, privé de sommeil depuis deux jours déjà, un sac humide sur la tête, frappé là où ça fait mal avec un stick en fer, et finalement pendu à une potence par les poignets dans un body bag rempli de glace. Un début.

Arrête de flipper, calmos, tu es sorti du body bag, et du donjon de Bagram, tu es le commandant Moussa, capable de ruser avec les Américains, tu les connais, ils te connaissent, ils t'ont relâché, tu as combattu Kadhafi avec eux, vous êtes ennemis-amis maintenant, c'est un jeu, tu perds, tu gagnes, continue à expliquer aux journalistes qu'aucune dégradation n'a été commise dans la résidence

de l'ambassadeur. D'ailleurs, qu'est-ce qu'il dit l'ambassa-
deur US, dans son bunker de Malte ? Il déclare qu'il ne
faut pas dramatiser et que tu as protégé ses bâtiments. On
te l'a dit et redit.

Moussa tire les rideaux pour ne pas voir cette lune qui ressemble à un cul de femme blanche. Il pousse une gueulante pour demander à ses sbires de fermer leurs consoles, puis fait un point sur les décisions qu'il va devoir prendre.

Bientôt il faudra choisir. L'État islamique ou Al-Qaïda.
Pour l'instant, je joue sur les deux tableaux. Et ces enculés
de Zintan qui s'accrochent. Non seulement ils ont Saïf,
mais ils veulent leur part du pétrole et du reste.

Ses angoisses s'évanouissent quand il pense à la soirée qu'il a organisée pour ses amis. Il a tout prévu.

Une danseuse du ventre new style.

Elle fera sa démonstration derrière un rideau de voile (une idée piquée dans un vieux film d'espionnage en noir et blanc) pendant qu'ils se goinfreront en parlant business.

La dinde.

Plus de poulets dans les congélateurs. L'Américain avait fait rentrer des dindes pour plus de Noël qu'il n'en aurait jamais eu à passer à Tripoli. Il a demandé au bamboula qui lui sert de chef de transformer une dinde en croquettes à paner dans la friture. *Les bamboulas sont fainéants mais s'y connaissent en friture.*

Il a aussi prévu les réponses aux questions qu'on allait lui poser.

«C'est de l'hospitalité *five stars*», dit Amayaz le Félin débarqué de nulle part avec un costume de lin clair. *Il se prend pour Omar Sharif ou quoi ?* Les fines rayures de sa chemise rehaussent le cuir de ses joues. Impossible en voyant cet homme à l'élégance quasi aristocratique, portant un fin collier de barbe, d'imaginer qu'il est le fauve en chèche bleu qui répand la terreur dans le désert.

«Encore un peu de dinde ?

— C'est meilleur que le poulet, renchérit Super Ali. Et tes sauces, top chef…

— On a des réserves pour mille ans. Ketchup, Red Chile Hot, Red Pepper, Insanity Sauce, Guacamaya, Tabasco.»

Ils parlent, ils mangent, ils se taisent, ils digèrent, allongés sur les divans du bureau. Une soirée «relaxe», avait annoncé Moussa. Il n'avait pas menti. Devant eux, sur une table basse, des croquettes, un assortiment de salades, des bols de piments et un verre de thé fumant.

Moussa, qui s'autorise des incursions dans le passé préislamique depuis qu'il a monté une filière pour écouler les statues romaines qu'il fait prélever chaque jour à Leptis Magna, se considère un peu comme l'héritier des généraux de Rome qui commandaient la Tripolitaine. Divagations *malsaines* (il n'en parle à personne), et même *délirantes* (cela pourrait lui coûter cher), mais qui apaisent ses angoisses. L'ouverture d'un compte bancaire à son nom dans une banque turque et les visites de Grimaud le rassurent aussi. Levent s'est occupé de tout. *Levent m'a même dit qu'un ancien de Sotheby's allait créer un fonds d'investissement pour soutenir notre business.*

Un rideau de tulle a été tendu dans le fond du bureau pour abriter la danseuse et trois musiciens. Des bougies se consument dans les lanternes en cuivre. Les staccatos et les glissades du violon rythment les ondulations de la danseuse qui se débarrasse de ses voiles. Son soutien-gorge en velours noir, où grelottent lentilles d'argent et cabochons de corail, ne contient pas les débordements de sa chair. La webcam zoome sur ses seins puis sur les mouvements saccadés de son bassin, ventre et hanches, qui semblent s'émanciper du reste de son corps. Moussa profite d'une glissade de la musique pour attaquer les problèmes d'approvisionnement d'armes par les routes du Sud.

«Les Français nous emmerdent, dit Amayaz. J'ai interdit à nos frères combattants de rouler en convoi. Nous sommes obligés de tenir compte des drones.

— Les drones, soupire Moussa, ils sont comme des mouches, tu ne les entends pas venir, ils entrent par les fenêtres, et boum!

— Les drones sont aussi forts qu'ils sont faibles. Ils ne peuvent pas surveiller tout le Sahara. Tant qu'ils les baladeront au-dessus de nos têtes, nous prendrons nos précautions. L'ennemi est fort, je me cache. Nous ne sortons plus de nos bases souterraines qu'avec des véhicules banalisés. Nous n'utilisons plus que des messageries confidentielles, comme Telegram, et seulement en cas d'urgence. J'ai mis en place un système de coursiers très sûrs, avec des motos. L'ennemi est faible, je l'attaque. Dès que nous aurons une opportunité, nous le déchirerons.

242

— Ils ne tiendront pas longtemps, dit Ali. Leurs militaires sont épuisés, et c'est à peine s'ils ont les moyens d'entretenir leur matériel. N'oublions pas que l'approvisionnement en essence et en kérosène devient pour eux un problème. J'étais à Istanbul la semaine dernière. Nous avons décidé de changer de terrain. Pour l'instant, on met la pédale douce au Mali, on se contente de maintenir la pression, et on va déclencher chez eux quelques petites opérations que nous avons préparées ici depuis longtemps. Ça va être leur tour de souffrir. »

Les musiciens jouent avec moins d'intensité. La fille a baissé le niveau de sa démonstration. « Cette fille est un attentat… », dit Ali sur un ton rêveur.

2

Sabratha, Libye

L'hélico s'est arraché du sol en soulevant des tourbillons de sable. Le bruit du rotor empêchait toute conversation dans la carlingue. Je regardais la terre sous mes yeux. J'étais arrivé un peu en avance pour notre rendez-vous, au moment où Moussa quittait l'ambassade américaine pour une sortie imprévue. Quand il m'a aperçu, j'ai deviné qu'il hésitait puis il m'avait fait signe de monter en voiture avec lui. Quelques instants plus tard, j'ai embarqué pour un vol d'une quarantaine de minutes, en suivant la côte. L'hélicoptère, un Mil

Mi-14 d'origine russe, n'a pratiquement jamais été utilisé. Kadhafi avait acheté une quinzaine d'appareils de ce type, mais il n'avait pas eu le temps de former de pilotes.

L'hélico, conservé par l'air sec du désert, n'a pas servi depuis le début de la *no-fly zone*, au commencement de la guerre. Il avait été récupéré par le commandant Moussa dans une base aérienne abandonnée par l'armée. Moussa commençait à se préparer à d'éventuels raids occidentaux. D'anciens mécaniciens de l'armée russe, des Tchétchènes ayant rejoint le djihad, avaient remis l'appareil en état, ils l'avaient réarmé et avaient procédé aux vérifications nécessaires. Un pilote égyptien était aux commandes. J'étais passager d'un vol test qui ne serait pas renouvelé de sitôt, par prudence. Le pilote a fait quelques démonstrations de son savoir-faire. L'hélicoptère volait très près du sol, en position d'attaque, longeant la côte en direction de Sabratha.

Est-ce en mon honneur que nous avons par deux fois survolé la ville, nous attardant en vol stationnaire à hauteur de la façade du théâtre antique ?

La mer… son immensité hypnotique. les ruines désertes… silencieuses… figées sous le soleil… ces villes disparues…

L'Histoire balbutiait.

Les avions du 11 Septembre, ce Pearl Harbor du djihad, les Twin Towers foudroyées, en flammes et en poussière, avaient écrit la mort symbolique de New York. La guerre d'Irak avait mis en évidence le délire démocratique d'une nation qui avait porté le glaive dans la chair irakienne, entre le Tigre et l'Euphrate. Depuis le chaos s'étendait. Partout des villes brûlaient.

En plus de son habituelle salopette, Moussa portait une paire de lunettes monobloc tenues par un élastique, qui lui exorbitaient les yeux. Il donna l'ordre au pilote de tirer sur l'une des colonnes du temple de Liber Pater, le Dionysos phénicien, et l'un des dieux tutélaires de la famille de mon camarade Septime Sévère. La colonne explosa et s'effondra. Je ne pouvais pas m'empêcher de penser à ce qu'il adviendrait le jour où les djihadistes disposeraient non pas d'un vieil hélicoptère retapé, mais d'avions capables de venir taquiner nos villes avec des bombes guidées au laser.

J'ai construit ma vie sur l'étude de civilisations qui ont prospéré et disparu. Je me sentais d'autant plus enclin à me poser des questions sur notre avenir que je venais de lire dans *Le Monde* l'article d'un écrivain français que je trouvais plutôt sympathique et qui se demandait si, après tout, l'islam n'allait pas régénérer notre Europe dépressive, un peu comme le christianisme avait pu la féconder en d'autres temps.

«Grimaud! Regarde... Là, sur la plage, des Français, oui là, cette bande de nègres, des Français, comme toi...»

C'était la première fois que le commandant Moussa me tutoyait. Il était obligé de hurler, à cause du bruit. Des hommes s'entraînaient au tir sur le rivage. Il m'expliqua que la plage était l'un des «training spots» du camp des Tunisiens.

«Je les fais changer de spot deux fois par jour! Security first…» Il demanda au pilote de piquer sur eux. Les apprentis djihadistes détalèrent vers les dunes. Le pilote fixa l'un d'entre eux et le poursuivit. Nous volions à cinq mètres du sol, le vent de la lourde machine lui courbait la nuque.

Moussa demanda à être déposé à son bureau, près de la piscine, comme le faisait l'ambassadeur américain. Notre réunion fut brève. Il me pressait d'accélérer le mouvement car Levent, dit-il, lui avait trouvé «deux filières» pour exporter ses antiquités. «L'une à Istanbul et l'autre à Londres. Les acheteurs font déjà la queue pour être servis.»

Impatient de rentrer pour appeler Bruno et lui faire un rapport circonstancié (l'hélico, les Français du camp des Tunisiens), j'ai perdu beaucoup de temps pour récupérer ma voiture à sa place habituelle au poste frontière de Ras Jedir. L'armée tunisienne, très nerveuse, prêtait renfort aux douaniers et doublait tous les contrôles. Un gendarme m'a dit qu'un terroriste avait abattu la veille une vingtaine de touristes anglais sur une plage. La *dolce vita* était terminée.

Le jour se levait quand je suis arrivé à la maison. J'ai croisé les pêcheurs qui partaient en mer. Je me suis précipité, pensant que Rim devait encore dormir. J'allais lui préparer le petit déjeuner. Un thé brûlant, et deux œufs sur le plat. Mais à peine avais-je posé le pied sur les dalles de l'entrée que j'ai reculé. Un gros rat décapité était cloué sur le mur blanc, entre deux gravures de l'ancienne Carthage. La tête était sur le dallage, dans une bouillie sanguinolente. Quelqu'un l'avait écrasée sous son talon. Sur le mur, en lettres rouges, il était écrit : « RAT FRANÇAIS DEHORS ! »

3

La Valette, Malte

Depuis son arrivée à Malte, Bruno a tendance à culpabiliser, à cause d'Harry qu'il a laissé à Taurbeil. Nguyen lui a passé plusieurs coups de fil pour dire qu'il avait aperçu le gosse, de loin. Il a rassuré son collègue. « Il est moins vulnérable qu'on ne le pense... – Tu rigoles, et sa tentative de suicide ! – Justement, elle est derrière lui. »

À part cela, pas le moindre indice. Il a revu ses collègues maltais, interrogé des Somaliens dans un cyber café proche des deux camps de réfugiés, il a invité Emma Saint-Côme à déjeuner après l'avoir rencontrée par hasard sur Republic Street. Les Maltais lui ont répété ce qu'ils lui avaient dit lors de leur première rencontre, les Somaliens se méfient. Quant à Emma...

Murée dans son rôle d'étudiante « heureuse » d'avoir trouvé un stage qui la « passionne », Bruno a été obligé de lui poser la question qui lui brûlait les lèvres au moment où elle attaquait son *cannoli* : « Vous pouvez me dire ce que vous êtes allée faire à Istanbul avec Levent ? » Elle avait pris le temps d'engloutir sa pâtisserie avant de

247

répondre : « Je ne savais pas que vous étiez de la police des mœurs. »

Elle le toisait d'un regard narquois. Une heure plus tard, toujours à la même table, après avoir repris plusieurs espressos, ils étaient les derniers clients du restaurant et elle finissait de lui raconter son histoire.

Elle se prostituait depuis qu'elle avait seize ans (elle était lycéenne à Rennes quand elle avait commencé), ses parents n'en avaient jamais rien deviné et elle n'avait jamais, « je dis bien jamais », éprouvé de remords. « Je ne supporte pas de ne pas avoir d'argent.

— Mais tu as parfois éprouvé des sentiments pour ces types qui te baisaient ?

— On se tutoie donc ? Très bien. Non, jamais ; je frotte ma peau contre la leur, je masse leur appendice avec mes mains, ma bouche, mes seins, mon sexe et mon cul, c'est tout, et quand ils partent ils me payent pour le service que je leur ai rendu… Tout le monde couche avec tout le monde. Moi non. Je choisis mes partenaires. J'ai commencé en faisant des ménages pour assurer mon autonomie financière. Un jour j'ai laissé tomber mon aspirateur. Ce n'est pas désagréable, j'ai une vie secrète, c'est un peu comme si je vivais dans la clandestinité. Pourquoi je te raconte tout ça ?

— Parce que je suis policier et que je t'interroge.

— Je ne sais pas ce que vous avez tous en ce moment. Le chargé d'affaires m'a posé les mêmes questions, pas plus tard qu'hier.

— Qu'est-ce que tu lui as dit ?

— Rien. »

Malgré la chaleur, ses bras nus et ses joues semblent d'une fraîcheur de marbre. Les mots qui sortent de sa bouche paraissent déconnectés de sa propre vie et n'avoir pour elle aucune importance. Elle ne lâche rien sur Levent, si ce n'est qu'il est amoureux. Elle va monter ses prix.

De La Valette, il continue de pirater l'iPhone de sa femme. Il n'utilise pas son matériel pro, mais un kit de surveillance pour portable. Du matériel superfiable, en vente libre. Il n'a que trop conscience de la médiocrité de son comportement, mais il a besoin de lui prendre le pouls à distance. Savoir où elle en est. Relever le courrier de Marie-Hélène à son insu reste le seul lien qui le rattache encore à elle.

Depuis quelques semaines, il a remarqué un changement dans la tonalité générale de leurs échanges. Moins sexuel, plus prosaïque. La banalité du quotidien.

Ce matin, elle lui a demandé son avis concernant l'aînée de leurs filles, Alice qui, semble-t-il, voudrait se faire baptiser.

Elle demande à ce type et ne m'en parle pas.

Mes filles m'échappent, deviennent des étrangères. Entrées dans un âge où leur personnalité s'affirme, se transforme, elles sont en train de m'oublier. Je ne sais plus rien d'elles. Je me sens plus proche d'Harry que de mes filles. Je voudrais leur faire réciter leurs leçons, les aider dans leurs devoirs, les emmener à leurs cours de piano ou de gymnastique, comme avant. Mais je suis incapable de leur dire un seul mot. Et qu'est-ce que c'est que cette histoire de baptême ? Alice va bientôt avoir treize ans. Ni Marie-Hélène ni moi n'avons plus de rapport avec la religion depuis longtemps. Quel âge avait Emma quand elle a commencé à se prostituer ? Seize ans. Que fera Alice dans trois ans ? Un appel interrompt ses méditations. «Ici Father Peter, je peux vous voir ? C'est urgent…»

«En préparant la messe, ce matin, je me suis souvenu d'un détail qui m'avait échappé.

— Je vous en prie.

— Ça n'a peut-être aucune importance, mais… Voilà, le jour où j'ai découvert le corps à l'hôpital Mater Dei, en arrivant, j'ai vu un homme courir, entrer dans sa voiture et démarrer en trombe…

— Vous n'avez pas noté le numéro…

— C'était une Range Rover d'un modèle ancien, couleur marron, assez fatiguée. Et sa plaque : MAT 2 11.

— Pour un homme qui ne se souvenait de rien…

— Ce matin, j'ai cherché une référence à l'Évangile de saint Matthieu, l'histoire des mages, qui arrivent dans la maison où Marie vient d'accoucher, et lui offrent de l'encens, de la myrrhe et de l'or. Pour nous, ce texte est référencé Mat, 2-11. J'ai repensé à cette voiture…»

Une demi-heure plus tard, le jésuite et le policier entrent dans les locaux du ministère de l'Intérieur et tombent nez à nez avec le chef de la police de l'île, un géant de près de deux mètres, personnage extrêmement populaire à cause de sa taille (il ne peut s'asseoir dans aucune des voitures de la police qu'il dirige) et de sa fausse timidité. Le temps de passer un coup de fil et le policier transmet à son collègue français l'identité et l'adresse du propriétaire de la Range Rover, Louis Camillieri, un pêcheur de Marsaxlokk, qui habite dans une maison isolée près de la côte.

Father Peter a une conduite nerveuse, qui tranche avec son calme d'ecclésiastique. Il emprunte une route déserte qui longe les hangars d'une ancienne base anglaise reconvertis en bâtiments agricoles. Tout à coup, la route plonge vers la côte et descend en lacet à travers la lande. Bruno prend en pleine face la lumière renvoyée par l'immensité de la mer.

«En face de nous, dit le Père en ralentissant pour croiser une voiture, il y a la Libye, la Tunisie, et au-delà le Sahara.

— Vous avez vu le conducteur de la voiture que l'on vient de croiser? s'exclame Bruno.

— J'étais ébloui et je regardais la route.

— Je crois avoir reconnu le chargé d'affaires français.»

La maison du pêcheur se niche dans une carrière désaffectée au pied d'une pointe qui s'avance dans la mer. Un chemin d'ornières rocailleuses (d'au moins deux kilomètres) conduit au portail, qui est ouvert.

«Je comprends qu'il roule en Range Rover, dit Bruno. C'est le bout du monde chez lui.»

Father Peter se gare sans avoir trouvé un coin d'ombre. Ils continuent à pied entre des haies de cactées. Le Père, habillé en clergyman, marche d'un bon pas sous le marteau du soleil. Le ciel et le sol sont blancs de lumière. Il est midi, pas un souffle d'air. Des chiens s'avancent à leur rencontre, trop épuisés par la chaleur pour aboyer.

La maison est coiffée d'une terrasse, comme toutes les maisons maltaises. De dimensions modestes, elle est logée sous la falaise et entourée de rubans de terre sèche. Des murets de pierre délimitent les parcelles. Seuls les feuillages argentés des oliviers rompent la beauté minérale du paysage. «C'est le désert! dit Bruno.

— Le désert en été, sans doute, mais au printemps, toutes ces restanques sont cultivées.»

Derrière le bâtiment, une femme dort allongée sur le ventre au bord d'une piscine. Totalement nue, elle ne porte que des lunettes de soleil. Une petite croix gammée est tatouée sur le sommet de sa fesse droite. Le Père pose la main sur le bras de Bruno, il s'arrête à bonne distance et tousse pour signaler leur présence. La femme se lève, se drape dans une serviette:

«Pardon, je ne vous avais pas entendus venir. Vous cherchez quelqu'un mon Père?

— Nous sommes désolés de vous avoir dérangée, mais nous aurions aimé parler avec Louis Camillieri.

— Il est parti en bateau avant-hier soir et devrait rentrer bientôt. Je l'attends, mais je vous en prie entrez, nous serons mieux à l'ombre.»

Elle les installe dans une grande pièce climatisée puis disparaît pour enfiler une robe. «Vous connaissez ce Camillieri?» demande Bruno en jetant un regard panoramique sur la pièce. Ameublement minimaliste,

252

moderne, inspiration italienne. Au mur, les taches de couleurs éclatantes des kilims. Par la baie vitrée, la mer.

«Vous savez, à Malte, tout le monde se connaît plus ou moins, dit le Père. Il est possible que je l'aie eu comme élève quand j'enseignais à Saint Aloysius College.

— Et cette femme ?»

Le Père lève les yeux au ciel.

«Jamais vue, jamais entendu parler.

— Vous avez vu son…

— Je suppose que vous mourez de soif…»

De retour avec une carafe de citronnade et trois verres, elle s'exprime avec un léger accent allemand. Elle porte une robe jaune, assez courte, échancrée aux épaules, qui met en valeur un bronzage satiné et des jambes interminables. Bruno transpire dans son fauteuil, fatigué par la chaleur et déconcerté par cette sirène blonde. *Sur cette île, avec les femmes, je vais de surprise en surprise. Jamais je n'avais imaginé que ça ressemblait à ça, une femme de pêcheur, j'en suis toujours aux femmes en noir de l'île de Sein.* Il pousse un soupir sans même s'en rendre compte avant de se présenter et de lancer d'un ton un peu désabusé: «Nous cherchons des informations sur un immigré clandestin qui est mort à l'hôpital la semaine dernière.

— Pauvres gens, c'est vraiment terrible. Louis me raconte parfois ce qu'il lui arrive de voir en mer. Naturellement, on ne peut pas les accueillir tous, n'est-ce pas mon Père ? Mais quel rapport avec mon mari ?

— Il semble qu'il soit allé à Mater Dei, il aurait pu nous donner des informations.

253

— Je sais qu'il a une vieille tante hospitalisée. Normalement, il va la voir toutes les semaines...

— Votre mari sort pêcher tous les jours?

— Le plus souvent possible, c'est une passion autant qu'un métier, nous avons aussi une entreprise de recyclage de métaux, à Blagnac, dans la banlieue de Toulouse. C'est beaucoup de travail, et beaucoup d'allers et retours. Je ne le vois pas aussi souvent que je le voudrais.»

Bruno et Father Pater prennent congé en laissant leur numéro de téléphone à leur hôtesse.

«Désolée, je ne me suis pas présentée, je m'appelle Mercedes, je sais, avec mon accent, cela paraît idiot.

— Vous êtes née à Malte?

— Mon père travaillait sur le site Lufthansa de l'aéroport. Il est reparti en Forêt-Noire après sa retraite, mais ma grand-mère avait vécu sur l'île, après la guerre.

— Encore une question. Quelqu'un est venu vous rendre visite avant nous?

— Non. Personne. Et heureusement, je suis déjà tellement confuse que vous m'ayez trouvée en tenue d'Ève, c'est ainsi qu'on dit mon Père? Mon Dieu, je ne vous ai pas proposé de chips. Ou peut-être préférez-vous des petites olives, elles sont du jardin, les Français aiment bien les petites olives...»

Le soir, Mercedes appelle Father Peter. En larmes. Plus question de tenue d'Ève ni de petites olives noires. Le bateau de son mari a été retrouvé dérivant au large des roches de Filfla. Personne à bord. Le lendemain matin, la police fournit à Bruno les renseignements qu'il avait demandés. Louis Camillieri, 52 ans, pêcheur professionnel. Un temps soupçonné de trafic de thon (la police a laissé tomber l'enquête après les élections). Businessman à l'occasion, multicartes, comme beaucoup de Maltais, a représenté pendant deux ans une marque de design milanais, puis a investi l'argent qu'il avait gagné dans une affaire de ferraille et de voitures en France. Il vit en concubinage avec Mercedes Baumann, 31 ans, de nationalité allemande, ancien mannequin, actuellement sans profession.

4

Taurbeil-Tarte, région parisienne, France

À la Grande Tarte, explique Harry à Bruno lors de son rendez-vous bihebdomadaire, l'ambiance s'est tendue. Les persécutions anti-bons élèves binoclards se sont multipliées. Ceux qui n'ont pas de mauvaises notes, qui n'insultent pas leurs professeurs, qui ne font pas des doigts d'honneur aux surveillants et qui ne sniffent pas de la colle dans les chiottes sont ciblés. Les punitions égalitaires n'ont plus lieu à l'extérieur du lycée, à l'arrêt du bus comme avant, mais dans l'une des caves du groupe scolaire.

Les salafistes continuent à s'occuper des sœurs, de leur voile et de leurs fréquentations, de la longueur de leurs jupes, mais proposent aussi un programme d'éducation aux garçons de moins de seize ans. Des séances de gym, façon Boot Camp, se déroulent dans les friches autour des immeubles. Renforcement musculaire, pompes, abdos. Les gosses rampent sur l'herbe comme des vers en se faisant insulter par un barbu interchangeable en survêt léopard qui les manœuvre en hurlant.

L'intégralité du tunnel qui conduit au parking extérieur a été transformée en marché du livre. Des libraires vendent des corans, sous des reliures ouvragées, vertes avec incrustations dorées, publiés en Libye ou en Égypte, en arabe et en français, dans une traduction visée par des « érudits musulmans » et agrémentée de mise en garde contre celles « des orientalistes manquant de probité scientifique ».

Les stands croulent sous les ouvrages antisémites, en arabe, en français ou en anglais. Il existe des éditions avec des dessins pour les enfants. *Mein Kampf, Les Batailles de Mahomet, Les Protocoles des Sages de Sion*, ou son adaptation *The Zionist Deception Dictionary* (Dictionnaire de la supercherie sioniste), *Jewish Terms : Beware of them !* (Les Termes juifs : Méfiez-vous d'eux !), un ouvrage qui préconise l'utilisation des termes « Est islamique » à la place de « Moyen-Orient », de « capitulation » à la place de « normalisation », de « Juif » à la place d'« Israélien » et de « Mythe des crématoriums nazis » plutôt qu'« Holocauste ».

À l'entrée du tunnel, les « libraires » apostrophent les chalands et commentent leurs ouvrages. Une table est consacrée à Céline. Les ados sont passionnés. Une centaine d'éditions pirates de *Bagatelles pour un massacre* sont disponibles. Près de la caisse, un lot de portraits-cartes postales de l'écrivain (clichés pris à Meudon, Céline émacié, tigre affûté retour d'exil, une ébauche de sourire moqueur sur les lèvres, les cheveux tirés vers l'arrière, sur le pas de la porte du 25 ter route des Gardes), offert pour l'achat de deux volumes.

À la médiathèque retapée après deux départs de feu, une salle est dédiée chaque lundi à un forum de discussion sur «les grands problèmes du monde contemporain». En fait un seul et même problème mobilise de lundi en lundi un public de plus en plus dense : le «Grand Mensonge du 11 Septembre». Projections de vidéos du prix Nobel Dario Fo, interviews filmées d'un général russe et d'intellectuels arabes et hongrois, témoignages spontanés de participants, diffusion en boucle des images de l'attentat : tout tourne autour du livre de Thierry Meyssan, *L'Effroyable Imposture*.

Harry a l'habitude de dire à Bruno que la cité est une cage aux parois de verre. Tous les habitants s'y croisent en permanence, sur les sentiers qui conduisent d'un bloc à l'autre, s'identifiant de loin, sans se regarder. La distance est l'une des normes de sécurité à respecter pour survivre. Monsieur Bouhadiba et Harry s'étaient retrouvés plusieurs fois au coude à coude devant le même étalage, dans le tunnel des corans. Ils se connaissaient sans s'être adressé la parole.

Le vieil homme tuait le temps tandis que l'adolescent, en laissant traîner ses yeux et ses oreilles, cherchait à ramasser le maximum de livres gratuits qu'il échangeait ensuite contre d'autres. Il avait proposé à un flâneur trois *Protocoles* en super édition de luxe (carton plastifié) contre un *Homme qui rit* de Victor Hugo en poche et défraîchi.

Ce jour-là, plusieurs caisses de livres neufs avaient été livrées. La nouvelle venait de se répandre dans l'ennui de la cité, il y avait foule. Harry a senti quelqu'un se faufiler dans son dos en s'appuyant sur le vieux Bouha. Un garçon d'une dizaine d'années était en train de sortir le portefeuille du vieux de la poche arrière de son pantalon. Harry l'a pris par l'épaule, a fait un signe à monsieur Bouhadiba et ils sont sortis tous les trois. Le portefeuille pendait toujours dans la main du petit voleur, forcé par Harry (qui lui vrillait le bras) de présenter ses excuses au vieux en geignant. Bouhadiba fixa Harry droit dans les yeux et balbutia un remerciement.

Depuis cet épisode, le jeune homme et le vieillard ont pris l'habitude de se retrouver sur un banc, à l'écart de la route, à l'entrée d'un jardin public qui domine les barres d'immeubles entassés sur le flanc de la colline. Le vieux est captivé par Harry et par sa bonté. Il n'avait jamais imaginé qu'un ado black de la cité puisse ne pas être un rejeton de la pourriture. Surtout celui-ci, connu pour être au service de Bilal. Le gosse, toujours serviable, lui apporte presque à chaque rencontre un petit cadeau. Une plaque de chocolat, toujours du Suchard, son préféré, des dattes en sachet, un magazine et même un jour une petite main de Fatima ciselée en argent que le vieux garde maintenant dans son portefeuille qui avait failli disparaître et qui avait à ses yeux au moins doublé de valeur, et tant pis s'il était toujours presque vide.

Le vieux avait beau se répéter, quand il était seul, qu'il y avait un mystère dans l'attitude du Petit, comme il l'appelait, il avait fini par accepter ce point d'incompréhension qui n'empêchait pas une affection mutuelle. *Comment le Petit arrive à se débrouiller dans cet enfer, je n'en sais rien, il est fort.* Tellement fort qu'il le consolait de ses angoisses innommées. Bouhadiba a été obligé de s'avouer qu'il n'avait jamais eu avec ses enfants des conversations de la qualité de celles qu'il avait avec Harry.

Quand ils sont ensemble, le vieux et le gosse sont déraisonnablement heureux. Harry l'aime pour lui-même et pour lui. Il lui tient de grands discours sur ce que devrait être une équipe de foot idéale (le contraire du PSG qu'il déteste), sur la vie en Russie au temps d'Anna Karénine, sur les mœurs des renards qui s'aventurent la nuit jusqu'aux poubelles des immeubles, avant de revenir la plupart du temps à l'Afrique que lui avait racontée son père. Le vieux, qui évoque souvent son enfance à Sétif, lui fait tellement penser à son père qu'il a souvent envie de l'appeler Papa.

Papa Bouha.

Ce soir-là, belle fin de journée lumineuse, pas un nuage.

Le vieux, assis sur son banc, lâche sans regarder le gosse une réflexion sur la disparition des hommes de main de Bilal, qu'il appelle «les Mercenaires». Il a parlé comme s'il était seul. Il s'en veut aussitôt. *Quelle mouche m'a donc piqué de parler de ces monstres devant le gosse?* Harry répond en regardant droit devant lui, les yeux dans le vague des immeubles qui se ressemblent tous : « Malheureusement ces abrutis vont bientôt revenir.

— Où sont-ils ?

— Au Club Med en Libye.

— Tu sais qu'ils me font peur ? »

5

Hôtel de Beauvau, Paris VIIIe, France

Lambertin écoute les infos de la BBC tout en se débattant avec son grille-pain dans son trois pièces de la rue des Belles-Feuilles. Il est 8 heures du matin quand quelqu'un sonne à la porte. Il comprend qu'il va lui tomber une catastrophe sur le dos en découvrant un motard de la police au garde-à-vous sur son paillasson. « Désolé chef, j'arrive de la place Beauvau pour vous prévenir que vous êtes attendu à une réunion dans le bureau du ministre à 8 h 30. Une voiture vous attend en bas… »

Le ministre est assis derrière son bureau, trois collaborateurs lui font face. Lambertin reconnaît le visage familier d'un collègue, Boulais, l'air las et impuissant. Une chaise inoccupée semble l'attendre, un conseiller lui fait signe de s'asseoir. Le ministre le salue à peine et donne la parole à Boulais.

« On t'a un peu bousculé ce matin Lambertin, mais il y a le feu au lac. Un journaliste vient de nous prévenir que son site d'info va sortir une enquête sur ton service. À charge…

— Que me reproche-t-on ?

— Je vais être sincère. Un peu tout, tes méthodes, tes hommes, ton autonomie.

— Je crois que je ne suis pas le premier, Lambertin, à vous dire que vous êtes incontrôlable. Les temps ont changé, dit le ministre. Le renseignement aussi. Il faut être moderne, se concentrer sur le Net, les réseaux sociaux, le renseignement technique, à la papa, c'est terminé. Nous devons être des exemples, la transparence n'est pas un vain mot. Et les RG n'ont pas été dissous pour rien. J'ai appelé personnellement le patron de ce site que vous connaissez. Il n'a pas tout à fait tort quand il dit que vous avez tendance à vous comporter comme un chef barbouze d'autrefois. Je lui ai promis que la Villa serait fermée le plus rapidement possible, et vos hommes réaffectés dans des services plus conventionnels, moyennant quoi, il ne sort pas l'article qui vous était consacré et se contentera d'un papier sur la réorganisation des forces de police et de renseignement face au terrorisme. »

Lambertin connaît bien ce journaliste, un intime du ministre, qui s'y entend pour lancer des campagnes de dézingage. *Il a réussi à se faire passer pendant des années pour le roi du journalisme avant que l'on comprenne qu'il était en cheville avec Beauvau qui lui balançait des informations confidentielles…* Lambertin regarde les chênes du parc, les lilas dressés sur un gazon qui semble faux tellement il est ras, les bouquets mêlés d'hortensias, de fouette-larron, les massifs de rhododendrons, et se promet d'aller marcher en forêt de Fontainebleau dès demain matin.

Les visages des ministres qu'il a servis défilent dans sa tête. Il voit les grimaces de l'un, les sourcils en broussaille d'un autre, le feutre noir et l'accent méridional d'un troisième, il entend leurs commentaires, leurs saillies, leurs fureurs. Leurs faiblesses aussi. *Je me serai quand même bien amusé.* Ce bureau n'a jamais été un endroit où l'on se montre mais s'y dévoilent parfois les secrets des âmes. *Les âmes, c'est un grand mot...* Lambertin se souvient du tête-à-tête qu'il a eu chaque matin avec l'un des locataires de Beauvau pour commenter les fiches de renseignements fraîchement remontées de la nuit. Conversations secrètes, dîners confidentiels, complots, manipulations, coucheries, combines, malversations financières. Avant de commencer sa journée, ce ministre, qui ne montrait jamais aucune chaleur dans le regard, exigeait un point actualisé des turpitudes et des mensonges de tous ceux qu'il allait croiser à l'Assemblée, au restaurant ou même au prochain Conseil des ministres. Il commençait toujours par le sexe et se gavait de ce qui pouvait salir la réputation de ses ennemis et surtout de ses amis. Ses prédécesseurs avaient fait plus ou moins la même chose, mais celui-ci, au demeurant estimable et plutôt un bon ministre, se shootait vraiment aux odeurs d'égout.

La plupart de ces hommes se pensaient puissants, et en un sens ils l'étaient. Puis ils ont quitté la scène et plus personne ne se souvient d'eux. Lambertin connaît par cœur la liste des ministres depuis 1958. Il cherche le seul nom qui lui échappe, un parlementaire de Charente-Maritime qui n'avait fait que passer, comment s'appelait-il, c'était en 19…, quand la voix du ministre le sort de ses rêveries.

« Donc je vous demande de réunir vos collaborateurs ce matin même et de prévoir de nous rendre les clefs et les ordinateurs, rapidement. Donnez-moi vos dates. Dès que ce sera possible, j'enverrai une équipe sur place pour prendre possession des lieux. Quant à votre cas personnel, c'est moi qui m'en occuperai. Vous ne serez pas maltraité… »

Le ministre a tiré la conclusion du rapport assassin de Boulais. Lambertin se lève. Il déclare qu'il va faire ce que Monsieur le ministre souhaite, bien sûr, et demande l'autorisation de se retirer.

Dans la cour, il hèle un chauffeur et se fait conduire à la Villa. À midi, presque tous les membres de son équipe ont rappliqué. Une info concernant Lambertin circule déjà sur le Net. « Questions sur le passé d'un grand flic ? » Certains l'ont déjà repérée. Titre accrocheur, ça ne pisse pas loin, mais ça sent mauvais. Lambertin les informe de façon laconique, sans pathos :

« La Villa est fermée, nous n'avons plus de toit, le service est dissous *de facto*, ce qui n'est pas compliqué puisqu'il n'existait pas sur le papier, tous les ponts sont coupés entre nous. On a quelques jours, quelques semaines au maximum, pour s'organiser. Je vous recommande la plus grande prudence. Ils vont chercher à nous accrocher, tous les moyens seront bons. » Bruno soulève l'épineux problème de son petit indic de la Grande Tarte qu'il ne peut pas laisser tomber sous peine de le mettre en danger. «Il faut protéger tous nos réseaux. Continuez de voir votre protégé sans rien dire à personne. Débrouillez-vous avec le commissaire de Taurbeil, c'est un type bien. Je vais vous laisser une petite enveloppe pour vos frais. Essayez de l'évacuer en douceur, prenez le temps qu'il faudra.»

6

Hôtel Dorchester, Mayfair, Londres

Levent m'a fait parvenir un billet AR Tunis-Londres et une réservation pour deux jours dans une boutique hôtel de South Kensington. L'une de ses filières lui réclamait des assurances et tenait à vérifier la réalité de mon engagement. Il tombait des cordes quand je suis arrivé à Heathrow, mais le ciel s'est éclairci et il s'est mis à faire presque aussi chaud qu'à Tunis. Je n'étais pas venu à Londres depuis que j'avais animé un séminaire à Christ Church College à Oxford, il y a plus de vingt ans. Dans les cafés et les commerces d'Old Brompton Road, beaucoup de serveurs et de clients étaient français. Cela m'a fait une curieuse impression d'entendre parler ma langue un peu partout, d'autant que la veille, j'avais entendu sur RFI des réfugiés syriens et irakiens qui refusaient de venir en France.

Le correspondant de Levent m'a appelé quand je sortais du Victoria and Albert Museum. Je l'ai retrouvé dans la galerie du Dorchester, à l'heure du thé. La galerie était bondée de familles indiennes, russes et saoudiennes. Un couple de Français buvait du champagne avec leur petit-fils. J'ai mis un peu de temps à repérer mon contact car je l'imaginais plutôt âgé, avec une tête de type infréquentable, et je suis tombé sur un homme de moins de quarante ans, à l'élégance anglaise, un Français, nommé François-Gilles de Ferrouges.

La vivacité de Ferrouges me l'a rendu tout de suite sympathique, d'autant qu'il m'a complimenté avec une précision surprenante sur mes publications. Pas seulement sur mon *Alexandre* mais aussi sur mon petit essai, *Alésia mythe et réalité*, publié dans les années 80 et vendu à quelques dizaines d'exemplaires seulement. Il a même prétendu avoir lu mes articles de la *Revue archéologique*.

En me donnant sa carte, il m'a expliqué qu'il avait créé une société de vente d'antiquités en ligne, et travaillait en partenariat avec une maison d'enchères internationale, après une khâgne à Fénelon, et un parcours universitaire plus que convenable. « J'ai été reçu à Normale, reçu à l'agrégation d'histoire. En fait, j'ai toujours été passionné d'histoire mais, après quelques tentatives dans l'enseignement, toutes malheureuses à divers titres, à un point que vous n'imaginez pas, j'ai décidé de faire mon trou dans le business. Notre université est mal en point, les étudiants se détournent des études d'histoire, il fallait que je m'invente une autre voie... »

Ce nom, Ferrouges, me disait quelque chose et je me demandais où et quand j'avais bien pu entendre parler de lui quand je me suis souvenu l'avoir vu sur la liste des bienfaiteurs gravée sur une plaque de marbre à l'intérieur de la cathédrale Saint-Louis à Carthage. Ils étaient plus de deux cents, tous descendants d'anciens croisés, à avoir répondu à l'appel aux dons lancé par le cardinal Lavigerie en 1890 pour construire la cathédrale appelée à recevoir une partie des reliques de Saint Louis (les entrailles confiées à Monreale, les ossements ayant été déposés à Saint-Denis). La semaine précédente, nous nous étions promenés avec Rim dans le bâtiment désert au sol recouvert de tapis et de moquettes, qui servait maintenant de salle d'expositions ou de concerts.

Elle n'était jamais entrée dans une église et m'avait posé des questions sur la liturgie catholique tout en m'expliquant une nouvelle fois que Saint Louis s'était converti à l'islam avant de mourir. J'avais noté quelques noms. Les Périgord, les Chanaleille, les Cossé-Brissac, les Sabran, les La Rochefoucauld... Les Ferrouges, même s'ils étaient moins prestigieux, avaient droit aussi au tableau de marbre. Un Ferrouges avait probablement escaladé les murailles de Jérusalem l'épée à la main.

Les noms et les blasons gravés autour du chœur et sur les colonnes de la nef semblaient se perdre dans les hauteurs de la basilique. Ces familles prestigieuses n'existaient plus que dans les pages des magazines économiques. Les descendants des compagnons de Saint Louis travaillaient pour la finance française, pour les fonds de pension américains ou pour les émirs du pétrole. Il y a cent ans, au moment de la construction de la basilique, les fils étaient encore venus rêver là où leurs pères avaient vécu. Aujourd'hui, ils cherchaient du cash. La croisade des pauvres gens était loin.

Ferrouges avait commandé deux verres de champagne et, comme s'il avait lu dans mes pensées, me dit :

« On ne choisit pas son époque, chacune a ses bons et ses mauvais côtés, mais si nous voulons survivre, il faut aller chercher l'argent là où il se trouve. Levent ne m'avait pas dit tout de suite que vous étiez dans la boucle. Cela m'a rassuré quand il a cité votre nom. Je n'aurais jamais imaginé qu'il ait pu avoir des connexions dans le monde académique…

— J'étais proche de son père, il avait facilité mes fouilles à un moment où c'était compliqué pour moi.

— Levent m'a raconté. Quel personnage… Vous êtes bien placé pour savoir que les islamistes sont en train de détruire tout ce qu'ils peuvent, heureusement qu'il y a des gens comme vous et moi. Tout ce qu'on leur achète est sauvé, nous devrions être décorés… »

Quand il m'a vu sourire, une expression de soulagement a traversé son visage. J'ai répondu en technicien à ses questions sur ce qu'il appelait « la profondeur du gisement ». Il voulait des précisions sur les sites, sur Moussa, sur son ralliement à l'État islamique, sur la fréquence des livraisons, je lui ai donné les informations dont il avait besoin, surpris de ne pas le détester. Il était érudit, décontracté, affichait une connaissance surprenante des sites libyens, et paraissait s'amuser.

267

«Ça durera ce que ça durera, au moins le temps de nous constituer un petit trésor de guerre. En attendant, ça m'excite de faire du business avec ces barbus. C'est mon côté transgresseur. Je vais vous dire : plus je peux les baiser, mieux je me porte. Et puis... vous savez... la plupart de nos clients sont des milliardaires arabes. Au XIXᵉ siècle, les Européens se sont comportés comme s'ils étaient propriétaires des sites qu'ils pillaient, d'une certaine façon, vous et moi, on ne fait que leur rendre ce qui leur appartient...

— Nous avons découvert tous ces sites. Ils étaient enterrés sous des mètres de terre ou de sable, complètement oubliés.

— Mais nous avons volé tout ce que nous avons sorti de l'oubli.

— C'est nous qui avons révélé à ces pays leur propre visage. Sans notre travail...

— Ne faites pas cette tête, je vous en prie. Vous n'êtes pas dépressif ? »

J'avais sursauté. Bruce m'avait posé la même question au Caire, il y a quarante ans.

« Allez, oubliez votre bonne conscience, continua Ferrouges. La vérité, c'est que les Occidentaux ont cru qu'ils pouvaient tout se permettre et s'accaparer la planète. »

Après une heure de discussion, il me dit qu'il devait partir pour un dîner à la campagne, à une cinquantaine de kilomètres de Londres. Au moment de me quitter, il m'a donné une enveloppe de papier kraft en disant :

« C'est pour vos frais.

— Je ne vous ai rien demandé.

— Acceptez ce que je vous donne et ne me faites pas la gueule. Disons que c'est une prime de risque. »

Il avait disparu dans la cohue de la galerie. J'ai jeté un œil dans l'enveloppe : c'était beaucoup d'argent. Des billets de 500.

Quand j'ai retrouvé Rim, elle m'a annoncé sur un ton neutre qu'il s'était passé beaucoup de choses en Tunisie pendant mes quarante-huit heures d'absence : « Les islamistes ont décapité un berger de seize ans et donné sa tête à son petit frère dans un sac pour qu'il la rapporte à ses parents. Et une bombe a tué quinze militaires de la garde présidentielle. La frontière avec la Libye est fermée pour quinze jours. »

Ce soir-là, elle m'a dit qu'elle aimerait que je l'emmène en voyage à Paris. « Pendant que c'est encore possible… J'ai l'impression que tout change tellement vite. » C'était la première fois qu'elle me demandait quelque chose…

7

Carthage, Tunisie

Le printemps se faufile entre les averses et les coups de froid. Je passe la semaine aux Tamaris. Moussa est parti pour Syrte. L'État islamique essaie d'anticiper une intervention occidentale. Ses chefs se concertent avec leurs alliés libyens, dont Moussa, pour organiser des ripostes. Moussa, plus nerveux qu'à l'ordinaire, me l'a clairement laissé entendre lors de notre dernier entretien. Il m'a annoncé en riant qu'il me mettait «en congé» pour un mois. J'ai appelé Bruno avec le portable qu'il a affecté à nos communications en lui faisant un rapport succinct sur ma visite à Londres. Il m'a informé qu'il prévenait Interpol immédiatement pour que Gilles de Ferrouges soit placé sous surveillance, mais je l'ai senti mal à l'aise. Je l'avais imaginé plus réactif.

C'est ridicule : je parle de Rim comme un maître de son élève. J'apprécie de la voir fureter dans ma bibliothèque, découvrir Arthur Schnitzler et commencer à lire, perchée sur un escabeau. Sitôt revenue du lycée, elle enfile les leggings que je lui ai achetés dans une boutique branchée de Tunis, une tunique en lin blanc, et elle envoie balader ses baskets pour enfiler des babouches à talons qu'elle a commandées sur Internet. Il me semble tellement retrouver Valentine dans ses expressions, dans ses gestes et même dans ses habitudes que c'est souvent déstabilisant. Je réalise ma chance. Valentine est revenue. Ma force vitale aussi. Le spectre de ma mémoire somatique s'élargit, il superpose Rim et Valentine.

J'en oublie les soirs où elle rentre tard, mutique et agressive.

Depuis trois jours, le lycée est fermé. La contestation qui avait chassé Ben Ali vient de reprendre avec une vigueur inquiétante, à cause des islamistes. Carthage est calme mais beaucoup de jeunes, lycéens et chômeurs, sont partis manifester à Tunis. Rim préfère ne pas sortir de la maison. Chaque soir, je lui donne une *playlist* mixant jazz et rock. Elle reste allongée en écoutant la musique, blottie contre moi, les yeux grands ouverts, et doit absolument me faire part de toutes les impressions ou questions qui traversent son esprit. Il arrive qu'elle me parle de son père qui a disparu pendant la révolution, de sa tante, qu'elle déteste, la gardienne du tombeau de Sidi Bou Saïd. « Si les gens veulent prier le Saint, ils doivent d'abord la payer pour qu'elle ouvre la porte. – Rim, c'est partout pareil, les marchands du Temple… – Je t'en prie, cette sorcière ne s'intéresse qu'à la magie. Si tu savais ce qu'elle gagne avec ses mauvais sorts… » On termine la soirée en regardant un film.

Ce matin, quand j'ai ouvert la fenêtre, une vague de douceur printanière a envahi la chambre. Nous avons décidé de passer la journée sur le site antique. Nous sommes montés sur la colline de Byrsa. Des gens s'accaparent le terrain déserté par les touristes et s'y construisent des maisons, d'autres balancent leurs immondices sur les mosaïques. Des braises fumaient sur la plage, je cherchais dans les ruines les sédiments des rêves du passé, mes yeux sondaient les pierres noircies par le feu, les courbes des fondations, je tendais le bras pour montrer à Rim ces dépôts d'énigmes, sans rien dire, ses yeux suivaient le chemin de mes yeux, elle ne parlait pas non plus, nous étions deux zombies qui remuaient des poches d'air dans le compartiment mémoire de leur cerveau.

J'avais tant à lui apprendre sur son pays, depuis la création de Carthage par une femme descendue du berceau sumérien jusqu'à l'incendie de la ville par un général romain qui n'avait pu retenir ses larmes devant le brasier qu'il avait allumé. Dans une brève anticipation de l'avenir, il avait vu brûler Rome dans les flammes de Carthage et s'était mis à parler tout seul. «Je suis maudit», répéta-t-il, avant de citer l'*Iliade*.

Quand j'ai voulu parler de Scipion à Rim, elle m'a tourné le dos et s'est lancée dans un dégagement, inspirée par ses lectures d'Arthur Schnitzler, marchant devant moi, comme si elle allait à un rendez-vous et qu'elle était affreusement en retard, dissertant sur l'impossibilité de connaître notre vérité intime. Elle ne supportait plus mes discours de prof. Nous sommes redescendus vers la voiture en silence. Alors que j'allais lui ouvrir la portière, elle a croisé mes yeux, et m'a fixé, le temps de dire tout bas : «Cette ville pue la cendre. Marre de la guerre, marre de tout, tu ne trouves pas que ça pue tout autour de toi?»

8

Les Tamaris, La Marsa, Tunisie

Je m'étais levé avec le soleil, j'avais mis la table du petit déj sur la terrasse, lu les mails de la nuit, et je m'étais préparé un café. Un *early morning coffee* comme je les aime, long et fort. Cette heure matinale, qui m'appartient plus que toutes les autres. De légers rubans de vapeur flottaient sur la mer. Quelques pêcheurs s'éloignaient debout dans leurs barques. Pas un souffle de vent. Douceur de l'air. Immobilité de la mer et de la terre, précision des sons décortiqués par le silence. Le cri d'une mouette, le ronronnement d'un moteur, un bruit d'eau. Je pensais à celui que j'appelle le Carthaginois inconnu.

Découvert dans une nécropole punique en 1994 tout près de la maison où nous vivons aujourd'hui, le squelette presque intact transporté avec ses amulettes dans son sarcophage sorti de la terre dont il participait. Il est aujourd'hui visible au musée de Carthage. Il était mort très jeune, et apparemment en bonne santé. Pourquoi ? Quelle avait été sa vie ? Était-il un lointain ancêtre de Rim ? Elle prétendait qu'elle se sentait maintenant autant phénicienne qu'arabe.

Je venais de recevoir le mail d'un collègue de l'Inrap annonçant que lors d'une fouille qu'il conduisait à Bergheim (Haut-Rhin), son équipe avait retrouvé huit squelettes complets, et quatre bras gauches. Il y a quelques années, toujours en Alsace, l'on avait retrouvé sept bras gauches dans une nécropole. Mes confrères s'étaient frotté la barbe avec perplexité. Sept bras gauches ? « Cela fait beaucoup de bras gauches pour le néolithique, et beaucoup de violences en Alsace », avait déclaré l'un d'eux dans un quotidien.

Je me félicitai encore une fois d'être venu m'installer à La Marsa, dans un écart du monde, un peu planqué, comme le sont souvent les archéologues, dans cette bourgade provinciale qui depuis le début des événements n'attirait plus personne. Je pouvais profiter à ma guise de chaque instant dans cette vieille maison arabe que j'avais choisie et refaçonnée. «À propos, j'adore ma chambre, m'avait dit Rim pas plus tard qu'hier, ses hauts murs blancs, les rideaux, la terrasse, et l'immense douche avec ses mosaïques vertes et bleues. Je me sens tellement chez moi que j'oublie où je suis.»

Je venais de me resservir une grande tasse de café brûlant et je me dorais le torse au soleil ; je me sentais telle une particule joyeuse et indestructible, accordé au monde, riche d'un bonheur inattendu, c'était absurde, surtout à mon âge, je n'en ai que trop conscience, quand j'ai entendu des cris dans la rue. En me penchant à la rambarde de la terrasse, je vois des adolescents en train de tagguer le mur de la maison. Je me jette dans l'escalier. Ils s'égaillent comme une volée de moineaux.

En me retournant vers la façade, j'ai une impression de déjà-vu. Les voyous avaient peint en rouge sept pénis surmontés d'un poignard à la lame courbe. Sept, un chiffre apparemment déjà symbolique au temps du néolithique. Le message était clair. Je me suis dit que cela faisait beaucoup de pénis coupés et de violences à venir.

Je n'ai pas prévenu Rim, mais elle n'a pas tardé à m'avouer qu'elle avait été réveillée par les cris. «Ils parlaient de te la couper en sept morceaux…» Je n'étais pas très rassuré quand elle est partie au lycée, mais tout paraissait calme dans le quartier. Je l'ai laissée sortir et suis retourné sur le site du *Monde* pour en savoir plus sur cette histoire des bras coupés en Alsace. «Les preuves directes de cannibalisme sont impossibles à établir. Mais, ici, nous avons des gestes répétitifs, systématiques, qui concourent à faire penser que les cadavres ont été consommés [...]. Les traces de cassures, d'incisions, de raclage, de mâchement, indiquent que les corps ont été démembrés, les tendons et les ligaments sectionnés, les chairs arrachées, les os rompus. Les vertèbres ont été sectionnées pour détacher les côtes, comme on le pratique en boucherie pour la "levée d'échine". Les calottes crâniennes ont été découpées pour en extraire la cervelle. [...] Les ossements les plus riches en tissus spongieux et en moelle, vertèbres et os courts, sont sous-représentés, signe qu'ils ont été prélevés.»

J'ai sursauté quand j'ai entendu claquer la porte d'entrée. Rim? Déjà... Ses vêtements étaient déchirés, elle portait de longues traces de griffures sur le cou, une plaie ouverte au poignet gauche. Elle s'est effondrée sur les tapis de l'entrée. J'ai eu toutes les peines du monde à lui faire raconter ce qui lui était arrivé. Elle gémissait, repliée sur elle-même, un animal blessé.

Elle s'était fait agresser sur le chemin qui borde le rivage, à moins de cinq cents mètres de la maison. Elle avait reconnu ses agresseurs, ils étaient trois, des pêcheurs qui habitaient à côté des Tamaris. Des adolescents avec qui nous avions toujours entretenu des relations cordiales. Ils lui avaient lacéré les vêtements et l'avaient pelotée en lui reprochant d'être la pute du Français. «On va le couper, le Francaoui, Allahou akbar, et toi, on va te balancer dans la mer...»

En fin de matinée, des jeunes gens, les mêmes sans doute, sont revenus jeter des cadavres de chats égorgés dans le patio. Ils sont entrés dans la maison et semblaient n'avoir plus peur de rien. Trois avertissements en une matinée, c'était beaucoup.

J'ai enfermé Rim à triple tour et suis allé me promener dans le quartier pour comprendre si nous avions été victimes d'actes isolés. La première personne que j'ai croisée était ma femme de ménage. Elle a marché vers moi et m'a dit qu'elle ne viendrait plus travailler. Pas d'explications, pas l'ombre d'un sourire, elle d'ordinaire toujours gaie et charmante. «Le mauvais sort...» C'est tout ce qu'elle a consenti à me dire avant de tourner les talons. Tous ceux que je considérais comme étant mes amis – le vieux marchand qui vendait des poulpes au bord de la route, l'ouvrier de la voierie censé ramasser les ordures, l'ancien fonctionnaire du cadastre, qui soignait son cœur en marchant chaque matin pendant presque deux heures –, tous ces gens qui ordinairement devançaient mon salut, se détournaient de moi. La peste était de retour, mais le pestiféré, c'était moi, j'étais celui qu'il ne fallait plus approcher. Je me suis assis sur un banc pour réfléchir. Le conducteur d'une voiture m'a insulté en passant. Je me sentais faible et vulnérable, incapable d'assurer la protection de Rim.

Elle avait retrouvé son calme. Nous nous sommes barricadés dans la maison et nous avons commencé à discuter dans la cuisine, en prenant le problème par tous les sens, le plus froidement possible. Deux heures de discussion pour rien, il n'y avait pas d'issue. Nous étions entrés dans un cauchemar, qui en annonçait d'autres. C'est elle qui la première a dit qu'il fallait partir. Je me suis résolu à appeler le bureau d'Air France à Tunis. Le directeur, que je connaissais vaguement, était absent. Sa secrétaire m'a précisé qu'elle avait besoin de nos numéros de passeport pour prendre deux billets pour Paris. La fuite vers la France était notre seule planche de salut. Rim n'avait ni passeport ni carte d'identité, et surtout elle était mineure. J'ai enfoui mon visage dans son épaule, et nous sommes restés silencieux, l'un contre l'autre, deux derviches cloués par l'angoisse, pendant que des idées funestes n'en finissaient pas de tourner dans nos têtes.

Elle m'a suggéré: «Et si tu appelais ton copain de Tripoli, il aurait peut-être une solution pour nous sortir de là?» J'ai sursauté en hurlant: «Tu es folle! Complètement tarée... Ce n'est pas mon ami, au contraire, c'est dingue que tu puisses me dire une chose pareille...» Elle s'est adossée à son siège et m'a regardé. C'était la première fois que j'élevais la voix devant elle. Je me suis demandé si je ne voyais pas de la haine dans ses yeux. Surpris par ma propre violence, je restais incapable de faire un geste et même de réfléchir. Tout à coup, je me suis souvenu que Moussa m'avait donné le contact d'un pêcheur à La Goulette, lors de notre deuxième ou troisième rencontre. «Vous pourrez en avoir besoin, on ne sait jamais, si un jour vous rapportez des pièces chez vous. Vous pourrez l'appeler de ma part, il s'appelle Hassan...» Le soir même, nous quittions la maison, comme si nous allions au restaurant.

À La Goulette, j'ai été surpris qu'Hassan me conseille de laisser ma voiture au parking des pêcheurs. «Je garderai tes clefs et j'y jetterai un œil. Nous allons partir de Sidi Bou Saïd, c'est mieux, j'ai un autre bateau dans la marina. Plus confortable et surtout plus rapide que mon rafiot de pêcheur.» Il faisait nuit quand nous avons embarqué sur le Sarnico Maxim 55 HT, un petit yacht d'un modèle assez ancien, pas très bien entretenu, mais de taille imposante. Il l'avait acheté au fils d'un ancien ministre de Ben Ali et ne s'en servait, dit-il, qu'avec des «amis». Hassan avait exigé une somme astronomique pour nous emmener à Malte, je n'avais pas le choix, j'avais accepté sans négocier et je lui avais donné aussitôt la moitié de la somme, en cash. Je disposais encore des liquidités données par «mon» client londonien et je me suis félicité de les avoir acceptées.

«Vous n'avez tué personne?», c'était la seule question qu'Hassan m'avait posée. Pour le reste, il était clair que ce n'était pas son problème. En découvrant Rim, aussitôt surnommée «la demoiselle», il avait eu un petit sourire qui voulait dire: «Ok, je comprends…» Il était de très bonne humeur et mit aussitôt le moteur en route pendant que le marin larguait les amarres. «La météo est bonne, dit-il, on a de la lune, pas de vent, pas de mer. Un jeu d'enfant…» Ce fut l'une des nuits les plus affreuses de ma vie.

Rim et moi étions installés sur une banquette dans le salon, serrés l'un contre l'autre. Hassan regardait le DVD d'un film turc sur son portable à l'avant, c'était son marin qui naviguait. Je savais que Rim pensait la même chose que moi. Ce matin-là, je m'étais levé et j'avais préparé un café en me disant que j'étais le roi du monde et le soir même, nous quittions la maison sans rien emporter qu'un sac de voyage, avec la peur au ventre. En quelques instants, nous étions devenus comme ces milliers de misérables qui traversaient la mer pour survivre. Après deux heures de navigation, Rim s'est sentie mal, nous nous sommes blottis sur la plate-forme arrière, à l'abri du vent, et enroulés dans des couvertures. Il ne faisait pas plus froid que dans la cabine où Hassan poussait la climatisation au maximum, mais c'était plus humide. L'obscurité planait autour de nous, des myriades d'étoiles donnaient au ciel une profondeur illimitée, nous étions seuls. Plusieurs fois, j'ai cru apercevoir des embarcations chargées de migrants, sans en être certain, notre route s'écartait toujours de ce qui était peut-être un mirage, mais je n'avais pas envie de parler, je n'ai rien dit, Rim gardait les yeux fermés.

Le jour se levait à peine quand Hassan nous a débarqués dans une marina, près de l'hôtel Palm Rock, à Sliema, sur la côte maltaise. J'ai versé le solde de notre voyage et il est reparti aussitôt sans saluer «la demoiselle». Le veilleur de nuit qui tenait la réception ne m'a pas posé de questions. Je lui ai demandé deux chambres contiguës en lui précisant que notre bateau nous avait déposés dans la marina et que les marins étaient allés régler des problèmes techniques à La Valette. J'ai payé d'avance pour trois jours en lui laissant un solide pourboire. Rim s'est couchée sans se déshabiller et sans parler. Avant qu'elle ne s'endorme, je lui ai quand même dit: «C'est grâce à toi si nous sommes là, car si tu ne m'avais pas parlé de Moussa, je n'aurais jamais pensé à ce pêcheur.» Elle a ébauché un sourire et m'a dit: «Bonne nuit.» Ces deux mots et ce demi-sourire me suffisaient, il faisait jour, mon sexe était entier, j'ai appelé le room service et j'ai commandé un café.

9

Tour Cimenlta, la Défense, Hauts-de-Seine, France

Sami Bouhadiba, après avoir téléphoné à son père à Taurbeil-Tarte, lit le *Financial Times* en buvant un espresso dans son bureau de Cimenlta. Comme tous les matins. Lecture attentive, méthodique, qui ne s'arrête pas aux informations financières. Le président Monmousseau lui avait recommandé cet exercice matinal, le jour où il l'avait choisi pour le poste : «Dans la voiture, en venant au bureau, je réponds à tous mes mails, mais avant de partir de chez moi, à 7 h 15, j'ai lu le *F.T.* de la première à la dernière page. Non seulement, c'est le meilleur journal qui existe, celui qui est le plus proche du monde réel, le seul qui nous intéresse, mais vous perfectionnerez un anglais très singulier, extrêmement précis, qu'il faut absolument maîtriser quand nous traitons avec nos amis de Londres, puisque c'est le langage de leurs compétences. Lisez aussi le supplément du samedi, c'est celui de leur art de vivre. Bienvenue au club…» Quand il en a fini avec le *F.T.*, Sami survole la presse financière du Golfe et jette un œil sur son ordinateur aux dépêches de la Mehr News Agency, une agence iranienne.

Monmousseau est enfermé dans son bureau. C'est l'heure où il passe ses coups de fil avec la Chine, sa dernière obsession, il a même investi de l'argent personnel dans une *Art and Wine company* de Shanghai. Les dirigeants sont au téléphone avec leurs correspondants du matin en attendant la première réunion. Sami les connaît tous, il entretient des relations courtoises avec eux, ce sont des hommes policés, avec une tendance feutrée à l'arrogance, serrés dans des costumes coupés par le tailleur qui vient spécialement de Londres deux fois par an pour les mesures et les essayages, des hommes de l'*Establishment*. Bienvenue au club, lui avait dit Monmousseau. Comme s'il avait jamais eu envie d'en faire partie... Ils lui ont donné la carte, tant pis pour eux, sans le savoir, ils l'ont aidé à devenir ce qu'il est.

Dans l'open space, les bureaux sont encore vides. Aucune présence humaine, les employés d'entretien sont partis, le staff des secrétaires et des assistants n'est pas arrivé. Les tours de la Défense se dressent dans une légère brume de chaleur. Il regarde ce paysage de ville étalée, les flots des voitures, minuscules sur les rubans de l'asphalte. *Tant de vies pauvres, ils le reconnaissaient eux-mêmes, auto-métro-boulot-dodo...* Il se sent porteur d'une force supérieure, grandi par sa solitude, protégé par ses secrets qui lui donnent une sorte d'antériorité de vision sur les planificateurs professionnels du management et du business. Il s'était fixé les exigences les plus hautes, et son ambition de construire un autre monde. *Je suis l'infiltré dans la forteresse.* Sami jouit de son état, impatient de passer à l'étape suivante.

Comme tous les jeudis, il attend le coup de fil d'Aziz qui l'appelle de Riyad. Conversations strictement professionnelles. Les investissements de Cimenlta dans plusieurs établissements de banque islamique se sont révélés superproductifs. Monmousseau a exprimé sa satisfaction en comité exécutif et se montre très favorable à de nouvelles coopérations. Aziz est en train de lui préparer avec Sami un dossier qui ouvre de nouvelles possibilités de coopération au Kosovo et en Bosnie. «Une nouvelle Europe s'ouvre à nous, lui a expliqué Aziz. Après le Kosovo, notre cheval de Troie, il y aura l'Allemagne. La France et l'Angleterre finiront par suivre. C'est un marché d'avenir, quasi illimité, les espérances financières sont immenses...»

Sami a besoin de ce rendez-vous avec la voix d'Aziz. Il puise confiance dans son timbre généreux et grave, ses modulations, ses nuances, jamais de stridences, ses non-dits. Il apprécie que sa volonté de construire un empire financier traduise le fort sentiment religieux qu'ils partagent en secret. *Notre action s'exerce sur une réalité en partie double. Avec Aziz, je ne suis pas en train de travailler à la consolidation d'un petit club de riches, qui ne pense qu'à ses biens et à ses enfants, à des jouissances illusoires, aux vaines et puériles parures de la vie d'ici-bas. Leurs vies sont misérables, une course permanente à l'ostentation qui les monopolise tellement qu'ils en ont oublié leur propre Dieu. Ils ne récolteront que le châtiment.* Un bruit de talons se rapproche dans le couloir, il reconnaît non sans agacement le pas de l'assistante de Monmousseau. Il pense au châtiment qui sera le sien, elle l'aura mérité. Martine frappe, ouvre sans attendre sa réponse et lui tend une invitation d'un air pincé : «Monsieur Bouhadiba est invité par le chef d'état-major à l'École militaire. Je viens d'en parler à mon président, il veut que tu y ailles. J'espère que je serai invitée...» Sami ne peut réprimer un sourire, sur lequel Martine se méprend. L'École militaire... Pendant quelques secondes, son cœur bat plus vite.

10

Taurbeil-Tarte, région parisienne, France

À demi allongé sur sa banquette, une canette de Coca à portée de main, emmitouflé dans un vieux sweater blanc, lunettes posées sur le bout du nez, une jambe se balançant sur le genou de l'autre, Harry est absorbé par sa lecture. Il en a oublié l'existence de Patron M'Bilal qui a quitté Taurbeil hier en milieu d'après-midi. Harry est l'un des seuls à savoir qu'il passera deux nuits à Genève (retour avant la fin de la semaine) et il a décidé qu'il en profiterait pour ne pas sortir de sa tanière pendant vingt-quatre heures. Hier soir, il a fait ses courses au supermarché. Des croque-monsieur congelés, un plat de gambas en sauce à réchauffer, deux croissants, une baguette et une plaque de chocolat au lait. Paré pour une journée de solitude. Pas un rencard, personne à surveiller, et le Patron très loin.

Ce matin, il a ouvert les yeux sans penser qu'il allait être obligé de retrouver en sortant de son lit le cauchemar de la cité. Ses parents l'ont accompagné par intermittence pendant son réveil, allant et venant autour de lui, semblables à ce qu'ils étaient quand ils l'avaient quitté. Son père, blagueur, très fort. Sa Maman, tendre et protectrice. Très jolie (Harry trouve qu'elle ressemble *comme deux gouttes d'eau* à Julia Roberts, en noire). Il s'est préparé un bol de Nescafé en écoutant les informations, il a mangé ses croissants en prenant son temps, s'est essuyé la bouche avec le dos de sa main, a sorti le Coca de son minifrigo et s'est recouché avec ses livres, au milieu de l'apparent désordre qui règne sur le sol. Ses ustensiles de cuisine, bouilloire, petite poêle, cassolette, disposés un peu en hauteur sur une caisse en bois. Tous propres et astiqués. Il est devenu maniaque dans ce trou. Sa brosse et ses boîtes de cirage pour faire briller ses chaussures. Mais aussi des montres, des vêtements, des consoles de jeux. Rien que des produits de la fauche, qui lui ont été offerts et qu'il stocke sans jamais y toucher.

Il y a maintenant deux heures qu'il lit sans relever les yeux. Il se sent bien. Les coulées d'angoisses ont disparu. Il est satisfait d'avoir terminé *Anna Karénine*, qui lui laisse une impression mitigée. Cette histoire de mariage raté le perturbe parce qu'il ne peut s'empêcher de se demander quelle femme il épousera et surtout si son mariage sera heureux, comme celui de ses parents. Autre question consécutive à cette lecture : épousera-t-il une Africaine, ou une femme blanche ? Il souhaite qu'elle ait un peu moins de chienlit dans la tête que cette pauvre Anna qu'il n'aime pas.

Il est soulagé d'être passé à autre chose même si *Anna Karénine* a eu le mérite de l'aider à oublier la réalité de Taurbeil pendant plusieurs semaines. Il a d'ailleurs rouvert le livre pour en relire quelques passages qu'il avait appréciés, notamment la fin d'un chapitre où Tolstoï décrit deux jeunes gens qui travaillent à la campagne. Dans sa bouche, le texte de Tolstoï se métamorphose sans perdre son caractère. Il le reprend plusieurs fois, s'essayant à diverses modulations, allant jusqu'à le scander à l'africaine, pour le simple plaisir de la sonorité des mots. C'est comme s'il entendait la vie lui parler. Il respire l'odeur du foin, c'est l'été, il se voit en face d'une jolie paysanne à la poitrine plantureuse, il a envie de l'épouser. Tiens, une Blanche... Cela fait plusieurs semaines qu'il a commencé à apprendre des extraits de livres et qu'il se les récite. Quand il en a fini avec *Anna Karénine*, il reprend le début de *L'Homme qui rit* de Victor Hugo. Il lit lentement, non sans difficulté, reprenant plusieurs fois la même page, s'éloignant parfois de l'histoire pour réfléchir à la vie des personnages autant qu'à la sienne. Victor Hugo avait écrit : « Il n'y a de lecteurs que le lecteur pensif. » Harry est un lecteur pensif.

Des picotements dans le ventre lui rappellent qu'il n'a pas dîné hier soir. Il réchauffe les croque-monsieur en faisant attention qu'ils ne brûlent pas, puis s'installe sur un tabouret. Il avait imaginé que son déjeuner serait une petite fête, mais le fromage fondu forme une pâte merdique, limite mangeable. Tant pis. Pendant qu'il mastique son croque, il se dit que si Victor Hugo vivait aujourd'hui, il aurait beaucoup d'horreurs à raconter.

La semaine dernière, Patron M'Bilal lui a demandé de convoquer trois ambulanciers de Taurbeil-Hôpital, l'un des établissements les plus importants de la Grande Ceinture. Deux mille malades. Et un paquet de morts tous les soirs à évacuer pour libérer les chambres. Ces ambulanciers dépouillent de leurs bijoux tous les macchabées qu'on leur demande d'emmener au funérarium, dans les heures qui suivent le décès, sitôt faite la toilette mortuaire et après les adieux de la famille. Ils passent tous les soirs pour emmener les cadavres de la journée parés en hâte et au mieux.

Dans l'ambulance, les charognards ramassent sur le corps tout ce qu'ils peuvent. Colliers, bagues, bracelets, chevalières, alliances, piercings et bijoux intimes. Dans leur bouche, ce vol infâme se nomme *droit de péage*. Le conducteur est leur complice. Personne ne va de l'hôpital à la morgue sans qu'ils aient prélevé leur taxe. Péage du cadavre à des salauds, dans la nuit du convoi. Le fils d'un de ces détrousseurs, qui portait des bagues à tous les doigts, avait raconté les exploits de son père, il y a quelques mois à la Maison pour tous. L'affaire est venue aux oreilles d'Harry. Il lui a fallu du temps pour comprendre, il ne voulait pas y croire.

Les détrousseurs opèrent pendant le transfert, rideaux tirés, en s'aidant de minitorches qui fouillent le mort. Dopés par le shit, ils se donnent du courage en gigotant sur des airs de Snoop Dogg pendant que le fourgon blanc roule d'échangeur en échangeur vers le funérarium de Wilray-les-Lys. Il paraît même qu'ils hurlent de rire en malmenant les cadavres endimanchés qui parfois leur résistent, notamment quand des doigts gonflés retiennent les alliances. «Dépouiller une dépouille, inexorable achèvement», écrit Hugo. «Un cadavre est une poche que la mort retourne et vide.» Les ambulanciers sont les premiers auxiliaires de cette mort qui emporte tout. Des auxiliaires qui frissonnent quand ils croient voir bouger un cadavre alors qu'il est simplement bousculé par la conduite brutale du chauffeur et que les cahots déclenchent des apparences de spasmes. Un genou dépasse du brancard, un bras s'écarte, une main les frôle. La panique les transperce jusqu'à la moelle, ils se redressent en riant et en hurlant les refrains de leurs requiem funky. L'influence de la mort est ralentie; crier, chanter, se défoncer, ramasser de l'or et chatouiller les morts pour voir s'ils bandent encore, mettre un doigt chez les femmes, c'est de la vie. Patron M'Bilal, satisfait par le bilan de cette rencontre, merci Harry, ça m'intéresse, leur a proposé un contrat. Trente pour cent de ce qu'ils ramassent est pour lui. Pas de petits profits.

L'Homme qui rit lui a fait penser aux détrousseurs.

L'Homme qui rit les efface de son esprit.

Harry tourne les pages, rencontre de nouveaux amis, un nourrisson, une fille, sauvée du sein glacé de sa mère, un homme au nom d'animal, Ursus, épris de sa liberté, un loup au nom d'homme, Homo, qui le réconcilient avec l'univers. Il lit tard, commence à apprendre une scène, se la récite, réchauffe ses gambas, lit encore.

Un peu avant minuit, il soulève la plaque de béton qui lui sert de toit, et s'extrait de son trou. Il marche entre les blocs, dans la douceur de la nuit, des paquets de musique sortent des immeubles, il s'éloigne, traverse l'avenue, aperçoit le sombre de la forêt, son esprit mouline, il a l'impression d'avoir autant d'idées qu'il y a d'étoiles dans le ciel, la journée n'a pas été mauvaise, très bonne, il rentre, il se faufile dans la trappe, il se lave les dents, il se couche et s'endort en pensant à Bruno. Ce soir, c'est lui qui souhaite une bonne nuit et la paix à ses parents.

11

Courcy-la-Chapelle, Aisne, France

Lambertin, après la fermeture de la Villa, lui a demandé de continuer à rencontrer Harry et de veiller sur lui. « On est tous au placard, pour l'instant. Mais le gosse est sous ta responsabilité, et sous la mienne aussi. Si c'est nécessaire que tu retournes à Malte, je te le dirai. N'oublie pas que j'ai le reliquat de la caisse noire de la Villa, pour tes frais, si tu en as besoin, on régularisera tout cela après. » Bruno s'était retenu de demander quel était cet *après* dont il semblait si sûr et il était parti chez son père pour finir de déménager la maison. Au volant du Jumpy blanc loué au Super U en bas de chez lui, il se souvient du jour où il avait fait cette route avec Marie-Hélène, quand il l'avait présentée à ses parents.

Ça lui a fait un choc quand il a vu les volets clos et le panneau À VENDRE accroché à la façade. Marie-Hélène l'avait quitté, ses filles s'éloignaient de lui à une vitesse sidérante, il n'avait plus de maison, ses parents étaient décédés et il ne restait pratiquement plus rien d'eux. Il n'avait jamais imaginé que tant de pages seraient tournées aussi vite.

Ses frères, qui habitaient dans des villages proches, avaient fait le ménage et pris les meubles qui les intéressaient après en avoir parlé avec lui. Ils avaient rempli une bonne vingtaine de cartons, paperasse, vieux journaux, vaisselle abîmée et vêtements qui n'avaient plus d'usage, notamment la garde-robe de leur mère dont leur père n'avait rien jeté. Les éboueurs apporteraient une benne pour tout débarrasser quand Bruno leur donnerait le feu vert.

Quand il a revu ses frères, les discussions ne se sont pas mal passées. Sans doute avaient-ils tous compris qu'ils vivaient les derniers moments de la fratrie.

À partir de maintenant, ce sera chacun pour soi. Et frères ou pas, que chacun se démerde.

L'odeur de la maison n'avait pas changé mais il y avait des traces de salpêtre sur le sol et les murs de l'entrée, qui avaient toujours été humides, ça sentait le moisi.

Bruno avait commencé par entreposer les meubles qui lui revenaient dans la camionnette. Trois fauteuils dépareillés, deux poufs en cuir, une table basse en merisier, quelques chaises, une petite bibliothèque en pin bricolée par son père dans le garage. Bruno se souvenait l'avoir aidé à la passer au brou de noix. Puis il avait vérifié dans tous les placards encastrés de la cuisine et de l'entrée qu'il n'y avait pas de double-fond. Il avait plusieurs fois (il y a longtemps) entendu sa mère parler de pièces d'or dont elle avait héritées après leur arrivée en France. Il examina même les sols, principalement le parquet de la salle à manger, dans l'espoir d'y découvrir une trappe. Ne trouvant rien, il ne put s'empêcher de penser que ses frères avaient sans doute embarqué le magot.

L'inventaire des caisses l'occupa jusqu'à la tombée de la nuit. Journaux, dossiers de crédit pour des voitures, polices d'assurance, des dizaines de vieux chéquiers, les carnets où sa mère notait chaque soir ses dépenses et quelques recettes de cuisine découpées dans des journaux. Bruno commençait à désespérer de rien découvrir de personnel quand il se résolut à attaquer les cartons de vêtements. Ils contenaient des chemises élimées, les vestes et les pantalons de son père, ses slips et ses chaussettes, des culottes et des soutiens-gorge, des gaines, des combinaisons, des bas, quatre robes et un tailleur qui appartenaient à sa mère. Son père avait tout gardé.

Bruno était très mal à l'aise en déballant ces cartons car il avait l'impression de s'immiscer par effraction dans l'intimité de ses parents. *C'est un peu comme si j'étais entré dans leur chambre sans frapper et que je les avais surpris en train de faire l'amour.*

Au fond du dernier carton, il ne restait plus qu'une robe moirée, verte et jaune, avec de gros boutons en nacre dans le dos, qui le renvoya plus de trente années en arrière. C'était cette robe en rayonne, au bas plissé et évasé, avec deux poches sur le devant, que sa mère portait quand ils étaient arrivés au camping de Xonrupt (elle la porterait aussi quelques jours plus tard, pour la retraite aux flambeaux du 14 Juillet). À Xonrupt, «village éminemment exotique pour des pieds-noirs», avait lancé son frère aîné (il avait encore de l'humour à cette époque), ils avaient passé deux semaines détendues et heureuses, malgré la pluie persistante qui s'était vite installée à demeure dans cette vallée vosgienne. Dès leur arrivée, son père s'était précipité pour monter la tente, non sans mal, et pour la première fois depuis qu'ils avaient quitté Sétif, il avait presque retrouvé le sourire, lui qui avait passé tant d'années sans sourire. Sans sourire et sans pleurer.

Bruno alla chercher la torche qu'il avait laissée dans la boîte à gants du fourgon. Il venait d'avoir l'intuition folle qu'il allait peut-être retrouver pour un instant sa chère Maman, saisie par le pinceau de la lampe, semblable au souvenir qu'il gardait d'elle cet été-là (*souvenir sans doute un peu rêvé, ou reconstruit à partir d'une photo, j'étais encore si jeune à ce moment-là*), encore très belle, avec son élégance, cet air de danseuse de tango qu'elle avait toujours dans cette robe, même quand elle faisait la vaisselle. Mais le tissu, rêche, figé, presque lourd, ne voulait pas danser. La flamme du souvenir n'était pas au rendez-vous.

Il retourna la robe. Quelque chose tomba lourdement sur le plancher. Un petit sac en tissu fermé par une ficelle, rempli de pièces d'or. Il n'avait jamais vu d'or. Pendant quelque temps, un souvenir de lycée lui occupe l'esprit. Il avait étudié en terminale un roman dont un personnage «revoyait de l'or pour la première fois depuis neuf ans». Il avait oublié le titre du livre, son auteur, mais se souvenait de cette phrase. Tiens, Maman avait pensé à moi, se dit-il en comptant les napoléons à la lumière de la torche. *Qu'est-ce que je fais ? Je partage, je les garde ? Qu'auraient-ils fait, eux ? Ils auraient tout gardé...*

Avant de partir, une envie pressante l'oblige à un détour par les toilettes. Assis sur la lunette, il s'aperçoit qu'il a oublié de regarder dans le petit coffre où son père stockait ce qu'il appelait «la littérature de siège». Le meuble est rempli de livres sur Sétif. Il contient aussi des photos découpées dans de vieux numéros de *Match* sur la guerre d'Algérie. Il embarque le tout, sort sans un mot de la maison, après en avoir fait une dernière fois le tour avec sa lampe électrique, il effleure les murs avec son pinceau de lumière, comme pour dire adieu à chacune des pièces où ils avaient vécu, ses parents, ses frères et lui, leur trouvant une beauté qu'elles n'avaient pas. C'était donc cela le bonheur ? Si quelqu'un, aujourd'hui, lui avait posé la question, il aurait répondu *oui* sans hésitation.

Sur la route qui serpente dans une campagne endormie, avant de rejoindre l'A4, il se prend à regretter que Marie-Hélène ne soit pas avec lui, dans ce fourgon blanc presque vide, beaucoup trop grand pour le peu qu'il a à transporter. Pour la première fois, il pense à elle avec plus de tristesse que de rage. Cette visite à la maison de ses parents l'a remué plus qu'il ne l'aurait imaginé, il conduit machinalement, avec l'impression de flotter dans le Jumpy, comme les meubles qui valsent dans la carlingue parce qu'il n'a pas trouvé de cordes pour les attacher. Nous avons raté ce que nos parents ont réussi, malgré tout ce qu'ils ont enduré, se dit-il en arrivant porte de Bercy. Il réalise alors qu'il a totalement oublié de passer au cimetière. *Je suis nul, non seulement je garde le magot, mais je ne vais pas leur dire merci.*

Rentré chez lui, il imprime l'article Wikipédia sur Sétif, «Les massacres de Sétif, Guelma et Kherrata sont des répressions sanglantes qui suivirent les manifestations nationalistes, indépendantistes et anticolonialistes qui sont survenues en mai 1945 dans le Constantinois, en Algérie pendant la colonisation française...», puis passe une partie de la nuit et la journée du lendemain à lire les livres trouvés dans les toilettes. Son père n'a laissé aucune annotation mais il a souligné tous les passages mentionnant des massacres de Français. Il entend encore les paroles d'incrédulité et de panique rétrospectives de son père quand il lui arrivait, rarement, et toujours à mots comptés, d'évoquer ces événements. Jamais de haine mais tellement de questions, en boucle. Il avait gardé la conviction qu'il avait été chassé d'une terre qui était la sienne, pour laquelle ses aïeux avaient donné leur sueur et parfois leur sang. «On était autant algériens qu'eux!» avait-il lancé un jour à son fils sans davantage d'explications en lui rappelant toutefois l'amitié qui l'avait lié à ses copains arabes. «Ce sont les mêmes qui se sont retournés contre nous. Des gens comme nous, leurs pères jouaient aux cartes avec mon père au café, on ne leur avait jamais fait de mal. »

Puisqu'il a été mis d'office en congé, Bruno décide d'aller aux archives de l'armée à Vincennes, ce qu'il n'a jamais eu le temps de faire depuis qu'il travaille. Il doit bien cela à son père : au moins essayer de comprendre ce qui s'est passé à Sétif en mai 1945, puisque son père a toujours prétendu que Sétif avait marqué le début de la fin. D'une certaine façon, cette journée le ramène à son point de départ, à son propre intérêt pour l'Histoire, et aux questions qu'il s'était lui-même posées, en grandissant. Il y a longtemps, après une discussion, aussi longue que confuse, presque hermétique, avec son père, il avait interrogé Grimaud, l'assistant de la Sorbonne dont il suivait les cours. *Je ne lui en ai même pas reparlé quand on s'est revus, dommage.*

*

Archives de l'armée, château de Vincennes, France
Il trouve une place pour se garer le long des fossés, surpris de découvrir l'importance du bâtiment qu'il ne connaissait pas. Il présente sa carte de flic à l'un de ses collègues à l'entrée, un type qu'il a déjà eu l'occasion de croiser dans le service. Le flic lui parle du lieu, « le plus grand château fort royal de France ». Bruno avoue être passé à côté de cette histoire, il a entendu parler du château, de Saint Louis dans le parc, sous son chêne, *oui, j'ai même lu Le Goff, qui écrit que Saint Louis considérait la justice comme son premier devoir de souverain*, mais c'est

toujours resté pour lui une abstraction. *Pour un ancien prof d'histoire, ce n'est pas fort.* Il n'erre pas longtemps dans les couloirs hypersécurisés et s'installe dans la salle de lecture.

Plusieurs dossiers concernent les événements de Sétif. Le planton lui apporte ceux qu'il a demandés sur une table roulante. Il passe une première journée à lire le maximum de documents, le plus vite possible, en diagonale, forcément, mais sans sauter une page. Relevés de communications téléphoniques, heure par heure, sur l'enchaînement des faits, rapports de généraux sur l'insurrection dans le département de Constantine, comptes rendus tamponnés SECRET d'officiers ou de sous-officiers de gendarmerie sur diverses insurrections ou rébellions, beaucoup de notes détaillées sur l'état d'esprit des populations civiles, des bulletins de renseignements émis par le 2e bureau du XIXe corps, des notes de « renseignements de contacts ».

La lecture de ces papiers dactylographiés (certains à l'encre bleue, sur du papier pelure) l'absorbe tellement qu'il ne voit pas filer les heures. Ce qu'il découvre dans ses liasses parfois mal ficelées, c'est le passé de son père, de sa mère, de tous les siens. Et pourtant il a l'impression d'entrer en territoire inconnu. Les paysages animés par des milliers de nomades à cheval, avec des fusils et des sabres, mitraillés par des avions, ces Européens apeurés en vêtements blancs, ont disparu. Il a du mal à imaginer la vie de ses parents, alors très jeunes, avec tous ces « indigènes », arabes ou kabyles. Il a beau chercher dans sa mémoire, il ne trouve que quelques lambeaux de leurs vies, articulées autour des rares photos sauvées du désastre qui trônaient dans leur chambre à coucher, et mesure à quel point son père a voulu mettre un couvercle sur cette histoire, oublier les blessures et les hontes.

Bruno ne leur a jamais vraiment posé de questions. Pas osé? Oui, bien sûr. Pas osé bousculer le mutisme de son père. Peut-être aussi qu'il considérait sa propre vie comme une prolongation de la leur et qu'il n'y avait rien à ajouter. L'étrangeté de leur situation – ils étaient là depuis plus d'un siècle, et pour certains, comme ses parents, pauvres comme au premier jour de leur arrivée – avait peut-être freiné ses éventuelles investigations. Une phrase de son père lui revient en mémoire: «On a été broyés, les autres aussi, même s'ils ont cru gagner la partie, car ils n'avaient gagné que la guerre, cela ne suffit jamais.»

Il tombe assez vite sur le compte rendu d'un coup de téléphone de la gendarmerie de Sétif: «8 mai 1945, deux heures: N° 550/2. À Périgotville ont été tués l'Administrateur, son adjoint, deux colons, Perrin et Rodriguez, ainsi que deux Tirailleurs français faisant partie des groupes de renfort. Madame Parmentier, secrétaire de mairie de Sétif, a été tuée alors qu'elle voyageait en voiture automobile…» L'assassinat de ce Perrin, que mentionne le document, Bruno en a entendu parler plusieurs fois, toujours à mots couverts. C'était l'oncle de son père.

Dans un autre document, une liste des «instigateurs des incidents survenus à Mazouna, commune mixte de

Renault» (rapport du capitaine Boucq), il bute sur le nom de Bouhadiba Belmehel, dit Bilim ould Gouna. Bouhadiba... Il entend encore quelqu'un prononcer ce nom, mais qui? Ça lui revient au moment où il rend les dossiers au planton. Quand il avait demandé à Harry s'il avait des amis, des vrais, dans la cité, le gosse lui avait répondu: «Un seul, un vieux chibani, monsieur Bouhadiba...»

Le lendemain, ponctuel à l'ouverture des salles de consultation, et même un peu en avance (il a le temps de prendre un café avec le sous-lieutenant, un jeune doctorant, responsable de la salle), il reprend les mêmes liasses, les parcourt plus posément. Il a apporté un cahier où il prend des notes. Tous les rapports racontent plus ou moins la même chose. Maisons brûlées, colons tués sauvagement, lignes téléphoniques coupées, fermes encerclées par des foules importantes et armées de bâtons et de fusils, intervention de l'aviation, pour des actions d'intimidation, «bombardements et mitraillages produisant les meilleurs effets», troupes de «nomades» à cheval, armés de fusils, de sabres et de bâtons, colons soutenant le siège de leurs fermes, femmes et filles violées, des cadavres mutilés.

Les rédacteurs signalent que certains Européens, face à cette «force» et à cette «haine», se déclarent prêts à tout abandonner, «beaucoup de colons n'osent pas regagner leurs exploitations, ils réclament une répression impitoyable». Il n'a jamais entendu son père s'exprimer sur ce registre. Jamais. Il cherche quels mots pourraient traduire au mieux le peu que son père a pu lui raconter et note sur son cahier : *effroi, incompréhension, stupeur.*

Les causes de l'insurrection ne sont guère évoquées, mais relatant «la misère profonde dans le bled, la sous-alimentation qui a gravement affaibli les populations des Hauts Plateaux et du Sud», certains insistent sur «le besoin de réformes profondes» et «l'amélioration du sort du travailleur indigène», deux «nécessités reconnues de tous. «Beaucoup d'anciens combattants des deux guerres sont bien oubliés, il n'y a pratiquement aucun emploi réservé pour les mutilés et les blessés.» Suit l'exemple d'un amputé des deux jambes qui attend vainement sa médaille militaire, alors qu'il faudrait lui donner la croix.

C'est à son tour d'être frappé de stupeur quand, à plusieurs reprises, il voit apparaître un autre visage des événements. «L'insurrection, affirme un certain général Duval, a pris tout de suite le caractère de la guerre sainte, du djihad.» Haine des roumis, propagande nationaliste sous couvert d'empêcher les musulmans de boire de l'alcool, création de comités secrets, de tribunaux d'épuration qui dressent la liste noire des musulmans favorables à la cause française, lettres de menace signées par «les vengeurs de l'islam», assassinats de musulmans pro-Français. «La haine du roumi, conclut un autre analyste, n'a épargné ni les vieillards, ni les femmes, ni les enfants. Tous ceux qui ont vu les scènes de carnage, les corps atrocement mutilés, en gardent une impression d'horreur.»

Rien n'aurait donc changé ? Sétif 1945, Paris 2016 : la même guerre qui continue ? Il repense à ce que lui avait dit Grimaud quand il l'avait interrogé après son cours : « L'Histoire, écrivait Lucien Febvre, est autant fille du temps que science du temps. » *On se calme, pas de comparaisons hâtives, Lucien Febvre a raison, méfions-nous des obsessions de notre temps. D'accord, mais tu es flic, et tu enquêtes sur un mouvement djihadiste, un peu de background ne fait pas de mal…*

Il rend ses dossiers au doctorant, un vapoteur au crâne rasé, et parle avec lui dans le couloir pendant qu'il suce sa cigarette électronique. Il lui demande si les dossiers « Sétif » intéressent beaucoup de monde. « C'est incroyable, répond-il. Pas mal de jeunes, pas seulement des chercheurs et des étudiants. Je vais vous montrer la liste, vous serez surpris, rien que pour les trois derniers mois… » Le nombre de gens venus consulter ces dossiers est impressionnant. Parmi tous les noms, Bruno repère un certain Bouhadiba. « Étrange, dit-il, j'ai trouvé le même nom dans un dossier, il serait l'un des instigateurs de la révolte. – Ce Bouhadiba, j'ai un peu discuté avec lui, est un jeune financier. Il a scanné sur son portable une quantité incroyable de documents. Il savait qu'un de ses aïeux y avait joué un rôle. »

En reprenant sa voiture, il se dit qu'il aurait tellement aimé pouvoir filer chez ses parents et leur raconter ce qu'il a lu aujourd'hui dans les archives de l'armée et en parler avec eux. Et parler aussi de la suite. *Car la France n'a pas lésiné non plus sur les atrocités. Et en plus elle a laissé tomber les Algériens qui se battaient avec nous. Quel gâchis…* Une petite sonnerie lui signale l'arrivée d'un sms de sa fille aînée. Voudrais te parler, urgent, Laure. *Laure, tiens, elle se réveille celle-là ; je ne l'ai pas vue depuis des semaines ; c'est vrai, mais c'était au-dessus de mes forces.* Il lui répond avant de démarrer : Je t'appelle vite, des baisers, Papa. Il regagne Paris au milieu des embouteillages et s'aperçoit qu'il n'a pas pensé une seule fois à Marie-Hélène depuis qu'il est arrivé ce matin. Finalement, Sétif a du bon.

12

Ambassade américaine, Tripoli, Libye

Pantalon kaki, espadrilles à talons compensés, T-shirt Valentino et gilet pare-balles bleu, avec une énorme inscription *Press* sur le ventre et sur le dos, lunettes de soleil dans les cheveux, Jeannette arrive dans le chaudron de Tripoli passagère d'un Beechcraft qu'elle a partagé avec des hommes d'affaires italiens.

Elle aurait dû s'y attendre. Un pincement de cœur lui rappelle qu'elle est souvent venue ici, trop souvent sans doute, pendant son affaire avec le Guide. Pas de nostalgie sentimentale, pas de regrets non plus, mais un moment de solitude, une réflexion brève sur le désordre de sa vie et sur l'absurdité du monde.

L'aéroport est toujours quasi fermé, peu de trafic, mais elle remarque la présence d'avions turcs (les hommes d'Ankara sont omniprésents depuis la chute du Guide, comme les Qataris) ainsi que plusieurs gros Tupolev aux ailes basses. Les Russes seraient-ils de retour ? Au barrage de la douane, trois barbus la retiennent en retournant son passeport dans tous les sens.

Jeannette est venue à Tripoli avec l'espoir d'un scoop, l'interview de l'un des nouveaux leaders de la zone, apparemment un malade mental, comme les autres, comme tous les criminels de l'Histoire, qui squatte l'ambassade américaine. *Qui a dit que j'étais* has been *? Ce petit taré de l'AFP de Rome. Si je réussis mon coup cette fois-ci, ce mec en sera malade : Jeannette is back in Tripoli, j'aurai la tête hors de l'eau au moins pour quelques mois... après l'interview d'Habiba...*

Une équipe de miliciens envoyés par le commandant Moussa intervient sans ménagement dans le périmètre sous douane et emmène la passagère dans une Mercedes noire.

Le commandant Moussa attend la journaliste dans le sous-sol de son bureau, en zappant sur des chaînes américaines et anglaises. La BBC diffuse en boucle des interviews sur la responsabilité de Tony Blair quand il s'est rangé aux côtés de Bush pour envoyer des troupes combattre en Irak en 2003. À propos de Jeannette, son adjoint lui a dit que c'était une VIP de la presse française. Son cerveau détraqué a mouliné le scénario d'une partie de billard à trois bandes. En parlant à une Française, il veut s'adresser aux Américains, à la CIA en particulier.

Un objectif : sauver sa peau. Pour arriver à ses fins, il doit leur faire comprendre qu'en fait, il travaille dans le même sens qu'eux. Ce n'est pas un hasard s'il occupe leur ambassade. Un peu tordu, pas très crédible, mais il n'a rien trouvé de mieux.

Depuis plusieurs semaines, l'angoisse tisse sa toile sur le chaos de son crâne. Les Américains se montrent de plus en plus menaçants, des commandos des forces spéciales sont entrés en action, alors que sa situation personnelle, face aux tribus de Misrata et à ses anciens amis d'Al-Qaïda, est fragilisée. Il vient par ailleurs d'apprendre qu'Ali, son associé, a pris langue avec les rigolos de Tobrouk.

Pour ne rien arranger, l'un de ses cousins lui a montré sur son portable une photo de Saïf al-Islam, le fils du Guide et son dauphin putatif, se promenant à la coule, les mains dans les poches, dans une rue de Zintan. *Pourquoi est-ce qu'on ne l'a pas égorgé tout de suite celui-ci, comme son père ? Cette sale race est capable de revenir nous emmerder.* La peur le place dans un état de tension et d'irritation permanent, elle ressuscite des douleurs intimes, séquelles des séances de torture subies après son arrestation au Caire.

Son oreille aux aguets croit souvent entendre le bourdon de drones se dirigeant sur lui à toute vitesse. La révolution l'a fait entrer dans un univers où tout le monde se déteste. La haine est le moteur de l'univers qu'il construit. Son quotidien est fait de cris, d'insultes, de sirènes, de bombes à fragmentation et de rafales de kalach. Il se souvient de sa montée en puissance, quand le cash rentrait à flots et qu'il pouvait armer son bras de Grand Justicier sans jamais craindre d'être menacé en retour.

Il s'est préparé à cette rencontre avec la *French journalist*, ajustant son look devant l'énorme miroir du dressing de l'ambassadeur. Il a enfilé une combinaison noire, remonté le zip jusqu'au niveau de la toison de poils dressés sur ses pectoraux, il a choisi une paire de petites Ray-Ban rondes, et vissé son béret sur sa tête. Puis il a essayé d'ordonner ses idées, non sans peine, car il est conscient de souffrir de confusion mentale. Il essaie de combattre son mal en se bourrant d'antidépresseurs et en forçant sur le J & B, sans savoir s'il boit pour ne pas souffrir ou pour souffrir davantage.

Un garde l'appelle : le convoi vient de passer le portail. Le commandant a précisé qu'il recevrait la journaliste au sous-sol, et non dans son bureau, pour des raisons de sécurité. Il a pris cette décision la nuit dernière, alors qu'il était en proie à une crise de délire paranoïaque. Décision confirmée au réveil, assortie de diverses recommandations : les vêtements de la journaliste seront fouillés et elle laissera son portable à l'entrée du bâtiment, sa caméra aussi, etc.

Dès qu'il entend des pas dans l'escalier, il s'assied derrière un bureau et fait semblant de téléphoner. Son rire factice résonne dans la pièce. Pas pour longtemps, car une angoisse à peine supportable s'empare de lui quand la journaliste apparaît dans l'encadrement de la porte : il se souvient d'abord l'avoir vue un soir sur CNN. Elle interrogeait cette vipère d'Habiba. Une pétasse blonde qui lui rappelait quelqu'un. Puis aussitôt l'évidence : c'est l'ancienne amie du Guide, la Française. Traits forcis, hanches lourdes, il devine des cuisses épaisses à travers l'étoffe du pantalon, mais toujours le même regard et le même sourire. Il soulève ses Ray-Ban.

Sa première pensée est qu'elle est revenue pour le venger.

Il n'a jamais été membre de la garde rapprochée du Guide, mais il a souvent travaillé dans les équipes de flics autour des Français. C'est chez les Français qu'il a pu voir cette journaliste à de nombreuses reprises. Il demande aux gardes de les laisser seuls.

La journaliste commence à l'interroger. Elle prend des notes sur un carnet pendant qu'une adolescente somalienne sert le thé à la menthe. Chaque question le remplit d'une épouvante nouvelle, comme s'il avait peur de ses réponses. Jeannette devine qu'il y a quelque chose qui ne tourne pas rond. Elle cesse de le questionner pour le féliciter sur sa tenue. Le commandant respire mieux, ses traits se détendent, son teint paraît moins jaune. *Les hommes sont tous les mêmes, obsédés par leur image. J'y vais, j'y vais pas ?* Elle se touche discrètement le sein droit, sous le gilet pare-balles, pour vérifier que son deuxième iPhone est toujours planqué dans le balconnet de son soutien-gorge. *J'y vais !*

« Ça ne vous dérange pas si je prends une photo ?

— Au contraire, je vais vous prêter un appareil.

— Je préfère le mien, je pourrai envoyer les photos plus rapidement aux agences… »

Elle a sorti l'iPhone de son T-shirt.

Il n'ose rien dire.

Elle le fait asseoir sur une table, tourner la tête « à droite, à gauche, ne souriez pas, vous êtes solaire, ne souriez pas ! »

Il ne sourit pas.

Solaire, personne ne lui a jamais dit cela.

Il obéit, commence à penser qu'il pourrait baiser une femme du Guide. Prendre en elle la force que le Guide avait autrefois, quand il l'inondait de son sperme.

Jeannette est allée jusqu'au bout.

Maintenant tu poses tes questions, une par une, tu ne le lâches pas. Elle a pris le contrôle de la situation. Il hésite, bafouille, commence à parler, se rétracte, évoque son enfance, puis des tortures qui lui ont été infligées par les Américains, alors qu'il n'était qu'un Frère musulman comme des milliers d'autres, impatient seulement de vivre sa foi : « Ils m'ont frappé au sang, ils m'ont écrasé les couilles et m'ont plongé dans des bains glacés pendant des heures. On ne peut répondre à la mort que par la mort. Ils ont réveillé le diable en intervenant en Irak, Bush et Tony Blair doivent être traduits devant la Cour pénale internationale. J'en appelle au monde entier, au peuple américain, et principalement au peuple noir qui porte toujours les chaînes de l'oppression et du racisme, le monde a droit à la justice, Allahou akbar ! »

Il baisse la tête, réajuste ses Ray-Ban, ses mains tremblent. Il est effondré par ce qu'il vient de lâcher. Le contraire de ce qu'il avait prévu. Jeannette se rapproche, elle sait qu'elle a de quoi mettre la tête sous l'eau au connard de Rome, elle félicite le commandant, l'informe que «d'éminents professeurs de droit français ne disent pas autre chose» que lui, tout en pensant à Mouammar Kadhafi. Finalement, le petit Moussa lui ressemble. Mouammar aussi était un homme dangereux, fou, un nomade comme tous ces gens, lui aussi était paranoïaque. Maigre, bréchet plat, couvert de poils, peau brune olivâtre tendue sur les arceaux des côtes, ventre de vairon, belle queue.

Le retour par Beechcraft est prévu en milieu d'après-midi. Jeannette se prépare à quitter les lieux quand le commandant reçoit un message. Urgent. Il s'écarte pour en prendre connaissance. Il est chargé de faire partir deux artificiers aguerris pour Paris cette semaine. Il appelle les gardes pour qu'ils raccompagnent la journaliste. La Somalienne qui avait servi le thé profite d'un moment d'inattention pour souffler à Jeannette qu'elle l'avait vue à la télévision avec sa copine Habiba et surtout que le commandant a donné l'ordre de tuer Habiba. «Elle a entendu trop de choses, il a déjà fait assassiner son frère.»

Jeannette se laisse tomber dans la Mercedes.

Pour elle, le temps est arrêté.

Elle réfléchit à la façon dont elle va monter l'interview. La sueur de Moussa sent la peur, ce type est un malade, assez touché psychologiquement, animé par une haine abjecte, pas toujours injustifiée, tous azimuts, et les Américains vont le flinguer tôt ou tard, mais ce dingue a été capable de dire des choses fortes. Elle sourit.

Le commandant Moussa saute dans son pick-up et rejoint avec son escorte le camp des Tunisiens. Il lui revient de sélectionner les deux artificiers. Une voiture passera les prendre et ils partiront le soir même par Zodiac cachés au milieu d'une centaine de migrants. Un Zodiac exceptionnellement équipé de moteurs fiables, de réserves d'essence, et d'un GPS qui leur permettra d'arriver sans problèmes à Lampedusa. Ensuite, leur route, Lampedusa, Milan, Paris. Taurbeil-La Grande Tarte ne sera plus loin.

13

Melita Street, La Valette, Malte

Une insouciance estivale règne à La Valette qui profite de l'afflux de touristes détournés des plages du Maghreb par les menaces de l'État islamique. À l'ambassade de France, Melita Street, le personnel travaille en horaires d'été. Les bureaux ouvrent à 7 h 30 et ferment à 14 heures. Rifat fait preuve d'une assiduité remarquée et passe tous ses après-midi enfermé à la chancellerie. Il en profite pour envoyer ses mails perso et rédige des télégrammes sans autre intérêt que celui de montrer son sérieux au Quai pendant que son ambassadeur est en arrêt maladie. *La dépression serait-elle contagieuse ? Il aurait chopé la déprime de son épouse, apparemment.* La femme de Rifat et leurs trois fils ont fui la chaleur et passent le mois de juillet en France. L'enquête sur les assassinats suit son cours. L'affaire retombe. Le *Times* et

The Independent n'en parlent plus. John Peter Sullivan, l'attaché américain, avec qui il passe beaucoup de soirées depuis qu'il est «single», lui a conseillé – conseillé ou demandé? – de garder un œil sur l'enquête.

Jeannette est passée en coup de vent et a expliqué à la secrétaire de Rifat qu'elle allait faire un saut en Libye. *À ses risques et périls, si elle se fait enlever, on n'ira pas la chercher. C'est quand même inouï que j'apprenne cela par ma secrétaire. Il faudrait surtout qu'elle me raconte à son retour, que je puisse faire un compte rendu au Quai. Et en parler à JP.*

Quand Rifat arrive à l'ambassade, vers 10 heures, l'agent de sécurité le prévient qu'un couple patiente dans l'antichambre du consul. «C'est moi qui les ai reçus, précise le flic, ils sont arrivés à l'ouverture, avec de gros problèmes, un peu paniqués, ils n'ont rien voulu me dire. L'homme est français, j'ai vu son passeport. Le consul est dans son bureau, mais je ne sais pas ce qu'il fait, ils attendent depuis plus d'une heure.»

Rifat introduit son passe dans la porte blindée qu'il a fait installer dans son bureau, il ouvre son ordinateur, envoie quelques mails à des collègues, puis se décide à téléphoner au consul, dont le bureau est situé exactement sous le sien, mais sa ligne est occupée. Comme tous les matins, le consul téléphone à sa femme, une très jeune Sri Lankaise qu'il a épousée lors de son poste précédent à Colombo. Rifat s'est lié avec le consul car il a détecté chez lui des faiblesses qu'il compte exploiter à son avantage dans la gestion interne du personnel. Le consul, incompétent, asocial et avare, peu présentable, avec ses petits yeux enfoncés, un front bas, l'ombre de sa très fine moustache sur sa peau moite, mais fils de consul et protégé par la hiérarchie, séquestre sa femme dans leur appartement de Sliema. Il ferme la porte à clef le matin derrière lui quand il s'en va et la nourrit avec un lance-pierres. La malheureuse l'appelle sans cesse à son bureau, en pleurs, menaçant de se jeter par la fenêtre s'il ne la laisse pas rentrer dans sa famille. «Faites monter ces gens dans mon bureau, immédiatement!» lance Rifat dans l'interphone qui le relie à l'accueil.

La secrétaire accompagne Sébastien Grimaud et Rim dans la vaste pièce où ronronne un ventilateur de plafond. Rifat les accueille sans se lever tout en gardant un œil sur des dossiers ouverts devant lui. Grimaud énonce sa qualité en quelques mots («citoyen français, résident à Carthage, archéologue») et présente Rim comme une «amie», avant d'expliquer qu'ils ont été obligés de fuir Carthage dans l'urgence parce qu'ils étaient menacés par des islamistes. Rifat n'a jamais entendu parler de ce Grimaud, la fille a l'air d'avoir quinze ans. L'affaire lui paraît claire: au mieux détournement de mineure, au pire pédophilie. Grimaud, qui a une certaine expérience des diplomates, décide de passer à l'offensive en douceur:

«Vous êtes ici depuis longtemps?

— Un an déjà.

— Et avant, vous étiez où?

— Je travaillais pour l'ANMO.

— Le département Afrique du Nord-Moyen-Orient...

— Exactement.

— J'ai bien connu Laurent Dutilleux, votre ancien boss, je travaillais à Alexandrie, il était premier conseiller au Caire.

— Et maintenant dircab du ministre... »

Rifat a parlé sans s'en rendre compte. Il s'empresse de refouler les théories qu'il a échafaudées sur ce couple et sur la façon dont il allait se débarrasser d'eux. *Ce connard de Dutilleux a la main sur beaucoup de nominations. Il peut décider de me laisser croupir sur cette île ou pire, de me placardiser au Quai.*

« Je vous laisse l'avertir de notre situation, et si vous m'y autorisez, je lui passerai un coup de fil demain ou après-demain pour lui demander conseil, continue Grimaud. Pour moi, il n'y a aucun problème, je suis français, mais pour Rim, c'est différent. Elle va faire une demande d'asile en bonne et due forme, elle a été menacée de mort et est très choquée. L'ambassade doit avoir un médecin ?

— Je le fais appeler sur-le-champ (il prend son téléphone et demande à l'agent de sécurité de faire venir le toubib. "Tout de suite, oui. C'est urgent !"). Mais d'abord, asseyez-vous, je vous en prie, vous devez être exténués. Par ailleurs, je dois informer mes supérieurs de votre arrivée et de votre requête. Je vais procéder à un petit débriefing de votre aventure malheureuse, souhaitez-vous être débarrassés tout de suite de cette corvée ? »

Grimaud et Rim décident d'expédier cette formalité. Rifat les fait installer par sa secrétaire dans le bureau de l'ambassadeur. Pendant qu'elle leur sert un café, il descend chez le consul, ouvre sa porte sans frapper, lui prend des mains le téléphone fixe qu'il utilisait et lui lance : « Franchement, le Mongol, vous savez qui vous faites attendre depuis plus d'une heure ? Vous ne le savez pas, hein ? Un ami du ministre. Il était en train de le joindre quand je suis arrivé. À temps. Autrement… » Il le pointe de son index gauche, et de sa main droite, simule un couperet sur son propre cou.

Pendant l'entretien, Rifat se montre précis sans insistance, et fait preuve d'une sollicitude inattendue. Rim apprécie son « tact de diplomate ». Il signale qu'il a déjà prévenu les fonctionnaires français de l'Office de protection des réfugiés, en mission sur l'île pour gérer un transfert de *boat people* vers la France. « Ce sont eux qui s'occuperont de votre situation, cela ne devrait pas poser de problèmes. »

Le lendemain, le téléphone de l'ambassade n'arrête pas de sonner. Des médias anglo-américains cherchent à joindre Jeannette. Son interview, publiée conjointement par *Le Monde-Hebdo* et par l'AFP, déclenche de nombreuses controverses. Rifat, qui est dans le schwartz avec un gros mal de tête parce qu'il s'est couché tard et a trop picolé avec John Peter Sullivan, l'attaché US, n'est au courant de rien. John Peter lui a pourtant déjà envoyé un message à ce propos. Il veut rencontrer Jeannette d'urgence. Quand il découvre enfin le tirage papier du magazine, Rifat comprend mieux la situation. Titre énorme : EXCLUSIF ! BUSH ET BLAIR BIENTÔT DEVANT LES JUGES ? Sous-titre : *Un dirigeant islamiste libyen demande leur comparution immédiate devant la Cour pénale internationale. Il aurait reçu le soutien d'éminents juristes français. De notre envoyée spéciale à Tripoli.*

Il commence à lire quand la secrétaire l'appelle : « Le dircab au téléphone ! Dutilleux. » Il décroche, perçoit un silence, pas de voix, seulement l'écho du silence dans les écoutes. Puis la colère de Dutilleux. « Vous étiez au courant de cette interview ? Une ambassade, ce n'est pas le Club Med mon vieux, même à Malte ! » Rifat regarde par la fenêtre. Le drapeau français est sale et un peu déchiré. *Heureusement qu'il n'y a pas de vent, personne ne s'en aperçoit.* « Oui, monsieur le directeur, très bien, j'avais prévu de rencontrer la journaliste cet après-midi. Je vous envoie une note aussitôt. Non, rien à l'Élysée, bien sûr, oui, Grimaud c'est sous mon contrôle, un type très bien, au revoir monsieur le directeur. »

Dutilleux a raccroché. Rifat garde l'écouteur sur son oreille. Il écoute le bip qui se répète à l'infini sans voir la secrétaire qui lui fait des gestes et finit par hurler ! « Rifat, l'Élysée en ligne, le diplo du président, ça a l'air chaud ! »

*

Résidence de France, Zebbug, Malte

La soirée se termine. Rifat, qui supporte mal l'alcool, abandonne ses invités au salon en train de vider les réserves de cognac XO de l'ambassadeur et se rend aux toilettes. Il se passe le visage à l'eau froide et se

312

félicite en se regardant dans la glace. *Ce dîner à la résidence était une super idée. Bravo Rifat !* Il a repris la main en trois heures. Grimaud est rassuré sur le sort de son amie. L'Office des réfugiés l'a déjà contactée. Rim va bénéficier d'un laissez-passer provisoire qui lui permettra d'entrer sur le territoire français en toute légalité. Plus de souci à se faire du côté de Dutilleux, d'autant qu'il lui a envoyé un compte rendu de son entretien avec Jeannette. Copie à l'Élysée. Il a pu rencontrer la journaliste à son hôtel, elle lui a lâché pas mal d'informations sur ce fameux commandant Moussa, son état d'esprit, sa protection, son bureau souterrain, ses angoisses, etc. En fait : tout ce qui n'était pas dans l'article. Il en a déjà parlé avec l'attaché américain, très intéressé lui aussi. *Je ratisse large, c'est excellent.* Jeannette a accepté de lui parler à condition qu'il inscrive Habiba sur le premier groupe de migrants qui doit être envoyé en France. Donnant donnant. Rien de plus simple. Sa protégée partira dès le début de la semaine prochaine. Mais le clou de la soirée, ce fut l'arrivée au café de Levent et Emma qui rentraient d'un séjour en Sicile. Quelle surprise de voir que Levent et Grimaud se connaissaient. Et depuis longtemps. Une histoire incroyable, pratiquement une histoire de famille. Levent semblait même un peu gêné que nous soyons témoins de leurs retrouvailles. Emma et Rim ont eu l'air de s'apprécier, elles sont restées une partie de la soirée scotchées l'une contre l'autre, comme deux gamines, à papoter ! À son retour au salon, il entend Grimaud (décidément, celui-là, il connaît tout le monde) raconter à Jeannette qu'il lui est arrivé plusieurs fois de dîner en sa compagnie chez l'ambassadeur de France à Tripoli. «Vous ne vous souvenez pas de moi, les archéologues étaient toujours en bout de table...»

14

Ambassade américaine, Tripoli, Libye

Quand il se réveille, quelqu'un a jeté une couverture sur lui. La chambre de l'ambassadeur est éclairée par la lumière de l'aube. Les fenêtres sont ouvertes, il fait presque frais. Pour la première fois depuis des semaines, le commandant Moussa a dormi sans faire de cauchemar. *Une nuit sans hurlement, sans attaque de panique, sans tremblement.* Hier soir, il avait convoqué une Malienne dans son lit. *Une nouvelle, pas mal.* Ce matin, la fille lui prépare du thé et des œufs frits. Il l'entend qui vaque entre les cuisines et le salon. Elle a disposé sa boîte de pilules sur la table de chevet. Des guirlandes d'arômes circulent dans la pièce. Pain frais, fleur d'oranger, jasmin. Aujourd'hui, il a l'impression qu'il pourrait se passer de ses psychotropes, mais par prudence, il se concocte son cocktail habituel, mélangeant un puissant antidépresseur et des gélules de cannabis. Amayaz est son médecin. *Et si la Française m'avait fait du bien ?* La Malienne lui apporte son breakfast, attend de savoir ce qu'il veut, il la renvoie d'un regard. *Je lui ai trop parlé cette nuit.* Il choisit une combinaison noire dans le dressing, visse son béret sur sa tête, fait quelques pas sur la terrasse. Les gardes dorment par terre, sur les tapis, roulés dans des djellabas, la kalachnikov entre les jambes. *Ce sont les plus heureux.* L'éclairage extérieur au sodium s'éteint automatiquement dans un petit sifflement. Depuis deux jours, il en est presque sûr, les Américains ont renoncé à intervenir. *Quant aux Français, ils sont englués dans leurs merdiers internes.* Des scénarios hier impensables redeviennent d'actualité. Amayaz lui a dit hier qu'il allait créer une nouvelle route pour la coke, avec le Mali. *Si Dieu le veut, nous avons encore quelques beaux jours devant nous.* Levent lui a ouvert deux comptes en banque. *Je serai à l'aise, si je m'en sors.* Le Très-Haut est miséricordieux pour ceux qui se battent en son nom. Il rentre prendre son thé dans le salon et allume son mur de télévisions, branchées sur la BBC. Sa main tremble quand il porte la tasse à ses lèvres. Il parle à sa main : «Pourquoi tu trembles ?» Il rit, va chercher la bouteille de J & B restée au pied de son lit, mélange le whisky et le thé. Quand il a bu, sa main ne tremble plus. Sur les écrans de télévision, le même reportage sur le tourisme en Thaïlande. *J'irai faire un tour là-bas, quand ce sera possible.* Le soleil levant l'invite à faire quelques pas dans le jardin à l'abandon de la résidence. Tout est calme. Il s'assied avec sa tasse de whisky dans une nacelle en rotin, près d'un olivier. Il ferme les yeux, se caresse la barbe, il ne se souvient pas d'un matin si agréable depuis des années. Un bourdonnement se rapproche, hors de son champ de vision, il tourne la tête, c'est un bruit de moteur, un peu agaçant, il se lève, pas spécialement inquiet. *Aujourd'hui pas de parano, je contrôle.* Quand le drone surgit au ras des toits, la bombe au laser vient de partir, Moussa est aussitôt déchiqueté. Les bâtiments de l'ambassade n'ont presque pas souffert de l'explosion.

15

Hôtel Palm Rock, Sliema, Malte

Je n'en parle pas à Rim, mais je suis secoué. C'est effroyable. Lors de mes tribulations d'archéologue, j'ai quitté beaucoup de pays plus vite que je ne l'aurais souhaité. Le Liban, Chypre, le Cambodge, etc., mais jamais je n'ai décampé dans de telles conditions. Et quand je repense à mes voyages à Tripoli, je ne peux m'empêcher de me dire que je l'ai échappé belle. Mes deux contacts ont été carbonisés, dans des conditions particulièrement violentes. J'ai appris la mort de Moussa en regardant CNN à l'hôtel, pendant que Rim et Emma prenaient le soleil au bord de l'eau. Moussa, je ne le regrette pas, je ne vais pas pleurer un monstre, et si j'avais accepté la proposition de Levent, c'était bien pour le faire tomber et mettre fin à son pillage. Les Américains n'ont pas perdu de temps. J'avais déjà transmis à Bruno des informations permettant de l'inculper et peut-être de l'assassiner mais ces éventualités restaient très abstraites. Je n'avais pas pensé au drone. J'imaginais sa mort plus lointaine.

Levent, c'est un autre cas de figure. J'ai été si proche de son père que sa mort me touche. Cinquante-quatre ans, presque dix ans de moins que moi. Bien sûr, il ne valait pas mieux que son complice Moussa, malgré ses manières de grand bourgeois ottoman. J'avais déjà envoyé à Bruno suffisamment d'éléments pour le faire inculper de trafic illicite, le moment venu. Idem pour le client français de Londres. On est toujours plus sévère avec les siens. Non seulement Ferrouges était français, sympathique, non seulement il participait à un réseau criminel, mais il montrait une bonne conscience qui m'avait choqué. Quelle arrogance quand il m'avait dit : « Dans notre famille, nous sommes habitués depuis toujours à aller chercher l'argent où il se trouve. »

Nous en savons un peu plus, grâce à Rifat, sur la fin de Levent, liquidé dans les toilettes de l'aéroport alors qu'il se préparait à prendre le dernier avion pour Rome. *Shooté*, comme dit Rifat, par un 9 mm avec silencieux. C'est une femme de ménage qui l'a retrouvé effondré dans son sang sur la cuvette des toilettes, le crâne explosé. Un jeu d'enfant pour le tueur : les toilettes étaient séparées par des cloisons qui n'allaient pas jusqu'au plafond. La mort est tombée d'en haut. Levent avait deux passeports (différents) et deux portables dans ses poches. Apparemment, l'attaché américain, John Peter Sullivan, était sur place avant la police maltaise. Il a tout récupéré.

Le lendemain, Rim avait rendez-vous avec Emma, comme tous les jours depuis notre arrivée. Dès qu'elle a appris la nouvelle, elle a cherché à la joindre, en vain. J'ai accompagné Rim jusqu'à son studio, dans le vieux quartier de Sliema, pas très loin de notre hôtel. Un marchand de fruits et légumes qui passe ses journées derrière l'étal de sa camionnette, juste en face de chez elle, nous a dit qu'il l'avait vue partir en taxi avec un sac de voyage à la main. À son bureau, quelqu'un nous a informés qu'un deuil dans sa famille l'avait contrainte à rentrer en France.

Maintenant, encore plus qu'avant, je ne dois pas baisser les bras. J'ai expliqué à Rim que Dutilleux et Rifat faisaient le maximum pour hâter notre départ. Il était d'ailleurs probable qu'Habiba, la protégée somalienne de Jeannette, parte en même temps que nous. Son nouveau scoop a réinstallé la journaliste en majesté sur le podium médiatique et Rifat semble maintenant à ses ordres. Je dois avouer que je la trouve très sympathique. J'ai vu l'une de ses interviews sur la BBC et j'ai été frappé par son portrait de Moussa. Elle l'a présenté comme une sorte de desperado mutant dans un monde postapocalyptique, un croyant sans autre religion que la mort, « un peu comme les anarchistes pendant la guerre d'Espagne, ceux qui criaient : Viva la Muerte ! ».

Nous étions obligés de rester ici encore une semaine. Rifat m'avait prévenu qu'il était possible que l'attaché militaire américain lui pose quelques questions à propos d'Emma. J'ai proposé que nous allions passer deux ou trois jours sur la petite île de Gozo pour nous changer les idées. Un bateau est passé nous prendre à l'embarcadère et après une heure de mer nous a déposés dans le port des ferries, à Gozo.

L'hôtel que j'avais retenu était à quinze minutes du port, en voiture. Rim avait emprunté à Emma un livre de Balzac, *Le Père Goriot*. Dans le taxi, elle m'en a récité une phrase, qu'elle connaissait par cœur : «Ah ! sachez-le : ce drame n'est ni une fiction ni un roman. *All is true*, il est si véritable, que chacun peut en reconnaître les éléments chez soi, dans son cœur peut-être.» Quand je lui avais demandé pourquoi elle aimait cette phrase, elle avait éclaté de rire : «Je ne l'aime pas particulièrement, et je viens à peine de commencer ce livre, mais elle me fait penser à nous. Depuis que nous avons quitté Carthage, j'ai l'impression que nous sommes devenus deux personnages d'un drame où tout est vrai, hélas…»

C'était la première fois que je me surprenais à être pessimiste. Par les fenêtres du taxi s'enfuyaient des collines arides, dominées par les murailles d'une forteresse, puis une plaine maraîchère, étirée, étonnamment verte, bordée de cactées, conduisant à la petite ville de Sannat, dont les maisons en pierres blondes, surmontées de terrasses, étaient empanachées, comme l'église, d'énormes drapeaux aux couleurs éclatantes. J'aurais souhaité demander à Rim si elle regrettait notre histoire, mais elle se taisait.

Le soir, nous étions en train de dîner sur la terrasse, la nuit s'avançait sur la mer et sur les îles, quand plusieurs explosions nous ont fait sursauter. Les détonations semblaient venir de l'autre côté de la terrasse, au-delà du caroubier. Le visage de Rim s'est rétracté, elle a murmuré quelque chose d'inintelligible. Je me suis penché vers elle et j'ai passé mon bras autour de son cou. Les convives autour de nous continuaient de se ravitailler au buffet. L'un des garçons s'est approché avec notre bouteille de vin sicilien qu'il avait mis à rafraîchir dans la glace. Je lui ai demandé d'où venaient ces explosions : « C'est la fête du village, nous tirons des feux d'artifice, cette nuit le spectacle sera impressionnant. – Je suppose que nous pourrons y assister… », dit Rim presque timidement, en arabe. « Bien sûr Mademoiselle, lui a répondu le serveur, tout le monde est invité. »

Les rayons de la lune argentaient le léger mouvement des palmes. « Tu la reconnais ? – Bien sûr, c'est ma lune, ma lune de Sidi Bou Saïd, notre lune carthaginoise, celle qui nous a présentés, regarde, elle me sourit. » Nous descendions dans les rues de Sannat qui résonnaient de rires et de chants. Une foule nombreuse se déplaçait dans l'ombre. Des bandas sillonnaient les rues de la ville, suivies par des groupes compacts où se mêlaient tous les âges et me semble-t-il toutes les conditions.

Nous avions choisi de mettre nos pas dans le sillage de l'une de ces fanfares, au milieu d'une bande de jeunes gens. Les garçons tenaient des bouteilles de bière ou de gin à la main. Je ne pouvais m'empêcher de remarquer que les filles, souvent magnifiques, ne semblaient guère soucieuses de dissimuler leurs charmes. Rim, qui avait découvert au restaurant qu'elle pouvait comprendre le maltais, proche de l'arabe, était heureuse d'échanger quelques mots avec nos compagnons. Les habitants avaient exposé dans les entrées de leurs maisons des statues de leurs saints. Saint Paul, sainte Marie, sainte

Marguerite – et même Jésus. Certaines étaient présentées dans une chasse, parfois de taille imposante, décorée à grands frais. Dans cette magnificence domestique, qu'en d'autres occasions j'aurais trouvée kitsch, je devinais la profondeur de leur sentiment religieux. «*All is true*, ici aussi», me glissa Rim dans l'oreille en souriant.

Nous étions portés par la ferveur joyeuse, presque sensuelle, qui nous entourait. J'étais impressionné, assez ému – Rim également, elle me le dira plus tard. Je m'interrogeais en silence sur ce que nous vivions. Opération de catharsis catholique, cérémonie de possession, don du rien, fête dionysiaque?

Les différents défilés finissaient par se rejoindre sur la place de l'église, dont toutes les portes étaient restées ouvertes. L'intérieur était violemment éclairé, richement paré et décoré, comme la façade d'ailleurs, recouverte d'une mantille d'ampoules électriques multicolores. Des enfants, des couples en T-shirt et en tongs, des personnes d'un certain âge, des *teenagers* entraient et sortaient de l'église dans un flux continu, ne s'arrêtant que pour prier ou pour se recueillir. Quelques explosions signalèrent le début du feu d'artifice final, pendant que les musiciens et leurs cohortes continuaient d'errer dans les rues enténébrées.

Lumières, bannières, musiques de fête mais aussi marches lentes de semaine sainte. Pourquoi étais-je alors si sensible aux ondes de tristesse qui traversaient ce joyeux charivari? Rim et moi remontions en silence vers notre hôtel, accompagnés par les rythmes des obstinées fanfares qui résonnaient dans le lointain.

Rim s'était écroulée sur le lit en arrivant dans la chambre et s'était endormie aussitôt. Quelques instants plus tard, Bruno m'a appelé sur le portable qui nous servait à communiquer. Je suis monté sur le toit du bungalow pour lui répondre. Il m'a demandé de contacter Emma le plus vite possible. Je lui répondu qu'elle avait quitté l'île. «Personne ne sait où elle est partie ? – Personne. – Quand rentrez-vous ? – Nous serons à Paris dans trois jours. – Il faut que je te voie dès ton arrivée.» C'était la première fois que mon ancien étudiant me tutoyait.

Le lendemain matin, nous avons visité les temples de Ggantija, constructions aussi monumentales que mystérieuses. C'est Rifat qui m'avait parlé de ce site. J'ai pris une photo du couloir d'accès que j'ai envoyée à mon collègue qui fouille à Bergheim, en Alsace. Là aussi, comme chez lui, on nageait en plein néolithique. Trois mille ans avant les pyramides.

Une civilisation a prospéré sur cette île, elle savait naviguer, connaissait le mouvement des astres, était capable de bâtir avec des pierres colossales, de sculpter des corps de femme à la Botero, et elle s'était évanouie. «Tu crois que l'on se souviendra de la Tunisie dans cinq mille ans ? Et de la France ?» me demanda Rim quand nous faisions la queue sur le parking pour reprendre le ferry du retour. «Peut-être que des archéologues, les *Maspero de l'avenir*, fouilleront les ruines des Tamaris. Ils retrouveront une photo de nous deux, et ils tenteront d'écrire notre vie. – Je suis curieuse de savoir ce qu'ils pourront raconter !»

16

Rue des Belles-Feuilles, Paris XVIe, France

Encore un nouvel attentat, dans un grand magasin de Bordeaux cette fois-ci. Après Strasbourg, après Lille, Nice et d'autres. Après le mitraillage d'une école juive, après l'assassinat de deux prêtres et d'un rabbin. La mort s'affaire sur notre territoire. L'effroi grandit en même temps que l'accoutumance. Pendant qu'il regardait les infos sur BFM-TV – les journalistes se réjouissaient presque du petit nombre de victimes, «seulement une douzaine de blessés, dont deux grièvement, pronostic vital engagé», apparemment le déclencheur d'un gilet explosif porté par l'un des terroristes n'avait pas fonctionné –, Bruno avait reçu un message du boss qui le convoquait chez lui. Il arrive dans le XVIe avec une gueule de bois persistante.

La veille, il s'était rendu à une fête, chez des collègues de la BAC. Il n'y était allé que pour échapper à la psychose des attentats et au désœuvrement déprimant auquel il était condamné, comme tous les anciens de la Villa.

Une fliquette de base, Évelyne (il ne connaît que son prénom), avec un visage ouvert et des yeux clairs, lui avait expliqué qu'elle avait un master en relations internationales, mais que faute de trouver un job, elle avait répondu à une annonce de la police nationale. Ils avaient terminé la soirée chez elle. Elle habitait près de Denfert. Dans son studio, la table de sa cuisine n'était pas débarrassée. Il y avait des fringues partout, des CD de Noir Désir. Pour ne rien arranger, elle écoutait en boucle

Le vent nous portera. Cette Évelyne l'intéressait modérément, mais il avait commencé à la trouver piquante quand elle était tombée à la renverse en éclatant de rire et elle avait joui sans modération. Il allait se lever, vers 2 heures du matin, quand elle lui avait lancé : « Tu peux rester dormir, si tu veux... »

Il n'avait jamais imaginé Lambertin vivre dans un appartement aussi petit. Dans cet univers minuscule, tout est rangé, ordonné, chaque chose à sa place, de façon maniaque, comme la bibliothèque, qui n'abrite que des livres d'histoire. Première Guerre mondiale, Seconde Guerre mondiale, guerre d'Indochine, guerre d'Algérie, guerre du Vietnam, guerre froide, conflit israélo-palestinien et documents d'actualité politique, pour la plupart en anglais. Le cliché encadré d'une femme, en noir et blanc, sa femme sans aucun doute, est accroché au centre d'un mur vide. Impossible de la rater. *Je n'ai même pas une photo de Marie-Hélène. D'ailleurs qu'est-ce que j'en ferais ?* Lambertin sort d'un petit meuble bar Art déco en palissandre des Indes une bouteille de whisky, deux verres, et dispose deux napperons sous chacun.

« Merci chef, pas de whisky pour moi. Un peu d'eau plate, c'est tout.

— Tant pis pour vous... » Lambertin regarde Bruno d'un air perplexe puis enchaîne : « Le ministre patauge, il s'emmêle les pinceaux et commence même à raconter des histoires à la presse, jusqu'à présent, ce n'était pas son genre. Il ne va pas tarder à se faire rappeler à l'ordre.

Matignon veut des résultats. D'après mes informations, ils vont bientôt avoir besoin de nous. C'est pour cela que je voulais vous voir. Nous devons être prêts. Votre Grimaud, vous êtes toujours en contact avec lui ?

— Je lui ai parlé avant-hier. Il a fui la Tunisie.

— Des menaces ?

— Des inconnus sont entrés chez lui, dans sa maison.

— Vous avez vu cet agent turc qui s'est fait descendre ?

— Levent ? Grimaud était en relation avec lui et nous renseignait, comme je vous en avais informé.

— Les Américains suivent cette affaire de près et me l'ont fait savoir. Et notre consul général à Istanbul, une femme de grande qualité, nous a transmis pas mal d'informations à son sujet. Depuis le putsch de Sissi, Levent était chargé de prêter une assistance discrète aux combattants islamistes qui avaient fui Le Caire et venaient se mettre à l'abri à Istanbul. Nous avons des photos de lui à Kobané, avec un chef du renseignement militaire de l'État islamique. En même temps, il parlait aussi aux Kurdes et bien sûr renseignait les Américains sur tout le monde…

— Comme son père !

— Les chiens ne font pas des chats. Erdogan est en train de changer de stratégie, il est obligé de faire le ménage dans ses services. Il aura balancé à l'État islamiste des preuves de ses contacts avec les Kurdes. La réaction n'a pas traîné. Le tueur serait venu de Libye.

— Levent avait une liaison avec une Française…

— Je voulais vous en parler. Cette fille, il faut la retrouver d'urgence. Et votre copain de Taurbeil-Tarte...

— Harry?

— Harry, oui. Celui-là ne le lâchez pas, voyez-le tous les jours s'il le faut. Si Beauvau patauge autant, c'est parce qu'ils n'ont plus aucune remontée du renseignement intérieur. Nous, avec vos informations sur cette connexion Libye-Taurbeil, c'est peu, mais on tient une piste...»

Le vieux parle comme s'il n'avait pas été débarqué. Il continue à mouliner des hypothèses, il scanne ses certitudes et ses doutes, il entretient des réseaux discrets, il renifle un peu partout, cherche des infos, comme il l'a fait toute sa vie.

Bruno pense que personne ne le rappellera, trop de haine, trop de ressentiment à son égard, puis il se souvient d'une de ses réflexions, quand il était arrivé dans son service: «Quand un chien a un os à ronger, il ne le lâche jamais...»

17

Taurbeil-Tarte, région parisienne, France
Les tambours de la pluie réveillent Harry en douceur. Le roulement des fines baguettes accompagne les paroles qui slamment dans son crâne. *Dans la vie, j'étais perdu/ Et les chiens moins seuls que moi / Papa Maman*

m'avaient planté/ Les pauvres – ils m'avaient laissé/ La vie qu'ils avaient menée/ L'amour qu'ils m'avaient donné/ Tout avait disparu. Il se déplie sur le matelas en prenant soin de ne pas se raboter la tête dans le plafond. En six mois, il vient encore de grandir. Si ça continue, il sera obligé de déménager. *Mais je ne suis pas tombé/ Et me suis débattu/ Sur l'acier des nuages/ Une épée est apparue/ Le cadeau de mes larmes/ Durandal à mes côtés/ Ce jour-là j'ai cru rêver.* Il se faufile par le sas jusqu'au point d'eau près des chaudières, se rase trois poils. *Sur l'acier des nuages/ Une épée est apparue/ Le cadeau de mes larmes.* Il branche son portable sur une mini-enceinte et lance l'enregistrement qu'il a bricolé pour la énième fois la veille au soir, avant de s'endormir. *Dans la vie, j'étais perdu/ Dans la vie me suis r'trouvé/ Le Verbe m'a parlé/Les mots seront mon épée/ Hé hé…* Il écoute la nouvelle version. Toujours des petites choses qui clochent. Et il ne sait pas sur quel ton lancer son *Hé hé* final. Le supprimer ? À voir. Demain, en plus, la vidéo.

De grands nuages traversent un ciel qui vire au bleu. Des grappes de femmes se dirigent de toute la cité vers le marché. Elles papotent à voix basse. Les rumeurs sur la situation vont bon train. Peu d'hommes. Les mercenaires des mafias dorment tard, abrutis par le kif de la nuit. Aucun flic à l'horizon, malgré les deux policiers tués par balle hier dans la cité voisine, après la mort d'un jeune homme. Il se dirige vers l'immeuble de Patron M'Bilal. Il court, les mots chahutent dans sa tête, c'est vrai qu'ils ne le quittent plus. *Le cadeau de mes larmes/ Durandal à mes côtés /Ce jour-là, j'ai cru rêver.* Il aperçoit le visage de ses parents sur plusieurs nuages en même temps, leur sourit, il saute les trottoirs, les tas d'immondices, *Aux démons de la cité/ Les frappeurs et les violeurs/ Qui maffiottent avec la poudre/ Aujourd'hui je veux crier/ Dégagez, partez d'ici*, il traverse les rues en slalomant entre les voitures, il entre en coup de vent dans le hall de Patron M'Bilal, les Blacks de garde sont affectés ailleurs, il toise trois petits barbus qui contrôlent l'escalier d'accès au *big chief*, des nouveaux, pas causants mais polis, ils le reconnaissent, la puanteur le saisit à la gorge, toujours les chiens.

Il sonne. Aboiements, jappements, cris. La vieille lui ouvre, elle lui arrive à la taille, elle rapetisse quand il grandit, il lui balance un sourire hypocrite, elle se tasse sous le poids de ses colliers en or, Bilal l'attend dans son lit. À moitié habillé, il fume en consultant son portable. Une Ukrainienne, une nouvelle, se vernit les ongles de pied dans un fauteuil, Harry trouve qu'elle a des pieds bien dessinés (le rouge fuchsia de ses ongles lui donne des petites démangeaisons), il le lui dit, Bilal s'esclaffe : « Tu commences à savoir parler aux femmes ? » La fille tourne vers lui des yeux interrogateurs. Il traduit. La fille répond en anglais : « Il est mignon. – Bon maintenant, tu dégages », lui dit Bilal. Elle se lève et s'éloigne en traînant ses babouches brodées.

M'Bilal hésite à lui caresser les couilles, c'est la première fois. Peut-être qu'il le trouve trop grand, surtout vu de son lit. Il s'est soûlé à la vodka avec l'Ukrainienne hier soir, ses yeux sont injectés de sang, mais sa parole est ferme, tonique, chaque phrase remonte de ses viscères pour arriver ciselée sur les deux boudins de ses lèvres, comme d'habitude. M'Bilal est tellement concentré que ses yeux semblent se rapprocher quand il parle. Harry le fixe en faisant attention de ne pas perturber son magnétisme, il se maîtrise, reste sur ses gardes, il connaît la bête, ne la sous-estime pas, il prend une leçon, sachant ce qu'il lui doit (l'énergie, le pouvoir des mots), mais il analyse chaque seconde de la situation. Car il vient de se passer quelque chose : pour la première fois, il pense qu'il dominera Patron M'Bilal. Pas seulement à cause de son rab de croissance, il y a autre chose. La su-pé-rio-ri-té-men-tale, elle est de son côté, il en est certain. *T'emballe pas Harry, reste prudent, c'est pas fait, d'accord, mais quand même, ce matin en face de lui, je me sens fort. Calme, calme… Avant j'avais pas le choix, j'étais son esclave et même son talisman, je l'écoutais avec des hochements de tête, mais j'avais peur. Continue de hocher la tête, pas d'arrogance…* M'Bilal parle en suçant sa dent de croco, l'un des chiens bave sur sa cheville, il se cale contre les oreillers.

« Tu n'as pas oublié ma leçon Fils ?

— Cruel ! Cruel ! Cruel ! »

La voix du gosse a changé. Plus assurée. M'Bilal remarque la métamorphose. Il le dévisage avant de poursuivre :

« La cruauté, nous allons tous en avoir besoin, maintenant plus que jamais, car ça va bouger. Pour commencer, c'est moi qui vais m'éloigner.

— Tu vas loin ?

— T'inquiète pas, fils, la porte à côté. J'ai acheté une villa près de Melun, avec piscine chauffée, je garde l'appart ici bien sûr. Ma mère, tu la connais, elle vieillit, elle a besoin d'un peu de verdure. Je me rapproche de mes associés marocains, cela fait déjà deux ans qu'ils sont partis là-bas. Le sénateur sera mon voisin, il a une maison dans le coin. À ce propos, il te remercie pour la montre. Et je ne serai pas loin d'Eurodisney, tu viendras me voir.

— Si tu m'invites, Patron.

— Je t'inviterai si tu arrêtes de m'appeler Patron. Il faut que tu continues à me faire des rapports tous les jours. Je te joindrai sur le portable que je vais te donner.

— Et tes musclors, Patron M' Bilal, ils vont rester ?

— Certains sont partis sur Toulouse. Il fallait qu'ils changent d'air. Les autres continuent à travailler dans mon secteur. Je les ai mis au vert pour l'instant. Si tu les vois zoner, tu me le dis. La gonzesse, la Ruskof, elle va rester dans l'appart, j'enverrai une voiture quand j'aurai besoin d'elle. J'ai l'impression qu'elle t'a tapé dans l'œil, je me trompe ?

— Elle a l'air gentille.

— Si tu en as besoin, tu me dis, ce sera ton cadeau maison, mais jamais rien sans me prévenir.

— Merci Patron M'Bilal. »

Harry se dit que M'Bilal attendait un peu plus de gratitude de sa part, il s'en veut d'être incapable de le baratiner. *Une faiblesse, fais gaffe.* Le problème est qu'il n'en a rien à faire des pétasses que lui propose le boss. Ce n'est pas avec ce genre de fille qu'il peut se projeter dans l'avenir. Pendant une seconde, à cause de Rhiannon Giddens, la chanteuse, *c'est une fille comme elle qu'il me faudrait*, ses pensées vagabondent dans la direction de cet air magnifique, *Lost on the River*, qui lui a inspiré

Dans la vie j'étais perdu. Pendant un instant, il n'y a pas d'autres bruits que celui du chien qui s'excite sur les pieds de son maître. Harry décide de se reconcentrer. Il essuie ses lunettes dans son pull, hoche la tête et fixe M'Bilal.

«Je voudrais aussi que tu gardes un œil sur deux de nos frères...

— Je les connais?

— Non, ils viennent d'arriver, des Tunisiens, des hommes pieux, je les ai vus hier, ils parlent bien. Comme dit le Livre, une bonne parole est comme un arbre bon; sa racine est stable et sa ramure est au ciel. Ils ont eu un voyage compliqué et pleurent l'un de leurs compagnons, qui vient d'être tué, en Libye. Pour l'instant ils se reposent dans l'ancien squat du deuxième étage, dans la tour Montaigne. Tu vois où c'est?»

Harry a repoussé sa chaise. Il se lève pour dissimuler son excitation, car le Patron vient de changer de registre. D'habitude, c'était lui qui lui livrait des informations. Il lui racontait tout. Les magouilles et les racontars. Le vrai et le faux, les on-dit, les palabres. Aujourd'hui, pour la première fois, c'est le contraire. D'ailleurs le Patron parle moins fort, moins vite, aucune de ses paroles n'est faite pour être répétée.

«Je situe très bien.

— Ils vont loger ici quelque temps, ne sortiront presque pas, ils sont là pour se reposer, ils ont un peu d'argent, je leur ai fait apporter quelques réserves, ils ne seront saisis ni de soif ni de faim ni de fatigue tant qu'ils seront chez nous. Tu n'as aucun rapport à avoir avec eux, mais je t'informe qu'ils sont là. Eux, en revanche, ils ont ton nom et le numéro de ton nouveau téléphone. Au cas où…

— T'inquiète pas M'Bilal, je veillerai sur eux.

— Je le sais, tu crois que je t'aime pour tes yeux de vache ? Non. J'ai confiance en toi, tu es le fils que la Grande Tarte m'a donné. Je vais faire quelque chose de toi, tu seras surpris toi-même. »

L'entretien est terminé. Le Patron lui passe la main entre les jambes et l'embrasse. « Tu es en train de prendre du galon, tu t'en rends compte ? »

Dans le couloir, Harry constate que la vieille a aligné une quinzaine de valises Vuitton, prêtes à être embarquées. C'est un déménagement. M'Bilal le chope par le bras avant qu'il sorte. « Une chose encore, les gardes vont te brancher sur un gars qui sort de Fleury, il s'appelle Saïd. Celui-là, vois-le tout de suite, et donne-lui un coup de main s'il en a besoin. »

Quand il sort de chez M'Bilal, il fait l'effort de se remémorer toute la conversation, pour être capable de la recracher au mot près. Bruno devrait apprécier.

Il passe au tunnel pour voir si le vieux Bouhadiba n'est pas là. Cela fait deux semaines qu'il ne l'a pas croisé. Il se fait du souci pour lui. Serait-il malade ? Chez les libraires, personne n'a vu le vieux depuis longtemps. Harry aperçoit tout à coup sa femme qui revient du supermarché avec son fils, le plus jeune, il court vers eux. Ils paraissent un peu gênés, face à ce grand échalas noir qui leur parle de son « ami ». C'est le fils qui répond, pendant que sa mère regarde ses chaussures : « Il est malade. L'emphysème. Il a du mal à respirer, pour l'instant, il peut plus sortir. Je lui dirai que tu l'as cherché...»

Il rencontre Saïd à la cafète de la Maison pour tous (dont Bilal a été directeur adjoint, après les élections municipales, il y a vingt ans) en fin d'après-midi. Il passe une heure avec lui, en buvant du thé. Vingt ans, une barbe de petit prophète, un pantacourt. Un peu allumé. Pas antipathique, jauge Harry qui s'oblige à raisonner depuis qu'il essaie de conceptualiser sa mission, mais nerveux. Il cligne tout le temps des yeux, comme s'il envoyait des signaux en morse avec ses paupières. Il y a chez lui une impatience. Le Saïd en question s'est déjà fait des copains. Il n'a pas besoin de grand-chose, si ce n'est de tchatcher. Il raconte la tôle qu'il vient de quitter, on dirait qu'il regrette Fleury, pense Harry en l'écoutant : «Quatre mille détenus dont deux mille frères qui ont pris le pouvoir, qui contrôlent toute la détention, les allées et venues dans les couloirs, la cour de récréation, les punitions, les passages à tabac, les prières. Et même le petit gazon devant les locaux de la directrice... Tu crois que je te frime, tu te trompes. C'est un petit califat là-bas, on croit rêver, la plus grande medersa d'Europe. Tu sais, je suis en mission ici (Harry sursaute en entendant ce mot, Mission. *Ce sera donc mission contre mission*), Monsieur M'Bilal t'en a parlé? Ouais? Ok. Je suis là pour voir ce que nos jeunes frères ont dans le ventre. Monsieur M'Bilal m'a dit que tu connaissais tout le monde. Tu pourras me donner un coup de main si j'ai besoin de toi? – Pas de souci, mon frère.»

En sortant de la Maison pour tous, ils passent devant les étals néonisés des marchands de bouffe. Les haut-parleurs des camionnettes diffusent en continu des tubes de musique arabe. Finalement, après la pluie du matin, la journée a été très chaude. L'air sent le goudron, la fumée des kebabs, la viande odorante du méchoui. Des essaims de filles voilées traversent la place dans un nuage de rires et d'étoffes colorées. Sur la bretelle du boulevard extérieur, c'est l'heure du coup de feu pour les dealers. Les clients piaffent derrière leur volant en attendant la coke. L'incessant ballet des phares dessine des orvets de lumière blanche. L'appel à la prière s'élance sur la ville. Les drapeaux algériens, ceux du dernier match de foot, frémissent aux fenêtres des immeubles dont les alignements aléatoires, dans les contrefeux du couchant, semblent dessiner une muraille discontinuée.

Saïd a le sourire de celui qui est jeune et promis à de grandes choses. Il vient de saluer Harry mais s'attarde, les bras ballants, semble peu pressé de le quitter. Ses paupières clignotent de plus en plus vite. Un tic agite sa bouche.

« Tu viens d'où ? lui demande Harry qui a compris qu'il avait quelque chose à ajouter.

— Je te l'ai dit, de Fleury.

— Avant ?

— De Remiremont.

— C'était comment ?

— Atroce. Surtout par rapport à ici, tu comprends, ici, j'ai l'impression d'être chez moi. Regarde autour de toi, on est chez nous frère, bien mieux qu'à Marrakech, on dirait déjà une ville sainte.

334

— Inch'Allah… »

Harry lui a souri avant de s'éloigner.

Un vrai sourire, qui lui a échappé.

Il comprend ce que peut ressentir le nouveau protégé de M'Bilal. Il comprend, mais il voit autre chose que ce morveux. Lui aussi, il a aimé sa cité, c'était la ville de ses parents, plus que leur Afrique rêvée, Dieu les protège là où ils sont maintenant. Il n'a pas eu à apprendre à aimer, car il a reçu, et continue à recevoir, grâce à eux, sa part d'amour. Et un solide instinct de conservation. Lui aussi, il aurait pu être bluffé par les promesses de M'Bilal. Par son fric. Mais il a la chance de pouvoir parler avec ses parents presque chaque nuit. Et il sait aussi comment Saïd va finir. Au mieux, baisé jusqu'au trognon par M'Bilal qui a déjà choisi de se mettre à l'abri. Au pire, en égorgeur et en martyr. La machine à tuer est lancée. Harry est obsédé par le fait de rester conscient de tous ses faits et gestes malgré le niveau de merde où il se trouve. Il pense qu'il est entré dans la première phase de sa maturité. *Je suis en train de prendre mon envol, maintenant c'est moi qui décide.* Il essaie de repérer les principaux types de schémas humains existants et de savoir celui auquel il souhaite correspondre.

Un jour, dans la forêt, il avait voulu mourir et rejoindre les siens. Dieu a décidé qu'il vivrait et a mis Bruno sur sa route. Il marche vite, comme toujours, mais l'allégresse du matin a disparu. Depuis qu'il a rencontré Saïd, le cafard et les doutes ont planté des banderilles dans ses neurones. *Et si au bout du compte, c'est moi qui avais tort en complotant contre mes « frères » ?*

En rentrant, il ouvre une canette de Heineken. Il écoute ce qu'il appelle en se marrant sa «bande démo» sur son iPhone, mastique son sempiternel croque qu'il trempe dans un pot de mayonnaise. Les paroles de son slam sonnent moins bien que ce matin. Ce n'est pas ce soir qu'il va commencer à se filmer. Il a déjà enregistré sur son dictaphone plusieurs versions de son improvisation. *Il faut que je continue, ça va prendre du temps.* Il pense qu'il va se masturber mais s'endort en triturant des mots.

18

Rue des Volontaires, Paris XVᵉ, France

Marie-Hélène l'a appelé pour lui demander avec insistance de voir leur fille aînée le plus vite possible, sans lui en dire plus. Bruno est légèrement anxieux. Il est déjà 10 heures et demie passée et Laure lui avait dit qu'elle serait chez lui à 10 heures. *Comme sa mère, toujours en retard… Pourvu qu'il ne lui soit rien arrivé…* Il lui a préparé un chocolat chaud et acheté deux croissants. *Je me demande ce qu'elle a de si important à me dire.* Le coup de sonnette le fait sursauter. Laure sature l'atmosphère de son minuscule studio dès son entrée. Il veut la prendre dans ses bras mais elle se contente d'un baiser sur la joue. *Pourquoi a-t-elle coupé ses cheveux si courts ?* Il voudrait la regarder mais elle ne cesse de virevolter dans la pièce et il n'arrive pas à croiser son regard. *Sa silhouette élancée, déjà un peu dessinée, elle est en train de perdre son air de garçon manqué et ressemble de plus en plus à Marie-Hélène, c'est hallucinant...* Elle refuse le chocolat, préférerait un thé. «Non merci, pas de croissants. Tes croissants Papa, c'est nul: 10 grammes de lipides, 24 grammes de glucides dont 4 grammes de sucre. Dis donc ta déco, c'est pourri de chez pourri...»

Elle parle tellement vite qu'il doit faire un effort pour la comprendre. Bruno peine à reconnaître sa fille, serrée dans un jean qui lui découvre le haut des fesses. «Pas assez infusé ton thé...» Il croit apercevoir un tatouage sur la fesse droite. *Impossible, Marie-Hélène n'aurait pas laissé faire ça...* Des messages arrivent en rafale sur son portable. Elle répond à tous sans s'occuper de lui. *Elle avait envisagé de se faire baptiser, veut-elle m'en parler? Sans doute, mais qu'est-ce que je vais pouvoir lui répondre, elle me paralyse, il ne faut pas que je sois trop raide.* Elle se cale en face de lui. «Il faut que je te dise quelque chose.

— Pas mal, ton piercing, je dois avouer que je ne suis pas très fan, mais celui-ci, sur l'oreille, discret, cela te va bien.

— Tant mieux, je pensais que tu allais m'exploser. Je suis contente qu'il te plaise, car j'en ai un autre, regarde...» Elle lui tire une langue énorme et il découvre une nouvelle version de la langue de son bébé.

Les yeux de sa petite Laure, ses traits fins, sa langue toute rose dégagent une énergie effrayante. Elle le toise d'un air légèrement méprisant, elle sait que dans le combat contre son père, elle est en train de marquer des points, et enchaîne.

«Papa, tu n'avais pas l'air pressé de me voir... Tant pis. C'est pourtant très important, car je suis très amoureuse. Bien sûr je n'ai pas de comptes à te rendre sur ma vie, mais je tenais à t'en parler, par honnêteté. D'ailleurs Maman m'a encouragée.

— Ma chérie, tu as bien fait, je suis très heureux pour toi, tu es sûre de toi ? Comment s'appelle l'heureux élu, c'est un garçon de ta classe, quel âge a-t-il ?

— Tu es vraiment quelqu'un de prévisible, le mec archiformaté, dès qu'il y a un poncif, il se précipite, pauvre Papa...

— Je ne vois pas ce que j'ai pu dire qui...

— Papa, je suis amoureuse de Marguerite, ma prof de SVT !

— Je ne comprends pas... SVT ?

— Sciences de la vie et de la terre, ma matière préférée, grâce à Marguerite, j'aimerais tellement que tu la rencontres, pas chez toi, trop ringard, elle fait un peu de déco en dehors de ses heures d'enseignement... »

19

*Rue de l'Espiguette, Paris V*e*, France*

C'était l'endroit idéal pour nous poser : une ruelle à deux pas du Panthéon, trois grandes pièces, très lumineuses, au premier étage, avec de hautes fenêtres à crémones, donnant sur une cour pavée. Un escalier de marbre pâle, bordé par une rampe en ferronnerie, conduisait à une porte verte sur le palier.

Trois jours avant de quitter Malte, j'avais été destinataire d'un mail collectif envoyé par un jeune collègue qui partait enseigner en Chine. Il louait son appartement meublé, en plein cœur de Paris, tout près de l'École normale. Nous avions fait affaire par téléphone et j'avais couru au bureau de la Western Union à La Valette pour envoyer par express un an de loyer d'avance. Je lui ai même payé son électricité et ses charges. Ce collègue surdoué, qui avait commencé par être sinologue avant de choisir l'archéologie, avait quitté son domicile presque aussi précipitamment que nous, mais pour des raisons moins angoissantes. L'université de Nankin lui a fait une offre financièrement intéressante, et son contrat prend effet dès la fin du mois. Il n'a eu que le temps de boucler ses valises et de sauter dans un avion d'Air China, avec un billet business.

Rim a fait le tour des pièces au pas de charge dès notre arrivée. J'ai eu brièvement le sentiment d'avoir déjà vécu cette scène, mais j'étais tellement captivé par sa façon de prendre possession du lieu que je n'y ai pas fait attention. Elle a tout de suite trouvé que cela ressemblait à « notre maison de Carthage ». À cause des livres, sans doute. Naturellement, ce « notre maison » m'a fait fondre. Les dalles du sol étaient recouvertes de tapis caucasiens. J'ai noté (déformation professionnelle) qu'il possédait une assez belle collection, très éclectique, d'objets venus du monde entier. La variété et l'originalité des pièces m'ont fait penser à Bruce Chatwin. Je suis tombé en arrêt devant une petite mosaïque – safavide ? – représentant un treillis de pampres, de grappes et de feuilles de vigne, en excellent état.

Dans les toilettes, il y avait des piles de magazines de tennis. « Tu savais que ton copain jouait au tennis ? m'avait demandé Rim en éclatant de rire. — Non, je ne le savais pas. » Elle était tombée en arrêt devant le portrait en noir et blanc d'un garçon aux longues boucles brunes, avec un sourire de champion d'un tournoi du Grand Chelem.

« Dis donc, pas mal ce garçon, tu le connais ?

— Mais c'est notre propriétaire.

— Je pensais qu'il était beaucoup plus vieux.

— Il a été l'un de mes étudiants, je te l'avais dit… »

Sa remarque n'avait rien de désagréable, mais évidemment, elle avait pensé que ce collègue avait mon âge. Je me suis approché pour regarder la photo. À côté de moi, il avait l'air d'un gros bébé bouclé. Je me suis tu. Le souvenir de Valentine s'est engouffré dans ce silence. J'ai réalisé que j'avais laissé sa photo à Carthage. Une photo qui m'avait suivi partout. Je me suis revu dans cet appartement que nous avions loué avant notre mariage, sur l'avenue des Gobelins, le premier et le seul où nous ayons vécu ensemble. C'était un deux pièces vide, très lumineux lui aussi. C'était donc cela la scène que j'avais déjà vécue. Valentine avait tourné la clef dans la serrure de l'entrée en poussant un énorme cri de joie. Nous avions fait le tour de notre domaine en courant et en riant, puis elle s'était déshabillée en me disant qu'elle voulait faire l'amour. Il y a des jours que l'on n'oublie jamais.

La nuit était tombée dans cet appartement soudain très sombre (l'électricité n'avait pas été rétablie) et nous avions parlé très longtemps, allongés l'un contre l'autre sur le plancher, en essayant d'imaginer notre avenir. *Never lost.* J'ai toujours pensé que nous avions été ensuite victimes du destin. La fille que j'avais embrassée dans la cuisine, le jour de ses dix-neuf ans, ne m'intéressait pas, elle ne me faisait pas bander, et je n'avais jamais imaginé tromper ma femme. Qu'est-ce qui m'avait pris ? Et pourquoi Valentine avait-elle surgi à ce moment précis ?

Rim s'est avancée et m'a caressé le menton, puis elle a pris une feuille blanche, sorti de son sac le stylo Montblanc que je lui avais offert, et elle a écrit, en calligraphiant chaque lettre : La vie est belle, vive toi ! Elle a éclaté de rire, comme Valentine, et s'est jetée dans mes bras avec la légèreté d'un papillon.

J'avais trouvé qu'il régnait un climat singulier dès notre arrivée à l'aéroport. Les militaires en armes, un peu partout, une expression bizarre dans le regard des gens, qui semblaient presque tous se tenir à distance les uns des autres. Rim ne pouvait pas percevoir cette angoisse. Elle manquait de points de comparaison, c'était la première fois qu'elle venait en France, qui restait pour elle un havre rassurant. J'ai appelé Dutilleul au Quai pour le remercier de son intervention et lui dire que nous étions tous les deux à Paris. Puis j'ai pris rendez-vous avec Bruno pour le lendemain. J'ai imaginé qu'il avait progressé tellement il semblait pressé de me rencontrer. Ensuite, Rim a tenu à joindre Habiba qui était rentrée dans le même avion que nous, avant d'être prise en charge par un service d'immigration et transférée dans un centre de formation, en province. Habiba et Rim avaient beaucoup bavardé pendant le vol. Elle m'a fait promettre que nous irions la voir dans son foyer.

C'était son premier soir à Paris, elle voulait voir la tour Eiffel. Elle a enfilé ses bottines rouges à talons et nous sommes allés dîner à une terrasse place de l'Alma. Nous sommes rentrés à pied, en nous tenant par le bras. Beaucoup de gens nous dévisageaient en nous croisant, certains même se retournaient sur notre passage. J'ai d'abord cru que cet intérêt s'adressait à la silhouette de Rim, à son chic, jusqu'au moment où j'ai entendu un groupe de jeunes gens qui raillaient son «goût pour les vieux toquards». Leurs réflexions m'ont ramené à la «photo du champion de tennis». Je me suis rassuré comme j'ai pu, en me disant qu'ils la convoitaient et qu'ils étaient jaloux. Où était le problème?

Rim n'a pas cessé de parler pendant toute notre promenade, commentant tout ce qu'elle voyait, les façades, la Seine, les ponts, les lumières des bateaux-mouches, les premières rousseurs sur les feuilles des marronniers, qui lui faisaient penser à l'hiver que nous allions passer ensemble à Paris. Près de la maison, j'ai vu sur un mur une affiche qui annonçait une série de concerts au New Morning.

En réalité, je ne l'ai compris que plus tard, j'avais cru que j'allais réécrire toute la courbe de ma vie, refaire le chemin, rembobiner le film, repartir à zéro. Et avec une Valentine de substitution parfaite, une doublure mystérieuse qui me faisait perdre conscience du temps passé, de la mort et de mes propres métamorphoses. Les premiers rituels de remplacement chamanique s'étaient mis en place naturellement, dès que Rim était arrivée chez moi, un soir, à Carthage. Je découvrais qu'à Paris, la ville de Valentine, le stratagème continuait de fonctionner.

J'ai parfois eu recours dans mes travaux à une technique d'imagerie hyperspectrale qui servait à l'origine aux astrophysiciens pour étudier la couleur des étoiles. Cette machine analyse un objet et peut y «voir» des choses invisibles à l'œil nu, effacées ou modifiées, en filtrant les différentes parties du spectre de la lumière. Avec Rim, je n'avais besoin d'aucune machine. Elle me rendait la lumière de Valentine. Je la regardais bouger, rire, parler. Je fermais les yeux et me demandais : où es-tu ? À Paris ? À Carthage ? Avenue des Gobelins ou dans l'appartement d'un archéologue sinologue ? Les visages de Valentine et de Rim se confondaient. J'ai décidé d'organiser une fête au New Morning le plus vite possible.

20

Hôtel de Matignon, rue de Varenne, Paris VIIᵉ, France
«Tous aux abris, il arrive !» lance une secrétaire en courant vers le service de presse. Les gendarmes postés en bas de l'escalier menant au premier étage ont compris

depuis leur prise de service matinale qu'ils ne pourraient pas faire les soldes sur le Net comme cela leur arrive parfois. Les directeurs de la police et du renseignement sont sur la sellette. Les quotidiens du matin affichent tous le même titre, en caractères énormes : L'IMPUISSANCE.

Les portes de Matignon s'ouvrent sur la rue de Varenne, deux plots d'acier anti-intrusion s'enfoncent dans les pavés. Un convoi pénètre en grand arroi dans la cour. L'huissier n'a pas le temps d'ouvrir sa portière, le Premier ministre a jailli et court vers le perron, suivi avec peine par deux membres de son cabinet qui ploient sous les dossiers.

Lambertin attend sur une banquette dans le hall du premier étage en feuilletant les journaux. Il se lève mais le PM passe devant lui sans le regarder et s'engouffre dans son bureau. Le ministre de l'Intérieur le suit quelques minutes plus tard. Lambertin se lève encore, mais le ministre, visage fermé, teint blême, muré dans une impatience froide, ne le salue pas. Il va se rasseoir quand il voit arriver son collègue Boulais, qui a instruit son procès et décidé de purger le ministère des « méthodes archaïques et scandaleusement opaques » incarnées par Lambertin. Boulais lui sourit et lui donne une accolade : « On s'est battus, ça a été compliqué, mais tu vois, tu récupères ton service, et même la Villa, on l'a fait.

— Merci de m'avoir envoyé une voiture…

— Le ministre nous a informés de cette réunion en sortant du Château. Quand je t'ai prévenu, j'étais encore avec lui dans la cour, les journalistes étaient à moins de trois mètres, on était en plein affolement médiatique… »

Le Premier ministre préside cette réunion de crise. Sous un ciel de dorures patinées sont assis autour de lui quelques membres de son cabinet, le ministre de l'Intérieur et ses principaux collaborateurs, ainsi que le conseiller du président de la République en matière de sécurité et de lutte contre le terrorisme, un ancien de la Villa qui avait quitté le service avant la dernière présidentielle afin de travailler exclusivement pour le candidat. C'est lui qui a demandé au ministre de faire revenir Lambertin dans le jeu. Lambertin est installé en bout de table, à côté d'un stagiaire en communication. Le PM expédie une déclaration très courte : « Nous allons prendre toutes les mesures qui s'imposent. Nous paraissons incapables d'empêcher les nouveaux attentats alors que nous découvrons que les auteurs de ces attentats sont connus de nos services. Monsieur le ministre de l'Intérieur, quelles sont vos propositions ? »

Le ministre interpellé semble chercher son souffle et ses propositions. Depuis trois mois, la bonne réputation de cet homme discret a volé en éclats. Il se penche vers sa tasse de café. L'usage qu'il fait de ses silences, sa voix posée, presque féminine, ses mains qu'il déploie devant sa bouche, comme s'il voulait éviter que quelqu'un puisse lire sur ses lèvres : il est redevenu le petit conspirateur trotskiste qu'il était pendant sa jeunesse, quand il passait ses jours et ses nuits à noyauter le syndicat étudiant dont il finirait par prendre la direction. C'est sa façon d'affronter une solitude à laquelle ses succès ne l'avaient plus habitué. Ses paroles prennent la forme creuse d'un document interne. Pour qui l'écoute, pense Lambertin, les attentats, les hommes égorgés, les voitures piégées, les policiers assassinés chez eux pendant leur sommeil, tout ce monde de mort et de haine paraît relever de la plus totale irréalité. *Il a toujours été hors sol, cela lui a longtemps réussi, mais maintenant, ce n'est plus possible.* Il annonce des mesures convenues comme si elles étaient exceptionnelles puis, avec une fausse bonhomie, passe directement la parole à Lambertin en précisant qu'il sera désormais son «conseiller spécial» en charge de la lutte antiterroriste.

Lambertin s'exprime d'une voix un peu éraillée, bienveillante, sans arrogance, en jouant de son physique d'homme à la fois énergique et las, qui en a vu beaucoup et qui sait qu'un certain désespoir est le prix à payer pour accepter la réalité. Il commence par faire un point rapide sur le débat juridique qui pollue tous les esprits depuis la mise en place de l'état d'urgence.

«Vous savez tous que nous avons deux armes juridiques à notre disposition. La justice administrative, qui agit de façon préventive, la justice pénale, qui se met en branle après le passage à l'acte criminel. Au fil des décennies, la justice administrative a été vidée de son contenu au profit du juge pénal qui serait seul garant des libertés individuelles. Admissible en temps de paix, cet équilibre ne répond plus à la situation à laquelle nous contraint l'urgence terroriste.»

Le Premier ministre, qui l'écoute avec des hochements de tête approbateurs, l'interrompt:

«Monsieur le conseiller spécial, vous voulez dire que nous les connaissons mais nous ne les arrêtons ou ne les

346

mettons hors d'état de nuire qu'une fois qu'ils ont commis leurs crimes ?

— Affirmatif, monsieur le Premier ministre.»

En agitant cette histoire de justice administrative, Lambertin savait ce qu'il faisait. Il a déployé ses pions avant une attaque d'envergure. Il est décidé à pousser son avantage :

«Par ailleurs, nous avons été victimes d'un double déni de réalité. En Syrie, nos collègues du renseignement extérieur ont cru il y a six ans qu'Assad allait tomber en huit jours. Plusieurs notes confidentielles ont été adressées en ce sens au président. Les diplomates ont fait du départ d'Assad un élément déterminant de toute solution à la crise syrienne. Je vous renvoie à une note pour son ministre rédigée par l'un de nos arabisants les plus distingués. Cela relève de ce que les Anglo-Saxons appellent le *wishful thinking*, autrement dit l'aveuglement volontaire. C'est ainsi que la tragédie syrienne est devenue un foyer de recrutement et un centre d'entraînement grand format pour djihadistes, d'une certaine façon leur terrain d'aventures.»

Le Premier ministre pianote sur la table avec sa main gauche sur son portable, répond à quelques sms en deux clics, puis se retourne vers son conseiller diplomatique, lui-même brutalement absorbé par un dossier qu'il feuillette nerveusement. Il finit par trouver le document qu'il cherchait (une copie de la note évoquée par Lambertin ?) et le fait passer sans un mot au PM, qui en prend connaissance, alors que Lambertin fait semblant de consulter ses propres dossiers. Une lumière chaude entre dans la salle de réunion par les fenêtres du parc et dessine des flaques sur le parquet Versailles de l'ancien bureau du général de Gaulle, à la Libération. Le ministre de l'Intérieur fait la moue de celui qui est obligé d'écouter des choses insignifiantes. Le Premier ministre appelle son conseiller, ils se parlent à voix basse, puis il fait un signe du menton à Lambertin pour l'inviter à continuer.

«Merci monsieur le Premier ministre, j'ai presque terminé. Deuxième déni de réalité, enfin : cela fait vingt ans que des dizaines de territoires échappent à la générosité et à la fermeté de la République. Ces territoires perdus servent de base arrière et de vivier aux terroristes, français et étrangers.

— Hors sujet ! Hors sujet !»

Le ministre de l'Intérieur vient de jouer son va-tout. Il mime l'indignation et en appelle à la sagesse du Premier ministre. «Ces territoires sont la marque de la faillite sociale de nos prédécesseurs. Nous devons faire face à un problème social. En aucun cas, il ne s'agit de sécurité publique.»

Le PM consulte du regard le conseiller du président, il prend un instant de réflexion avant de dire : «Continuez Lambertin, sur ce dernier point, le ministre de l'Intérieur n'a pas tout à fait tort, mais… continuez.» Lambertin sait qu'il a gagné et pense déjà à convoquer une réunion à la Villa dès que possible.

«Je crois qu'il faut absolument revenir au terrain, à tous les terrains, même les plus difficiles. Nous vivons, nous agissons, nous réfléchissons en nous tenant trop éloignés de nous-mêmes, de ce que nous sommes, et de notre pays.»

21

Rue de l'Espiguette, Paris V^e, France

Emma a laissé quelques mots rassurants sur la messagerie vocale de Rim. «Pardon d'être partie sans t'embrasser. Je n'ai pas eu le choix. Deuil familial. Suis à Paris. J'ai perdu mon portable. Je te recontacterai plus tard. Emma.»

La disparition d'Emma avait assombri l'humeur de Rim. Elle espérait pouvoir renouer avec son amie maintenant que nous étions à Paris. Rim m'attribuait l'entier bénéfice de cette amitié. D'une façon générale, elle s'était mise à me considérer comme son bienfaiteur et surtout à me le dire. J'avais assisté, sans faire aucun commentaire, à une métamorphose accélérée de son caractère.

Depuis notre départ de Carthage, Rim m'avait affirmé à plusieurs reprises qu'après une «enfance claustrophobique», n'ayant connu que l'ennui et les brimades, sa vie n'avait commencé que le jour où elle avait quitté le domicile de sa tante pour me suivre. «Comme un petit chien, ajoutait-elle en riant et en aboyant. Ouah, ouah!»

Sa joie, en découvrant le message d'Emma, m'avait fait penser une fois encore aux joyeuses tornades de

Valentine. Apparemment, Emma avait téléphoné d'un fixe, avec un numéro masqué. Rim m'avait sauté au cou. «Elle est à Paris, chic, on va se revoir!», avant de réécouter le message en boucle une vingtaine de fois. Derrière la voix d'Emma, des annonces incompréhensibles, faites par haut-parleurs, saturaient l'enregistrement. «On dirait qu'elle est dans une gare, mais c'est confus, on entend mal.»

Le jour où j'avais fait des démarches auprès du consulat à La Valette pour obtenir un laissez-passer provisoire, j'avais expliqué à Rim que j'avais un ami dans la police, l'un de mes anciens élèves. Elle avait fait semblant de ne pas entendre et m'avait dit le lendemain qu'elle détestait les policiers. Le soir de notre arrivée, je l'avais prévenue, sans lui donner d'explication, que je devais rencontrer cet ami, Bruno, le plus rapidement possible, et sans doute à l'appartement. Je me demandais comment j'allais gérer cette rencontre quand Rim m'a proposé de confier son appareil «à ton ami, tu sais, le flic, Bruno, le temps qu'il fasse expertiser le message. Nous saurons ainsi de quel lieu elle m'a téléphoné. Ce sera un indice précieux pour nous aider à la retrouver». J'ai appelé Bruno pour lui donner rendez-vous en fin d'après-midi.

Je lui avais vaguement parlé d'une jeune femme à laquelle je tenais et que je souhaitais mettre à l'abri, sans entrer dans les détails. Quand il a sonné à la porte, Rim a fait comme si elle voulait aller se retirer pour ne pas le voir, mais je l'ai retenue par le bras. Bruno a eu à peine le temps de réaliser que c'était bien la jeune femme tunisienne dont je lui avais parlé. Elle avait l'art de disparaître, en prenant tout le monde de court. Cette dimension furtive, jointe à l'éclat de sa jeunesse qui n'avait pas l'évidence d'une beauté formée, m'a paru déconcerter Bruno, mais il a retenu ses questions, s'il en avait, et est entré dans le vif du sujet.

« La situation évolue tous les jours. Je travaille toujours sur cette filière complexe, aléatoire, que vous connaissez un peu, qui va de Tripoli à nos cités de banlieue. Depuis plusieurs mois, votre "commandant Moussa" ne faisait pas que dans le trafic d'antiquités. Il envoyait des ballots de cocaïne via Malte à un trafiquant malien de la Grande Tarte. Nous avons pu assister à l'explosion de la commercialisation de la poudre dans sa cité. Moussa s'étant rapproché de l'État islamique. Il semblerait qu'un petit groupe de Franco-Maliens, proches du grand banditisme, et lié à notre dealer, soit allé faire un séjour en Libye. Comme vous le savez, votre commanditaire libyen a été exécuté, ainsi que votre ami turc. Il y a eu aussi ce jeune Africain retrouvé mort dans sa chambre, à l'hôpital. »

À Carthage, j'avais été menacé, nous avions dû partir. Et si les tueurs s'en prenaient à moi ? Bruno s'est arrêté de parler, comme s'il avait deviné mon angoisse.

« Vous avez bien fait de quitter Carthage, a-t-il enchaîné. Les proies qu'ils ne voient pas, ils les oublient. Mais cette succession de meurtres nous confirme que nous sommes face à des individus prêts à tout. Vous aviez rencontré Levent la veille de son assassinat ?

— Il a débarqué à la fin d'un dîner donné par le chargé d'affaires, dont il était proche. Personne ne l'attendait, il arrivait de Sicile avec sa petite amie…

— Emma. Vous la connaissiez ?

— Nous venions de la rencontrer. Rim a passé beaucoup de temps à discuter avec elle.

— Elle est partie plusieurs jours avec lui, à Istanbul puis en Sicile, peut-être ailleurs. Vous pensez que je pourrais parler d'Emma avec…

— Avec Rim ?

— On ne sait quasiment rien sur cette fille. Elle a totalement rompu avec ses parents, c'est un tempérament solitaire. Pas d'amis dans son école de commerce, profil neutre, ne se fait jamais remarquer, de bonnes notes dans la moyenne, sans plus, personne ne sait d'où elle tient ses ressources.

— Rim va être d'accord, mais il faut que je lui demande. Emma lui a laissé un message audio sur son portable, vous pourriez le décrypter ?

— Bien sûr, nous trouverons peut-être des indications précieuses. »

Rim feuilletait un vieux numéro de *Tennis magazine* allongée sur le lit. Elle a tourné la tête quand je lui ai annoncé que Bruno pouvait analyser le message d'Emma. Son profil était celui d'une statue phénicienne. Elle s'est levée dans un sourire et m'a proposé de lui apporter son portable et de lui faire entendre le message.

Il s'est assis sur le divan pour l'écouter. Rim, pieds nus, en tailleur, à côté de lui. Je me suis installé en face d'eux sur un petit tabouret syrien en bois très sombre avec des incrustations de nacre. Bruno a demandé à Rim l'autorisation d'enregistrer le message sur son propre portable pour le faire analyser.

«Bien sûr, grâce à vous, je vais peut-être pouvoir la retrouver.

— Nous aurons un bilan dans les vingt-quatre heures, je vous informerai aussitôt.»

Bruno m'a regardé, je lui ai fait un signe de tête pour l'inviter à poursuivre. S'il voulait poser des questions à Rim, c'était le moment.

«Vous la connaissiez depuis longtemps?

— À peine une petite semaine, mais nous nous sommes bien entendues tout de suite. On se comprenait. C'est ma seule amie!»

Rim s'exprimait en parlant très vite, avec une impatience mêlée de nervosité. Leur conversation était un peu asymétrique. Rim parlait beaucoup mais sans révéler grand-chose, si ce n'est que la liaison d'Emma avec Levent n'était pas «sérieuse», et Bruno paraissait hésiter à lui poser des questions. J'ai pensé que c'était de ma faute et que ma présence les empêchait tous les deux de dire ce qu'ils avaient à dire.

Bruno, que je devinais perplexe, devait s'interroger sur ma relation avec elle, la comparer avec celle d'Emma et Levent. J'allais proposer de les laisser seuls quand Rim s'est levée en prétendant sèchement avoir tout dit. Elle s'est aussitôt radoucie pour ajouter: «Bruno, n'oubliez pas de nous donner des nouvelles, s'il vous plaît, c'est très important.»

Cette nuit-là, Rim s'est relevée. Je l'ai entendue ouvrir la porte du réfrigérateur et j'ai pensé qu'elle avait soif. Il faisait chaud dans l'appartement, bien que nous ayons laissé ouvertes les fenêtres sur la cour. Une heure plus tard, je l'ai trouvée en larmes dans le salon, sur le tabouret syrien, dans l'obscurité. Il lui a fallu du temps pour m'avouer qu'elle était inquiète pour Emma.

«Je m'accroche à la dernière image que j'ai d'elle. Elle marchait sous les palmiers, une danseuse, puis elle s'est retournée et m'a fait un signe de la main. Nous devions nous revoir le lendemain, comme je te l'avais dit. Je n'ai pas compris qu'elle me disait adieu…»

Elle a couru dans les toilettes pour se moucher. J'ai eu besoin d'une heure pour la calmer. Blottie dans mes bras, le corps en boule, agitée par des sanglots. J'avais apporté une boîte de mouchoirs en papier que je lui tendais régulièrement. Quand le jour a filtré à travers les rideaux rouges du salon, j'ai proposé d'aller faire un café. «Non, ne bouge pas, il faut que je te parle…» Elle pleurait toujours et il m'a fallu quelques moments pour comprendre ce qu'elle me disait.

«Emma se prostitue, ce n'est pas nouveau, c'est sa façon de rester libre. Levent la payait très cher. Mais en plus, elle lui trouvait quelque chose, parce qu'il était dangereux. Elle avait photographié la liste de ses contacts avec son mobile. Elle connaissait quelqu'un sur cette liste.»

À 8 heures du matin, j'ai rappelé Bruno. Il a décroché aussitôt et m'a annoncé qu'il avait déjà l'analyse du message audio d'Emma. «Vous pourriez passer nous voir maintenant. – Dans une heure, je suis chez vous.»

22

La Villa, Paris VIIe, France

Les voies sur berges sont toujours interdites à la circulation. Bruno progresse dans les bouchons en râlant contre Paris Plages pendant que les sms cascadent sur son portable.

Laure, plus amoureuse que jamais. Elle exige qu'il rencontre Marguerite. Marguerite? – Tu le fais exprès, Papa, Marguerite, ma prof de SVT.

Sabine, son autre fille; il l'a invitée à déjeuner mercredi prochain. Elle lui rappelle pour la troisième fois qu'elle est vegan. Vegan? – Oui, vegan, comme véganiste. Je ne mange plus de viande et je crois Papa que tu devrais t'en passer aussi.

Et enfin leur mère, *cerise sur le gâteau*. Elle s'est fait plaquer, *c'était prévisible et même prévu*, déprime toute la journée. Sabine en a parlé à son père. Le soir, elle force sur le bordeaux quand elle rentre de l'hôpital. Marie-Hélène l'appelle tous les jours depuis le début de la semaine dernière. Lui qui a attendu ses appels pendant des mois ne décroche pas quand il voit son prénom s'afficher sur l'écran de son portable. *Quel désastre! Je n'ai rien vu venir, je suis carbonisé. Elle aussi. Ce n'était pas*

355

comme cela que notre vie devait se dérouler. Quand les choses ont commencé à se disloquer, c'était encore rattrapable, mais je ne comptais plus. C'est de sa faute si on en est là maintenant, avec deux gamines qui sont devenues folles. Que Marie-Hélène ne compte pas sur moi pour être sa bouée de sauvetage. Son détachement à l'égard de Marie-Hélène semble s'installer de façon durable. Avec des hauts et des bas. Il y a des jours où il se dit qu'ils auraient tous besoin d'une thérapie collective. Il continue à retrouver Évelyne dans son appart du boulevard Saint-Jacques quand il n'a pas envie de rester seul. Il a constaté qu'il avait un peu d'influence sur elle, sa cuisine est propre et rangée.

Une brume légère habille d'un voile transparent les ponts et la façade du Louvre. La brume lui fait penser aux installations de Christo. Bruno passe rive gauche, il baisse sa vitre. L'air sent la mer. *Quand j'aurai le temps, il faudra que je retourne à Dinard, ça me remettrait les idées en place. Comment s'appelait la fille de l'accueil...* Des sms continuent de se bousculer, toutes les trois exigent une réponse, tout de suite. *Aujourd'hui, ras le bol, je ne serai là pour personne.* Il met son portable en mode silencieux. La circulation est devenue plus facile, Bruno se concentre.

Lambertin l'a appelé ce matin pour le convoquer à la Villa à 10 heures. «La Villa ? – Oui, la Villa. Ils avaient changé la serrure mais j'ai récupéré les nouvelles clefs, dit Lambertin d'un ton monocorde. Et ils vont nous envoyer des techniciens pour vérifier le système informatique.» Bruno n'a pas été surpris. Ce matin, les radios matraquaient la même info : le retour en grâce d'un « super flic » pour lutter contre le terrorisme.

Bruno n'a pas revu Lambertin depuis qu'il l'a rencontré chez lui, trois semaines auparavant. Il avait pensé que le vieux avait des tendances un peu délirantes, parce qu'il continuait à consulter ses contacts alors que le ministre l'avait balancé comme un malpropre. *Je m'étais trompé. Le chien qui ronge un os ne le lâche jamais...* Toute l'équipe est présente, mis à part les deux ou trois agents partis en vacances et qui rentreront ce soir. Le planton, un nouveau, distribue des cafés. Le chef lisse du bout de son index son petit carré de moustache blanche. Il a dénoué sa cravate, posé ses lunettes d'écaille devant lui et commence d'une voix monocorde. Bruno savoure la rugueuse clarté du pédagogue.

« Tout le monde parle de nous ce matin, mais la seule chose à dire c'est que nous sommes seulement autorisés à refaire notre travail, comme avant. C'est tout. Deux précisions, quand même. Primo (il lève le pouce de sa main droite et garde la main en l'air) : nous n'aurons pas davantage de moyens, notre nouvelle dotation relève du symbolique, l'ancienne brigade antiterroriste que nous formions était déjà une unité marginalisée. Nous survivions depuis longtemps. Nous sommes pour eux tous une solution facile et à moindre frais. Deuxio (il lève l'index et agite sa main) : il y a urgence. Nous serons tenus comptables de tout ce qui va arriver. Le meilleur et le pire. Les vies sauvées et les autres. »

Le bureau est silencieux, aucun téléphone ne sonne, le planton est sorti. Lambertin laisse tomber ses phrases

357

dans ce calme étrange, comme s'il tenait à leur montrer qu'ils sont seuls, malgré les apparences de la communication gouvernementale. Son attitude un peu lasse, son visage lisse ne laissent filtrer aucune trace d'humeur.

«Ce retour inattendu satisfait notre amour-propre. Nous n'avons pas gagné, en fait, c'est eux qui ont perdu, car ils sont dos au mur. Ils ont simplement redécouvert la réalité, maintenant au travail.»

L'adjoint du vieux, toujours le même, fait un point sur les renseignements transmis par le cabinet. Menaces précises, filières les plus inquiétantes, rapports d'audition et du Net, individus suspects. «C'est un début.» Lambertin spécifie que la brigade va travailler en étroite relation avec la direction de la police et celle du renseignement, qui vient aussi de changer. Ça dégage à tous les étages. Il demande à son adjoint d'organiser un rendez-vous avec eux tous les jours, au moins pendant le premier mois, en fin d'après-midi, place Beauvau. Lambertin enchaîne toujours sur le même ton distancié: «Je demande à chacun d'activer tous ses réseaux et d'en créer de nouveaux. Nous avons une obligation de résultat, non parce qu'on l'exige de nous, mais parce que c'est ou plutôt c'était la tradition de la brigade.»

Il garde Bruno pour la fin et le reçoit en fin de matinée. Il a toujours apprécié d'avoir en face de lui un ancien prof d'histoire et de géographie. Pour lui, des données essentielles. Il pense que ces deux matières entrent forcément dans les équations des affaires qu'un flic comme lui est amené à résoudre. *Mais je suis de la vieille école. Tellement de collègues sont ignorants. Sans parler du ministre. Il y a deux ans, il n'avait jamais entendu parler du wahhabisme.* Il avait détecté chez Bruno une sorte de tristesse, qui n'était pas pour lui déplaire – la tristesse rapproche de la lucidité –, et qu'il pouvait comparer à la sienne, qu'il ne montrait jamais.

«Les Turcs ont fait entrer leurs chars en Syrie. Double jeu, comme d'habitude. Ils veulent surtout casser du Kurde, et en même temps affaiblir l'État islamique, en tout cas sur leur frontière. Cela n'empêche pas que des milliers de combattants turcs et étrangers quittent le sol turc pour rejoindre Daech, comme ils disent. Parmi eux, des Français. En Libye, malgré les frappes, le chaos continue. L'État islamique est affaibli, mais la bête va encore bouger un certain temps. Vous savez pourquoi je vous parle de la Turquie et de la Libye. Vous avez mis le doigt sur une connexion encore assez floue dont il faut absolument démonter tous les rouages. Vous suivez toujours le gosse?

— Trois fois par semaine.

— Du neuf?

— Pas grand-chose, son caïd a quitté la zone pour se mettre au vert, il s'est loué une grosse baraque, près de Melun.

— Les Américains vont me transmettre la liste des noms de ses copains qui sont allés faire du tourisme en Libye. Je vous aviserai aussitôt. Vous avez pu quand même profiter de ces quelques semaines de vacances forcées?

— Je suis allé aux archives de l'armée consulter les dossiers sur l'insurrection de Sétif. Mon père est de là-bas. Je suis pied-noir.

— Intéressant ?

— Il me semble que c'est la même histoire qui continue aujourd'hui.

— Le djihad ?

— D'une certaine façon. Cette composante était présente dans l'insurrection en 45. Parmi les gens qui avaient consulté les mêmes dossiers que moi, je suis d'ailleurs tombé sur un garçon de la Grande Tarte, j'ai cru tenir une piste, mais je me suis renseigné, c'est l'un des jeunes de la cité qui a réussi, il est devenu financier. Son père était de Sétif, comme le mien. Je suppose que lui aussi s'est penché sur ses origines.

— On se voit quand vous voulez, et on fait un point tous les deux jours. N'oubliez pas les détails. On a parfois l'impression d'être prisonniers de choses minuscules. C'est le contraire. Observez la réalité comme si vous regardiez un tableau de maître. La vision générale vous donne la composition, le mouvement de l'œuvre, mais tous les historiens de l'art vous le diront, le peintre met aussi son génie dans les détails. C'est la mouche minuscule sur le sein du Christ dans une peinture de la Renaissance. Dans le détail, l'artiste cache ses secrets, ses références, ses insolences, son fétichisme ou ses blagues. Quand on s'approche d'une toile, que l'on prend son temps, on découvre autre chose.

— Et même parfois, un chef-d'œuvre caché sous la peinture que vous regardez.

— Oui, mais là, c'est autre chose, vous avez besoin des rayons X. »

QUATRIÈME PARTIE

Blues March

1

Rue des Volontaires, Paris XVᵉ, France

Bien que très fatigué, Bruno n'arrive pas à s'endormir et répond de manière distraite aux sms que lui envoie Évelyne. Il y a des jours où l'alchimie de la chair fonctionne bien à distance, mais ce soir, le courant passe moyennement. Sans doute commence-t-il à se lasser de cette relation, malgré la vitalité distrayante d'Évelyne. Et surtout : il pense à autre chose.

Le carillon de son iPhone annonce l'arrivée d'un nouveau message : J'aime ta QUEUE, c'est la meilleure du monde.

Il reprend le dossier posé sur sa table de nuit, avec la liste des contacts de Levent. Lambertin s'est chargé personnellement de faire analyser les numéros qui concernent les organisations kurdes, l'État islamique, Al-Qaïda et les services américains. Lambertin lui a confié le restant, une centaine de numéros, quand même. Il a entré tous ces noms dans l'un de leurs moteurs de recherche. Il en a souligné trois, des priorités : Emma, évidemment, Louis Camillieri, le pêcheur maltais, et ce Bouhadiba.

Dring ! Message : Où veux-tu la mettre ? Il élude : Qu'est-ce qui te ferait plaisir ?

Le cas de Camillieri paraît assez clair. Il trafiquait la cocaïne et des antiquités sur son bateau de pêche. Sans doute autre chose aussi. Chacune de ses sorties vers la Libye lui assurait des revenus enviables. Camillieri avait toujours bien gagné sa vie, le cours du thon peut grimper très vite aux enchères à Tokyo, mais ses nouvelles activités, à la demande, devaient lui rapporter encore plus tout en lui laissant un maximum de temps pour s'occuper de sa petite Allemande, celle qui avait une croix gammée sur la fesse droite. Serait-il en plus devenu l'homme de main de Levent ?

Dring ! J'ai un gode dans le cul, j'imagine que c'est toi. Il répond : Sois prudente, bonne nuit, à demain, éteins ton portable.

Emma est à présent le témoin clef. Il n'a aucune idée de la façon dont il pourra la retrouver. Reste Bouhadiba. C'est quand même très curieux de retrouver son nom dans les papiers de Levent. Il avait parlé de lui cet après-midi avec Harry convoqué d'urgence au Mandarina. Harry avait été catégorique. « C'est un bon fils, il réussit à merveille, son père est en adoration devant lui. – Et sa vie privée ? – Zéro. C'est le grand regret de son père, il voudrait tellement avoir des petits-enfants, il ne me l'a pas dit, mais je suis certain qu'il se demande si son fils n'est pas gay, ça le tourmente. Il trouve que la solitude est une mauvaise conseillère pour son petit Sami. N'ayant pas de femme à qui parler, son fiston a un peu tendance à parler tout seul, selon son père. Remarque moi aussi, ça m'arrive souvent. Quiconque a vécu solitaire sait bien que le monologue est dans la nature…»

Bruno avait relevé la tête avec un air perplexe, du coup Harry avait gardé la suite pour lui. «Parler tout haut et tout seul, cela fait l'effet d'un dialogue avec le Dieu qu'on a en soi.» Il avait l'idée d'un texte de chanson autour de cette idée du monologue. *Parler tout seul* : cela lui paraissait un bon titre. Merci Hugo ! Il venait de relire une nouvelle fois *L'Homme qui rit*. «Ce qui est sûr, c'est que Bouhadiba Junior est un mec hyperclean, j'ai son numéro de portable, le vieux chibani m'a donné la carte de son fils.» *Sami Bouhadiba Directeur financier Cimenlta*. Bruno avait noté le numéro et lui avait rendu la carte.

*

Tour Cimenlta, la Défense, Hauts-de-Seine, France

Sami lui a donné rendez-vous dans son bureau de la Défense à 8 heures du matin. Très aimable au téléphone, aucune tension dans la voix : «Nous aurons une petite demi-heure, cela vous convient ?» L'assistante de Sami Bouhadiba est venue le chercher à l'accueil. Une brune piquante, qui a l'air grisée par l'arrivée d'un flic. Bruno, serré dans un costume gris acheté en solde aux Galeries Lafayette, se sent mal à l'aise dans le hall futuriste de Cimenlta, tout en arches et en échappées, style vaisseau spatial. D'immenses écrans suspendus signalent les implantations de Cimenlta sur la planète. Des posters lumineux mettent en valeur des dirigeants de la société posant aux côtés de chefs d'État (le roi Fahd, l'émir Al Thani, Bill Clinton, François Hollande…). Derrière un comptoir à la ligne aerienne, des hôtesses en tailleur clair et chemisier rouge accueillent les visiteurs. Quand il arrive au dernier étage, Bruno a le souffle coupé par la vue des bureaux. Bouhadiba se lève pour l'accueillir, demande à son assistante d'apporter du café et du thé.

À son allure, à l'autorité de la voix, débit rapide mais jamais précipité, Bruno comprend tout de suite qu'il fait fausse route. Harry avait raison : «Le mec est clean…» Jeune, une allure encore presque adolescente dans son costume sombre, mais carré, précis, très posé, un pro. Pendant qu'il explique les raisons de sa visite, Bouhadiba l'écoute en prenant quelques notes, puis sonne son assistante : «Martine, s'il vous plaît, pourriez-vous m'apporter le dossier Levent. Oui Levent, vous vous souvenez, ce diplomate turc qui voulait nous confier la gestion de ses biens financiers… tout de suite, oui…» Il explique sans attendre comment ce Levent, se recommandant d'un ami commun, un banquier d'affaires de Riyad, est entré en contact avec lui, cherchant un gestionnaire de fortune. «Nous ne pouvions pas l'aider, nous n'avons pratiquement pas de clientèle privée dans notre département financier…» La secrétaire revient, donne le dossier à Bouhadiba, jette un œil sur Bruno à la dérobée, et repart.

Bruno constate que l'échange de courriers correspond à ce que vient de lui dire le financier. «Désolé de vous avoir dérangé pour rien, mais je suis obligé de vérifier tous les contacts de cet homme.

— Je ne veux pas être indiscret, mais pourquoi vous intéressez-vous tellement à lui ?

— C'est quelqu'un qui s'affranchissait parfois de toute règle pour mener ses activités. Il a été assassiné.

— Il travaillait pour les services turcs ? Vous ne me répondrez pas, mais je m'en suis douté tout de suite. Ses avoirs n'étaient pas assez importants pour nous intéresser mais ils excédaient de loin les ressources d'un diplomate. Je m'étais même demandé s'il n'était pas lié d'une façon ou d'une autre à l'État islamique…

— Que voulez-vous dire par là ?

— Une simple intuition. À force d'entendre parler de l'État islamique, on finit par le voir partout. Si vous n'avez pas d'autres questions, je vais demander à Martine de vous raccompagner. »

2

Damien-le-Temple, Aube, France

Quand Rim a émis à nouveau le souhait d'aller rendre visite à Habiba dans son foyer d'accueil, Jeannette a dit qu'elle serait du voyage. Nous avons décidé de partir dès le lendemain matin. J'ai proposé que Bruno vienne avec nous. Je parle avec lui une fois par jour et je le sens soucieux, saturé d'hypothèses et de questions.

Place du Panthéon, le lendemain, la température était fraîche mais le soleil faisait miroiter le dôme du tombeau des grands hommes. Nous nous sentions tous un peu en vacances, même si Bruno restait préoccupé. Jeannette, tout à sa joie d'être avec Habiba, «mon enfant trouvé», comme elle disait, s'est assise à l'avant, à côté de Bruno qui conduisait. Rim et moi nous sommes calés à l'arrière de la petite Audi. Rim manifestait son impatience de «rouler sur des routes françaises, de traverser des paysages français». «Ma voiture allemande ne te dérange pas trop?» demanda Bruno. Il y avait peu de circulation sur l'autoroute, Jeannette a proposé de brancher France Musique et nous avons fait le trajet en écoutant des extraits de symphonies de Mozart dirigées par Claudio Abbado.

Le ruban de l'autoroute taillait à travers un paysage apaisant. La toison sombre des forêts, le vert des prairies, l'ocre des champs finement labourés, les villages campés sur les rares cambrures du relief, les sinuosités de rivières minuscules où trempaient les cheveux de vieux saules. Nous nous taisions, pensant tous plus ou moins à Habiba.

«J'ai l'impression d'être dans un film, dit Rim d'une voix étrangement haut perchée, en me griffant le poignet. Comme si j'étais une jeune fille en voyage vers quelqu'un qui me ressemble et qu'une partie de moi m'attendait au bord de la route.»

Personne ne commenta. Je la serrais contre moi. J'avais déjà remarqué que toute forme de dépaysement pouvait la mettre dans une sorte d'état second et même lui donner des pulsions érotiques. «C'est très étrange, me dirait-elle quelques jours plus tard. J'étais terriblement émue par ce qui m'entourait, ce mélange harmonieux, la campagne et la musique. J'ai senti quelque chose se dénouer à l'intérieur de moi...»

Nous avons quitté l'autoroute et emprunté une départementale. Midi sonnait au clocher de l'abbatiale quand nous sommes arrivés dans cette petite ville qui nous parut abandonnée. Quelques façades et des îlots de maisons bourgeoises témoignaient d'une ancienne prospérité. Damien-le-Temple, autrefois centre agricole actif, entourée par une constellation de forges, de verreries et de hauts-fourneaux qui rougeoyaient jour et nuit dans les forêts des alentours, avait drainé pendant des siècles le commerce de toute une région lors des foires réputées, chaque automne à la Saint-Martin. Mais les paysans étaient partis, les verreries et les derniers hauts fourneaux avaient fermé, d'énormes pancartes À VENDRE barraient les façades, les portes des commerces étaient murées avec des agglos de béton, beaucoup de rideaux de fer étaient baissés. Des slogans peints sur les murs réclamaient le départ des étrangers. Les rues étaient désertes; comme si la population avait été évacuée avant l'arrivée d'une catastrophe. «Ça sent la crise», dit Jeannette.

Habiba nous attendait sur le perron de la Maison pour tous. En jean et T-shirt blanc, la tête parée d'un voile éclatant, d'un jaune soutenu, qui mettait en valeur son sourire, l'éclat de ses yeux et son énergie adolescente.

Elle rayonnait.

Elle se redressa dès qu'elle nous aperçut et poussa un énorme cri: «Salut!», le premier mot peut-être qu'elle

avait appris en français. Elle dévala les marches et se pré-
cipita dans les bras de Jeannette.

Sur le rivage maltais, il y a quelques mois, au petit
matin, Jeannette avait découvert Habiba et son frère,
naufragés ; affamés, en état de choc. Elle la retrouvait
aujourd'hui dans une petite ville gangrenée par la
mondialisation.

Les deux femmes se faisaient face, se tenant à bout de
bras. Jeannette, le teint hâlé, cheveux au vent. Elle aussi
rayonnait.

Bien droite, la journaliste semblait porter la jeune
Somalienne.

J'ai commencé par me dire que ces rencontres manifestaient la signature ironique du destin. Le destin joue
avec les hommes, les précipite vers les ténèbres et la violence, ou vers la lumière, à sa guise. Puis j'ai corrigé mes
pensées. Le destin propose, l'homme dispose. Habiba
était décidée à faire en sorte que ce nouvel échouage
ne soit pas un naufrage. Quant à Jeannette, elle portait
Habiba au-dessus d'elle comme s'il s'agissait encore de
lui tenir la tête hors de l'eau.

Devant le préfabriqué qui jouxtait le bâtiment principal, une quinzaine de jeunes immigrés fumaient, télé-
phonaient et écoutaient de la musique en nous observant
avec indifférence.

Nous sommes entrés ensemble dans le foyer pour
saluer la directrice du centre, une femme de grande
taille, assez négligée, aux cheveux frisés et longs, dans
la quarantaine. Elle nous a accueillis sous des posters
de Che Guevara et Mandela, poliment mais avec une

certaine froideur. Elle n'avait pas l'habitude de recevoir des amis de ses pensionnaires. Notre présence la perturbait dans son travail ou du moins dans ses habitudes. Pour être aimable, je l'ai interrogée sur l'organisation des stages.

« C'est très compliqué, j'héberge des migrants en attendant qu'ils soient acceptés dans un foyer près de Paris où ils recevront des cours pendant plusieurs mois. Ici, ce n'est qu'une zone de transit. Je dois les occuper, mais je n'ai pas de moyens, nous sommes victimes de la municipalité de droite qui rogne nos crédits. J'avais deux intervenants qui leur donnaient des cours de yoga et d'expression corporelle, j'ai été obligée de supprimer l'un des deux modules. C'est vraiment dommage, j'ai aussi une bénévole qui vient de temps en temps donner des cours de français. Nous nous occupons aussi de leurs formalités administratives. »

Jeannette, renonçant à lui expliquer pourquoi nous étions là, est intervenue pour la féliciter de son dévouement et nous avons obtenu son accord pour emmener Habiba déjeuner en ville.

Il n'était pas nécessaire de retenir à l'Istanbul Pizzeria, logée sur une petite place qui abritait un lavoir traversé par des eaux vives. La plupart des tables étaient libres. Nous avons négligé les kebabs de la carte pour nous rabattre sur les pizzas. Pendant que nous faisions notre choix, la serveuse, une femme encore jeune au physique ravagé, nous parla des dernières inondations qui avaient noyé la ville pendant plus d'une semaine, au printemps dernier.

«La flotte, plus le chômage et le terrorisme, je sais pas ce que vous en pensez, mais pour nous, ça fait beaucoup. Alors, napolitaine pour tout le monde ? Et comme boissons ? »

Ces gens vivaient dans une atmosphère de fin du monde. Je m'étais déjà fait la réflexion au foyer, en comparant Habiba et la directrice de la Maison pour tous. Pourquoi l'errante, la paria portait-elle la joie sur son visage, pendant que l'autre affichait un masque d'angoisse ? Pourquoi l'une souriait-elle, et l'autre pas ?

Nous avons commandé deux bouteilles d'eau minérale et Jeannette a tout de suite commencé à discuter avec Habiba, Rim traduisant tant bien que mal les questions et les réponses, dans un mélange d'arabe et d'anglais.

«Oui, tout va bien, dommage que le professeur de français ne vienne pas plus souvent, je ne l'ai vu qu'une fois. Je suis allée deux fois à Paris, chez des cousins, j'ai vu la tour Eiffel, l'Arc de triomphe, j'attends d'être admise dans ce nouveau foyer, en région parisienne, j'apprendrai le français, et un métier, et je vais visiter la France, je veux aller à Marseille et à Strasbourg, je veux tout connaître. Le mont Blanc aussi, avant qu'il ne soit noir...» Elle était intarissable. Son seul souci concernait sa mère. D'après l'un de ses cousins, elle vivait maintenant dans un camp. Habiba voulait travailler, lui offrir le voyage jusqu'à Paris.

En sortant de l'Istanbul Pizzeria, nous nous sommes serrés dans l'Audi et sommes allés marcher en forêt. Nous avions l'impression d'être au bout de nulle part. Le sable crissait sous nos pieds. De fortes odeurs de tourbe et de feuilles mortes montaient du sous-bois. Bruno a commencé à interroger Habiba sur sa vie à Tripoli, par petites touches, puis il a glissé quelques questions à propos de Levent et du commandant Moussa. Rim, qui semblait bien s'entendre avec lui, traduisait, sans qu'il ait besoin de lui demander, quand un fracas de branches nous a fait sursauter.

À cinq mètres, immobile, un chevreuil nous donnait sa face et ses naseaux humides, nous fixant sous ses bois. Nous sommes restés pétrifiés, légèrement angoissés par la puissance de sa masse, sa substance de statue, sa beauté.

Il a disparu comme il était arrivé, d'un bond, et s'est dissous dans l'ombre. Rim s'est retournée vers moi. Un trait de lumière soulignait sa silhouette, j'ai cru voir Valentine, l'illusion fonctionnait toujours, même ici : « Vous vous souvenez de *Voyage au bout de l'enfer*, au début, quand les copains du marié vont chasser dans la montagne, pendant sa nuit de noces, on y était ! Les animaux portent en eux quelque chose d'inexplicable. »

Habiba avait parlé d'une auberge en lisière de la forêt, où elle était venue prendre un verre avec ses « cousins » de Paris. « Allons-y », dit Rim, qui cherchait un moyen de prolonger la rencontre avec Habiba. Nous avons longé plusieurs lacs, aperçu des chênes centenaires avant d'arriver sur le parking d'un hôtel de conception moderne, bois, acier, verre, qui s'intégrait très bien dans la clairière qui l'hébergeait avec ses dépendances, de vieilles granges en pierre, et un jardin potager. Une douzaine de Harley étaient garées sur le parking. Le lobby, très spacieux, abritait un bar où les propriétaires des motos, des Italiens des deux sexes, tous dans la cinquantaine et plutôt élégants, ni tatouage ni débardeur, jouaient au billard et buvaient du champagne.

Nous nous sommes installés dans de larges fauteuils en cuir à l'autre extrémité de la salle. Jeannette a offert le champagne. Habiba a préféré prendre du Coca mais elle a tenu à tremper ses lèvres dans le verre de Jeannette. Rim a repris en douceur quelques questions posées par Bruno pendant la promenade. Habiba a parlé de Moussa, assez longuement, de sa cruauté, ne s'adressant qu'à Rim, comme si nous n'étions pas là. « Je me suis sauvée à temps, le commandant m'avait désignée comme sa prochaine esclave sexuelle.

— Et leur business en Europe, ils en parlaient ? a demandé Jeannette qui semblait mal à l'aise.

— Je n'écoutais pas, j'avais trop peur mais j'ai compris qu'ils étaient focalisés sur un projet en France. Mon frère avait entendu plus de choses. La dernière fois que je les ai vus, il y avait un Turc qui venait régulièrement…

— Levent ?

— Oui, peut-être. Un soir, seul avec Moussa, il a dit qu'il était amoureux d'une Française. »

Les bikers italiens avaient quitté le bar. Ils ont fait ronfler leurs motos sur le parking, puis nous les avons entendus s'éloigner. « C'est dommage qu'ils soient partis », a dit Rim en remontant ses cheveux avec ses mains.

L'après-midi déclinait. Il ne restait qu'un buveur de bière au comptoir. La barmaid a allumé des barres lumineuses qui diffusaient une lumière de faux crépuscule.

374

La conversation est partie dans tous les sens. Nous avions tous envie de continuer à bavarder et à boire, au cœur de la forêt, même si chacun restait seul avec ses secrets. Je regardais Bruno, son visage pâle et attentif, les sourcils froncés. Il était déçu de ne pas avoir appris grand-chose, mais il plaisantait avec Rim et Habiba.

3

Taurbeil-Tarte, région parisienne, France

Harry réécoute sa «bande démo». Rien ne le dérange dans ce qu'il entend. C'est la première fois. Les rimes, les mots, les phrases, et même les silences, tout tombe et se met en place de façon impeccable, avec un je-ne-sais-quoi, lui semble-t-il, qui instille une putain de force à l'ensemble. Ce morceau existe. *La classe…* Il se le passe et se le repasse sans se lasser sur son iPhone, décidé à traquer chaque faiblesse. Il reprend le refrain, *Parler tout seul*, fait une deuxième voix, il chante à tue-tête, pirouette sur lui-même tout en repliant son corps trop grand pour le bunker. Il serre les bras, s'accroupit. Il a envie de danser, de s'envoler, allongé sur ses mots, et lentement la bonne idée lui vient. Il va se filmer et poster son essai sur Facebook. *Prends ton temps Pépère. Tu as la journée pour bâtir ton scénario et filmer.*

Personne à l'horizon. Il s'extirpe du trou, referme la trappe, dévale la pente. La fraîcheur lui cingle le visage, il respire à fond, regarde le ciel, un grand vide, les barres gondolées des immeubles, il écoute le silence de la cité, la racaille cuve son kif, des femmes rapportent des paniers de provisions du marché, leurs silhouettes sombres se dandinent sur toute la longueur du chemin, il se demande où il va filmer, cherche ses plans, arrive au carrefour, son texte chante, *Parler tout seul*, il ne fait que cela, et tout à coup, il se rend compte que les services municipaux ont réinstallé deux caméras au sommet des mâts de signalisation routière du Bilal drive, au carrefour Croix-Rouge. Il se pose à l'écart, en dehors du champ des caméras et regarde. Pas de flic, circulation ordinaire du matin. Il voit une troisième caméra, en haut d'un réverbère, son petit œil noir braqué sur lui. Il s'écarte et appelle Bilal.

«Bonjour Patron !

— (silence)

— Bonjour monsieur M'Bilal.

— Comment vas-tu petit con ?

— Et vous ?

— Très bien, ici c'est Hollywood, le monde des riches, rien à voir avec ce que tu connais, il faut absolument que tu viennes me voir. Tu m'appelles pour les caméras ?

— Exact.

— Quels salauds… On rêve ! Heureusement le sénateur m'a prévenu. File voir Saïd, et dis-lui de ma part qu'il fasse ce qu'il a à faire, il comprendra. Tu t'entends bien avec lui ?

— Super bien.

— C'est une bonne recrue pour Taurbeil-Tarte. Et les deux Tunisiens, comment sont-ils ?

— Comme je vous l'ai dit hier, bien, ils ne sortent presque pas, mais depuis une semaine, ils font un jogging le soir, quand il fait nuit.

— Ils s'entraînent pour les Jeux, parfait. Ça va chier. Nous allons décrocher des médailles explosives.»

Harry ne sait pas se déplacer sans courir. En moins de dix minutes, il est à la Maison de la culture où Saïd a pris ses quartiers, dans un bureau du premier étage. Il frappe. Pas de réponse. Pousse la porte. Saïd dort encore. Il le réveille avec ménagement et l'informe en deux mots de la situation. «Pour commencer va me chercher un café à la machine et ensuite je réfléchirai.» Quand il revient, Saïd a ouvert ses fenêtres, retapé son lit et pris une douche rapide. Il bande sous sa serviette. «J'ai la trique, t'inquiète pas, ça va passer. Raconte-moi, qu'est-ce qu'il t'a dit le boss?

— Que tu fasses ce que tu avais à faire.»

Saïd ne perd pas de temps à réfléchir. Depuis son arrivée à la Grande Tarte, il s'est lié avec des dizaines de gosses qui bavent d'admiration devant lui. Il leur montre des vidéos postées de Fleury où l'on voit des «soldats de l'État islamique», pantacourt et T-shirt noirs, le crâne rasé, la barbe drue, s'entraîner dans la cour de la prison. Il les tient en haleine en leur parlant de leur honneur bafoué par ces coufars de Français, du califat à venir et des têtes de flics qu'ils pourront écrabouiller contre les vitres de leurs bagnoles pourries. «Dis au boss que je vais envoyer une équipe demain soir. Qu'il regarde la télé…»

Bientôt 11 heures. Les Tunisiens doivent être réveillés, se dit-il. Il est informé de leurs faits et gestes par l'un des deux ambulanciers détrousseurs de cadavres. Ils se sont liés avec des compatriotes qui les ravitaillent en shit et jouent aux dominos avec eux. Harry prend l'initiative de courir à la tour Montaigne. Les deux zigs, crâne rasé, barbe brillante, gringalets dans leur survêt en rayonne caca d'oie, regardent un feuilleton turc traduit en arabe sur une chaîne marocaine. Il prend un café avec eux et les prévient : « Demain soir, le quartier risque d'être chaud. Pas de jogging en soirée, ça vaut mieux. »

13 heures. Il rejoint Bruno dans le cocon du Mandarina. Harry se propulse sur des épaisseurs de tapis en se laissant guider par des rais de lumière incrustés dans le sol. Superjouissif. Il commence à apprécier la cuisine des bridés. Le barman le ravitaille en raviolis et riz cantonais. Il se bâfre. En utilisant les baguettes. Fait son rapport à Bruno, qui informe immédiatement Lambertin.

Bruno le retient quand il veut repartir. « Tu es pressé ?
— Non, mais… »

Pour la première fois, il parle de ses… comment dire… de ses chansons, avec des hésitations, des haussements de sourcils, des silences. Puis il sort son iPhone et ses enregistrements. Le barman les rejoint. *Parler tout seul* fait un tabac. La nuit est tombée quand ils se quittent.

Il reprend le chemin de la gare, parka fermée, tous les zips remontés, mains dans les poches, quelques scintillements d'étoiles arrivent à franchir la bulle de pollution, il marche en les regardant, cherche les visages de ses parents entre les éclats d'astres lointains et parle tout seul. Demain, si c'est possible, il fera des images.

4

Bilal drive, Taurbeil-Tarte, région parisienne, France
Lambertin a prévenu le cabinet du ministre d'un risque d'incident majeur sur un boulevard de ceinture de la Grande Tarte, un endroit symbolique à la porte d'une cité abandonnée à elle-même, au carrefour Croix-Rouge.

«Ton obsession de la Grande Tarte, ça fait rigoler les mouches. Le ministre t'a pourtant bien targetté l'autre jour en évoquant "le fantasme des zones de non-droit".»

Lambertin insiste, tout en froideur, envoie un mail avec les précisions nécessaires. Le cabinet finit par répondre (appel téléphonique) qu'ils dépêcheront un fourgon et cinq hommes garder une caméra.

«Comme si on n'avait que cela à faire, on est en plein manque d'effectifs, et toi, tu vas nous bouffer cinq bonhommes pour la garde statique d'une caméra.»

Ce n'est pas un fourgon, mais deux Renault Scenic défraîchies qui se garent sur le trottoir du Bilal drive, dans l'axe des caméras. Peu de circulation. M'Bilal a mis ses dealers en congé pour la journée. Harry, à bonne distance, filme les abords du boulevard et prépare ses plans de coupe quand douze types sortent du tunnel, groupés et masqués. Harry se planque derrière un abribus, près d'un immeuble où se réfugier en cas de grosse castagne. Il domine la scène d'une butte du boulevard.

Les assaillants explosent les vitres des Scenic et balancent leurs cocktails Molotov. Les bûcherons du commando font tomber les panneaux et le lampadaire équipés de caméras. Les autres se déploient en protection, avec un maximum d'aisance, comme au cinéma. Ça bouge, ça frappe. De la voiture transformée en torchère s'élève une flamme gigantesque. Les policiers arrivent à s'extraire du brasier et tombent sur le trottoir. Ils gigotent sur le bitume qui fond autour d'eux. Les cagoulés les tabassent avec des barres de fer et se dispersent. Le réservoir explose. Bruit de bombe.

Dans la seconde Scenic, une policière aux boucles brunes réussit à démarrer. Totalement paniquée. Le moteur rugit de façon anormale, la voiture fait un bond, un autre, une pierre défonce le pare-brise. La brunette culbute l'un de ses agresseurs, le traîne en zigzaguant sur une vingtaine de mètres, une super petite glissade, et percute une voiture en stationnement. Le blessé reste prisonnier des tôles, la tête en position un peu trop oblique par rapport à ses épaules. Il geint. Sa cagoule fait un rond noir sur le capot.

Harry en a trop vu, il a l'impression que son corps va éclater, il est révulsé par cette violence qui fait trembler tous ses neurones. Il a tellement aimé la Grande Tarte. Son village, sa source. Ses immeubles de toutes les couleurs, ses gazons où il jouait au foot. Il vomit la tête dans les poubelles de la cage d'immeuble qu'il a repérée pour se planquer.

Des gens sortent. Par dizaines, par centaines. Le convoi des pompiers arrive sous les pierres et les insultes. Un cortège de cars de police caparaçonnés de grilles et de plaques d'acier lui ouvre la voie. Les flics, en tenue de martiens, font la tortue. Plusieurs rangées de visages rayonnants crient leur haine. À mort les flics ! Un deuxième cercle, des curieux, une autre foule, muette et résignée. Il faut du temps aux pompiers pour désincarcérer le cagoulé. Un groupe hyperexcité s'approche des policiers blessés et les frappe sur leurs brancards.

Harry a la tête dans les ordures. Il tremble. Gros effort d'autopersuasion pour se calmer. Pas simple. Il revient à son poste d'observation. Il a besoin de toutes ses forces pour rester debout. Il ne souffre plus, il ne pleure plus, il n'a pas peur, d'ailleurs il n'a jamais eu peur, *non je n'avais pas peur, c'était autre chose que la peur : une envie de gerber, de la colère, l'envie de les flinguer, l'impression tout à coup que les tueurs étaient entrés dans la cité et qu'ils allaient sortir mes parents de leur tombe.* Il pense à ce qu'il va dire à Bruno. *Heureusement que j'ai décidé de les balancer…*

Il s'oblige à suivre les mouvements de la foule qui sort du tunnel et continue à grossir, ce ballet d'ombres, ces cavalcades, les tournoiements des gyrophares, ces feux dans la nuit. Il suffoque, l'air devient irrespirable à cause des saloperies qui brûlent. Dans les immeubles, les locataires à leur fenêtre ont fermé leurs lumières. La cité est plongée dans le noir. Harry pense à un film qu'il a vu sur la guerre, à Londres, pendant le Blitz. Sur le terrain vague de la Grande Tarte le Blitz est partout. Explosions, cris, détonations, hurlements, sirènes, chants de guerre, et même le halètement des pales d'un hélicoptère dont l'étrave de lumière fouille les fumées sans rien trouver. *Est-ce que cela ressemble à ce merdier, la fin du monde ?*

Fasciné par la scène qui se déroule sous ses yeux, il parle tout seul. *Beauté du désastre, capitales en flammes, palais éventrés, magasins crevés, réverbères arrachés, familles écartelées, femmes violées, tout passe et meurt, sur la roue de la nuit.* Ce qu'il voudrait ? Que la gueule du néant avale tout. Tout et lui avec.

Il vient de repérer Saïd à la manœuvre sous le porche d'un immeuble voisin. La joie sur le visage, il donne des ordres à des petits groupes qui disparaissent dans la foule. Des flics détalent sans savoir où ils sont ni où ils vont. Des habitants sur les toits des immeubles les bombardent avec des machines à laver, des blocs de bitume ou des frigidaires. À chaque fois qu'un projectile touche sa cible, une partie de la foule hurle et brandit des drapeaux algériens comme pendant les matchs de foot.

Le cortège des véhicules – flics, pompiers, médecins – repart en faisant couiner ses sirènes. La foule en liesse danse entre les carcasses des voitures de flics. Plusieurs télévisions étrangères ont envoyé des équipes sur le Bilal drive, à vingt-cinq minutes de la tour Eiffel. Devant la caméra de CNN, face à un groupe de femmes en pleurs, l'un des nouveaux amis de Saïd, membre du Comité contre l'islamophobie en France, dénonce «l'insupportable pression policière qui s'exerce sur la population musulmane des banlieues françaises et le racisme de la police, un racisme qui mutile et qui tue. Je rappelle, dit-il, qu'aujourd'hui en France, un jeune musulman de la Grande Tarte a été tué, un autre a perdu un œil et une vingtaine de ses frères ont été grièvement blessés. Arrêtons le massacre! J'en appelle à la communauté internationale, nous attendons de l'ONU une condamnation très ferme de la politique française». Les acquiescements des pleureuses sont visibles sur l'écran de contrôle de la journaliste.

5

Taurbeil-Tarte, région parisienne, France

Il avait failli craquer en atterrissant dans son trou, vers 1 heure du matin, après avoir fait son rapport à Bruno. Il a repris ses esprits en regardant son matelas, sa couette bien repliée, ses vêtements rangés dans des boîtes en carton, ses affaires de toilette, son stock de rasoirs dans leurs emballages plastifiés, la photo de ses parents le jour de leur mariage, le minitapis de prière acheté à un copain marocain.

Ses mains tremblaient encore. Il parlait tout seul.

Parler tout seul/ C'est parler avec Dieu/ Seul parmi les seuls/ À la nuit et au jour/ Parler toujours/ Jeter des mots/ Sans espoir de retour/ Les faire flamber/ Je le précise au cas où/ Quelqu'un, quelqu'un, quelqu'un/ Pourrait aimer/ Le feu du miel que je lui donne…

Il a l'impression qu'un train de marchandises lui est passé sur le corps. Trop de tensions, trop de merde…

Impossible de dormir. Il décide de dérusher les séquences tournées dans la cité avant le début de la cata et l'arrivée des salauds.

Chanter, se taire, attendre/ Et sonder le silence/ Jusqu'au jour où/ Et le Seul, c'est moi!/ J'ai sursauté, je crie/ Qui me parle? – C'est moi/ – C'est qui toi? – Le Dieu/ Que tu portes en toi...

Des séquences prennent forme. C'est lent. Il travaille avec son petit logiciel de montage sur la cohérence texte/ paroles, se filme en train de chanter, teste différentes versions, avec et sans lunettes, il hésite, reprend ce qui cloche, comme si sa Mam était là et qu'elle le guidait, l'engueulait, le rassurait, il réfléchit, il rit, se cabre, se concentre, psalmodie, pique à droite à gauche quelques brèves séquences sur Internet (scène d'un défilé de sous-vêtements Victoria's Secret et images de guerre en Irak). Quand il a fini le montage, il se le visionne, décide de le fixer, c'est sa revanche sur cette journée pourrie, il se crée une adresse Facebook, s'invente un pseudo (Harry MonVictor), poste sa vidéo, c'est parti.

Parler tout seul/ En dehors et en dedans/ Parler plus fort que les Rois/ Des mots pour exister/ Bercer les endormies/ Réveiller les timides/ Museler les ogres, libérer les anges/ Je me construis un refuge avec mes mots/ Je me construis une maison, un pays, un programme/ Je lui donne un nom/ Ma langue patrie France Mon Victor...

C'est l'hiver, les nuits durent longtemps. Le bonheur et le malheur sont allongés à côté de lui sous son duvet du Vieux Campeur. Il entend des mots. Les siens, ceux qui pulsent dans sa tête. Ils le bercent, ils l'installent sous l'invisible bannière du Miséricordieux, le Dieu qu'il porte en lui. Le Miséricordieux, un vieil homme avec une barbe blanche, l'emmène se promener dans des jardins de palmes et de vignes, des chiens au poil dur et brillant gambadent autour d'eux, Harry ne s'entend plus quand il le supplie, «Mon Dieu, merci de me sauver des gens injustes», car il dort.

Le sommeil est un don de Dieu.

Il dort mais des bruits arrivent jusqu'à lui. Une voix l'appelle. Pas possible, je délire, se dit-il. Le vieux Bouhadiba aurait-il pris la place du Miséricordieux dans le jardin de palmes. *Pas gêné, le chibani! Qu'est-ce qu'il fout là? Et qu'est-ce qu'il lui prend de crier comme cela?*

«Ouvre, Harry, je t'en supplie!»

Il fait chaud, je manque d'air, j'ai transpiré dans mon duvet, je deviens dingue à force de parler tout seul. Tiens, les chiens sont partis, il n'y a plus de jardins de palmes, plus de vignes. Un coup plus fort que les autres résonne et fait trembler la vaisselle. Harry se redresse d'un bond, allume sa lampe à gaz, soulève la trappe où quelqu'un tambourine. Il aperçoit la tête enfarinée du vieux.

«Que se passe-t-il Papa Bouha?

— Harry, faut que je te parle.

— Personne ne t'a suivi?

— Personne.

— Ça castagne encore?

— Ils sont couchés.

— Bon, alors rentre, mais attention, ça va être sportif.»

Le vieux dégringole par la trappe. Il se retrouve un peu sonné dans le trou qui sert de maison à Harry, sans pouvoir bouger, et se met à pleurer, la tête dans les mains. «Papa, parle-moi!» Le chibani ne répond pas. *Il n'a jamais perdu la boule. Il est habillé de tristesse, comme beaucoup de gens ici, mais il ne délire pas. Il a vraiment fallu que le ciel lui tombe sur la tête.* Il sanglote encore, mais les spasmes s'espacent. Papa Bouha arrive à sortir trois mots: «Sami, mon fils...»

6

Grand Harbour, La Valette, Malte

La même nuit, sur le quai du port de La Valette, Rifat prend un verre avec John Peter Sullivan à la terrasse d'une boîte gay. Ils se sont retrouvés au dîner de l'ambassadeur d'Autriche, où ils ont un peu forcé sur le Riesling. Ce n'est pas la première fois que Rifat se laisse entraîner au Ringo Bar par l'attaché américain. Jusqu'à présent, à chaque fois, il en a parlé à sa femme, en riant, un peu gêné quand même. «Heureusement qu'il ne m'a pas invité chez lui, j'aurais été obligé d'être désagréable. Tu te souviens qu'il m'a promis de faire suivre par son ambassadeur ma demande de diplomate invité? Un an au State Department, ça vaut le coup. Et en plus il me donne des informations précieuses que je transmets à Paris. Darling, ce JP est soutenu à Washington, il paraît qu'il connaît Hillary.» Sa femme avait éclaté de rire:

«Pas la peine de te justifier mon chéri, je suis la mieux placée pour savoir que tu n'es pas homo…»

Quand JP est en face de lui, comme cette nuit, en pleine connivence amicale – leurs genoux s'effleurent sous la table –, il arrive que Rifat se demande furtivement s'il n'aurait pas des fantasmes gay. D'ailleurs, qui ce soir a mis la conversation sur le nouvel ambassadeur américain, le patron de JP, si ce n'est lui, Rifat? Ce n'est peut-être pas ce qu'il avait de mieux à faire, ou alors… Le diplomate, qui a remplacé le prêcheur fou, est arrivé sur l'île avec son jeune amant, qu'il présente officiellement comme son conjoint.

«Je dois dire que ma vie a changé, se marre JP. Tu ne peux pas savoir ce que le précédent m'a fait endurer.

— Je le trouve sympa ton nouveau boss. Et courageux. Après tout, continue Rifat, l'homme est toujours un peu femme, même Depardieu, notre acteur fétiche, a avoué dans une interview qu'il y avait en lui quelque chose de féminin.

— Il a peut-être une liaison avec Poutine.

— Pourquoi pas? Aujourd'hui, nous savons que notre orientation n'est pas gravée dans le marbre…

— Quand on en a une.»

Ils ont terminé la bouteille de vin. Des bouffées de musique sortent de la boîte. Rifat regarde les silhouettes enlacées à l'intérieur du bar. Des hommes dansent entre eux. Des marins français et américains, sans doute. Les masses grises de leurs bateaux, amarrés au quai numéro 1, se détachent dans la lueur des projecteurs. Le *Chevalier Paul*, une frégate française spécialisée dans la collecte d'informations, et un porte-hélicoptères, de combat américain, le *USS Kearsarge*. Ces deux bêtes de guerre ont l'habitude de naviguer ensemble quand elles s'approchent des côtes libyennes.

« Au fait, pas de nouvelles infos en provenance de Tripoli ? » demande Rifat. JP pose sa main sur son bras, c'est ce qu'il fait avec tout le monde, quand il veut établir un climat de complicité.

« Quel âge tu me donnes ? demande JP. Sérieusement, dis-moi. »

Rifat est troublé par la main de JP. Il se sent l'âme d'une pute. Il lance sans réfléchir : « Trente-trois, l'âge du Christ !

— Vraiment ?

— Oui, vraiment.

— Quarante et un.

— Sincèrement, tu ne les fais pas... »

JP sourit en regardant le Français, sa main toujours posée sur son poignet. Rifat insiste : « Rien de neuf venant de Tripoli ?

— Tu vois que je pense à toi... »

JP sort de sa poche un morceau de papier où il a griffonné quelques lignes à propos d'un contact de Levent, un certain Bouhadiba. « Un financier dont on ne sait rien, vivant à Paris, origine algérienne, rien de notable, mais il joue un rôle. Reste à savoir lequel... Pour l'instant, c'est flou. »

Rifat fronce les sourcils pour lire la note. « Ça t'intéresse ?... » Rifat pose sa main sur la cuisse de JP. Il s'entend proposer : « On va prendre un dernier verre chez toi ?... »

7

Le Mandarina, Paris VIIIe, France

Un sms vient d'arriver sur le portable de Bruno : Le roi lion est très fatigué.

Le message d'alerte.

Il lui a toujours dit : « En cas de pépin, tu fonces te poser au Mandarina. » Il est 8 heures du matin et Harry vient d'arriver en respectant la procédure habituelle. *Backstreet*, entrée du personnel, ascenseur, escalier, couloir, nouvel ascenseur, puis encore un long couloir avec ce tapis noir et ses rais de lumière qui le conduisent jusqu'au bar qui lui sert d'abri. Pas un bruit. Il se laisse tomber dans un fauteuil et récupère en faisant le point.

Bruno arrive quelques minutes plus tard.

« J'ai été obligé d'emmener mes filles chez ma femme. Que se passe-t-il ?

— Le vieux Bouha, je t'en ai souvent parlé…

— Quel est son problème ?

— Il a débarqué dans ma tanière à 5 heures du matin. À cause de son fils qui serait maqué avec des islamistes.

— Qu'est-ce qui l'a amené à croire cela ?

— Il a entreposé des documents, chez lui. Soi-disant des archives bancaires. Le vieux, insomniaque, a fini par ouvrir l'un de ces cartons. Rempli de documents de propagande. Ses deux autres fils lui ont avoué qu'ils savaient, ils n'osaient pas lui en parler… »

Bruno décide de mettre Harry à l'abri pour la journée au Mandarina et arrange l'affaire avec le directeur. Un quart d'heure plus tard, Harry se retrouve dans une chambre au sommet de la forteresse cinq étoiles. Vue sur la tour Eiffel, la Seine et la ville imbibée de pluie. Quelques gouttes d'eau viennent se coller à la double épaisseur des vitres. Cette constellation d'ombres transparentes le met à l'abri. Dehors il vente, il pleut, un temps pourri, mais il est au sec et au chaud, loin de la Grande Tarte. Les larmes du monde n'entrent pas dans son perchoir.

Jamais il n'avait imaginé une telle profondeur de silence. «Tu fais ce que tu veux, tu regardes la télé, tu prends un bain, tu dors, mais tu ne sors pas d'ici. Je vais te faire monter un petit déj.»

Bruno parti, il fait l'inventaire de son domaine. Partout où il passe, des plafonniers de cristal s'allument automatiquement. Le dressing, la salle de bains, la baignoire hydromassage, le jacuzzi. Il ouvre tous les robinets, se déshabille, entre dans la cabine de douche, on dirait un vaisseau spatial, il actionne les microjets par contrôle digital, se vide sur la tête un flacon de gel douche à la pomme et au thé vert, une pluie brûlante et spasmodique lui caresse les parties, ouaouh, il règle la hauteur du jet sur ses cheveux crépus, il se rince en fermant les yeux, il se lave les méninges des fatigues et des peurs accumulées, la crasse mentale de la Grande Tarte part par plaques avec la mousse du gel, il sort de la cabine, enfile un peignoir blanc, son épiderme apprécie la délicatesse du tissu et de la confection, Harry referme le peignoir, il s'ébroue, se déplie, il se regarde dans la glace. Depuis combien de temps ne s'est-il pas vu en pied? Il scrute son visage, se reconnaît à peine, il s'allonge. Le lit *king size plus* l'ensevelit au pays du sommeil lourd.

*

La Villa, Paris VIIe, France

Bruno a rejoint Lambertin et ses plus proches collaborateurs. Effervescence électrique. Le boss dort à nouveau dans son bunker. Il y a stocké quarante ans d'expérience et son intelligence intuitive prospère entre ces murs tristes. Il donne la parole à Bruno. Sa voix est rauque. Tendue. D'autant qu'hier soir, il a encore refusé de reprendre la vie commune avec Marie-Hélène. Et ce matin, il a été obligé de lui ramener les filles en urgence. Quelle putain de scène encore ! Elle ne voulait pas ouvrir la porte. Les deux gamines pleuraient, il hurlait. Il a menacé de laisser sur le perron les petites qui se serraient l'une contre l'autre, apeurées et impuissantes. *Elles pouvaient pleurnicher, c'est fini, rien à foutre, ce n'est plus mon problème. Leur mère a explosé ma vie ; mais en plus elle a bousillé les gamines. Je n'ai plus la force de m'occuper d'elles. Ce n'est pas de ma faute. Pour élever des enfants, il faut croire en l'amour. Je suis piégé. Pas de porte de sortie.* Le boss le regarde avec bienveillance, il est le seul à qui Bruno a fini par lâcher, un soir où il le vannait une nouvelle fois sur sa vie amoureuse, quelques confidences à peine esquissées sur son chaos sentimental. Rien de précis, mais assez pour que le vieux ne se départisse jamais, avec lui, d'une attitude chaleureuse. Bruno a repris ses esprits et rapporte le plus platement possible ce que lui a raconté son informateur sur la famille Bouhadiba.

« Tu avais rencontré ce Sami Bouhadiba à son bureau ?

— À la Défense, oui. C'est un directeur financier. Qu'est-ce que je fais ? Je retourne ce matin chez Cimenlta pour l'interroger ?

— Prends deux hommes avec toi, on ne sait jamais. Quand tu seras sur place, j'appellerai le patron de sa boîte.

— Monmousseau ?

— C'est un copain du ministre… Mais ton info est solide. Les Américains nous ont passé ce matin une fiche concernant Sami Bouhadiba. Rien de vraiment précis, mais il est signalé comme individu potentiellement dangereux à placer immédiatement sous surveillance. »

*

Tour Cimenlta, la Défense, Hauts-de-Seine, France

Il reconnaît la secrétaire de Sami Bouhadiba dès qu'elle sort de l'ascenseur. Talons aiguilles, jupe serrée, elle traverse le hall immense de Cimenlta avec un grand sourire de façade.

« Vous aviez rendez-vous avec monsieur Bouhadiba ?

— Absolument pas, mais je voudrais le voir d'urgence.

— Je suis désolée, mais monsieur Bouhadiba est en congé pour trois semaines.

— C'était prévu ?

— Je dois vous avouer que non, il nous a prévenus avant-hier qu'il partait en voyage de noces. Nous ne savons d'ailleurs pas exactement pour quelle destination. Aucun moyen de le joindre, le président Monmousseau n'était pas très heureux, mais comme il n'a jamais pris de vacances depuis qu'il est arrivé chez nous, il y a quatre ans…

— Vous connaissez sa femme ?

— Absolument pas, nous ne l'avons entendu parler d'aucune femme… »

Il prévient Lambertin qu'il a fait chou blanc. Une équipe envoyée au domicile parisien de Sami Bouhadiba a trouvé porte close. La concierge a confirmé l'histoire du voyage. Bruno est encore dans le bureau du boss quand il reçoit un message de Rifat : une fiche sommaire concernant Bouhadiba.

« Normal, dit Lambertin, c'est l'info que j'ai reçue ce matin de l'Élysée, j'allais t'en parler.

— Vous pouvez m'expliquer pourquoi les Américains ont toujours une longueur d'avance sur notre diplomate ?

— Ils lui racontent ce qu'ils veulent, et une fois sur deux après nous avoir nous-mêmes informés, moyennement quoi ils l'ont dans leur poche, et le jour où ils auront vraiment besoin de lui…

— Je ne comprends pas notre intérêt.

— Ce Rifat se prend pour un animal calculateur, comme dit l'un de mes amis. Il parle aux Américains, très bien, il suffit de le savoir. Nous nous en sommes aperçus depuis longtemps. Tout le monde joue. Le problème est de savoir exactement qui manipule qui. Rifat est un agent double qui s'ignore. Il est d'ailleurs le seul à ne pas le savoir. Quand il s'en apercevra, il sera trop tard.

— Que fait-on avec le chibani ? On envoie une équipe ?

— Risqué, après ce qui vient de se passer. La moindre bagnole de flics sera prise pour cible, et tous les médias sont là. Il faut d'abord mettre à l'abri votre informateur. Dès ce soir. On ne peut pas le laisser au Mandarina, et on avise ensuite, dans la nuit, ou demain matin. Vous pouvez passer à n'importe quelle heure. »

8

Rue de l'Espiguette, Paris V^e, France

Nous avons dépanné Bruno qui cherchait en urgence absolue un point de chute pour l'un de ses informateurs dont il se portait garant et même plus. « C'est comme mon fils », m'avait-il dit au téléphone. Rim m'a rappelé que nous avions une chambre de bonne au cinquième. C'est donc là que nous avons installé, le jour même, ce garçon immense, quasi double mètre, une allure de basketteur, avec des yeux et des manières d'enfant. Des lunettes d'intello. Assez attachant, au premier regard. Rim paraissait heureuse de l'accueillir. Je me suis dit qu'elle avait trouvé un « copain ».

Cette adolescente se comporte comme une maîtresse de maison accomplie face à une situation inattendue et non sans gravité. Je repensais à notre première rencontre, quand elle m'avait suivi au retour de ma visite au tombeau de Sidi Bou Saïd. La petite sauvageonne a franchi plusieurs stades de la séduction. Je me suis dit que j'étais peut-être pour quelque chose dans sa métamorphose, et pour la première fois, j'ai pensé qu'elle n'était pas seulement une réplique sublime de Valentine.

Quand Harry est entré, il s'est planté devant la bibliothèque. Je lui ai demandé s'il lisait, il m'a répondu que oui, il lisait un peu, enfin presque jamais, mais il venait de terminer *L'Homme qui rit* et *Anna Karénine*, deux gros livres, un peu compliqués, récupérés par hasard, précise-t-il. Rim lui a expliqué que je lui lisais des extraits de textes écrits par Polybe, un historien témoin de la chute de Carthage, «ma ville», et elle lui a parlé de la Fortune comme d'une divinité qui guiderait nos pas. Rim m'a proposé de retenir Bruno et Harry pour le dîner. «Nous avons un reste de couscous et je vais préparer des briks au thon en entrée, Harry sera mon commis, d'accord?»

Alors que nous débattions une fois encore des énigmes qui entouraient la disparition de Sami Bouhadiba, Bruno m'a montré un cliché photomaton de son père, communiqué par le service des étrangers de la préfecture. Je me suis souvenu que j'avais sympathisé avec cet homme maigre et mélancolique, vieux avant l'âge, quand je dirigeais un chantier de fouilles sur les hauteurs de Taurbeil-Paradis, à deux pas de la Grande Tarte. Bouhadiba, une fois mis en confiance, m'avait parlé de Sétif, de son trésor archéologique et du quartier de son enfance. Bruno m'a proposé de le convoquer à la mairie de Taurbeil sous prétexte d'une enquête municipale sur les espaces verts, qu'il fréquente inlassablement. « Tu pourrais le rencontrer là-bas, sans que cela attire l'attention, et avoir une conversation avec lui, je pense que tu es la seule personne capable de lui parler. »

Bruno est resté dormir dans le salon. Rim avait suggéré qu'il passe la nuit à la maison. Il paraissait harassé et a accepté sans hésiter.

Maintenant, j'écoute le souffle de Rim endormie. Je répète son nom. Polybe avait raison, il ne faut jamais négliger la Fortune, c'est elle qui nous a réunis.

Le lendemain matin, j'ai été réveillé par ses cris : « J'ai vu Emma ! J'en suis sûr : Emma, c'était elle, pas loin de la maison… » Levée tôt, elle était sortie acheter des croissants. Toute seule. Je n'aime pas qu'elle sorte seule et je lui avais déjà dit. Revenant de la boulangerie rue Claude-Bernard, elle a croisé une jeune femme voilée. Elle s'est retournée, la fille s'est retournée aussi, s'est engouffrée dans le bus qui allait redémarrer. Rim a couru. Trop tard, le bus s'éloignait. La fille, immobile derrière la vitre, regardait la rue sans voir Rim. « À ce moment-là, j'ai su que c'était elle. »

Nous étions en train de nous poser des questions à propos d'Emma, pourquoi ce voile ? où habitait-elle ? que faisait-elle dans le quartier ? et surtout, existait-il un lien entre elle et Sami Bouhadiba ?, quand Bruno a reçu un appel de la Villa. Deux policiers avaient été égorgés en sortant de chez eux, à Bordeaux, aux premières heures de l'aube. Lambertin lui demandait de faire avancer toutes ses pistes le plus vite possible.

En début de matinée, Bruno m'a emmené à Taurbeil où j'ai retrouvé le vieux Bouhadiba dans un bureau désaffecté de l'annexe de la mairie. Le pauvre n'a pas été long pour parler. Plutôt soulagé. Bruno s'est arrangé pour récupérer les documents du fils. Dossiers de propagande de l'État islamique, déclaration d'allégeance de Sami, etc. Le soir même, je prenais connaissance d'un texte confession où Sami Bouhadiba expliquait les chemins de sa conversion. La Fortune appuyait sur l'accélérateur.

9

Texte trouvé à Taurbeil-Tarte, région parisienne, France

«Le grand jour approche. Je commence à sentir l'impatience de mon sang et cinq fois par jour, je bénis l'Exauceur qui m'a placé sur le chemin de ma rectitude. Je vais bientôt entrer dans la ronde. Chacun son tour. Hier, c'était celui de mes frères. Ils ont mis la France à genoux. Une heure leur a suffi. Combien étaient-ils ? Une poignée de martyrs. Après leur passage, les flics pleuraient dans la rue.

J'ai lu dans les journaux que mes frères riaient en déchargeant leurs kalachnikovs sur les danseurs d'une boîte de nuit. Quelle force dans ce rire ! Nous rions, la France pleure, j'ai envie de dire : enfin. La mort a saisi les Français dans leur débauche. Ils découvrent la malédiction d'Allah, ce n'est qu'un début. Ces mécréants qui se sont jetés de leurs propres mains dans la perdition n'ont pas fini d'endurer le Feu, ils s'éterniseront dans le châtiment.

J'ai appris l'opération de mes frères en regardant la télévision. Il n'y avait pas d'images, les télés ne montraient rien, mais tout le monde a deviné que c'était sérieux, plus grave que *Charlie* encore, et tout mon corps s'est mis à trembler. J'étais agité du même tremblement que le jour où j'avais vu les avions du Califat éventrer les Twin Towers à New York, le 11 septembre 2001. J'avais mis un peu de temps à comprendre pourquoi je tremblais, et aussi pourquoi je pleurais, devant mon poste de télévision. Je m'étais même parlé à voix haute : Mais pourquoi tu pleures ? Tu es triste ? Tu trembles ? De quoi as-tu peur ? La réponse m'avait envahi comme un fleuve. Ô douceur des eaux… Mon âme ressemblait tout à coup à un jardin de palmes et de vignes. Ce n'était pas la peur qui me secouait les membres, ce n'était pas la tristesse qui me soulevait la peau, non, ce jour-là, j'exultais. L'Histoire tournait une page de mon peuple, je connaissais la joie de respirer sans peur, la joie sans bornes de la vengeance. La capitale des mécréants était sous le feu des croyants, le phare mondial des juifs était en flammes, le temple qu'ils s'étaient rebâti sur l'or qu'ils nous volaient depuis des siècles n'était plus que ruines, cendres et jaillissements de feu, je n'avais jamais vu spectacle plus beau. Quel désastre… Les impies étaient châtiés. Il n'y a de Dieu que Lui, le Vivant, l'Éternel : l'apprendront-ils un jour ?

J'avais parlé de cette épisode, de mon âme pacifiée et heureuse, quelques années plus tard avec Aziz, l'un des directeurs de l'Al Rajhi Bank, pendant l'un de mes séjours à Riyad. Monmousseau souhaitait que nous développions nos activités de finance islamique en Jordanie et au Koweit avec cette banque qui était déjà l'un de nos partenaires. Aziz avait emmené tous les négociateurs dîner dans le désert. Un cortège de Land Rover était passé nous prendre à l'hôtel, nous avions roulé moins de vingt minutes sur une autoroute qui sortait de la ville. Le convoi avait emprunté une bretelle de béton qui conduisait à un petit parking sous une dune. Aziz m'avait proposé d'enlever mes chaussures. Je l'avais suivi jusqu'au sommet de la dune. Le sable était à la fois chaud et frais sous mes pieds. Au sommet, la vue portait jusqu'à l'horizon. Le soleil couchant embrasait cette mer de sable.

"Qu'en pensez-vous ? m'avait demandé Aziz. J'essaie de venir ici toutes les semaines. Il m'arrive même de dormir sous la tente. C'est unique. Sans doute parce que dans le désert, il n'y a que Dieu. Dieu et nous. Sous nos pieds, le sable, la terre, au-dessus de nos têtes, les astres, et partout la présence du Miséricordieux."

Un campement nous attendait en contrebas, en fait une zone de réception en plein air pour des soirées privées, équipée de cuisines et de tout le confort souhaitable. Nous avions dévalé la pente de sable en courant. Des cuisiniers libanais préparaient des soupes, des salades, des beignets de fèves, pendant que des Bédouins cuisaient des agneaux à la broche. Aziz nous avait invités à nous asseoir sur des fauteuils bas disposés en ligne pour ne rien perdre du spectacle qui nous était offert. Des hommes en chemise blanche tombant jusqu'aux pieds, portant la ghatra ou le keffieh, avaient exécuté une danse du sabre en psalmodiant des hymnes gutturaux. Les tambours scandaient le rythme de leurs chants, la nuit nous enveloppait, la température restait délicieusement douce. Plus tard, pendant qu'un poète à genoux dans le sable chantait le vent et les étoiles accompagné par un joueur de saz, je m'étais régalé en mangeant de l'agneau avec les doigts, comme chez ma mère, autrefois, quand elle avait encore la force de préparer des plats de fête.

Rentré à l'hôtel, Aziz m'avait proposé de prendre un verre avec lui dans le lobby, en marbre gris et rose. La clim maintenait une température presque fraîche. Des essaims de jeunes femmes, intégralement couvertes de soie noire, mais perchées sur des Louboutin de 12 centimètres, n'arrêtaient pas de passer devant nous. Une célèbre joaillerie parisienne avait organisé un cocktail dans un salon voisin. Je n'avais jamais rencontré de femmes aussi belles. On ne voyait que leurs yeux, mais je croyais deviner leurs formes et le grain de leur peau dans l'éclat de leurs prunelles.

Je m'étais alors souvenu du jour où un ami, Sadek, m'avait emmené dans un restaurant marocain du XIIᵉ arrondissement. Au moment où Sadek tapait le code de sa carte bancaire pour régler l'addition, deux adolescentes étaient entrées dans le restaurant. Grêles de taille, assez jolies, surexcitées, éméchées peut-être, court vêtues, les épaules nues. Le service était terminé. Le patron les avait poussées sans méchanceté vers la porte. En guise de salut, elles avaient fait danser leurs petites fesses cambrées sous leurs jupes courtes puis avaient lancé en arabe une obscénité où il était question de la capacité sexuelle du

Prophète. Au lieu de sourire, Sadek s'était figé. Deux rides profondes s'étaient imprimées entre ses sourcils. Il avait suivi leur sortie d'un regard noir.

"Elles n'ont vraiment aucune fierté", m'avait-il dit.

J'avais protesté.

"Elles sont mignonnes.

— Je t'en prie, pas toi.

— Sadek, ces filles sont jeunes, elles ont le droit de s'amuser."

Nous avions continué un instant la conversation sur le trottoir avant de nous séparer. L'amertume avait durci ses traits. Il avait évoqué ce qu'il ressentait de plus en plus souvent à vivre dans une société qui avait touché, selon lui, le fond de son histoire.

"Les Français ne remuent plus que de la vase, m'avait dit Sadek. Tu n'as qu'à regarder leur télévision. Tous les soirs le même programme. Chacun y va de son couplet pour étaler ses turpitudes.

— Ce n'est pas mieux chez nous, je te parle du Maroc ou de l'Algérie.

— Justement. L'Occident a perdu son âme, c'est son problème, mais notre problème à nous, les Arabes, c'est que son matérialisme et ses obsessions nous ont contaminés."

Je n'avais pas répondu.

Maintenant, je sais qu'il avait raison.

Il avait détourné la tête. Plusieurs centaines de jeunes gens en rollers descendaient le boulevard. Devant eux, la chaussée vide dessinait une bouche d'ombre, les flics avaient interdit la circulation pour qu'ils puissent déambuler à leur guise.

"Regarde ces jeunes. Ils s'amusent. Ils sont insouciants, libres. Tu préférerais qu'ils soient comme ces milliers d'étudiants dont on dit qu'ils se tournent en masse vers la tradition de l'islam ?"

Sadek m'avait fixé avec une étrange insistance. Nous n'avions plus rien à nous dire. Il me donna une accolade puis disparut dans la foule, encore nombreuse malgré l'heure tardive.

Plusieurs années ont passé.

Je m'en veux d'avoir offensé mon ami, et je pouvais mesurer, en admirant ces femmes qui se déplaçaient dans un chant de soieries, combien j'ai changé. Je ne sais pas pourquoi je me suis mis à évoquer ma vie et celle de mes parents. Aziz m'avait-il interrogé ? Je n'arrivais pas à retenir mes mots. Une digue s'était rompue. Je me suis entendu parler de l'injustice faite aux Arabes en France et ailleurs avec une véhémence dont je ne me serais pas cru capable.

"Nous sommes des citoyens de deuxième classe, nous habitons des ghettos, j'ai réussi à m'en sortir assez miraculeusement, mais des exceptions comme moi, il y en a peu… Six millions d'Arabes vivent en France dans des endroits tous plus pourris les uns que les autres. Qu'on les appelle comme on voudra, les cités, les quartiers, c'est partout la même engeance. Nos frères se font tirer par la police et c'est eux qui sont condamnés par la justice. Nos droits fondamentaux ne sont pas respectés, nos sœurs sont transformées en putains, ces gens ne croient en rien qu'en leur force et leur argent."

J'aurais voulu faire mourir ces derniers mots sur mes lèvres en mesurant mon imprudence. Nous étions tous là pour faire de l'argent. Quelle mouche m'avait piqué ? Je m'étais tu et j'avais regardé Aziz non sans une certaine inquiétude. Il n'avait rien répondu, se contentant de me sourire avec bienveillance.

"Je te remercie de me parler aussi franchement, dit-il enfin. On se ressemble, même si j'ai dix ans de plus que toi. J'ai fait mes études en Angleterre. Ce que tu as vécu, je l'ai connu aussi."

Un peu plus tard dans la soirée, je lui avais avoué que ma seule journée de bonheur dans la grisaille de ma vie avait été le 11 septembre 2001.

"Dieu a visité ton âme, il en a fait ce soir-là un jardin où coulent les torrents."

J'avais été très impressionné, même si je savais que les Ben Laden étaient une famille nombreuse, quand il m'avait dit que le cerveau du 11 Septembre était l'un de ses cousins. La fin du séjour se passa normalement. Réunions de travail et dîners officiels. Je ne m'étais plus retrouvé en tête à tête avec Aziz, mais quelques semaines plus tard, je n'ai pas été étonné qu'il reprenne contact avec moi via Internet. Nous n'avons plus jamais reparlé de cette soirée, mais c'est par son entremise – je l'ai su plus tard – que j'avais été coopté pour faire un séjour au Yémen. Je devais me préparer à devenir un bon soldat au sein de la katiba des *muhajirin*, le régiment des immigrés. Avant mon départ, j'ai informé mes parents et mes collègues que j'allais faire un stage de plongée en mer Rouge.

Je ne suis resté que quelques jours à Hurghada et j'ai pris un avion pour Sanaa.

Depuis, je me prépare en silence. Ma vie s'est réorganisée autour de la justice et du secret. Je ne perds plus une miette de mes journées, mon idéal me porte et fait ma joie. Je ris tout seul, comme mes frères qui ont attaqué Paris. Les Français nous ont massacrés, ils nous ont enfumés dans des grottes, ils nous ont torturés, ils nous ont arrachés à notre terre pour nous enfermer comme esclaves dans leurs usines, ils ont perverti notre patrie, en 1945 ils n'ont pas voulu partager la liberté que les Américains leur rendaient. Ils riaient pendant qu'ils nous brisaient les os, ils riaient quand ils violaient nos femmes, c'est notre tour de rire, ils n'ont pas fini de souffrir.

J'ai été placé en phase de préparation maximale. J'attends l'ordre qui déchaînera ma liberté et ma fureur, mes seules compagnes. Dans ce pays malade, pourri jusqu'à la moelle, exténué, à bout de forces, j'attends, comme le maître en dissimulation que je suis devenu, que se lève l'aube de la Justice.

Je suis prêt. »

10

La Villa, Paris VII, France
Lambertin est debout avant le soleil. Il écoute les informations sur RTL, prend sa vieille casquette

irlandaise, sort de la Villa, salue ses collègues en faction dans leur estafette et marche jusqu'à l'Esplanade. C'est le moment de la journée qu'il préfère. Autour du Champ-de-Mars, les rues sont encore presque vides, à l'exception des berlines à l'arrêt, moteurs allumés. Les chauffeurs lisent les journaux en attendant leur boss. La tour Eiffel dresse sa masse illuminante dans un ciel d'hiver. Marchant d'un bon pas, toujours sur le qui-vive, il classe ses idées pour la journée. Il y en a qui se lèvent en rêvant de voitures, d'argent, de top models, de vacances au soleil. Lui, depuis la mort de sa femme, n'a qu'une obsession : son boulot. Son métier est sa forteresse.

Il est seul, monomaniaque, personne ne l'attend.

Il parle à sa femme, comme avant. Le petit déjeuner, quand elle vivait encore, était sacré. *Chaque matin, trente minutes à la sortie de la douche, un café fort, sa main sur la mienne, notre petit rituel, nous commencions une nouvelle journée. Dommage que nous n'ayons pas pu avoir d'enfant.* Il pense à « son » enquête, débrouille la pelote des faits nouveaux portés à sa connaissance. Il y a plusieurs semaines qu'il a fait mettre sur écoute la petite nazie du pêcheur, Mercedes Baumann. *Nos services de Rome s'en sont occupés, avec l'aide des Maltais. Ça n'avait rien donné, jusqu'à hier. Elle vient de partir précipitamment pour Toulouse. Apparemment un problème urgent à régler dans leur entreprise de recyclage de métaux. J'ai envoyé deux types surveiller les entrées et sorties de leur petite boîte, dans la zone industrielle de Blagnac.* Jamais il n'aurait imaginé avant de mourir, ou de partir en retraite, c'est la même chose, connaître une période comme celle-ci.

À Taurbeil, sans l'appui d'Harry, c'est devenu compliqué. Nguyen, le commissaire, *pour une fois qu'on en a un bon*, a activé ses réseaux d'informateurs. Peu de remontées. Bruno a pu établir le contact avec le père Bouhadiba, Dieu soit loué. Il vient de lui faire parvenir un nouveau texte. Écrit par une femme, apparemment. Deux hommes de main de M'Bilal, des Maliens revenus de Tunisie, ont été localisés et mis sous surveillance dans l'Hérault, planqués chez un truand marocain, un ferrailleur, avec qui Camillieri le pêcheur avait l'habitude de travailler depuis Blagnac.

Une rafale de sms lui parvient dans un bruit de grelots. Le dircab du ministre ne le lâche plus. Il l'imagine dans son bureau du rez-de-chaussée à Beauvau, branché en permanence sur l'Élysée et Matignon. Tout l'appareil d'État a la tremblote. Ils sont fatigués, nerveux, épuisés moralement, ils ne savent pas où ils vont, ni ce qu'ils veulent. Des contorsionnistes. Mettre le paquet ? Ne pas taper trop fort ? Attendre encore un peu ? L'état d'urgence ? Renoncer à l'état d'urgence ?

Hier soir, il paraît que le président a appelé le ministre et lui a demandé : « Qu'est-ce qu'il dit Lambertin ? » *Je suis devenu sa boule de cristal.* Des policiers manifestent tous les soirs pour dire leur ras-le-bol. *Depuis l'affaire des deux Scenic cramées à la Grande Tarte, le ministre me vénère. Avant, je n'étais pour lui qu'un prophète de malheur, ça va, ça vient.* Il en a vu d'autres. *Tellement de faux culs dans ce métier.*

406

Il y a des jours où il bénit secrètement les islamistes. *Si ces connards ne nous avaient pas déclaré la guerre, qu'est-ce que je ferais de mes journées dans mon studio du XVIᵉ ?* Il entre dans un bistrot de l'avenue Rapp, commande un grand noir et deux croissants. «Pas trop froid aux miches, commissaire ?» lui demande la patronne. Elle sait vaguement qu'il est flic et l'appelle commissaire depuis qu'elle est gamine. Un document confidentiel avec les photos de Sami Bouhadiba et d'Emma Saint-Côme a été envoyé à toutes les polices de France. Un petit papier dans *Le Parisien* évoque vaguement la piste de deux suspects, sans donner de précisions, heureusement. Il a encore dû se fâcher hier, pour rappeler ses collègues de Beauvau à la discrétion. *Ils sont les premiers à donner des infos aux journalistes pour éviter de se faire incendier dans la presse à chaque bévue.*

La semaine dernière, il s'est bagarré pour faire mettre sous surveillance maximale Ali Condé dit M'Bilal. Deux conseillers du ministre avaient commencé par protester, arguant qu'on allait bafouer le droit. Des copains du petit collectionneur de montres, le sénateur. Personne n'était dupe. Le ministre a tranché en faveur de Lambertin. Tant pis pour les conversations du sénateur, elles seront enregistrées. Pour l'instant, pas de résultat. M'Bilal ne sort pas de sa villa de Seine-et-Marne et ses téléphones restent muets. Le sénateur ne l'appelle plus. Lambertin paie l'addition, reprend sa casquette sur le comptoir. «À demain commissaire !» Les rues commencent à s'animer. Un brouillard épais a décapité la tour Eiffel. Plus de berlines fumantes devant les portes des hôtels. *Nos*

407

seigneurs sont partis au turbin. Il tapote sur la carlingue de la fourgonnette en faction et rentre à la Villa. Bruno est déjà là, impatient. *Bonne nouvelle, il a l'air un peu moins dans le coaltar.* Il sort de sa poche la confession d'Emma-« Souryah » Saint-Côme.

11

Confession d'Emma, trouvée à Taurbeil-Tarte, France
« Emma Saint-Côme n'existe plus. Terminé. J'ai renoncé à mon nom, à mon passé, à mon histoire de petite bourge française. J'ai déposé ce tas de merde sur le bord de la route pour qu'au jour où le ciel se fissurera pour le Jugement, il soit pris dans le grand embrasement avec tous ceux qui ne se prosternent pas quand le Coran est récité. Ce petit paquet, l'intégrale de ma vie ancienne, est voué au châtiment de la Géhenne. Allah omnivoit ce que nous faisons. Il sait que tout chez moi n'était que mensonge. La petite catho bretonne est morte. La putain est morte. Il le sait aussi. Il enverra ses Anges sévères pour la punir. Dorénavant je m'appelle Souryah. Que le Miséricordieux m'accorde sa Munificence. Je suis née à l'amour du Très-Haut en cherchant Sami le Pur, le Courageux. Il y a longtemps que Sami était sur le chemin. Je m'en étais doutée quand j'avais découvert son nom dans les contacts de Levent. J'ai guetté pendant des semaines un signe de lui sur les sites où nos Frères

racontent leur combat. En Irak, en Syrie, en Libye, en Belgique, en France. En vain. J'ai donc fini par me rendre chez lui, peu de temps après être rentrée à Paris. Que de souvenirs douloureux...

J'ai sonné, il a ouvert presque aussitôt, il a crié quand il m'a reconnue, il a voulu m'expulser, m'a jetée de son palier en hurlant avant de me claquer la porte au nez. Il ne voulait pas me voir et je ne pouvais pas lui en vouloir. Je suis revenue le lendemain, et encore le jour suivant. J'ai dormi trois nuits sur son paillasson. Le matin, il ne consentait qu'à entrebâiller sa porte pour se jeter dans l'escalier en me bousculant avec violence et disparaître. Le soir, il marchait sur moi pour entrer chez lui.

Plus je l'implorais, plus je le sentais loin.

Je gémissais, couchée en travers de sa porte, j'embrassais ses chaussures, j'enlaçais ses jambes, je criais qu'aux hommes incombent de prendre soin des femmes, je me lacérais le visage. Il répondait avec des coups de pied. Il a eu beau faire et beau dire, et cadenasser tout son être, mes paroles ont fini par ouvrir son cœur, il a accepté d'entendre ce que j'avais à lui dire...

"Mon Sami, ton souvenir a accompagné chacun de mes pas, celui d'un homme à part qui ne ressemblait à aucun, et j'ose te dire : surtout pas aux hommes qui ont souillé ma vie depuis ma naissance à Rennes. Toi le pudique, le généreux, l'aimable, le pur. Ta pureté m'a longtemps jetée dans un trouble que je n'arrivais pas à comprendre, ni même à nommer. Un jour, j'ai su. C'était en rentrant d'Istanbul avec Levent. J'avais compris que ce Levent jouait un rôle particulier entre la Turquie et les islamistes. J'avais photographié la liste de ses contacts, sans savoir exactement pourquoi je faisais cela. Je m'étais dit que cela pourrait me servir. J'ai peut-être imaginé les vendre, je n'en suis pas sûre. Le faire chanter. Au moins lui faire du mal. J'y ai trouvé ton nom.

Sami, tu t'es installé dans ma tête, je me suis mise à penser à toi de plus en plus souvent, je me repassais le film de nos rencontres, de nos conversations, jamais je n'avais rencontré un homme aussi désintéressé. À force de te chercher sur le Net, j'ai commencé à naviguer sur les sites islamistes. J'aurais aimé en parler à Rim, que j'avais rencontrée à Malte. Une fille un peu paumée, comme je l'ai été, très sympathique, mais je n'ai pas eu le temps. J'avais compris qu'elle aussi cherchait quelque chose qu'elle ne trouvait pas. L'occasion d'une confidence ne s'est pas présentée. Pendant toute cette période, j'ai lu des textes spirituels, et je me suis intéressée à un imam tunisien de Sousse, un beau garçon, qui postait ses prêches du vendredi sur Facebook. Ce qui m'a plu, c'est qu'il parlait de l'islam comme d'une révolte des pauvres gens. Les pauvres ne sont pas seulement ceux qui ne mangent pas à leur faim, qui manquent d'argent, ce sont tous ceux qui sont obligés de vivre dans la pourriture. Du concret, pour moi qui souhaitais sortir de ma peau de femme corrompue. Chez les serpents, l'exuviation commence par l'écaille rostrale située sur la bouche. J'avais renoncé au rouge à lèvres et au fard quand je suis entrée en communication avec lui, c'était le début de ma mue, le Tunisien m'a encouragée et mise sur la bonne voie, celle d'une possible rédemption. Il semble que j'ai été l'une de ses disciples les plus assidues, un jour, sur Skype, il m'a même dit en riant qu'il pourrait m'épouser, il voulait que je fasse des selfies pour lui envoyer.

Sami : je veux être ta femme et ta sœur, ton esclave et celle du Très-Haut, je serai Souryah la musulmane, l'adoratrice, la repentante. J'ai lu sur Internet que les Souryah sont énergiques, volontaires, mais aussi volontiers jalouses. Jalouse, oui, car je souhaite posséder celui qui me possède…"

Il a fini par me laisser entrer chez lui.

Nous avons parlé toute la nuit, en tremblant, sans nous toucher, sans nous frôler. Le lendemain, je lui ai annoncé que je voulais quitter ce pays de fornicateurs et de fornicatrices, la France sale de mes parents qui ne pensaient qu'à l'argent de leur pharmacie, leurs vies sont comme des mirages dans le désert, ce pays qui a colonisé et détruit le pays de mon Sami et qui maintenant bombarde nos frères à Mossoul, je ne veux pas seulement changer de peau mais aussi purifier l'eau de mon âme avant que ma jeunesse ne me quitte, je le veux.

Les malignes sont pour les malins, les vertueuses pour les vertueux, je rabattrai mon voile sur mon visage, je ne montrerai mon corps qu'à mon Aimé, j'invoquerai le nom d'Allah, aux heures matinales et aux crépuscules, avec Sami, dans sa maison, je répéterai : "Nous avons eu foi en Allah et au Messager nous avons obéi." Ce n'est qu'en nous conformant au rythme de la prière que notre amour grandira.

Le lendemain, sans avoir fermé l'œil de la nuit, il est parti travailler un peu avant 8 heures, comme tous les jours. J'ai fait son ménage comme je le faisais autrefois, j'ai acheté de quoi lui préparer un dîner frugal, et j'ai fait un saut à Barbès, où j'ai trouvé une robe blanche qui couvrait mes jambes, un gilet long bleu clair, un maxi-hijab malaisien couleur prune, et des mules à talons. Pour la première fois depuis des semaines, je me suis maquillée avec soin, la bouche et surtout les yeux, je me suis parfumée. Je voulais lui plaire, qu'il ne pense plus qu'à moi.

Quand il est rentré, la table était mise, j'avais fermé les lumières et allumé des bougies aux parfums d'Orient, je l'attendais. Il m'a regardée, étonné, il s'est approché, il lui a fallu une éternité pour faire ce premier pas, j'étais bouleversée de le voir venir à moi avec autant d'inquié-tude, puis il a accepté l'offrande de mon amour quand je lui ai dit que je mourrais avec lui, s'il le voulait, en combattant les mécréants français.

La mort va grandir notre amour, le sanctifier, écarter les malentendus, les erreurs, maintenant nous allons droit au but, seule la mort révélera la vérité de notre histoire, celle d'un amour plus grand que la vie. Il m'a demandé si j'accepterais de signer une déclaration d'allégeance à son chef, Abu Bakr, comme il l'avait fait lui-même. Je lui ai obéi. Nous avons juré sur le Coran de nous aimer et de mourir ensemble dans le djihad.

Le lendemain, Sami s'est réveillé le premier. Quand il est venu me chercher, mon thé était servi. Il m'a même demandé si je voulais écouter un CD de Léo Ferré. "J'ai découvert qu'il était anarchiste, m'a dit Sami. C'était un révolté sans Dieu, l'histoire en est pleine, même

chez les Américains. Ferré portait le fer des mots dans le chant occidental de la pourriture, les hommes et surtout les femmes le dégoûtaient tellement qu'il préférait sa guenon chimpanzé. Comment s'appelait-elle déjà ?
– Pépée ! "

Sami me parlait de Léo Ferré pour que je sache qu'il ne m'avait pas totalement oubliée pendant notre séparation, comme il avait voulu me le faire croire. Il m'a ensuite expliqué que nous devions prendre quelques mesures de sécurité. Nous avons quitté son appartement pour un grand studio dans une tour de la porte de Sèvres, près du périphérique, que nous avons trouvé sur Airbnb, une plateforme communautaire de location. Nous nous sommes présentés comme un couple de jeunes mariés marocains. Sami a payé trois mois de loyer en cash et n'a même pas eu à sortir ses faux papiers. Jamais je n'aurais imaginé que cela pouvait être aussi facile de disparaître. Nous sommes deux combattants indétectables, c'est assez excitant de savoir que l'on passe sous tous les radars. Le soir même, il a parlé avec son boss pour lui expliquer qu'il partait en voyage de noces.

Nous connaîtrons l'épreuve.

Saurons-nous patienter ? Sommes-nous prêts ? Saurons-nous expliquer aux déshérités qu'ils ne doivent pas se fourvoyer ? Leur montrer le vrai chemin ?

J'attends Sami, je me prépare pour lui, je prépare sa maison, je me promène dans Paris sous mon voile, dans l'air vif de l'hiver, jamais je n'ai autant aimé Paris.

Musulmane, quelle fierté ! Voir sans être vue, n'être jamais reconnue (sauf peut-être par Rim croisée l'autre

jour, alors j'ai choisi la prudence et la fuite en autobus),
fixer les haines des passants mais aussi les regards d'envie
et d'admiration de mes sœurs, et le soir, parée de bracelets d'or et de perle, des cadeaux de Sami, l'aimer de
toute ma chair dans l'amour du Miséricordieux.»

12

Rue de l'Espiguette, Paris V^e, France

Jeannette a convié Habiba à passer le week-end avec
elle, avouant à Rim qu'elle s'inquiétait de voir une fille si
jeune livrée à la seule compagnie de ses «cousins» somaliens de Paris. «Ce n'est pas la peine de l'avoir sauvée des
eaux si c'est pour la laisser tomber sur le pavé parisien.»
Grimaud et Rim les ont invitées à passer l'après-midi et
la soirée du samedi avec eux et Harry, évidemment.

Bruno passe tous les jours à l'appartement. Il continue d'interroger Harry sur la Grande Tarte à partir des
maigres informations qui remontent du commissariat
de Taurbeil. Son inquiétude? Il a l'impression que les
deux Tunisiens de la tour Montaigne ont bougé. Autre
souci: M'Bilal. Il a quitté son petit parc d'attractions
perso de Seine-et-Marne. Direction la Suisse, en Ferrari,
il séjournerait près de Genève, sous une fausse identité.
Lambertin attend des informations d'Interpol.

C'est une évidence, même si personne n'en parle:
la menace se rapproche. Les Parisiens vaquent à leurs

occupations sans manifester d'inquiétude. Ils ont intégré les précautions à prendre dans les lieux publics et les transports en commun et s'en accommodent.

La présence d'Habiba met de la joie au cœur de Rim. Elles ont filé ensemble faire des courses rue Mouffetard. «Ce soir, je vais faire un vrai plat français, un pot-au-feu. C'est une idée de Bruno! J'ai trouvé un gros livre de recettes dans la cuisine!

— Y a pas de cochon dans ton pot à feu? a demandé Habiba qui continue à progresser en français.

— Rien que du chameau, t'inquiète pas.» Harry a demandé la permission de les accompagner. Trois ados.

Il y a des moments où je suis perturbé par cette vitalité. Je préférerais avoir Rim pour moi seul. D'autant que depuis la nuit dernière, je suis habité par une sorte de mauvais pressentiment. Peut-être parce que jamais je n'ai été aussi heureux. Ma position dérive à l'intérieur de leur petit groupe. J'en étais le centre, je le suis moins. Trop de bonheur m'inquiète, c'est idiot, je ne peux quand même pas la tenir en laisse... Mais quand elle a refermé la porte tout à l'heure, je l'ai regardée partir comme si c'était la dernière fois.

La nuit est tombée. La lumière d'un réverbère entre par les deux fenêtres de la chambre. Pas un bruit. Bruno téléphone, il rend compte de sa conversation à Lambertin, à voix basse, une main devant sa bouche, dans un coin de la bibliothèque. Jeannette s'est installée près de la cheminée, les jambes sur un pouf afghan, en face d'un bronze phallique romain, et lit un roman de John le Carré, en anglais, paru chez Penguin. Plutôt que de me morfondre, je devrais plutôt organiser une fête. Quand Valentine vivait encore, on ne ratait pas une occasion d'aller au New Morning. Pendant que mes pensées vagabondent, l'appartement a retrouvé une sorte de normalité domestique. Je me rends compte que je n'ai pas travaillé depuis notre départ de Carthage. Je ne sais même plus où j'ai rangé mes notes. En fait, je ne fais rien depuis des semaines…

Le week-end avait commencé de façon très inattendue. Quand j'ai présenté Habiba à Harry, celui-ci, intimidé, a essayé en vain de diminuer sa taille et n'arrivait qu'à se tortiller sur place. Habiba l'a dévisagé, sans bouger, c'était presque comique, les poings sur les hanches, et tout à coup, tout à coup, elle s'est mise à fredonner puis à chanter de plus en plus fort une sorte de rap modulé, hyperarticulé, avec son énergie d'Africaine : «Parler tout seul/ C'est parler avec Dieu/ Seul parmi les seuls/ À la nuit et au jour…» Un sourire avait englouti le visage d'Harry, il s'était redressé de toute sa hauteur, et il avait commencé à chanter lui aussi, en tapant dans ses mains : «Parler toujours/ Jeter des mots/ Sans espoir de retour.» Jeannette, qui se débarrassait de son manteau, avait suspendu son geste.

Habiba s'était approchée d'Harry et lui avait demandé : «Tu es Harry MonVictor ? – Euh. Oui. – J'n'arrête pas de te *looker* sur YouTube, je t'ai envoyé des dizaines de *like*, j'adore cette chanson, je l'adore…» Harry a hoché la tête pensivement, comme si les mots d'Habiba peinaient à parvenir jusqu'au noyau de sa conscience. Leurs regards s'étaient croisés et Habiba s'était écroulée. «Je pleure parce que tu ressembles à mon frère.»

Ils ne s'étaient jamais rencontrés mais ils étaient amis, grâce à Facebook. Harry MonVictor avait des *followers*, au premier rang desquels Habiba, mais il ne le savait pas. Nous passons à table un peu tard. Rim a sans hésiter installé Bruno à sa gauche et à sa droite Lambertin qui finalement les a rejoints (avec trois bouteilles de pommery et du jus de grenade). Rim éprouve un curieux sentiment d'excitation. «Un coup de maître ce pot-au-feu, lui déclare Lambertin. La bonne idée, c'est de servir les pommes de terre en salade, tièdes, de la rate du Touquet, finement coupées en rondelles, des cornichons au vinaigre. Avec le bouillon, un délice... ! La prochaine fois, j'apporterai un gevrey-chambertin.

— J'avais une bonne recette, répond Rim en faisant tourner le bracelet montre en argent que je lui avais offert le lendemain de notre arrivée à Paris. Habiba m'a aidée à éplucher les légumes, et Bruno a préparé les os à moelle, ficelés avec leurs rondelles de citron. Un expert. D'ailleurs, c'est lui qui m'a donné cette idée de pot-au-feu.

— Ma mère nous en faisait un chaque été, dit Bruno. Ce n'était pas la saison, on campait dans des conditions sommaires, c'était l'un des plus beaux jours de nos vacances.»

Lambertin, sous son air bonhomme et un peu las, suit toutes les conversations, avec sa curiosité aiguisée, dissimulée sous des paupières tombantes. Comme un drone détaché de son cerveau, naviguant à la verticale de la table, qui contemple leurs vies avec une netteté qu'eux-mêmes ne peuvent pas imaginer.

Habiba et Harry parlent peu, ne se quittent pas des yeux, mais ils rient. Lambertin envie leur insouciance.

Depuis combien de temps n'a-t-il pas participé à un dîner comme celui de ce soir ? Plus aucune vie sociale. Pas de vie privée. Ça lui convient très bien, d'ailleurs. Sa voix de baryton triste attire l'attention et la sympathie. Et son rire dégage une densité particulière. Il sort de table pour vérifier les infos sur son portable. *Une explosion dans une église copte du Caire, deux attentats à Istanbul, des voitures piégées à Bagdad, deux policiers poignardés en Allemagne, un camion bourré d'explosifs sur le port de Mogadiscio…* Ça n'arrête pas. Il revient s'asseoir, frissonne. Pour l'instant, Jeannette est sous son charme.

Tout le monde s'est précipité pour aider Rim à débarrasser, Lambertin semble vouloir continuer la conversation avec Habiba. Bruno glisse un mot à Rim : « On va prendre le dessert et le thé au salon ! » Lambertin et Habiba restent à table et reprennent leur tête-à-tête à voix basse.

Il est 1 heure du matin passée quand Jeannette décide qu'il est peut-être temps d'aller dormir. Elle propose d'inviter Harry à déjeuner chez elle le lendemain. « D'ailleurs, vous êtes tous les bienvenus… » Personne n'a envie que la soirée se finisse. J'ai fait l'unanimité en proposant que l'on se retrouve le lendemain soir au New Morning. « Je me charge de réserver… »

Pendant que Bruno raccompagne le vieux à la Villa, Lambertin lui explique que la petite Somalienne pense que des armes ont été acheminées en France il y a un certain temps déjà par le pêcheur maltais.

«Celui que vous avez déniché grâce à votre copain jésuite. Elle a surpris plusieurs conversations entre Levent et le commandant Moussa. Comme vous le savez, le Maltais a une petite usine dans le Sud.

— À Blagnac, on l'a mis sous surveillance.

— C'est par là que passait la cocaïne. La petite dit qu'il y avait deux dépôts. Le premier à Blagnac, l'autre à Béziers. De même qu'elle est sûre que Levent a fait liquider le pêcheur après l'assassinat de son frère.

— Pourquoi ne m'en a-t-elle jamais rien dit ?

— Je ne lui ai parlé que de son frère, elle a fini par me lâcher le nom du pêcheur, Camillieri. Elle a de bonnes raisons de lui en vouloir et c'est vrai. Mais je dois ressembler à son grand-père…», dit-il sans rire.

De la Villa, Lambertin réveille le préfet de l'Hérault, un ancien collègue, en lui demandant de réunir d'urgence les responsables pour préparer une opération dès le lendemain matin. Pendant ce temps-là, Bruno appelle le commissaire de Béziers pour faire un bilan des opérations de surveillance en cours et lui parler de l'intervention à venir.

À 2 heures du matin, la cuisine était rangée. Je me suis assis avec Rim dans le salon. Elle apprécie son champagne. Pendant le dîner, elle avait refusé de boire de l'alcool pour ne pas gêner Habiba. Je lui caresse les épaules, ma main descend sur son visage, je lui caresse les traits comme si j'avais voulu graver leur dessin parfait sur l'extrémité de mes dix doigts. Avoir ses yeux, son

menton, son nez, ses lèvres comme empreintes digitales.
Je pense que c'est le moment de lui parler :
« Tu sais, demain…
— Le New Morning ?
— Oui, c'est pour toi… Je… »
Elle ne me laisse pas terminer et sort des pièces d'une
enveloppe en papier kraft. « Regarde ! Bruno me les a
offertes… De l'or, il en avait douze, il voulait toutes me
les donner, tu te rends compte, toutes, mais je lui ai dit de
partager avec Harry, je pense que j'ai eu raison, non ? »

13

Rue de l'Espiguette, Paris V[e], France
Réveillé tôt, il fait encore nuit, l'âge diminue le besoin
de sommeil, j'en profite. Rim dort profondément, les
seins à l'air. Mon Bébé. J'ai enfilé un jogging et je suis
descendu jusqu'à la boulangerie de la place Mouffetard.
La boulangère me salue d'un sourire, je suis son premier
client. Je rapporte une baguette et des croissants chauds.
Pas un bruit dans l'appartement. J'ai retrouvé mes notes,
un début de manuscrit, je l'ai ouvert à la page où je
l'avais laissé, j'ai branché mon ordinateur, et aussitôt, j'ai
senti l'excitation qui revenait. Petite érection intellec-
tuelle du matin.
Rim avait commencé à s'intéresser à Carthage, la voici
qui montre une curiosité insatiable pour l'histoire et

même la politique françaises. Tout la passionne. Sa dernière trouvaille ? Un livre sur Christine de Suède, trouvé dans la bibliothèque (je me souviens que mon collègue était tombé vaguement amoureux d'une internationale de tennis suédoise). Cette Christine n'était pas très jolie, dédaignait les joies du sexe, mais cela n'empêche pas Rim de s'identifier à elle. Quand je pense qu'hier matin, je me sentais déprimé.

Je réfléchis à la façon dont je vais pouvoir l'intégrer dans un système d'éducation secondaire. Pas évident. Des cours par correspondance ? Pourquoi pas. Elle se dit impatiente de commencer des études d'histoire. Très bien. Mais elle doit commencer par passer son bac.

J'ai racheté un exemplaire défraîchi de Thibaudet sur Thucydide. J'ouvre son livre au hasard, je lis à voix haute : « La pure vie historique semble exiger le déracinement, comme la pure vie philosophique exigeait le célibat. » Je comprends pourquoi j'ai choisi l'histoire. Il faudrait d'ailleurs, si notre situation s'éternisait, que je songe quand même à rapatrier ma bibliothèque. « Tu parles tout seul ? » Je ne l'avais pas entendue arriver, Rim se déplace sur la pointe des pieds. Un oiseau.

Elle monte le son de la radio. Un journaliste parle d'une opération antiterroriste en cours dans la région de Béziers. Trois hommes arrêtés, originaires de la Grande Tarte, des armes saisies. Elle fronce les sourcils. « C'est Bruno... Bruno et Lambertin. J'espère qu'il ne va rien leur arriver. »

Je lui promets que j'appellerai Bruno à midi pour avoir des infos. Elle s'inquiète. La radio ne parle plus

421

de Béziers. On branche la télé. Les chaînes d'infos n'en savent pas plus et répètent toutes la même chose. Rim retourne se coucher. La menace va et vient dans nos têtes. La plupart du temps, je n'y pense pas. J'ai rappelé à Rim que nous étions nous aussi victimes des islamistes. Ils ne pouvaient pas nous frapper deux fois, les probabilités statistiques sont nulles. Elle m'a répondu, avec raison, qu'elle n'avait pas peur pour nous, mais pour les autres, ceux que nous ne connaissons pas.

Pas besoin d'appeler Bruno. Un peu avant midi, quelqu'un sonne à la porte. C'est lui. «Je passais, j'espère que je ne vous dérange pas, je voulais expliquer à Harry ce qui s'est passé cette nuit, c'est grâce à lui...» Dès qu'Harry nous a rejoints, il raconte brièvement l'opération de Béziers. «On a arrêté deux des trois Blacks qui s'étaient entraînés en Tunisie. Problème: on n'a pas récupéré toutes les armes. Certaines ont déjà été évacuées. À la Grande Tarte, on a essayé d'arrêter les deux barbus de la tour Montaigne. Ils avaient changé d'appartement dans la tour, les détrousseurs nous ont renseignés, merci Harry. Lambertin a envoyé une toute petite équipe, des collègues spécialisés dans les opérations difficiles, à 5 heures du matin. Malgré leurs précautions, ils ont été repérés et ont dû se replier.

— Je te l'ai toujours dit, intervient Harry, il y a des guetteurs dans chaque immeuble, vingt-quatre heures sur vingt-quatre.

— Tu as raison, mais on a essayé. En plus ce matin, il y avait un brouillard à couper au couteau. En tout cas, c'est le coup de pied dans la fourmilière, on va voir comment ça réagit.

— Et Saïd ? Toujours à la Maison de la culture ? demande Harry.

— Oui, le commissaire de Taurbeil a réussi à lui mettre un indic dans les pattes. Ça ne tiendra pas longtemps, mais pour l'instant, on le piste. »

Malgré sa nuit écourtée, il a le visage frais et lisse, rasé de près, il ne fait pas ses quarante ans. Des yeux rieurs. Je me demande comment il tient, avec la pression qu'il a sur le dos. Par moments, j'ai l'impression de retrouver mon étudiant de la Sorbonne.

« Heureusement que vous êtes là… », lance Rim. Bruno se permet un sourire. « C'est grâce à Harry si on a pu avancer. Quant à moi, je ne suis qu'un flic qui fait son job. » Il étire ses bras au-dessus de sa tête et joint ses mains au-dessus de sa tête. Toute trace de tristesse, ces plis d'amertume que je lui ai toujours connus autour de la bouche depuis que nous nous sommes retrouvés, ont disparu.

Au moment où il nous quitte, je lui demande si c'est une bonne idée de maintenir notre sortie ce soir au New Morning. Rim répond avant qu'il n'ait pu ouvrir la bouche.

« Bien sûr, la vie continue.

— Rim a raison, ajoute Bruno. D'ailleurs Lambertin m'a dit qu'il comptait passer, plutôt en fin de soirée, Jeannette l'a appelée. J'étais surpris, mais il semblait ravi. Il ne restera pas longtemps, moi non plus d'ailleurs, mais nous passerons… » Il laisse sa phrase inachevée.

Peut-être voulait-il me demander ce que je souhaitais fêter ce soir au New Morning, mais il a retenu sa question.

*

Il y a des choses que je garde pour moi.
Je ne dirai pas tout à Rim.
Pour l'instant, elle ne sait rien.
Lost.
Nous avions fêté notre mariage au New Morning.
Valentine et moi.
You Don't Know What Love Is.
Chet Baker avait joué toute la soirée, exténué, infatigable.
My Funny Valentine. Il l'avait regardée en soulevant ses lunettes de soleil et dit à voix basse dans le micro : «Dédicace spéciale, *for the baby bride.*»

*

New Morning, rue des Petites-Écuries, Paris X^e, France
Nous arrivons vers 22 h 30. Habiba et Harry intimidés comme s'ils débarquaient sur une planète inconnue. Jeannette, élégante dans une robe verte, plutôt stricte mais supermoulante. L'air bien décidée à lancer ses derniers missiles. Rim me serre la main de toutes ses forces, je ne lui ai toujours pas dit pourquoi nous étions là. Je regarde la salle où j'ai passé des soirées inoubliables. Toujours beaucoup de monde, des touristes espagnols,

pas mal d'Américains, quelques Français. Une table vide, pas très loin de la scène, probablement la nôtre. Le club a été rénové, il y a un nouveau bar, des lumières tamisées, c'est plus cosy.

Deux guitaristes manouches revisitent des classiques de Django Reinhardt avec une fougue juvénile. Je me présente à la directrice, qui se souvient vaguement de moi (ou fait semblant). Son père était un journaliste talentueux, qui paraissait toujours avoir pesé chaque mot sorti de sa bouche dans une petite coupelle d'or. Sa femme avait fondé le New Morning quelques années plus tard, au début des années 70, quand ils avaient quitté l'Égypte pour toujours. Art Blakey et les Jazz Messengers avaient baptisé le lieu en donnant un concert entré depuis dans les chroniques de l'histoire du jazz à Paris. Je les avais rencontrés tous les deux quand je faisais mon stage au musée du Caire. J'avais décidé de passer un week-end à Alexandrie, j'espérais rencontrer une archéologue anglaise, une plongeuse, qui remontait des eaux troubles du port des torses de dieux et des têtes de reines, mais elle était absente. En revanche, dans un café de joueurs d'échecs (le Miramar ?), je suis tombé sur ce couple, nous avions sympathisé, déjeuné ensemble au Yacht Club, et j'avais eu la surprise de les retrouver au New Morning, loin du soleil et des vents étésiens d'Alexandrie. Ils avaient bien connu Valentine. Ce soir, c'est leur fille, une agrégée de grammaire, qui tient la maison. Je lui demande si, pendant une pause des musiciens, une fois que tous mes amis seraient arrivés, elle pourrait passer le morceau fétiche des Messengers, *Blues March*.

«Bien sûr, ils font un break à minuit, aucun problème, au contraire, les clients adorent ce morceau, vous savez, c'est un peu notre étendard… Ensuite, ils seront rejoints par un guitariste cubain, vous verrez, un musicien exceptionnel, c'est ma mère qui l'a découvert.»

À chaque fois que j'avais réécouté l'intro d'Art Blakey à la batterie, je m'étais senti propulsé dans l'avenir.

Blues March sera notre marche nuptiale.

Un quart d'heure avant minuit, l'arrivée de Bruno et Lambertin est saluée par des cris de joie à notre table. Ils sortent de la Villa et doivent y retourner avant 1 heure du matin. Ils ne font que passer, mais je suis étonné que Lambertin ait pris le temps de se déplacer. Il commande un double scotch. Jeannette, bien calée dans sa chaise, commence aussitôt à lui parler, penchée vers lui, le menton dans les mains, comme si elle le connaissait depuis toujours. Bruno, curieux, est allé explorer les lieux. Harry observe les musiciens avec l'acuité du professionnel qu'il rêve d'être un jour et glisse ses commentaires dans l'oreille d'Habiba. En peu de mots, il vient de lui expliquer qu'un jour, il chantera ici, au New Morning. «Je serai dans la salle, évidemment!», s'exclame Habiba. Je refais l'histoire du club, en soulignant sa longévité. «Ces lieux qui ne changent pas font le charme d'une ville. Vous déménagez, vous revenez vingt ans plus tard, le personnel vous salue comme si vous étiez parti la veille.» Pendant que je parle, je surveille ma montre car je souhaite dire quelques mots pour Rim juste avant la diffusion du morceau des Messengers.

Les deux manouches sont applaudis avec ferveur. Non seulement ils ont du charme, avec leurs cheveux de paille noire, leurs yeux mi-clos, leur dégaine nonchalante, un éternel sourire aux lèvres, mais ces deux virtuoses sèment dans le public un désir trouble, une envie de s'abandonner… J'aurais presque envie de danser. Je meuble la conversation, un peu déçu que Rim m'écoute d'une oreille distraite, comme si mes paroles n'avaient soudain plus aucun impact sur elle, les yeux tournés vers la salle où elle semble chercher quelqu'un du regard. Quand elle me regarde, c'est avec des yeux indifférents, qui n'attendent rien de moi. Je me reproche de ne pas l'avoir prévenue de mes intentions. Rien de grave, dans moins de cinq minutes, elle va comprendre. J'imagine sa surprise…

Les guitaristes débranchent leurs guitares et quittent la scène. Je me retourne pour faire un signe, pouce levé, vers ma complice la grammairienne, qui doit lancer la sono. Elle lève le pouce à son tour pour me dire qu'elle a bien reçu le message et s'approche de la cabine de son. Je commence à parler : « Vous allez comprendre pourquoi j'ai tenu à nous réunir ce soir dans cet endroit… », mais quand je me retourne vers mes amis, Rim a disparu. Je m'adapte, remballe mon discours et lève mon verre à l'amitié.

La batterie d'Art Blakey résonne dans chaque particule de mon corps. Une bouffée de souvenirs me traverse l'esprit, j'ai la chair de poule. Harry paraît survolté.

427

Habiba se tait. Lambertin et Jeannette, qui semblent liés par une complicité naissante, apprécient. «C'est formidable, dit Lambertin. — Merci pour tout, Grimaud, si j'avais imaginé…» Je souris à Jeannette et balbutie : «Excusez-moi, je reviens…» Je me lève et pars à la recherche de Rim que je n'aperçois nulle part. Ni au bar, ni près de la scène. Elle a peut-être eu besoin de respirer ou de se rafraîchir ? Un malaise ? Je sors en courant mais la rue des Petites-Écuries est presque vide. Quelques fumeurs, un videur, c'est tout. Je rentre. Où peut-elle être passée ? Elle aurait pu me prévenir ! J'ouvre machinalement la porte des toilettes pour hommes. Je l'aperçois assise sur un lavabo, en équilibre instable, les deux bras pendus au cou de Bruno, qu'elle embrasse goulûment. Aucun des deux ne me voit. Trop occupés les salauds. Bruno est debout, Rim a les cuisses écartées serrées autour de sa taille. Tout devient flou, je ne vois presque plus rien, je referme la porte.

14

Tunnel du Landy, A31, Saint-Denis, France
   Le lendemain matin, vers 8 heures, un car de police immobilisé dans un embouteillage sous le tunnel du Landy est mitraillé par les deux Tunisiens longtemps hébergés à la tour Montaigne de la Grande Tarte. Les Tunisiens encadrent une demi-douzaine de jeunes gens,

venus du même quartier. Le commando tire au lance-roquettes sur un camion semi-remorque. L'explosion crée un premier départ de feu. Les terroristes vident les sacs abandonnés dans les voitures et repartent avec argent et bijoux. Tout le tunnel est bientôt en flammes.

Les assaillants se sont enfuis par les rampes d'accès piétonnes des bas-côtés et se dispersent déjà dans les cités avoisinantes. De nombreux vols à destination de Roissy sont détournés sur Bruxelles, Londres ou Francfort, d'autant que le même jour, un sabotage interrompt la liaison ferroviaire Roissy-Paris pendant vingt-quatre heures.

Maison d'arrêt, Fleury-Mérogis, France

Vers midi trente, un groupe de détenus islamistes se mutine à Fleury. Le signal de la révolte est donné au réfectoire, à la fin du déjeuner. Une centaine de prisonniers, armés de couteaux, de haches ou d'armes de poing, équipés de talkie-walkies, enferment les gardiens dans le gymnase. Ils montent sur les toits, rejoints par deux cents de leurs camarades, et hissent le drapeau de l'État islamique sur le toit. Pendant ce temps-là, un commando se dirige vers le bâtiment où se trouve la directrice de la prison. Des détenus corses, qui cherchaient à se mettre à l'abri, interviennent avec des armes de fortune pour la protéger. L'arrivée des hommes du GIGN venus se mettre en position dans une rue adjacente est saluée par des tirs partis des toits.

Métro Mabillon, Paris VIe, France

En début d'après-midi, une cinquantaine de jeunes gens masqués se rassemblent à la sortie du métro Mabillon et déferlent sur le quartier, avec des battes de base-ball ou des barres de fer. Manifestement ils ne connaissent pas le quartier, au point de s'égarer. Ils semblent pressés de ne pas s'attarder et négligent des lieux emblématiques qu'ils ignorent (Lipp, le Flore, les Deux Magots) pour concentrer leur rage sur des magasins de vêtements ou de montres. Une voiture piégée est retrouvée devant l'église Saint-Germain-des-Prés. Le système de mise à feu n'a pas fonctionné.

Cap d'Agde, 34300, France

Au même moment, au Cap d'Agde, un homme erre dans la station presque déserte à cette saison, il entre au hasard, semble-t-il, dans un hôtel privatisé pour le séminaire annuel de la Société internationale naturiste. L'homme porte une caméra GoPro sur le front, il se promène dans le hall avant qu'un groupe lui reproche avec véhémence son attitude «textile». Il s'éloigne, sort une kalachnikov de son manteau et rafale le lobby.

La coïncidence des attaques terroristes semblent prendre la police de court. Pourtant vers 18 heures, le porte-parole du ministère de l'Intérieur fait un point précis sur la situation.

«L'attaque du tunnel a été préméditée par deux ressortissants tunisiens ayant fait allégeance à l'État islamique, connus de nos services, domiciliés à Taurbeil-Tarte, et qui avaient échappé la veille à notre surveillance. À l'heure où je vous parle, ils sont toujours en fuite, mais nous avons de bonnes raisons de penser que nous les mettrons hors d'état de nuire très rapidement, eux et leurs complices. Le soulèvement de Fleury a été préparé par un ancien détenu, Saïd X, également domicilié à la Grande Tarte. Il a été abattu par la police aux abords de la prison d'où il donnait ses directives par téléphone et coordonnait des tentatives d'évasion. À l'heure où je vous parle, les forces de police ont repris le contrôle de l'intérieur de la prison, à l'exception du dernier étage qui n'est pas encore totalement sécurisé, et des toits.

La mutinerie de Fleury a donné lieu à des manifestations de solidarité dans plusieurs cités de la région parisienne, mais aussi à Paris intra-muros, notamment dans le quartier de Barbès, et dans quelques villes de province, au premier rang desquelles Grenoble et Marseille. Les voyous, dit-il encore, qui ont dévasté un quartier paisible de Paris, sont des supplétifs du djihadisme, recrutés parmi les petites mains du trafic de drogue. Le terroriste du Cap d'Agde a lui aussi été identifié. Il s'agit d'un Malien, entraîné en Libye, lié au réseau de la Grande Tarte, et qui se cachait près de Béziers. Il a posté sur Internet une vidéo de son entrée dans le hall qui a connu un succès foudroyant et ambigu sur les réseaux sociaux. Deux de ses complices avaient été arrêtés récemment dans les entrepôts d'une entreprise de la zone industrielle de Béziers. La région Paca est placée sous une surveillance renforcée.

Toutes ces actions ont été conduites au nom de l'État islamique. Elles menacent la sécurité de notre nation et les fondements de la République. Il s'agit d'une bande organisée, qui a obéi à un seul donneur d'ordres étranger que nous pensons avoir identifié. Il s'agirait d'un

ressortissant saoudien, domicilié à Riyad, et qui utilise-
rait ses connexions professionnelles. La Grande Tarte et
les environs de Taurbeil constituent la base arrière et le
vivier de cet important réseau, par ailleurs lié au grand
banditisme et au trafic de drogue.»

Cette déclaration a paru mettre un terme à un enchaînement de faits tragiques. Quand le représentant du
ministre s'exprime, cela fait plus de trois heures qu'aucune nouvelle action n'est signalée. Un couvre-feu de
quarante-huit heures est décrété. Les manifestations de
solidarité cessent presque aussitôt sur l'ensemble du
territoire.

*

École militaire, Paris VIIe, France

Un peu après 20 heures tombe une dépêche signalant
une prise d'otages, à l'École militaire. Les informations,
distillées au compte-gouttes par les autorités, men-
tionnent un jeune couple avec des ceintures d'explosifs
qui se serait introduit à l'École militaire à l'occasion
d'une réception officielle. Le couple aurait pris en otage
une dizaine de personnes, dont le gouverneur militaire de
Paris et plusieurs personnalités du monde économique.
Le quartier est bouclé entre le boulevard Garibaldi et
celui des Invalides. Le ministre est sur place.

À 22 heures, l'Intérieur fait savoir que des négociations sont engagées avec les terroristes, qui exigent la
présence de deux chaînes de télévision pour lire en direct
une déclaration de l'État islamique.

À 23 heures, deux équipes de TF1 et de CNN installent leur matériel dans la cour de l'École. Des techniciens s'affairent, tendent des câbles, allument des projecteurs.

Au même moment, les deux terroristes envoient un tweet avec leur photo signé *Souryah et Sami, soldats de l'État islamique*, où ils saluent «les combattants qui se lèvent contre l'oppression et dénoncent le racisme de la France qui, depuis Sétif, ne cesse de bafouer la liberté dont elle se réclame». Une journaliste de BFM-TV les surnomme aussitôt les *Fiancés du djihad*. La police indiquera plus tard qu'ils ont pénétré dans l'enceinte de l'École militaire en présentant de véritables papiers d'identité et une invitation nominative en bonne et due forme.

Plusieurs personnes reconnaissent l'homme sur la photo du tweet et appellent les médias. Une assistante de direction du groupe Cimenlta, où aurait travaillé le terroriste, madame Martine X, est interviewée sur BFM en direct de son appartement. Le visage flouté, elle confesse qu'elle connaissait ce Sami Bouhadiba, un collègue de bureau, mais qu'il lui avait toujours fait peur, sans qu'elle sache pourquoi.

À minuit, la situation n'a pas évolué. TF1 et CNN diffusent une image de la cour de l'École, vide et noire, de très mauvais augure. Les projecteurs sont éteints. Les journalistes ont été invités à enfiler des gilets pare-balles. La police paraît de plus en plus nerveuse. Des grappes de soldats en tenue de combat courent d'un bâtiment à l'autre.

À 2 heures du matin, deux cortèges de voitures banalisées, arrivés jusqu'à l'École par des itinéraires différents, entrent en trombe dans l'enceinte militaire. Vingt minutes plus tard, les projecteurs des télévisions se rallument. Des micros sont installés, ainsi qu'un pupitre.

À 3 heures du matin, une étrange procession sort du bâtiment principal et traverse la cour jusqu'à son milieu. Une femme voilée pousse devant elle trois hommes, dont un général en uniforme, qu'elle tient sous la menace de son arme. Un individu encore jeune, longiligne, barbu, svelte sous son harnachement, ferme le ban. Il a le front ceint d'un bandana à l'emblème de l'État islamique qui lui donne un peu l'air d'une pop star des années 70. Les télévisions du monde entier vont capter les images des deux chaînes présentes sur les lieux du drame et les rediffuser. Il est 22 heures à New York et 9 heures du matin à Pékin. Quand ils arrivent devant les micros, la femme se rapproche de son complice sans que jamais elle ne relâche la pression de son arme, un pistolet automatique pointé sur le groupe d'otages. Son visage apparaît en gros plan. Elle est belle, la peau pâle, presque transparente, très fine. Ses yeux maquillés semblent vouloir sortir du voile de mousseline blanche qui lui dissimule une partie du visage. L'homme vêtu de noir dépose un texte de plusieurs feuillets sur le chevalet disposé à côté des micros, il tient le bras de la femme, décline son prénom, puis le sien, en précisant : « Nous avons prêté allégeance à notre chef, nous sommes des soldats du djihad », fixant la caméra avec des yeux d'un calme étonnant. Il commence la lecture de son texte par une

434

formule rituelle «*Salam alikum*, il n'est de Dieu qu'Allah et Muhammad est son envoyé, Dieu le Très Saint, Dieu le Miséricordieux, le Vivant, l'Éternel, rien ne lui est caché sur la terre ni au ciel». Puis il enchaîne: «Je veux d'abord saluer les frères qui se battent encore sur le toit de la prison de Fleury-Mérogis, je demande aux autorités françaises, les impies, d'affréter un avion et d'organiser le départ des feddayin de Fleury pour la Libye…» La caméra est braquée sur lui, mais on aperçoit Souryah et le groupe des otages sur sa droite (sans distinguer leurs visages, mal éclairés, volontairement sans doute). La voix grave, posée, tranchante mais sans nervosité de Sami s'élève à nouveau dans le silence et dans la nuit. «Il n'est de Dieu qu'Allah…»

Il interrompt sa phrase, une vision subliminale vient de le mettre à moitié groggy. On entend sa respiration qui s'accélère dans les micros. À ce moment-là, un projecteur s'allume de l'autre côté de la cour, s'éteint, se rallume, et sort de l'ombre un groupe de silhouettes. Sami dit quelque chose, à voix basse, un grondement plutôt qu'une parole articulée, son visage se crispe. Il vient de reconnaître son père, le vieux Bouhadiba, que Bruno, Harry et Grimaud, accompagnés d'un psychologue du Raid, sont allés chercher à la Grande Tarte, pour le convaincre, non sans difficultés, de parler à son fils.

Les pinceaux des projecteurs grandissent l'ancien ouvrier de Taurbeil, la lumière sculpte la maigreur de sa silhouette, accentue les angles de ses traits, creuse les orbites, hérisse les poils blancs de sa barbe et de ses sourcils, il ressemblait à un personnage de Victor Hugo, dira plus tard Harry qui lui consacrera une chanson. Habillé d'un saroual traditionnel et de sa veste bleue d'ouvrier des Grands Chantiers de Taurbeil, il a coiffé ses cheveux blancs sous son fez de fête en astrakan. À côté de lui, un homme en costume et cravate, assez rond, presque chauve, effondré sur lui-même, soutenu par deux policiers du Raid, le père d'Emma Saint-Côme, pharmacien breton.

Le chibani, appuyé sur une canne en bois, se met péniblement en marche, comme s'il devait faire un effort pour s'arracher des bras de ceux qui le soutiennent. Ébloui par la lumière crue des projecteurs, il avance à l'aveugle, son déplacement est saccadé. Tout en marchant, il s'adresse alors à son fils, il a été équipé d'un micro sans fil, sa voix déformée par l'émotion résonne contre les façades des bâtiments. « Sami mon fils, mon merveilleux, je t'en supplie, au nom de tous les nôtres, de nos ancêtres, au nom de mon pays l'Algérie, au nom d'Allah le Miséricordieux, au nom de la France qui nous a accueillis et qui t'a élevé… »

Sami le regarde interloqué et menaçant, Souryah se penche vers lui et lui parle dans l'oreille. Sami hurle : « Dégage ! Misérable… », avec l'effroi de celui qui s'adresse au Démon. Le vieil Algérien continue : « Sami, tu es le meilleur des fils, tu m'as donné la fierté… » Il est seul, coupé du monde par les projecteurs, assez loin maintenant, deux ou trois mètres, de ceux qui l'épaulaient, il continue d'avancer, paraît exténué, il utilise toutes ses forces pour se redresser, le bruit tâtonnant de sa canne qui frappe et racle les pavés de la cour, toc

toc, toooc, capté par le micro HF, chavire le cœur de millions de téléspectateurs, il fait un pas en direction de son fils, encore un autre, ses gestes sont de plus en plus lents, les téléspectateurs ont l'impression de voir un film au ralenti, il ouvre ses bras, paumes levées, laisse tomber sa canne, il montre l'endroit où bat son cœur dans sa poitrine, il se grandit, il chancelle, la nuit est pleine de poches d'humidité, le vent s'est levé, le vieil homme frissonne, fait encore un pas, on dirait qu'il veut continuer à parler, il ne renonce pas, ses traits se figent autour de sa vieille bouche sans lèvres, la voix percute les micros, une voix usée, rouillée, sifflante, mais forte encore. Il ne parle plus, il crie.

Ses cris saturent les micros : « Sami, tu te souviens des dattes que je t'avais rapportées de Sétif…

— Tais-toi, tu n'es qu'une marionnette dans les mains des bourreaux de notre peuple.

— Tu les avais aimées, ces dattes, fils, tu me l'avais dit, tu te souviens, tu m'avais dit que tu les aimais, tu n'en avais jamais mangé d'aussi bonnes, tu m'avais dit que tu viendrais avec moi, un jour, au pays, fils, on va y aller, le temps est venu… »

Sami, aspiré par la force qui se dégage de son père pourtant si fragile, s'avance vers lui. Il a souvent parlé de lui à Souryah, de sa vie à Taurbeil-Tarte, de ses rêves de Sétif, de ses humiliations. Une misère. Elle vient de penser que Sami pourrait flancher face aux exhortations du chibani. Elle veut lui parler, l'encourager, rester dans son orbite, ne peut pas perdre le contact avec lui maintenant, à cet instant sacré, Sami fait encore un pas vers son père, Souryah fait un pas à sa suite, pendant ces secondes si lentes elle néglige les trois otages qui reculent dans l'ombre où ils disparaissent, ceux-là sont sauvés. Le vieux Bouhadiba continue sa marche, traînant les pieds, le père d'Emma reste prostré près des flics, Harry tient le pharmacien solidement par les épaules, le vieux Bouhadiba tend les bras à son fils, il laisse échapper des larmes, il lui sourit, il veut lui parler encore, même s'il pense que tout est perdu, il y a si longtemps qu'il a pris acte de sa propre mort, si longtemps qu'il a tout laissé filer, si longtemps que le monde marche sur la tête. Il s'oblige à y croire, pour cinq minutes encore, oui, c'est possible, Sami va revenir de son plein gré dans l'harmonie des sphères, il va reprendre sa place dans l'ordre des hommes, il va baisser les yeux devant la lumière de Dieu et pour finir, il va lui tomber dans les bras.

Sami le Merveilleux, *directeur financier...*

Souryah tient Sami par la main, ils échangent un regard, Sami braque ses yeux noirs vers son père et tire sur le déclencheur de sa ceinture de petit kamikaze, la détonation est énorme, le souffle renverse les caméras, les micros, le chevalet, les feuilles de papier s'envolent, Sami et son père s'envolent, des petits lambeaux de chair retombent en pluie, des gens hurlent, les témoins les plus proches se sont jetés à terre. Le bruit puissant de la bombe tourne encore en grondant dans la cour qu'une deuxième explosion retentit. Souryah Emma Saint-Côme, grièvement blessée, a eu la force de se faire sauter.

Un an plus tard
Voici que recommence…

Catane, Sicile, Italie

Je suis rentré de Malte hier matin. Avec le ferry, c'est vraiment très pratique. J'ai quitté La Valette à 6 heures, moins de deux heures plus tard, je débarquais avec ma voiture sur les quais de Catane. Cinq minutes après, j'étais chez moi. Depuis mon déménagement, arrivé par bateau, les employés philippins du port commencent à me connaître, ils me donnent du *Professore* long comme le bras. Je me suis installé ici à la fin de l'hiver dernier. Je me préparais à récupérer ma bibliothèque et mes meubles de La Marsa, grâce à ma chère collègue Leïla de l'Institut tunisien d'archéologie, quand quelqu'un m'a parlé de la Sicile.

À cette époque, je n'avais toujours pas un grand moral, à cause de Rim. C'était totalement de ma faute, je m'étais fait cueillir comme un gosse. Alors que depuis des mois, je n'attendais rien d'elle, me contentant de prendre au jour le jour ce que sa jeunesse me donnait, n'exigeant rien, ne contrôlant rien, prêt à tout accepter, elle avait fini par anesthésier mon instinct de survie. Plus

441

de sautes d'humeur, plus de disparitions impromptues, toujours d'un caractère égal. En quelques semaines, j'avais désappris le qui-vive et m'étais laissé aller à faire des plans sur la comète alors que la situation générale et la recrudescence des attentats auraient pu m'incliner à moins d'optimisme.

Il fallait que je bouge, que je m'éloigne de Paris. Alors la Sicile, pourquoi pas ?

Je connaissais mal cette île et n'avais que des souvenirs flous de son histoire, mais curieusement m'était revenue en tête l'acclamation qui saluait les rois de l'île au moment de leur couronnement. *Christus vincit, Christus regnat, Christus imperat*, formule qui venait directement du paganisme, lorsque les premiers chrétiens prêtaient au Christ la figure impériale d'Apollon.

J'avais pris un avion pour Palerme, emprunté la route de la côte avec une voiture de location, passé la nuit à Taormine. Le lendemain, j'ai fait un stop à Catane, il faisait doux, l'Etna m'avait salué de quelques petites bouffées éruptives, j'avais déjeuné d'excellentes pâtes aux oursins dans une auberge qui ne payait pas de mine près du port, flâné tout seul une partie de l'après-midi, et j'étais tombé sur une pancarte APPARTEMENTS À LOUER accrochée à la façade du bâtiment de l'ancienne douane de mer qui domine la zone portuaire, et depuis je suis là. À quoi ça tient !

Peu de temps après mon installation, mon éditeur m'a rendu visite avec une idée en tête. Trois ans après sa première publication, il venait de vendre les droits de traduction de mon petit *Alexandre* dans une dizaine de pays, le succès du livre se prolongeait à l'étranger, il m'a proposé d'écrire une nouvelle bio, avec les mêmes ingrédients. Un caractère hors du commun, un destin, une base de véritable érudition, quelques pincées de pédagogie, un choix de citations. Solide et *light* à la fois : « Les gens ont besoin d'histoire basique, de grands hommes, ils en ont marre de leur personnel politique, et ils sont fatigués d'eux-mêmes, ils ont faim de vies qui les élèvent, un peu surhumaines. Ton *Alexandre* est tombé à pic. »

Je lui avais demandé à quel nouveau personnage il songeait. La réponse avait fusé : « Frédéric II ! J'y ai pensé dès que tu m'as dit que tu t'installais ici. Roi de Sicile à quatre ans, empereur en 1220, excommunié par le pape mais roi de Jérusalem ! Qui plus est : un admirateur de ton Alexandre ! Un type hors norme, juriste, cultivé, cosmopolite, oriental, occidental, du charme à revendre, divinisé de son vivant, au point que ses contemporains, qui n'arrivaient pas à croire en sa disparition, pensaient qu'il était entré dans le cratère de l'Etna, avec cinq mille de ses guerriers. Tout pour te plaire... »

Après son départ, je m'étais plongé dans la fameuse biographie que Kantorowicz lui avait consacrée. Un ouvrage passionnant, que l'auteur avait plus ou moins renié, le trouvant justement un peu trop nietzschéen. J'ai commencé à tourner autour de ce Frédéric II. Je suis retourné à Palerme voir son sarcophage, j'ai lu tout ce qui pouvait le concerner mais sans jamais trouver mieux que Kantorowicz, et tout en relisant Virgile, je me suis plongé dans la Sicile de Frédéric, mi-africaine, mi-européenne, qui mêlait les peuples, les mœurs, les religions, avec ses synagogues, ses mosquées, ses cathédrales byzantines et ses églises normandes.

J'en étais au début de mes recherches quand Jeannette m'avait appelé pour me parler de ce « rendez-vous retrouvailles » à Malte. Elle avait pris les choses en main et avait convaincu le chargé d'affaires de me proposer une conférence sur Alexandre à l'Alliance française de La Valette. Même si je n'étais pas très chaud au départ, je m'étais laissé convaincre. Jeannette était décidée, persuasive, et j'avais envie de revoir Rim, même de façon anecdotique ou furtive, même dans les bras d'un autre. Le chargé d'affaires m'a téléphoné très vite pour me confirmer l'invitation. J'ai suggéré de faire une conférence sur Alexandre *et* Frédéric II, ce qui aurait l'avantage peut-être d'attirer le public italianisant de Malte, et m'a permis de mettre au net quelques idées pour mon prochain livre. Je m'étais senti soulagé d'accepter cette invitation, devinant peut-être, de façon plus ou moins inconsciente, que ce voyage allait m'aider à tourner une page de ma vie.

*

Ils m'avaient donné rendez-vous dans l'hôtel où ils étaient descendus l'an passé et nous avions pris le minibus du ministère du Tourisme à 3 heures et demie du matin, direction les temples de Mnajdra. Ils m'avaient tellement raconté cette scène que j'avais l'impression de l'avoir vécue. En arrivant sur le site, face à ces énormes pierres dressées et disposées en cercle ou en galeries devant la mer, j'avais été comme mes compagnons saisis par le relief et les couleurs riantes du passé dont elles témoignaient. Le mystère des temples, de leur destination, de leur rencontre préméditée, scientifiquement organisée avec le premier soleil de solstice, nous sautait à nouveau à la gorge et réveillait nos vies intérieures. L'intelligence des inconnus qui les avaient déplacées, poinçonnées, forées, assemblées, s'adressait directement à nous. Ces hommes avaient fait sourdre un monde nouveau. Ils nous parlaient, leur langage enjambait les siècles, même s'il nous restait opaque. Ce dialogue avec les ombres avait été celui de toute ma vie. J'avais pu vérifier ce matin-là que j'étais loin d'être blasé. Aussi attentif qu'au jour de mon arrivée comme stagiaire au musée du Caire, je m'étais mis à tendre silencieusement des fils entre les époques, méditant les chemins qui rattachaient ces bâtisseurs de temples venus d'Orient aux Phéniciens, aux cercles sacrés des villes romaines, aux premiers rois de Sicile salués comme le Christ et bien sûr à mon nouvel ami, ce cher Frédéric.

L'année qui venait de s'écouler n'était qu'une poussière dans l'infini des jours, mais nous avions pu mesurer son impact sur nos existences minuscules. Nous évoluions dans les mêmes paysages, les mêmes émotions revivaient en nous, mais nous étions différents. De tels retours en arrière sont peut-être nécessaires pour prendre la mesure de nos métamorphoses, que le quotidien maquille avec habileté dans les pages de notre calendrier intérieur, et comprendre à quel point nous sommes dans la main du temps des marionnettes changeantes, presque frivoles parfois.

Ils m'ont tous confié avoir eu un choc de se retrouver avec un an de plus sur le dos face au miroir des pierres.

Moi aussi, je m'étais posé la question : Qu'as-tu fait de cette année ? Après une rapide rétrospective, je m'étais aperçu que j'avais quasiment zappé Rim de mes souvenirs. Chassée, Rim, à qui j'avais pourtant été attaché par les liens d'un désir si dévorant qu'elle avait réussi à mettre ma vie en suspens. Et relégués aussi, dans un compartiment silencieux de mon coffre à souvenirs, les épisodes tragiques que nous avions traversés ensemble. Mon bilan sonnait creux. La mémoire aussi peut nous mentir.

Le plus surprenant pour eux avait été de retrouver ce professeur de Palo Alto, avec de nouvelles groupies, au même endroit à la même heure. Il était peut-être le seul à être resté lui-même. Ses affaires avaient l'air de prospérer. Il avait affiné ses théories, développant l'hypothèse que la marchandisation tuait le sexe en Occident. Il préconisait le retour au panthéisme, au désir primal et aux baises collectives sur le parvis des anciens temples, en pleine nature. Il nous a lassés très vite et nous sommes allés attendre le lever du soleil dans « notre » temple pour guetter la flèche de lumière qui allait s'engouffrer par un étroit goulot de la pierre.

Il ne manquait qu'Habiba. Elle nous avait fait faux bond au dernier moment afin d'accompagner Harry à Venise pour une série de performances dans le palais d'une importante société d'assurances franco-italienne.

446

Harry était devenu une star du slam et de la pop en racontant sa vie et celle d'Habiba en chansons. Warner l'avait signé pour trois albums et sa première tournée organisée par la filiale européenne de Digitour avait marqué les esprits. Des médias prestigieux avaient consacré des articles et même des unes à ces deux ados qui s'étaient fait connaître sur YouNow et sur musical.ly, deux réseaux sociaux où ils drainaient des dizaines de milliers de fans. Habiba travaillait avec lui sur un projet d'autobiographie musicale, *Je suis Habiba et je vis*, participait parfois à ses shows, ils avaient créé ensemble une start-up, *HH Parler tout seul*, qui rappelait le titre de son premier et de son dernier succès, *Les deux H*. Jeannette avait adopté Habiba qu'elle considérait presque comme sa fille et Lambertin était devenu le tuteur légal d'Harry. Ils signaient pour eux les contrats et géraient leurs gains avec prudence. Lambertin et Jeannette parlaient des deux H comme de leurs enfants, c'était étonnant. Un peu ridicule, mais touchant.

Nous avions dîné tous ensemble après ma conférence dans un restaurant italien situé sur le quai de l'ancienne crique des Galères. Jeannette, dans son éternelle robe verte, rayonnait au bras de Lambertin, qui ne semblait nullement affecté d'avoir quitté ses fonctions. Après les derniers attentats, son ministre lui avait remis les insignes de commandeur de l'Ordre national de la Légion d'honneur avant de le pousser une nouvelle fois vers la sortie. La Villa avait été définitivement fermée, et même mise en vente par le ministère de l'Intérieur.

447

Une expression de plaisir intense ne quittait pas les traits de Jeannette. Elle avait placé toute son existence sous le signe du défi et de la détermination, souvent même de la provocation. Pour la première fois, elle avait le sentiment qu'elle construisait quelque chose de solide avec sa propre vie. Elle n'était plus dans l'esprit de revanche qui l'avait souvent habitée mais découvrait jour après jour des sentiments qui la comblaient et lui donnaient accès à une sorte de plénitude. Elle en éprouvait une exaltation permanente qui la rajeunissait. Malgré son âge, elle déployait encore les apparats d'une sensualité efficace tout en se sentant aussi légère qu'une jeune fille qui vient de rencontrer l'homme de sa vie sur les bancs de l'université. Quant à Lambertin, totalement sous son charme, il se consacrait à cette femme qu'il avait peut-être connue autrefois. Il ne la quittait jamais du regard, je m'étais fait la réflexion qu'il donnait à chaque instant l'impression de la voir pour la première fois. Peut-être ressemblait-elle à sa femme ? De toute évidence, il avait lui aussi franchi une étape décisive, comme s'il avait oublié ses années passées au service de la police. Toute sa personne dégageait un calme intense et sympathique. Et totalement amnésique. Longtemps premier flic de France, il n'en parlait jamais, et ne faisait aucun commentaire sur les événements tragiques qu'il avait eu à connaître et qui continuaient d'endeuiller la planète.

Jeannette m'avait expliqué ce soir-là en confidence qu'ils venaient d'acquérir la Villa. «Nous l'avons achetée ensemble. C'est hors de prix, nous étions en concurrence avec un diplomate qatari, mais un héritage inattendu m'a permis d'aider Lambertin pour cette folie. Il n'a jamais rien dépensé et disposait d'un solide compte en banque. Nous allons faire des travaux et nous logerons les enfants au premier. Il dit que ce sera leur maison de campagne… » Je l'avais écoutée non sans me laisser envahir par la tristesse car, pendant qu'elle me parlait, je venais de réaliser que j'avais à peu près l'âge de Lambertin, j'étais même son aîné de quelques mois, mais ce soir-là, contrairement à lui, j'aurais cherché en vain la présence ou simplement l'espérance qui aurait pu donner quelques couleurs à mon avenir. Je m'étais retrouvé avec un vague goût de néant dans la bouche (ce néant où j'avais relégué Rim).

J'avais tout de suite fait un effort pour ne pas me laisser contaminer par cette attaque de la mélancolie et j'avais dressé mentalement toutes les raisons d'être satisfait de mon sort. J'avais voyagé et fouillé tout autour de la terre, j'avais parcouru la planète pour méditer sur le spectacle des vestiges des siècles écoulés et des nations passées, je bénéficiais de l'estime de mes pairs, je n'avais aucun problème financier, jouissant même d'une certaine aisance, et surtout j'étais libre. Je me sentais comme une boussole sans aiguille (j'avais lu qu'un ami de Chatwin avait employé cette expression, une boussole sans aiguille, en parlant de l'écrivain). Libre d'aller et venir à ma guise, de me poser dans un petit port pourri de Sicile si j'en avais envie, et surtout libre de voir qui je voyais en évitant les imbéciles, et ça faisait près de quarante ans que cela durait. Pourquoi est-ce que tout à coup, la vie me paraissait si fade ?

Pour Rifat, ce dîner donnait le signal des innom-brables festivités auxquelles il allait devoir participer avant de quitter l'île. Il venait d'être nommé ministre conseiller, ambassadeur de France au Kosovo. Cette nomination faisait partie de celles qui avaient récem-ment suscité des débats au Quai, mais Jeannette m'avait expliqué que c'était une façon pour le Quai de l'avoir sous la main et de le manipuler le cas échéant. Pour lui, c'était presque un bâton de maréchal, il exultait. Il avait renoncé à son année de détachement à Washington sans briser ses liens avec l'administration américaine. Certains diplomates ne parlaient-ils pas du Kosovo comme du 51e État américain ? Pour sceller leur amitié, JP, l'attaché US, lui avait promis une *Farewell party* avant qu'il ne rejoigne Tirana avec sa famille.

Je ne dirai pas que je n'ai pas eu un pincement au cœur en voyant Rim accrochée au bras de Bruno, mais la douleur fut moins vive que je ne l'avais imaginée, et surtout elle ne dura qu'un instant. Lors de notre expé-dition au temple, Bruno s'est détendu assez vite, tenant Rim un peu à l'écart de lui pour ne pas m'importuner, estimant sans doute que ce n'était pas nécessaire d'en *rajouter* dans l'affichage de leur liaison, c'est du moins ce que j'ai imaginé, quant à elle, c'est simple, elle ne parais-sait pas gênée le moins du monde. J'avais tout de suite été intrigué par la petite croix en argent qu'elle portait autour du cou. Elle a vite répondu à la question que je ne lui posais pas : « Je me suis convertie au catholicisme, comme Christine de Suède, avait-elle dit en riant, d'ail-leurs j'ai choisi Christine comme deuxième prénom, j'ai été baptisée en même temps que les deux filles de Bruno, c'était très bien. »

J'ai réalisé tout à coup que cette jeune femme ne ressemblait plus du tout, mais plus du tout à la Rim que j'avais connue. Ses traits avaient perdu leur alacrité, son charme de jeune liane s'était évanoui, et surtout je ne reconnaissais plus dans sa voix ces accents subits de folle fantaisie qui m'avaient tenu sous tension. Le petit colibri de Carthage ne chantait plus. Rim n'existait plus, sauf peut-être quand elle riait.

Je l'observais et je me répétais : Qui est cette petite bourgeoise ? Elle m'était devenue indifférente.

Je n'étais même plus attaché à elle par les liens de la curiosité.

C'était comme si mon Bébé n'avait jamais existé.

Je l'avais perdue, et je ne la regrettais pas. Bientôt j'oublierais son nom.

J'ai interrogé Bruno sur son travail, il a paru soulagé que je trouve un sujet de conversation « neutre », il s'est lancé dans de longues explications sur le rapport que le Premier ministre lui avait demandé sur la réalité de ces fameux « territoires perdus de la République ». « J'ai travaillé quatre mois, rencontré tous les responsables de ces zones hors droit que je connais bien, comme Taurbeil-La Grande Tarte. M'Bilal s'est réinstallé dans sa maison de Seine-et-Marne et a repris son commerce. La réalité dépasse souvent la fiction, j'ai même été obligé d'édulcorer mes conclusions pour rester dans un registre acceptable par mes supérieurs, mais le Premier ministre n'a jamais eu le temps de me recevoir pour prendre connaissance de ce que j'avais à lui faire savoir.

— Si je comprends bien, ton rapport a été enterré ?

— Exactement.

— Que vas-tu faire ?

— Ils m'ont donné du galon, je vais travailler au ministère, c'est intéressant, je ne me plains pas. Et puis nous avons tellement de choses à préparer avec Rim… »

Je n'avais pas envie de l'entendre me raconter qu'ils devaient aller tous les deux chez Ikea pour acheter des meubles et une cuisine tout équipée avec des plaques en vitrocéramique et un réfrigérateur avec distributeur de glace pilée. Il était tard, j'ai évoqué mon âge, mon départ à l'aube le lendemain par le ferry de 6 heures, et je suis rentré me coucher.

*

C'est une vieille habitude, héritée de la khâgne : je fais des fiches. Celles que j'ai consacrées à Frédéric commencent à remplir plusieurs boîtes à chaussures, rangées par ordre chronologique que je reporte ensuite sur mon ordinateur. Quand j'en ai marre de la chrono-logie, je travaille sur des thèmes variés, liés à l'histoire de l'empereur (François d'Assise, Saint Louis, les savants juifs d'Espagne et de Provence, Jérusalem, les faucons, le césarisme chrétien, Dante et Virgile, les jeunes filles voilées de son harem) et quand mes yeux commencent à fatiguer, je saute dans ma voiture et je vais me prome-ner. Un matin où je m'étais levé avec le moral dans les chaussettes, j'ai acheté une Fiat, 4 × 4, gris métallisé, superpuissante. Un vrai coup de tête ! Je l'ai payée *cash*. Luigi, le garagiste, est devenu un ami. Il passe parfois à la maison, me ravitaille en légumes de son jardin, hier il m'a apporté un poulet.

Avec la Fiat, je parcours les environs et j'arpente les flancs de l'Etna, avalant des kilomètres de lave et de cendres, roulant sur d'anciennes coulées éruptives, avant de me laisser redescendre jusqu'à la mer par des chemins de bergers, plus ou moins abandonnés, au milieu des prairies fleuries, de carrés de terre fraîchement labourée, entre des parcelles de fèves et d'ail, et des vignes qui donnent un vin aussi noir que la lave, dans la lumière et les parfums du printemps sicilien. Avec l'âge, je suis de plus en plus touché par la beauté de ces paysages qui participe au mystère des hommes qui ont vécu là, construit des temples puis des églises, et acclamé leurs premiers rois comme s'ils étaient le Christ.

Presque chaque soir, je prends un verre dans un bar proche du port. Un endroit sympathique, fréquenté par des gens du quartier, des artisans, des ouvriers du bâtiment, des Philippins du port. Il y a toujours quelques immigrés qui se regroupent dans un recoin au fond de la salle, baptisé «Cyber Zone». Les Africains sont de plus en plus nombreux dans les rues. Il en arrive tous les jours. Les Italiens les récupèrent souvent en mer et les accueillent en masse, sans se poser trop de questions. Bien sûr, les râleurs râlent. «Les palmiers remontent, c'est l'Afrique.» Je m'abstiens de tout commentaire.

À chaque fois que je croise un immigré, je ne peux pas m'empêcher de penser à Habiba.

C'est dans cet endroit décoré d'anciennes photos racontant la pêche au thon au temps de la *mattanza*, quand les bancs de poissons, après avoir traversé l'Atlantique, remontaient le long des côtes de Sicile avant de se faire piéger par tout un dédale complexe de filets et de nasses, qui les amenaient jusqu'à la *camera della morte*, où les pêcheurs conduits par leur chef qu'ils appelaient le *Rais* les massacraient au harpon sous les vivats des habitants et avec la bénédiction du prêtre de la paroisse, c'est donc là, dans cet endroit figé, avec un vieux juke-box, une pièce de musée, qui joue inlassablement le même morceau d'Adriano Celentano, mais où la wifi fonctionne presque normalement, que m'arrive la rumeur du monde.

J'écoute les conversations, je lis le journal qui traîne sur le comptoir, je fume un petit Toscano en me disant que je goûte un plaisir interdit à Paris. Le cas échéant, je bavarde avec mes voisins ou j'interroge les Somaliens sur le voyage qui les a conduits jusqu'à Catane. La semaine dernière, j'ai découvert dans *Il Giornale* une brève concernant l'attentat de l'École militaire. Cela m'a fait un choc. Le quotidien sicilien reprenait une dépêche de l'AFP. «Après de longs mois de négociations avec les autorités algériennes, l'inhumation des deux Bouhadiba, le père et le fils, et de madame Souryah Saint-Côme, a eu lieu dans la plus grande discrétion au cimetière de Sétif.» Le passé me tirait par la manche.

J'ai rencontré l'un des pêcheurs habitués du bar devant chez moi. Il m'a appelé *Professore* et voulait me parler. Je l'ai fait entrer et lui ai offert un verre de nero d'avola. Il m'a raconté sa dernière *mattanza*, en 2006, son père était le *Rais*, ce n'était pas rien. *Rais* .. Et la messe d'action de grâces qui suivait la *mattanza*. Kantorowicz a raison quand il parle de la Sicile comme d'une île orientale. J'ai fini par comprendre que cet homme était un ami de Luigi, le garagiste. « Luigi m'a dit que vous auriez peut-être besoin de quelqu'un pour le ménage. J'ai une fille, elle n'a pas de travail, ça l'occuperait, vous lui donneriez un petit quelque chose pour la rémunérer, ce n'est pas une question d'argent… » D'une certaine façon, Luigi avait raison, j'avais besoin de quelqu'un pour le ménage et aussi pour la cuisine. «Vous verrez… son risotto… vous m'en direz des nouvelles…»

En attendant, je vais peut-être avoir la visite de l'aristo de Londres, le trafiquant d'antiquités, contact de Levent. Je ne sais pas comment il s'est procuré mon adresse, mais j'ai trouvé au courrier une lettre de lui, très aimable. Je l'ai appelé pour lui dire que je ne souhaitais pas reprendre quelque forme de coopération avec lui. «Je comprends tout à fait, m'a-t-il dit, d'ailleurs, je suis passé à autre chose, je vends des grands crus de bordeaux et de la peinture contemporaine aux Chinois, les deux en même temps, c'est le concept, un PDG d'une entreprise du Cac 40, Cimenlta, a même investi à titre personnel dans ma start-up, mais cela me ferait plaisir de vous rendre visite en Sicile. Vous êtes un personnage étrange, je vous avais trouvé très sympathique.» Je ne sais pas pourquoi j'ai accepté. Par curiosité ? Parce que je m'ennuyais ? Peut-être.

Il était passé à autre chose, moi aussi. Je ne lui en voulais plus.

Nos vies s'organisent souvent selon des cycles mystérieux. On ne les comprend qu'après. Trop tard. Le présent nous demeure souvent indéchiffrable. La vie des sociétés, c'est la même chose. Depuis que je suis à Catane, je pense souvent à la fameuse phrase de Virgile : « Voici que recommence le grand ordre des siècles. » Virgile avait été inspiré par la culture étrusque. Pour les Étrusques, la vie de l'humanité s'accomplit en cercles ou en révolutions. Beaucoup d'auteurs (et notamment Dante, mais aussi Victor Hugo) avaient cru, à tort disent les spécialistes, que Virgile prophétisait l'avènement d'une ère chrétienne. Ils ne sont plus très nombreux ceux qui s'intéressent encore aux histoires de brebis égarées. Plus de berger, plus de prophète. Personne ne fait plus le lien entre Apollon et le Christ. Aurions-nous perdu le secret de la vie, comme le disait Bruce dans mon bureau du Caire ? Je me demande de plus en plus souvent si nous ne sommes pas en train d'assister à la fin d'un cycle en Occident et ailleurs, et à la disparition progressive mais inéluctable de cette vie chrétienne qui dure depuis deux mille ans. Nous ne serions plus alors que des boussoles sans aiguilles ? Des aiguilles sans boussole ? Des pèlerins sans Christ sur des routes sans pèlerinage, sans loi ni destination ? Tout cela pour finir sans savoir pourquoi piégés comme les thons à la *camera della morte* ? Je ne suis pas croyant mais j'ai du mal à m'y faire. Heureusement, je sais que l'Histoire est friande d'inattendu. Qu'est-ce qu'il disait Polybe ? Il ne faut jamais sous-estimer la Fortune…

Jeannette m'a appelé plusieurs fois depuis mon retour. Très surexcitée : les travaux dans leur maison ont commencé. « C'est moi le maître d'œuvre ! » Je me demande encore si l'héritage dont elle m'a parlé ne serait pas en fait un reliquat des largesses de Kadhafi… Après tout, lui ou un autre… Ce n'est pas moi qui vais la juger. Et puis si c'est Habiba qui en profite… « Si on peut, m'a-t-elle dit au téléphone, on viendra te voir avec les enfants. » Je n'ai pas pu m'empêcher d'éclater de rire. Ma réaction était stupide. Jeannette avait sauvé Habiba, elle continue à s'occuper d'elle. Vivant avec intensité sa générosité, elle ne s'était pas offensée de mon rire que j'avais tout de suite tenté de corriger en lui parlant d'un concert des deux H. Je les avais vus dans un long programme de la Rai, tourné à Venise. « Sincèrement, ils faisaient plaisir à voir. Ils ont fait une reprise à leur façon de *Billie Jean* de Michael Jackson, ils étaient excellents. C'est très réconfortant. On peut dire que ces deux-là reviennent de loin. – Tu vois, Grimaud, le pire n'est pas toujours sûr. – Le ciel t'entende. » C'est elle qui avait éclaté de rire.

*

Elle a sonné à la grille un peu avant 10 heures, ce matin, comme je l'avais demandé à son père. Elle porte un short, des espadrilles à talonnettes, un débardeur. Un tatouage de dauphin sur la nuque. Tout à l'heure,

457

nos bras se sont frôlés. Je me suis demandé si je pouvais. Je regarde ses jambes longues et brunes, ses épaules osseuses, je frissonne, un tressaillement nerveux parcourt mes poignets sous la peau puis tout le reste de mon corps, les battements de mon cœur s'accélèrent, elle sourit, je voudrais connaître sa vie, ses secrets, y prendre une place, mon petit moteur personnel, celui de la joie et de l'énergie se remet en route, il ronronne déjà, je lui rends son sourire et je m'entends lui demander :

« Répondez-moi franchement, cela ne vous dérange pas si je vous appelle Valentine ? »

Un coup de vent fait claquer les fenêtres que j'avais laissées ouvertes au premier étage. Le tonnerre gronde. Une forte odeur de pluie envahit la cuisine. Nous nous regardons. Ses lèvres bougent, elle chuchote :

« Étonnant, en cette saison… je crois que nous avons un orage. »

DU MÊME AUTEUR *(suite)*

Ouvrages collectif

POURQUOI ÉCRIVEZ-VOUS ? sous la direction de Jean François Fogel et Daniel Rondeau, Le Livre de Poche, Biblio.

PORTRAITS CHAMPENOIS, avec Gérard Rondeau, Reflets, 1991.

L'APPEL DU MAROC, sous la direction de Daniel Rondeau, Institut du Monde Arabe, 1999.

ISTANBUL, avec des photographies de Marc Moitessier, La Martinière, 2005.

GOUDJI, LE MAGICIEN D'OR, Gourcuff Gradenigo, 2007

LA CONSOLATION D'HAROUÉ, avec des aquarelles d'Alberto Bali, Gourcuff Gradenigo, 2007.

PETITES ÎLES DE LA MÉDITERRANÉE, préface, Gallimard/conservatoire du littoral, 2012.

ISTANBUL, PHOTOGRAPHES ET SULTANS 1840-1900, préface, CNRS Éditions, 2012.

DE PORT EN PORT 1870-1950, préface, Éditions du patrimoine, 2012.

L'ESPRIT DU VIGNOBLE, préface, Flammarion, 2012.

Cet ouvrage a été achevé d'imprimer sur Roto-Page
par l'Imprimerie Floch à Mayenne
pour le compte des Éditions Grasset
en décembre 2017

Composition Maury-Imprimeur
45330 Malesherbes

N° d'édition : 20201 – N° d'impression : 91973
Première édition, dépôt légal : août 2017
Nouveau tirage, dépôt légal : décembre 2017
Imprimé en France

"Whose belt is that?" he asked.

"Tak's."

Lakota broke contact, and his expression hardened. "Stay away from him."

"Why? I thought he was your friend."

He lowered his voice. "Until I figure out who's behind the murders, you can't trust anyone. Especially Tak. Rumors are circulating, but I can't slander a man without evidence."

Breed laws were designed to protect a man's reputation unless there was incriminating evidence. Slander without substantial proof could ruin a person's standing and future income even if he was found innocent. People always remembered the accusations more than the final ruling, and tarnishing a man's reputation could never be undone, no matter how many centuries passed.

Lakota stood up and wagged his finger at me. "We'll talk later."

I batted my eyelashes. "At the wedding?"

"Do me a favor and don't tell my sister we're betrothed. You owe me for this. Big time." He stalked off.

Maybe I did, but as far as I was concerned, I'd sealed the deal. It had made the whole trip worth taking. Well, besides our amazing night together. Lakota had set the bar so high that I was certain no man would ever be able to reach it. He'd done me a favor by securing my status as a single woman.

"Did it fit?" a woman asked in the doorway. Her braid was hanging over one shoulder and had a narrow piece of leather securing the bottom of it.

I stood up and collected the flowery crown. "Yes, it's gorgeous. You really don't have to go through all this trouble. I'm fine just wearing this dress."

The woman giggled and looked down at my long nightshirt. "You can't get mated wearing that. You must show your life mate that he has been chosen by the most beautiful rose in the garden. Your mating has given us something to look forward to, so you shouldn't carry any guilt in your heart. Your dress should be ready tonight."

The young woman collected the crown and headed out. The men in the tribe had a powerful presence in the house as protectors, but the women wielded their power in a different way. They were the core that held the tribe together, and it made me realize they weren't so different from packs.

The yard just outside the kitchen window was in a recessed part of the house where they stored firewood. When I caught sight of Tak, I stepped behind the curtain and watched.

He looked left and right over his shoulders. Then he reached behind the woodpile, removed a brown satchel, and hooked the strap over his shoulder. Instead of returning to the backyard, he veered left toward the garden.

Curious, I snuck out a side door. No one noticed me since the women were busy preparing for the mating ceremony, and most of the men were asleep in their rooms after a long night.

Tak kept walking, so I fell back to a safe distance. There was no point in skulking in the shadows if my purple hair was going to be blowing in the breeze, so I gathered it as I would a ponytail and twisted it into a knot.

I hadn't expected Tak to keep walking, and by the time we were deep in the woods, I had to choose between following or heading back. It was too late to alert Lakota, but if he suspected Tak, then maybe following him would lead to something. Whenever I thought Tak might stop to rest, I dodged behind trees, but he never did. I was fortunate to have grown up in a house in which two of my uncles were former bounty hunters, so they'd taught me a few tricks on how to follow a person without giving myself away.

For all I knew, he was hunting. After all, that was how the tribe acquired all their meat. But he didn't have his bow, and something about the way he kept looking over his shoulder led me to believe he was doing something he wasn't supposed to be doing. Having grown up with two brothers, I knew that behavior all too well.

There came a point of no return when I realized I needed to see it all the way to the end. Lakota had warned me to stay away from Tak, but I couldn't just walk away if it meant saving a life. So I kept quiet and maintained a safe distance. If something went wrong, I was a fast runner and an excellent tree climber.

Sweat trickled down my face, so I rested behind a tree to catch my breath. When I peered around the trunk, Tak was no longer in sight.

Careful not to make too much noise, I quickly jogged ahead to catch up. My pace slowed when I neared a thicket of trees and heard voices just down the hill. I stealthily weaved around a tree and stood frozen when I caught sight of Tak.

A few feet in front of him stood a girl who looked to be in her teens. She gripped the ends of her green shorts, her arms stiff as Tak approached. I couldn't hear anything they were saying, but he reached out and touched one of the dark curls on her head.

My throat dried up. I glanced around for something to use as a weapon, but all I could see were flimsy sticks the size of pencils. Tak held the satchel under his arm, and when he reached inside and slowly withdrew his hand, I readied myself to shift. My wolf could take care of business.

Probably. But panic set in when I remembered Tak was an alpha.

The girl shrieked and reached for something. *A loaf of bread?*

"What the—" I whispered.

What had first appeared to be bushes behind the girl was actually a makeshift shelter made of branches and leaves. A frail man stepped out and bowed to Tak, accepting everything given to him.

From my vantage point, it looked like tomatoes, canned fruit, okra, and other foods wrapped in plastic storage bags. The teenager held the bread to her nose and hurried back to the shelter, calling for someone. A toddler wearing nothing but a pair of dirty shorts crawled out and looked up at her. The girl tore off a piece of bread and handed it to him. My eyes welled with tears. They were homeless Shifters.

While rogues had gained a bad reputation in many communities, not all of them were criminals. Occasionally wolves or other social animals lived on their own for personal or financial reasons. Some were on the run from crazy families, others didn't have the skills to survive in the real world, and some had been turned away from packs or other organized groups of animals.

Tak approached the shelter and gripped one of the branches, giving it a firm shake. While he talked to the man, I circled to the other side of the tree and sat down to rest. I felt like an ass for coming out all this way, and now I wasn't sure if I was going to be able to find my way back. If Shikoba discovered I was spying on his son, he might forget about our deal.

After taking a short breather, I quietly stood up and brushed off the bottoms of my feet. My heart nearly shot out of my chest when a hand clamped around my mouth and a strong arm pinned me to the slender tree.

"Why are you following me?" Tak growled in my ear. "Did Lakota send you?"

I wrenched away, my hair falling askew. "How did you know I was here?"

He circled the tree and came into view. "I could smell you. Maybe you should think about a shower before your wedding," he said with disdain.

"So this is what you sneak off to do in your spare time? Meanwhile, people are suspecting you of murder."

"I think I know what people you speak of, and Lakota is not *my* people." Tak turned his head away so only the tattooed side showed. "What I do is nobody's business."

Circling in front of him, I said, "People in town are saying you did it. Is this what you were doing the other night— bringing food up here?"

He answered with his silence.

"Why would you rather people think you're a killer than a kindhearted man? This is your alibi."

His eyes slanted down at me. "What outsiders think of me is of no consequence, especially if it's not true. Stealing food from my own tribe is a punishable offense."

"Shikoba will understand."

He huffed out a laugh and brushed past me. "You don't get it."

"He's your father, isn't he?"

Tak spun around, his anger barely quelled. "Food is very valuable to us, more than money. Maybe where you come from no one would care, but the way the elders would see it, I'm stealing from the mouths of our children. I am giving away food that someone labored over—food that could get us through winter—to a band of rogues. This would shame my tribe. My father believes in helping others but not if it means putting our people second." He pointed at the makeshift camp. "Do you see that family down there? They're not even wolves! They're living between pack territories on unclaimed land, sometimes stealing to feed their children. That's how I found them. I caught the girl in our garden one night. She could have gotten herself killed if one of our wolves had been out there. His mate is the only predator in the family, but her fox can't kill large enough animals to feed them all. Just birds and mice. What I give isn't enough. I came here today to find she's gone hunting again. One of these days she might get herself killed."

"So you thought giving them food would save them from getting caught."

Tak looked irritated and stalked off.

I jogged after him and caught his wrist, forcing him to stop. "You have to tell everyone what you've been doing. If you don't, they might have enough evidence to pin it on you and make an arrest. That is, if the locals don't take matters into their own hands first."

He bulldozed me with his gaze, and Tak was a strong man who could probably crush stones. "Is saving my honor more important than keeping a family together? If I tell the truth, what do you think will happen to them? They'll drive them out of here and put those children in an orphanage. Do you think I would see their family torn apart just to save my good name? That would besmirch my honor, and sometimes honor is all a man has left in this world when his good name is already black."

I had no comeback. Tak lived by a different code, and while his choice didn't do him any favors, it was noble. He cared more about keeping that family alive and safe than he did about his freedom.

"Do you think I don't know what people are saying?" he asked as we continued plodding back to the house. "Someone is setting me up. Who better to target than the chief's son?"

"What do you mean?"

"Each time I come out here, there's a murder. But what can I do? If I space apart my visits, the family will resort to stealing again, and I won't have their blood on my hands. But a killer is out there, and he's going to take lives no matter what I decide. Someone is going to die tonight."

I glanced over my shoulder, but the family was no longer in view. "Did you build that shelter for them?"

Tak looked skyward when a host of sparrows scattered from the branches. "It took me a whole day. That was when it all began—the killings. Later that night, word spread that a girl was found murdered. What you aren't hearing in the news is that they found arrowheads at each murder scene. That's why everyone's on our asses. The Council knows, but they're keeping it quiet since they have nothing else to go on."

"Maybe that's just a rumor."

"Nope. I overheard Jack and Robert talking about it one night outside the gas station when my wolf was out for a run."

"Your town is filled with so much animosity. It's only going to get worse."

He caught my arm when I stumbled over a hole in the ground. "We have bigger problems to worry about than figuring out how to hold hands with our enemies."

"Do you have a mate?"

He flashed a look at me. "Why?"

"Well, since you won't tell anyone where you're running off to, they're going to assume you're guilty. But if you're mated or have a trustworthy girlfriend, she can give you an alibi that you were with her. Even if you decide not to tell her what you're doing, she would know in her heart if you were capable of these murders."

He swiped a branch out of the way. "Now I'm being punished for not having a mate."

"I didn't mean it like that. It was just an idea."

"They can't sentence me to death without catching me in the act. All they can do is lock me up for a while, and I can do my time. Do you think spending a few years in a cell is the worst thing that can happen to a man? My only concern is that no one will be here to feed that family."

We walked quietly for a few minutes. Tak was remarkable, and I hadn't given him enough credit. How many men would do the same? Imprisonment in a Breed jail was no joke and one of the worst punishments for a Shifter. Most would rather be dead than be caged like an animal.

"Your boyfriend thinks I'm a psychopath," he remarked.

I snorted. "Lakota isn't my boyfriend."

Tak chuckled and looked back at me. "You might want to tell him that when you're reciting your vows."

I winced when I stepped on a sharp stick. "It's no secret that I'm doing this to cut a deal with Shikoba. Do you think that makes me a bad person?"

"People arrange marriages of convenience all the time. There's no disgrace if everyone's happy. I'm just not so confident in your choice. If you asked me yesterday, I would have said Lakota was a decent man."

"And today?"

Tak slowed to a stop, his eyebrows drawing together. "Today I don't know what kind of man he is."

I wanted to assure Tak that Lakota was the best kind of man, but I didn't. Eventually Lakota would move on from this place and to his next job.

"It won't matter anyhow," I said. "It's not a real mating."

Tak leveled me with his eyes, his brutish features tight. "When the Iwa tribe performs a mating ritual, your souls are joined for eternity. Paper? That means nothing to us. This union is more real than anything you will ever know, because we will call upon the great spirits to tether your wolves together for life."

"Come on, you don't believe in divorce? Sometimes couples grow apart."

He shook his head. "Mating is a permanent choice one must live with, like it or not. Be careful you're not selling your soul for a few gemstones. If you separate after the ceremony, you will anger your wolves. A smart woman would walk away and forget the deal."

I strode past him. "There *is* no other deal. My partner's future depends on this negotiation happening as quickly as possible. You're willing to go to jail to save a family; I'm willing to get mated to a stranger so that my best friend can succeed in life. We all make sacrifices."

It only took Tak a few steps to catch up, and he matched my pace with a heavy-footed gait. When he spoke again, his sonorous voice was gentler. "Give it serious thought. It's not too late to break the deal. Once your wolves are tied together in spirit, they'll love each other even if you don't."

What I couldn't tell Tak was that my wolf already loved Lakota.

Deeply.

And that alone was enough to make me want to call the whole thing off.

CHAPTER 17

B EFORE WE REACHED THE HOUSE, Tak instructed me to walk ahead of him so it wouldn't raise suspicion. The last thing I needed before my fake wedding was a bunch of strangers thinking I was tramping around with another man, so I casually strolled through the vegetable gardens and admired their crops. A moment later, a woman appeared with a wide basket and invited me to pick okra with her.

When Tak finally appeared, he swaggered past us without a word, his arms empty of the satchel he'd been carrying earlier. He chatted with a packmate, and they started throwing an axe at one of the targets on the other side of the yard.

After a short while, the afternoon sun dipped behind a wall of greenery, and sunlight glittered from behind the soft bend in the branches.

"No moon for your ceremony tonight," the woman said. "Good omen."

"I always thought a full moon was a good omen."

"Not when a couple is mating." She gave a wide smile but seemed too shy to make eye contact. I was taller than most of the women in the tribe and probably strange in her eyes. "The moon steals beauty from the woman. Better that he gaze upon all the stars and realize that his moon is lying next to him."

"Or I could just moon him."

She laughed brightly and hefted her basket. "You keep that sense of humor. You're going to need it."

"Are you mated?"

Her cheeks bloomed red. "No. I'm only thirty."

She didn't look a day over twenty, but that was how Shifters aged. Not everyone found a mate young. My parents had waited decades before getting together. Maybe that was one reason I'd never felt any desire to rush into a relationship.

As I followed behind her and neared the back door, I noticed Koi's mother sitting alone. A pang of guilt swept over me. Was my mating ceremony going to make a mockery of her son's death?

Lowering my eyes, I tried to pass her, but she captured my wrist.

"Come. Sit by me," she said.

I backed up a few steps and knelt in the grass before her. She was an older Shifter who looked to be in her late forties, which meant she was *very* old.

Her eyes fixed on the trees, and she began. "I never believed I would have children. My life mate was mated once before, and his first love died unexpectedly. Kaota was theirs, but he was already a grown man by the time I fell deeply in love with his father. Sometimes all a woman wants is a child she can hold in her arms and call her own. Centuries went by and nothing. We accepted our fate until one morning, I fell sick. Who could have guessed the spirits would bless me with a child at my age? Especially after so many years of trying. Koi was such a happy baby, always smiling and making people laugh. His spirit was unique, and I knew he was going to be a great family man someday. It's a shame his father never lived to see him grow as I did."

I sat back on my heels, unable to do anything but listen.

"I knew Koi was seeing one of the young girls from town, and I kept quiet about it. If the fates brought him into this world, maybe it was to bring people together. Koi could see things in people that others couldn't. 'Let him be young and in love,' I said to myself. When his spirit was taken, my first thought was that I had done something to anger the spirits— that I was being punished. But those were selfish thoughts. Koi was not a gift to me; he was a gift to the world." Her voice quavered, and she wiped a falling tear. "I am sorry that I cannot come to your ceremony."

Tears welled in my eyes. "No... it's okay. I understand."

She took my hand in hers. "But I have a gift, and it is my advice. You're a young woman with your life ahead of you, and you have no idea how hard your journey will be. A widow's loss is inconsolable, but a mother's loss is immeasurable. The greatest thing you can do in this life is give. Give life, give your love, your compassion, and even forgiveness. When you begin taking more than you give, your life will fall out of balance. Remember that."

The woman could have spat in my face and cursed my presence. She could have hated my kind or blamed me for the death of her son. But instead, she offered compassion and acceptance.

Humbled, I stood up and bowed. "Thank you for your wisdom. I'll take everything you've said to heart."

She forged a smile before turning her gaze toward the trees.

I finally understood why Hope was such a levelheaded woman. You couldn't help but absorb tribal wisdom, and her parents were very adamant about teaching her their ways. Meanwhile, my parents had taught me things like how to tune a guitar and why I should never bend over in a Shifter bar.

Koi's mother reminded me that I needed to get ready for the mating ceremony. Since Shikoba had invited me to stay inside the main house earlier, I decided to sneak off to a bathroom and wash my feet, which were dirty after traipsing through the woods. Not to mention I'd worked up a sweat.

When I couldn't find a bathroom downstairs, I tiptoed up a curved staircase and turned down the first hall on the right. All the doors were closed, and I wasn't about to walk in on someone's nooky time. A short, round woman emerged from a door on the right and waved me over, gesturing for me to go in. Once inside, she shut me in.

My jaw dropped.

This bathroom made mine look like a dump. The floors were made from small tiles of different sizes and shades of gold, and the way the candlelight reflected off them was absolutely sumptuous. Candles were everywhere. I stepped onto a small rug and admired the claw-foot tub. It had a copper-bronze finish on the outside, which soaked up more of that golden candlelight. Steam rose from the water, the intense smell of roses heavy in the air. The room didn't have a toilet. That woman in the hall had drawn a bath especially for me.

"I've died and gone to heaven."

Wasting no time, I stripped off my shirt and oversized belt. When a hinge squeaked behind me, I hopped around so nervously that I almost tumbled backward into the tub.

Lakota threw his hand over his eyes. "My bad."

He tried to leave, but the woman outside the door scolded him and slammed the door, shutting him in.

I lifted the shirt and held it in front of me. "If you have to pee, I have some bad news for you."

Still covering his eyes, he flattened his back against the door. "Some guy practically hauled me up here. I think they want us to bathe together."

I barked out a laugh before I noticed how every wall had candleholders on it with lit candles. The whole thing had been an elaborate plan, all the way to the two large towels folded on a bench alongside the tub. Then I noticed two white robes on hooks beside the door. The room lacked mirrors or other fixtures that would make it feel like anything less than a retreat.

I dropped the nightshirt on the ground. It seemed silly to cover up something Lakota had touched, tasted, and worshipped the entire night before.

Still, he kept his eyes shielded. "Why don't you get in," he said. "We'll talk."

"You can open your eyes. There's nothing here you haven't already seen."

"That's not why my eyes are closed."

I carefully stepped into the tub. "Enlighten me."

"I'm afraid if I open them, I won't be able to look away. You deserve modesty."

I glanced over my shoulder at him. "Is there something wrong with the way I look?" I asked, my voice soft so no one could hear our conversation.

Lakota lowered his hand, and when his eyes opened, he gazed at me ardently. "Wait," he said, extending his arm before I could sit. "Stand there, and I'll wash you."

Lakota swaggered toward me and lifted a sponge from the bench. He slowly circled the tub, dragging the sponge along the water as he moved behind me.

I sucked in a sharp breath when the sponge wetted my back, rivulets of water racing down my spine. "If this is part of their mating ritual, they're a saucy little bunch. I guess it's safe to assume the bride and groom don't marry virgins."

"Maybe, maybe not," he said, his voice smoky. "I can see how this would keep a couple from getting cold feet."

He squeezed the sponge across my shoulder, and I turned my head so he could see my smile.

"Kind of hard to have cold feet in a hot tub."

He encircled my waist with his arm, then splayed his fingers across my stomach. His very touch weakened me—made all those feelings from the night before resurface. Lakota placed the sponge against my collarbone and squeezed, and the scented water cascaded down my left breast.

His lips weren't on me, his breath didn't heat my skin, and his hands didn't graze my nipples. The absence of his affection made my body ache for him. Lakota gently reached around to the other side, mimicking the same action with the sponge. He caged me within his arms, and a strange, unfamiliar energy hummed between us. I sensed his wolf, but he was unlike any wolf I'd ever known.

"Did you and Tak have a fight?" I asked, hoping to reduce the tension that had me trembling in his arms.

Lakota loosened his hold and ran the sponge down my hip, then back up again. "I don't want to hear another man's name while you're naked, female." He dipped the sponge back in the water and proceeded to wash my back. "Tomorrow morning, after breakfast, you're going home. I spoke with Shikoba about the mating ceremony and your negotiation."

I turned around. "What did he say?"

"He won't do a deal with you unless you're tied to one of the tribes, so we're not getting out of that. But he'll accept us not living together." Lakota chuckled as he cleaned my arm.

"What's so funny?"

"That old man doesn't believe we'll stay apart. He thinks the spirits are going to bring us together."

"Yeah, I got that same lecture earlier."

Lakota soaked up more water and reverently washed my stomach and hips, his eyes on mine.

"Tak isn't the killer," I said.

He lowered his arm and stared at me, water dripping onto the tile.

"I followed him into the woods earlier, and—"

"Dammit, Mel. I warned you," he said through clenched teeth. Lakota threw the sponge into the tub angrily and spun around.

The chill in the air was too much, so I sat down in the blissfully hot tub, my knees drawn up. "Before you punch out a wall, I thought he was off to kill someone."

Lakota erupted with mirthless laughter and turned around. He stared at me incredulously. "And you think *that* makes me feel better?"

"Tak's been sneaking out to feed a family of rogues. He's not the killer." I reached for the sponge and set it between my knees, giving Lakota a moment to digest the new information.

He pulled up a footstool and sat next to the tub with his arms on the edge. "You saw them?"

"The children looked malnourished. That's where he was the other night, and that's where he's been each time there was a murder. Someone knows when he's leaving the property. It's too much of a coincidence that the crimes were committed on the days he went out. They knew he wouldn't have an alibi. They knew someone might spot him or his wolf running between territories. He said he's usually gone half the day or night, repairing shelters and talking with them. Sometimes the children have injuries and no access to medical care."

Lakota rested his chin on his arm, a faraway look in his eyes. Some of his brown hair fell forward while he looked down at the water. The steam from the tub wet his face, glistening on his skin.

"He won't tell Shikoba," I continued. "The rogues were stealing food and supplies from nearby packs and the tribe, so that's why Tak's helping them. He doesn't want them to get caught. People around here take the law into their own hands, and besides that, the Council will split up the family since the parents can't care for the children. He made me swear to keep his secret, and you have to swear not to make me a liar."

Lakota's arm dropped in the water, and he swirled it back and forth. The back of his hand lightly grazed my bare thigh.

"What's wrong?" His silence bothered me. I wanted him to share his thoughts and never keep anything from me, though I had no right to make such a request.

Lakota's face held a look of regret. While something had happened between him and Tak, I had a feeling that Lakota was struggling with something deeper than just a fractured relationship. Someone had seen Tak coming and going—likely another member of the tribe. Even though Lakota wasn't in their tribe, maybe he felt like a traitor for turning in one of his own.

I reached out and caressed his cheek, and he leaned into

my touch. That simple gesture gave me butterflies. "You're just doing your job."

Lakota cupped his hand around the nape of my neck. "Lie back, and I'll wash your hair."

After grabbing a short pitcher and a bottle from a small shelf at the head of the tub, he rinsed my hair and then poured a small amount of liquid from the bottle. Lakota held my head above water as he massaged my scalp. It felt both strange and wonderful to have a man be so attentive to me. I'd always seen the silly side of Lakota, the overprotective big brother, and the tough guy who'd always looked at me like his kid sister's friend. I never realized how admirable he was—how decent and tender. Something as simple as wiping water away from my eyes spoke volumes, and I became a little regretful that one day he would lavish his affections on another woman meant to be his life mate.

It grew quiet, and when I sat up, I slicked my clean hair back. "How did they get the water in the tub? There isn't a faucet on the end."

"They did a rain dance."

I splashed water at him. "You're funny."

"There's a faucet on the back wall. They fill buckets and pour it in, I guess. I've never taken a bath over here before."

"You certainly need one."

"Men take showers. Baths are for women."

"Are they, now?" I laughed. "Do you think your mother gave you showers when you were a toddler?"

"I wasn't a man then. I was a boy."

"I can't believe you've spent your whole life thinking there are actually things that are either for girls or for boys. What in the world must you think of my shooting a bow and arrow? The mind boggles. Too bad you feel that way. There's *all* this room in here. I'm naked and—"

Lakota shot to his feet and sat in the water so forcefully that it splashed over me like a tidal wave. He draped both legs over the edge and relaxed his arms on the rim, his head reclined. "Not half bad. A little hot for my taste."

I leaned over and removed his shoes and socks. "If you're going to do this, you're going to do it right. Take off your clothes."

Without argument, he stripped out of his shirt. Lakota had a fine chest, worthy of admiration. Then he worked on his jeans. "I might need your help with these, wife."

"You can cut that out anytime." I tugged on his jeans, and the water rocked dangerously close to spilling over the edge again.

One leg came free, and he peeled the other side off before tossing the wet jeans to the floor.

"It's easier when you get naked beforehand," I informed him.

He reached for my foot and placed it on his chest. "Is it, now?" Lakota circled his fingers over the scars on the top.

"This would never have worked out between us," I said. "We're the most unromantic couple. If you start making bubbles, I'm leaving."

He kissed my toe. "That was the old Lakota."

"And you're the new and improved?"

He chuckled darkly while massaging my calf. "I've had some body work done."

"I'll say," I murmured.

His brows arched high, and he tugged my foot. "What was that? I didn't hear you."

"Nothing."

"Funny. It almost sounded like a compliment. If I didn't know better, Melody Cole, I might believe that you actually find me pleasing to look upon."

I flicked water at him with my finger.

Because Shifters aged slowly, Lakota would remain handsome for many years to come—undoubtedly improving with age.

After running my fingers through my hair to smooth it

back, I grabbed the floating sponge. "We can't tell anyone back home that we slept together."

"You don't think they'll notice something's different between us?"

"Unless you plan on making out with me at the dinner table, I don't think anyone will be able to tell we've had sex."

He wiped his face and slicked back his long hair. "My stepfather will. Lorenzo can see right through people."

"Then we'll just make sure he doesn't see us together. That shouldn't be difficult. You don't come around much anymore, and when you do, I never hear about it until after you've left. I haven't seen you in years."

He frowned, his hands still caressing my leg. The silence should have been awkward, but it wasn't. It allowed me to slip into the moment and enjoy the heat from the scented water all around me—my right leg draped over his thigh, and our bodies comfortably tangled in the oversized tub. I'd never thought I would end up taking a bath with a man, but inside that quiet room alight with candles, nothing could have made more sense.

"Maybe that'll change," he finally said. "I don't visit as often as I used to because of work. But you're right. I haven't made an effort to see you."

"You're not under any obligation. I'm Hope's friend."

He gripped my foot. "No, you're not just Hope's friend. You're *my* friend, and I've neglected you. I always ask about you when I write or call home." His eyes flashed up to mine. "Do you ask about me?"

Always, I thought. "Sometimes."

"Too busy with city life and boyfriends?"

I smiled and pushed the sponge toward him. It floated to his side, and he reached for it. I saw no sense in encouraging something that wasn't meant to be, something that wouldn't last after tomorrow.

"I guess I'll be hearing about all your girlfriends from now on," I quipped. "Hope likes to inform me what a prize her big brother is."

He rocked with laughter. "Hope has exceedingly high expectations for the woman she wants as her sister-in-law. She was always asking about who I was seeing and what pack or tribe they were from."

I played with the ends of my hair. "Have you ever dated someone like me?"

He tickled the bottom of my foot and gripped it when I tried to jerk it away. "You mean a sassy woman with abysmal taste in music?"

I furrowed my brow. I'd meant white, and he knew it, so I left it unsaid. Lakota wasn't full-blooded, but he embodied many of the features of his people. It hadn't escaped my memory that the girls he'd dated in his youth had all been from the local tribes.

Lakota slid my foot aside and lifted the other to hold. My leg looked so pale against his chest. "When I moved your Jeep earlier, I heard your music," he said, evading my question.

I didn't press. This would be our last night together. "That's my uncle's music."

He winked playfully. "Sure."

And there we were, back to our playful banter. I couldn't bring myself to hold any kind of grudge against him for long.

He wiggled his toes in my face. "Aren't you going to wash my feet?"

I shoved his leg away and bent my knee, my foot suddenly resting right between his legs. When I felt something twitch, I placed the sole of my foot over his shaft and slowly stroked. His eyes hooded, and his cheeks flushed. The moment he arched his back, I moved my leg away and gripped his lengthened erection in my hand. The skin was taut, like pure muscle within my grasp.

Lakota looked like he was coming apart at the seams, his arms hugging the edge of the oversized tub, his expression hungry and filled with need. I let go and caressed his thigh, his stomach, then went down to parts of him where he'd never known a woman's touch.

He jerked forward, the motion so swift that as soon as he pulled me onto his lap, I was facing away from him. Once situated, I reclined my head on his shoulder and realized his erection was tucked between my legs, protruding from the front. His soft lips kissed my jaw before he nibbled on the shell of my ear, making me squirm. I whimpered when he pinched my nipples, which hardened against the cool air. In return, I cupped my hand over the length of him, giving him one erotic visual.

"You need to stop doing that," he whispered, his voice quavering.

"You started it," I whispered back, rocking my body as I continued stroking.

The way his rough hands petted my body had my wolf howling. The seduction was so gripping. The need for him, the yearning, it was sweet torture, and I never wanted it to end.

A gasp escaped my throat as he sucked on my neck, his hands squeezing my breasts and pulling me tighter against him. Water splashed against the rim of the tub, threatening to spill over. I slid up high so that when I moved down again, he was inside me.

Lakota bit down on my shoulder, his moan barely contained. I rocked my hips in the only way I could.

"I'm going to touch you, female," he growled, his hand sliding down to where we were joined. When his fingers found our connection, he circled them fast and purposefully. A sharp orgasm hit me so suddenly that my entire body locked up. My back arched, and I let him give it to me.

Boneless and panting, I became aware that Lakota needed his own release. I forced myself to keep moving. Writhing on top of him, my slick body moved in a serpentine motion as my head fell back on his shoulder. Water sloshed to one end of the tub and back, some spilling over the edge. It suddenly felt like his hands were everywhere.

"I need to claim you."

Though I wasn't sure what that meant, I clenched my walls around him. "Claim me," I said. "I'm yours."

"Say it again."

"Claim me."

"Not that," he growled, on the brink.

Somehow, he began pumping from beneath me while moving my body the way he wanted. I no longer cared about splashing water or the noises our bodies were making against the tub. Candles flickered around us, and it was as if the entire world had disappeared. I could barely think as he begged me to say it again.

"*I'm yours.*" That time it came out like a needful moan.

Lakota's arms tightened like a boa constrictor, and every muscle hardened like stone as he came. It looked like it took considerable restraint for him to keep from screaming, and oddly, that turned me on even more. I became intoxicated by him, marveling how every sound that unfurled from him was one that I had drawn out.

Water lapped against us until it finally stilled. He never once let go, and his embrace was so certain, a confirmation that I was safe in his arms. I savored him, and my pulse quickened when he softly kissed my neck.

Lakota finally caught his breath. "I approve of this ritual."

I pulled his hand up to my mouth and kissed his palm. "I bet they have zero cases of cold feet before a mating ceremony."

We both chuckled.

In those moments just afterward, neither of us said anything. We let our bodies speak for us in the tender way he stroked my arms and the care I took kissing each of his fingers. It wasn't easy sitting in a bathtub with another person, so I tried scooting off his lap so he could be comfortable.

But Lakota wouldn't have it. He held me close while I

turned over one hand and studied all the wrinkles on the pads of his fingers.

"Is this what it's always like?" he asked, breaking the silence.

"In what way?"

"I mean… when you're with other men. Do they pleasure you this way?"

Twisting my body around, I looked up at him. He tried to steer his gaze away, but I wouldn't let him. Lakota wanted to know what all men wondered: how he stacked up.

"No," I assured him. "I mean, sex is sex. But with you… I don't know. I've never felt this present." A doleful smile touched my lips.

"What's that look?" he asked. "I haven't seen that one before."

"It'll sound silly."

"Tell me."

I stroked my finger across his Adam's apple. "You make me feel adored. Is that how you make all women feel, or—"

A cacophony of shouts and footfalls erupted from outside the room. We both tensed. When someone ran down the hall at breakneck speed, Lakota stood up and got out. He struggled with his wet jeans before wrapping a towel around his waist instead and flying out the door.

Alarmed, I stepped out and quickly dried off. After putting on the long nightshirt, I swung open the door and ran into Lakota.

"What's going on?"

His eyes were grim. "The Council's here with an arrest warrant."

"For who?"

"Tak. They found another body."

CHAPTER 18

TWO COUNCILMEN WAITED IN THE driveway while Shikoba read their warrant, which came from the higher authority. They were Jack the Giant and Robert the Unshaven. The sun had already dropped below the horizon, the light of day a fading memory. Crickets began their nightly song, and a wolf howled nearby.

"What proof do you have?" Shikoba asked. "This warrant doesn't tell me anything."

Jack raised a familiar satchel, and I couldn't help but stare at the ring of sweat on the armpit of his blue button-up. "We found this by the body. Tak's name is on the strap, and the murder weapon's inside."

I was standing beside Lakota, watching in disbelief. Robert was beside Jack, a look of disappointment on his face as he barely looked Shikoba in the eye.

"Release him," Jack demanded. "If you don't, we'll have to call the Regulators out, and they'll take him by force. You shouldn't have protected your son."

Shikoba struck the ground with the end of his cane. "I refuse to believe this! What reason would Tak have to murder those women?"

"You're asking me? Everyone knows he's got a rocky past. The victim was one of your neighbors. Did you know that? Her mate noticed she wasn't in the house, and when he saw the car still there, he went out in search of her. Found the body himself," Jack said, emphasizing the grisly scene with a shake of his head. "He'll have to live with that for the rest of his life. You know why? Because no one around here uses a blade like yours. It does a lot of damage, am I right? We've seen the *same* marks on nearly every body. We've found arrowheads and trinkets at some of the crime scenes. But now we've got more than clues—we've got a smoking gun." Jack held up the satchel. "You can hand him over, or you can fight us on this. But no matter how you slice it, you sheltered and protected a murderer. That says a lot about you as a leader, don't you think?"

I weaved around a group of men and went inside in search of Tak. A few packmates were lingering near the fireplace, but they were too engrossed in their heated conversation to notice me as I veered toward the kitchen.

Tak was alone, eating a bowl of blackberries as if he didn't have a care in the world. "You know, I never did like these things. Too many seeds. I guess I won't be getting food like this in jail, so I'd better enjoy the taste of freedom while I can."

I crossed the room and lowered my voice. "You have to tell them the truth. They have a warrant."

"The truth will destroy people."

"So will a lie."

He shook his head, finishing the last berry. "Telling the truth will put an end to that family, and if you think they're the only ones I've been helping, think again. I've hunted on land I shouldn't have to feed them. And do you think that would be enough to convince them that I'm not guilty? They want to paint us as savages. We've been dealing with this bullshit for too many centuries." He set the bowl in the sink and strode up to the island. "If I strike a deal with them and confess, they might leave my father out of this."

"It doesn't have to be this way."

Tak rounded the island and smoothed his braid. "Doesn't

it? What world do you think you're living in? One made up of justice and happy endings? Our world doesn't work that way. Never has. Let's just say they believe my alibi and let me go. What do you think will happen next? The packs will come after us. They'll think we bought off the Council with our money, and they'll invade our territory and kill our women and children as retribution. It happened fifteen years ago when Koi's father was accused of a crime he didn't commit. The outsiders took the law into their own hands and hung him from a tree along with two boys he was hunting with—their throats slit."

I swung my eyes down to the granite countertop. "So I'll tell them *we* were together. I'll be your alibi."

"And blacken your good name? You're about to be wed this very night."

"To a man I don't even know—for a deal. My reputation is already tarnished with this pack. I'll tell them we went out alone together and had sex."

"Shikoba will break your deal. Besides, your word isn't good enough. Kaota said they have my satchel and knife."

"Where did you leave it?"

He jerked his thumb at the window. "A half a mile away. If someone had seen me coming from the woods with that empty bag, they would have asked questions."

"Was anyone around?"

He tilted his head to the side and gave me a perturbed look. "Don't ruin your life. Your mating ceremony and negotiation are at least two good things my father has to look forward to. I already brought shame to this pack long ago, so this won't come as a surprise to anyone. They won't go to war for me. Better it was me than someone else."

"You would rather your father think you were a murderer? There has to be a way out of this."

"My father would shun me if he knew the truth. No matter how this works out, I'll never have his respect again. The truth will set me free, but it will put my people in bondage when they are kicked off their land. Those families I've helped will suffer. The right choice isn't always the easy one."

"Tak!" someone bellowed.

He glanced at the door. "My time is up. I don't want more bloodshed on this land." He lowered his head. "Sooner or later, there will be another murder, and they'll see it wasn't me."

"Or they'll think more of you are behind it."

I wanted to tell him that Lakota had his back, but the two had recently had a falling out, so it probably wouldn't matter to him. Lakota's secret wasn't mine to divulge, and I wasn't about to put a target on his back.

"Don't give me an alibi," Tak insisted, his voice tight. "If they separate us and ask questions, our stories won't match. You'll make my tribe look deceitful. You're just a drifter in our world, little flower."

"Tak!" the person yelled again.

Without another word, Tak walked proudly—like a warrior—ready to sacrifice his freedom.

Why would an alpha have such an affinity for outcasts in our world? I rested my arms on the kitchen island, my head hung low. It was all so unjust, yet I knew he was right. If they let him go, it was going to be a witch hunt. That was what happened out in the country among packs when the Council didn't do its job. I'd already witnessed the discord between the Shifters in the community, and after having experienced a pack war myself, I knew the fatalities it could bring. If they found him, they would torture him, and his death would be on my hands. At least in jail he'd be safe.

"Mel?" Lakota came up behind me. "Are you okay?"

I turned around and flattened my hands on his chest. "You have to do something," I said, my voice filled with despair.

"I can't," he whispered. "Not without proof. They have enough evidence to make a conviction. His weapon and satchel are damning, and he's got no alibi. I don't think anyone saw him leave, but they saw him coming back."

"You know someone on the Council, right? Talk to him. Tell him Tak is innocent. Tell him you're close to finding the killer. *Lie.*"

"I've got nothing to give them. Not everyone on the Council knows who I am. If it leaks, it'll destroy my chances of finding the murderer, especially if it's someone in the tribe. Shikoba will banish me from his land—forbid me to speak with his people."

"I'm not going home until you find a way to free Tak."

He glanced at the dark window. "Stay here. I'm going to borrow some clothes. I want to follow them and make sure an ambush isn't waiting. After that, I'll see what the word around town is. Make sure no one is planning to come out here and start shit."

"You're taking me with you."

"I don't have time for this, Mel."

I gripped his arm and held tight. "I'm one of them," I said, referring to the outside rogues. "I might be able to find out something. If I hang out in this drama-filled house, I'm going to go crazy. And besides, if you think there's a chance the killer's in this tribe, then I don't feel safe staying here alone. Tak was the only one who stuck up for me. We'll postpone the ceremony. I'm sure Shikoba's not in the mood for cake and wine tonight."

Lakota shook his head. He didn't like the idea of my coming along, but he wasn't totally dismissing it either. Leaving me alone could be a mistake. The killer might have seen me with Tak, and if so, that put me in danger since I was Tak's only alibi.

"You could give my uncle Reno a call. He's someone you can trust, and he's got a lot of experience getting out of sticky situations. Just don't tell him I'm involved in this, or else that'll start World War III."

Lakota heaved a sigh. "Come on. We'll get married later."

➤➤——————➤

"Is that your stomach making all that noise?" Lakota asked in disbelief.

"Just pay attention to your driving and ignore the fact that my body is ready to cannibalize itself."

"I think I have some gum in the glove compartment."

I snickered. "If a hungry grizzly bear is ever chasing you, offer him a stick of wintergreen and see what happens."

Lakota and I planned to follow Tak to wherever they were taking him and then hit a few spots where Shifters congregated to drink and gossip—ideally somewhere that had good food. The taillights flashed on the Councilman's car as it slowed down. Luckily, they had no problem with us shadowing them. In fact, they'd suggested it might be a good idea so long as we weren't planning to break Tak free.

"This is dangerous," Lakota reminded me.

"Danger I can handle. Remember that wolf I almost took down in the pack war?"

"The one I saved you from?"

I shifted in my seat. "For your information, I was just baiting him."

He gave me the side-eye. "You sure that's how you want to tell it?"

"That's my story, and I'm stickin' to it."

As I stared at the headlight beams, I wondered how my life had gone from a chick-lit book to a murder mystery meets erotica romance in the span of two days.

Lakota propped his elbow on the door and sighed. "Your father would skin me alive if he found out that I let you talk me into bringing you along."

"This isn't a man's world. I would have tailed behind in my Jeep if you'd said no. That's the only reason why you agreed."

Lakota rolled up his window, his hair now dry after our recent bath. Mine was disheveled and looked like the end of a mop.

He glanced in the rearview mirror. "Is Kaota still behind us?"

I looked out the rear window. "I can't tell any more than you can, but I think that's him. He fell back, so I can't see what kind of car it is. Do you think he'll do something stupid?"

Lakota chuckled. "Stupid is his middle name. Kaota has a temper, and right now I don't know who he's mad at."

I faced the front. "What do you mean?"

"Either he's tagging along to protect his cousin, or he plans to kill him. Think about it, Mel. If even a small part of him believes the Council, then that means Tak killed his half brother. Kaota's pissed. The Council thought Koi was innocent at first, but now that Tak's under arrest, they have other theories."

"Such as?"

"While you were in the kitchen earlier, the Council suggested that Koi was somehow involved. Tak and Koi got along really well, so they think the only reason Tak would have killed his cousin was to shut him up. Everyone knows Koi was smitten with that girl. Maybe Tak warned him to stop seeing her or something bad would happen, and when Koi threatened to tell, Tak panicked."

"That's the biggest load of bullshit I've ever heard. Who said that?"

"Jack."

"Did the other Councilman agree?"

Lakota changed his grip on the wheel. "Robert didn't say much about it, so I don't know. It looks bad when more than one in a pack is implicated. They see it as a conspiracy. The Council has the power to seize their land and force them off if they feel that the tribe is conspiring against them or thwarting the power of the law from carrying out justice."

I tugged my seat belt. "This is *exactly* why I'm going into retail. No dead bodies, no conspiracies, no arrests, no—"

"Arranged marriages?"

"I'm never going to live this down, am I?"

He reached over and squeezed my leg. "Not if I can help it."

Lakota slowed to a stop. Up ahead, two men holding baseball bats circled the Councilmen's car. My heart sped up when one of them smashed the side mirror right off the car door.

Brakes screeched behind us. Seconds later, a wolf flew past our truck. One of the men shifted, but the other used his bat to swing in defense. The wolf lunged at his arm and thrashed wildly before turning on another wolf. When the car in front began moving again, Lakota hit the gas.

"That was Kaota." I swung my gaze away from the carnage as we passed by them.

"He'd better get off the road before a human drives by and sees that mess."

"Why didn't the guy he attacked shift?"

"Not everyone around here's a wolf or a panther. Docile animals rarely shift around a predator, so those baseball bats weren't scaring anyone. Wolves are another story. Some of the packs around here don't listen to the Council or follow their rules. That's why it's treacherous up in these parts. This is the Shifter version of the Wild West."

"What drew you to such a dangerous job?"

"Respect," he answered without hesitation. "Even an alpha has to earn his position in this world. I'm just a beta, so I have to work twice as hard. Respect isn't handed to you because of who your father is or where you come from. That's why Tak is sitting in that car right now. Do you think his pack would respect a man who would endanger lives and tear apart families just to save himself? Is that a man you would follow?"

"No, but now they think he's a murderer."

"*They* think he's a murderer," he said, pointing at the car in front of us. "The tribal elders will get together and make up their own minds. I don't know Tak's history within the tribe, but what I do know is that every decision he makes is meticulously thought out. He's chosen to be a man of integrity. The fates will decide his true destiny."

I rolled down my window. If I had to hear about the fates

one more time, I was going to scream. All my life I'd seen unfair things happen to good people, and none of it made sense. Why would any higher power have allowed a rogue wolf to bite Hope in the face when she was just a young teen? The day that wolf crept up on us in the field had marred her innocence, and the sound of her screams had haunted me for years afterward. By the time I'd gotten into my own scuffle with a wolf, I was no longer naive to the dangers in the world. My scars were easily hidden, but Hope still carried the marks on her face. It had changed her in ways I would never understand.

I stared at Lakota for a long time before finally speaking. "How much more of this dark world do you need to see to make you a better man?"

Fifteen minutes later, a truck sped up behind us and stayed on our bumper. I didn't have to look to know it was Kaota. Hopefully he'd cleaned the mess off the road before catching up with the convoy.

The car ahead veered off the two-lane highway and onto a service road.

"We can't go any farther," Lakota said. "That turnoff goes right up to the Council's private property."

"They have a jail out here?"

"No. But once they get their paperwork together and interview Tak, they'll call Regulators out to transport him to the nearest Breed jail. They have a holding tank on the property here, from what I've heard."

Lakota slowed the vehicle when they made a right turn down a private road. He waited for a moment before moving on. The light inside our truck diminished as Kaota chose to park at the turnoff.

"He better not do anything stupid," Lakota murmured.

"So what's the plan?"

Lakota pointed to a gas station and switched on his blinker. "Fill up my tank before we hit a few bars. Running Horse isn't exactly a big town, so there aren't a lot of places to go. Most of the Shifters spend their free time drinking. The women sometimes go to the bingo hall ten miles down the road but not so much lately. I'll be inside for a few minutes while the tank is filling up. The Vampire who runs this place is pretty friendly—a straight shooter. From what I know, he's helped the Council a few times because of chatter he's overheard in the parking lot. One of the perks of being a Vampire."

"And he's just going to tell you whatever you want?"

"Not everyone around here's a prick. He doesn't seem to have any loyalties that I'm aware of. Just let me worry about all that." Lakota parked next to the pump on the far right. "Fill her up with the cheapest octane. And wash the windshield while you're at it, *wife*."

When I narrowed my eyes, he gave me a devilish grin.

After Lakota headed inside, I got out and selected the option to pay cash inside. It was a slow-moving pump, probably designed that way so people would get bored and buy an expensive drink inside. The tiny convenience store only had eight pumps. When I noticed the warning sign about cell phones sparking a fire, I flipped the switch on the handle that locked the flow of gas before moving away from the truck so I could make a call.

I wandered to the edge of the parking lot and checked my phone, which I'd charged in the truck during the drive. When I saw it had enough juice, I called Hope.

"Mel, is that you?"

I laughed. "Who else would be calling from this number? How's everything going?"

"Sorry, I wasn't paying attention. I've got everything under control."

She was such a terrible liar. "Are my brothers helping?"

"Too much," she bit out. "They won't let me lift a thing. When I stood on a chair to mount one of the racks, Lennon actually carried me outside. Were you able to get Shikoba to strike a deal?"

"Believe it or not, yes."

She let out a shriek of excitement. "I knew you could do it! That's the best news I've heard all day. This is going to be perfect. I can't believe you did it!"

Though I was giddy right along with her, I was still uncertain how things would play out, given the recent developments with Tak.

"I have an idea of how we can market Shikoba's name with the pieces," she continued. "I think he'll be pleased, and I hope to meet him soon. Does he know I need an immediate shipment?"

"Yes, I spoke to him about that, and he said he can arrange a delivery next week."

She breathed a sigh of relief. "That's *so* perfect. I owe you for this, Mel. I might have underestimated how tough it would be to close a deal with a man like Shikoba, but I also underestimated how good a negotiator you are."

I chuckled. "That's for sure. I've got a few loose ends to tie up, but I should be home tomorrow," I said with a heavy heart. Leaving Lakota behind wasn't something I was looking forward to, but I would only interfere with his investigation. "The next day at the latest. I know that's cutting it close to our grand opening, but there's no way I'd miss that. I'm really sorry for dumping all the labor on you, but I'm glad you've got some help."

"Naya's been an angel," she confirmed. "I miss you."

I smiled. "It's only been a couple of days."

"Yes, but I had another dream last night."

I strolled toward the side of the building near the white freezer where they kept bags of ice. "Me in the blizzard again?"

"I had my dreamcatcher over the bed, and I *still* saw the omen. That means something."

It probably meant that deceiving my best friend and sleeping with her brother was definitely a storm of epic proportions. She would be so hurt by it.

I kicked a pebble around on the concrete. "Just focus on

the store, and I'll be there in no time. Shikoba's putting me up for the night, and we're having a big celebration tomorrow before I leave." I did a facepalm and turned around.

"Take care of yourself," she said, barely masking her worry.

"I always do. See you soon." I hung up the phone and ambled back to the truck. I hated not being there to help set up the store. It felt as though I was missing out, and I wouldn't have all those memories of arranging the garments and deciding where the paintings went. Instead, my memories would be of a trip filled with sex, murder, and mosquito bites.

Lakota moved away from the counter and headed to the back of the store. After plugging my phone back into the charger, I shut the door and glared at the dirty windshield. "If you want me to wash your windows, husband, you're going to have to rub my feet."

As I soaked up a cool breeze, a car pulled up next to me, rap music thumping on the radio. "Girl, what happened to your pants?"

I flashed a smile at Crow, the man from the bar. "They went for a walk without me. If you happen to see them, do let me know."

He chuckled while flicking ashes from the short cigarette wedged between two fingers. "You find what you needed up at Shikoba's place? I heard about all that trouble."

I leaned against the truck and folded my arms. "It sounds like they caught the killer. I guess the women in this town can breathe easier now."

"Let's hope so. The real reason I pulled up is I recognized your hair under the light, and I found something that belongs to you."

"What's that?"

He blew out a breath of smoke, some of his black hair moving to hang in front of his eyes. "It's a long story. A couple of guys at the bar were trying to round up a posse or something. They said your friends attacked them where that girl was killed, so they took their complaint to the Council."

I swallowed hard. "What happened?"

"Hell if I know. But I'm a nosy guy, and it wasn't too far from my property. So after I left the bar, I went to check it out. That's where I found a familiar pair of pants lying in the dirt. Well, not just pants but a full ensemble. I figured I would save you the hassle of dealing with the Council. Wasn't sure if you'd want 'em back, so I was planning to see what I could get for them at the resale shop. Changed my mind when I saw you standing out here practically naked." Putting the cigarette between his teeth, he switched the radio to another song. "I'm heading to the bar. Want to have a drink with me? Some of the ladies are coming out of hiding to celebrate their freedom. Sounds like it's gonna be a swinging party."

"I might stop by a little later. It depends. I'm leaving in the morning, so I don't know how late we're going to stay out."

He shrugged. "If you change your mind, you know where I'll be." Crow put the car in drive, and when it moved a few inches, I tapped my hand on the door.

"Do you still have my pants?"

A smile touched his lips. "In the trunk. Do I get a recovery fee?"

I gave him a peevish glance.

"Never mind," he said, getting out of the car. "Women don't seem to come with a funny bone. I doubt the resale shop would have given me much for them, anyhow. Can't blame a man for trying to make an honest buck." We circled the car, and he opened the trunk with his key. "Don't mind the mess. I collect all kinds of junk for resell. You'd be surprised what people throw out."

I stared into the dark trunk at a pile of clothes and shoes. When I spotted a leg of my patchwork jeans, I eagerly bent down to grab them. *What a relief.* I knew how silly it was to get attached to a piece of clothing, but when it was something made from the heart, a thread of sentimentality was always woven in.

A burst of pain radiated throughout my skull when something hard struck me in the back of the head. As stars filled my eyes, the last thing I remembered was Crow shoving me into the trunk of his car and closing the lid.

CHAPTER 19

LAKOTA RAISED HIS CHIN AS he entered the gas station. "Hey, Gus. How's it going?"

Gus was the guy voted least likely to be selected by a Vampire. He was a lanky young man who barely looked eighteen. His facial hair didn't grow in very well—just a fuzzy blond mustache and a few sparse whiskers on his chin. Lakota figured it must have been one of those cases in which someone went back and turned their family, even though it was forbidden. His accent was heavier than most of the locals, which made it likely he wasn't originally from around there. Despite the power a Vampire naturally wielded, Gus had never come across as a confident guy. Easygoing and likeable but not too keen on asserting himself as the powerful creature that a Vampire was.

"Evenin', Lakota. What can I do you for?"

Lakota smiled when the Vampire pronounced *for* as *fur*. "Gas and maybe a little info." He eased up to the counter. "Have you heard any talk regarding the murders?"

"They's all blaming the tribe. Some people's tired of hearing about it, but a few of 'em like to stir things up. You know the ones."

"They arrested Tak. Do you know who he is?"

Gus sat against the counter behind him. "He's the one

with all the ink on his face. I ain't never had a problem with him. They say he done it?"

"That's what they say. I'm not sure if I believe it. Tak isn't the kind of man to do something like that."

Gus sniffed. "You know, he came in one time and paid for someone else's gas. That gal who lives up yonder with Freddy. They's poor, and I guess he took to feeling kind of sorry for her when she only put a dollar in her tank. Came right in and gave me fifty dollars for her gas and a basket of food. I ain't never told no one about it. People'd think there's something going on between 'em, but that's not how I saw it. When she came in to pay for that gas, her eyes got big like saucers. He didn't speak to her before leaving, and she didn't seem all too happy that it was Tak, but she sure as shitfire didn't turn down free gas and food."

Lakota sighed and shook his head. *Damn Tak.* Maybe if he hadn't been so secretive about his generosity, people would be more apt to believe he couldn't be capable of such a horrible thing.

His eyes skimmed around at the lottery tickets, lighters, and cigarettes. Tak might like a smoke, given his current predicament, though Lakota didn't know a good brand. "How much for a pack of Pilgrims?"

Gus chortled. "Pilgrims?" He pointed at the wall of cigarettes. "Nobody carries them fancy brands."

Lakota furrowed his brow. "Who sells them?"

"Them Pilgrims are new. No one 'round here comes in askin' for 'em. They's too high. Like sprinkled with some kind of magic."

"Magic?"

"Humans don't sell that brand. I heard you can buy 'em up north or on the internet, but you's gotta have a *lot* of money. People 'round here ain't gonna squander their money on a pack of smokes."

"How much do they cost?"

Gus drew in a deep breath, and his gaze swung up to the ceiling. "I saw 'em going on a Breed site for about fifty a pack."

Lakota's eyebrows reached for his hairline. Could that be right? He'd only thought of them because they were the brand Crow was smoking back at the bar. "And no one around here sells them?"

Gus shook his head. "Most people in these parts don't know what they are."

"So no one has ever tried to buy them from you?"

Gus pinched his goatee. "Well, wasn't too long ago that someone came in askin', but I can't recall who. I get so many people passing through day to day, it all just runs together. I been workin' this gas station for sixty years now. Day and night, night and day. Trust me, it *all* runs together."

It had to have been Crow asking for them. Lakota remembered how his cigarette had a distinct butt with a recessed filter and a symbol stamped on the paper. *But fifty dollars a pack? Where does a man like Crow swing that kind of money?*

"Can I use your bathroom?" he asked.

Gus pointed, and Lakota quickly made his way to the back hall.

When he closed the door, he turned the water on high. Vampires often tuned out amplified sounds for peace and quiet. They could mute a loud motor but still hear the driver's heartbeat. Gus didn't seem like the kind of guy who eavesdropped on people using the toilet, but Lakota turned down the volume on his phone just in case.

"I don't know this number, so it better be good," the person on the other end of the line growled.

"Reno, it's Lakota."

After a brief silence, he said, "Hold on for a minute." Lakota guessed Reno was heading somewhere private. "What can I help you with, brother?"

He knew that Lakota was a bounty hunter. In small

circles, that kind of thing got around, and Reno had a lot of connections.

"I'm working on a case," Lakota began. "It's a mess, and I need to smoke out the killer before the wrong man is convicted."

"You got any leads?" he asked in his usual gravelly tone.

"I'm not sure. A man named Crow."

"Crow," Reno repeated. "Albert Crow?"

"I don't know his first name."

"Black hair, a Shifter, alcoholic, a mole on his thumb, wears these shitty-ass blue boots that no man in—"

"That's him. What can you tell me?"

"Dangerous. You've got to watch out for guys like him. Not too smart, but he'll do anything for money. He's a crafty dirtbag who has the power of persuasion—a real influential guy."

"How do you mean?"

"I ain't gonna church it up for you. Crow is one motherfucker I've never been able to pin anything on. He's slick and covers his tracks. He talks people into things—puts ideas in their head. He knows how to stir up gossip and divert attention away from himself. Where the hell are you? I wouldn't mind coming in and getting a piece of that action."

"I can't say. What kind of crimes are we talking about?"

"You name it, brother. He's done it."

"Murder?"

"Affirmative. But watch yourself. He once managed to convince the higher authority that the bounty hunter chasing him was responsible. Guess where that bounty hunter is now? Crow watches people—he pays attention. He plants evidence and finds out what people's biggest fears are."

"But you said he's not smart."

"He's smart in some ways and dumb in others. He's never been the ringleader—just the guy hired to do a job. Crow doesn't know how to hold on to money. He does all that work and winds up spending it all. Every time one of our guys has caught up with him, he's spent all his pay. Wastes it on expensive shit like caviar, Breed drugs, and just about anything that can be consumed but not kept."

"Not kept. You mean cars, televisions... stuff like that?"

"Exactly. He lives a disposable life. That also makes it harder to connect him to criminal activities if he doesn't have something to show for it. Sometimes he gambles it away at the casinos. He's got an addictive personality—sex, drugs, alcohol, food. Are you sure you don't need backup?"

"No time. It's a small town, and they don't roll out the red carpet for newcomers. It took me three months to settle in." Lakota glanced at his reflection in the mirror. His hair was still in tousled clumps from the bath he'd had with Melody.

"Did any of that help?" Reno asked.

"You bet. But if what you say about Crow is true, that means someone's paying him to kill people. Unless he's gone off the rails." Lakota turned in a circle, his eyes fixed on the dirt between the yellow tiles. "Thanks, man."

"If you need anything else, brother, I'm a call away." Reno hung up.

Lakota used his foot to flush the toilet.

Without knowing how much Crow earned for his jobs, Lakota couldn't tell exactly how rich a man had to be to pay him off. *Who out here has that kind of money?* The tribes, for one. Shikoba's people made a lot from his business, but Lakota wasn't sure where it all went. Most of the locals were destitute and working odd jobs. Some owned their own businesses, like the gas station, the bar, the restaurant, or the antique store up the road. Times were tough, so they would serve and sell to anyone, including humans. Usually in big cities, Shifters prided themselves on doing business exclusively with their own kind. But out here, it was a hard way of life.

Local packs had money. But what would they stand to gain by setting up the tribe? If Shikoba's people were forced out, the land wouldn't automatically go to the locals. The Council would auction it off. It would be prime real estate, and Shifters from all over would come down to bid on it. Maybe it was a wealthy outsider.

Lakota shut off the water and strolled through the store, his thoughts a million miles away. Reminded of Melody's growling stomach, he grabbed a few bags of chips and spicy pistachios. If that didn't tide her over, he would buy her dinner, although there weren't many bars in the area he'd recommend eating at.

His stomach suddenly soured, and he shuddered as a cold chill swept over him. It felt as if he were in a nightmare, and the only thing he could think of was Melody.

Melody. Melody.

When the knot in his stomach grew painfully tight, he dropped the snacks to the floor. Lakota tossed a wad of money at Gus and flew outside, his heart racing like a rocket when he scanned the parking lot and saw no sign of her.

Lakota jogged toward the truck and then checked the side of the building, wondering if she'd gone to stretch her legs. "Mel?" he shouted.

The pump was still sitting in the tank. Rage consumed him when he looked at the store and realized he had a clear view of the counter. *How could I have let something like this happen?*

In search of clues, he circled the vehicle and knelt by the passenger side. He found a Pilgrim cigarette that hadn't been stepped on or driven over, and when he pinched the end of the paper, he could still feel the heat.

A wave of terror snaked through his gut, and he rushed back into the store. "Did you see what happened to the girl I was with?" he boomed.

Gus turned. "Nope."

"She didn't leave with anyone?" Lakota gripped the edge of the counter.

After a slow turn to look outside, Gus shrugged. "When you went into the bathroom, I heard someone drive up, playing that rap music, so I tuned it out. Put my invisible earplugs in. I don't like that kind of music. That and heavy metal hurts my ears. Vampires can hear everything, you know.

Crickets, birds, cars, people talking, the gas sloshing around in your tank. It's enough to make you crazy. Crow circled in front and waved at me. He likes to taunt me sometimes, but I ignore it."

"Was anyone else in the car?"

Gus swung his eyes upward. "No. Just him. He drove real slow, so I got a good look."

"Does he ever come in with anyone?"

"He used to have a woman, but I ain't seen her in a long time. He just comes by, plays that music of his, chitchats with people."

"Who?"

Gus shrugged. "I seen him talkin' to someone at the pump a few times. Usually it's when my show is on, so I don't pay 'em no mind. Do you ever watch *Criminal Minds*?"

Gus wasn't bright enough to realize that Crow was using his distaste for rap music as a way to have private meetings with someone he probably wasn't supposed to be seen talking to. Lakota gave him an impassive smile and ran out the door, his heart hammering against his chest. He quickly shifted to his wolf and sniffed the area by the car. He definitely smelled the cigarettes more, but his wolf didn't know Crow's scent. What disturbed him was the faint smell of blood in the air— no fear, just blood.

In a fluid movement of magic, Lakota shifted to human form and hustled to get his pants on. He threw the nozzle on the ground and hopped in the truck, careful not to hit a pump as he sped in a circle before taking off down the main road. When he reached the turnoff to the Council's property, he screeched to a halt next to Kaota.

"Someone took Melody!"

Kaota glowered at him through the open windows. "What happened?"

"Crow. He took her. Tell the Council they've got the wrong man. Tell them we need backup. Did you see any cars go by?"

"Just one."

"What kind?"

Kaota took a second to think about it. "Looked like an old clunker. One of those long models. I didn't pay attention."

"Who drives a car like that around here?"

He laughed. "Half the damn town? Most of the cars around here were built and repaired from scraps in the junkyard."

"Crow. What does Crow drive? He's got black hair—"

"I know who he is." Kaota wiped his mouth and then hooked his arm outside the door. "An old green car. Big one. I never paid attention to the model. His is the last turnoff before you reach our territory."

"Tell the Council I'm heading out to his place." Lakota slammed his foot on the gas and weaved around an oncoming car that was trying to pass Kaota.

"Dammit!" When he got his hands on Crow, he was going to rip him apart, with or without evidence.

This time, it was personal.

CHAPTER 20

D IZZY. I'M SO DIZZY. I reached up, barely comprehending that I was in the trunk of a car. It was tight—no room to move. When I brought my hand around to the back of my head, warm liquid wet my fingertips. *Oh God. What if my skull is fractured?*

Without a second thought, I shifted to wolf form and then back. Quick shifts were a surefire way to piss off my animal, but better that than dying from a hematoma. I shifted once more and back again. This time, the pain was gone and the wound healed.

The car hit a hard bump, and my body slid around as the vehicle turned sharply.

"Think, think," I whispered.

I felt around the floor for a makeshift weapon like a tire iron or a conveniently placed rifle. Instead, the only things I found were clothes and a spare tire behind me. I could probably bust out a taillight with my hand, but that wouldn't do me any good. The human police likely didn't come out this way except to go to a crime scene.

My head knocked against the trunk lid when we drove over a deep pothole. Since we were no longer on a paved road, we must have been nearing our destination. I scrambled into action, pulling the clothes over my body and hiding beneath. It was a risky move, but my wolf knew we were in danger.

Whether she decided to run or attack was up to her, but I was going to pull off a move that Crow would least expect.

If that bastard thought I was just some frail girl who would beg for her life, then he'd never met a Cole. He'd struck me hard enough to knock me out, so maybe he didn't expect me to be conscious.

When he opened the trunk and stared at the pile of clothes, a wolf was going to be waiting beneath. Crow obviously wasn't a wolf—that much I could tell. A man gave away a lot about his animal in the way he moved and behaved around others. Crow was confident, observant, and crafty but definitely not a wolf.

"I miss you," I whispered, thinking about my family. I was moments away from fighting for my life, and I had no idea how it would end. "I love you."

That last one was for Lakota. Any attachment he might have felt would soon fade once he realized that sex wasn't love. But I loved him. What I felt for him was bone-deep, and it had all started the night he found me in a snowstorm.

I often dreamed about that night, and in my dream, Lakota was always there in the end. No matter how frightened or alone I was, no matter how hopeless it seemed, Lakota always managed to find me. But not this time. There were no tracks to follow, and I was alone.

When the car squealed to a stop, I readied myself to shift. The car door slammed, and my throat dried up. Crow's footsteps were heavy and slow, like he was taking his time while he jingled the keys around his finger.

He was whistling the theme song to a TV show I couldn't place, and for some reason, his carefree approach made me even more nervous. As soon as the key slid into the lock, I shifted. My wolf crouched low against the floorboard, a narrow gap between garments allowing her to see. I conveyed to her what was happening and that our lives were in danger. The link between us was more of a series of images and emotions that helped us communicate right after a shift. My wolf had total control, and I was more of a passenger along for the ride, but I could see, smell, hear, and feel everything through her body. The trunk lid lifted, and the first thing that came into view was Crow with his arm raised and a tire iron in his hand.

"Come on, bitch," he snarled.

In the time it took my wolf to stand, Crow had changed positions and was bracing for an attack. Oddly, he seemed to have been expecting it.

"Come on! Attack! I'll show you why you should be afraid of me."

And I did. With ferocity like I'd never known, my wolf lunged. Crow swung his arm and struck me on the back. I felt the pain rippling through me like a live wire. When I staggered to my feet and lumbered forward, Crow kicked me in the stomach and held the weapon high over his head.

"Aagh!" he shouted. "Run!"

Wait a second. He wants *me to run.*

I made my wolf step back and look around. Beyond the car was an old wooden house with a cheap light pole next to it. Why would he have driven me all this way just to let me go? Part of me actually wondered if it was some sick joke by a bored man with nothing better to do on a Friday night.

Crow advanced, and my wolf scampered back. I didn't have much time. My awareness was dimming fast, and if I waited a minute longer, I wouldn't be able to shift back. It took every ounce of effort to remain conscious. When I made a break for the road, he corralled me back and steered me toward the woods behind the house.

To hell with it. I sprinted into the woods, and as soon as the shadows swallowed me, I skidded to a stop. Crow was up to something, and the farther I ran, the less chance I would have of finding out what. My wolf burrowed beneath a dense bush and remained motionless, but I could sense her dominating presence taking control.

Crow tossed his weapon aside and then reached through

the driver's-side window. He pulled out a bag and set it on the hood of the car.

"Ready or not, here I come!" he shouted.

I watched in awe as Crow shifted into a great horned owl, his wingspan enormous. He landed on top of the car and wrapped his talons around the bag before flying off in the direction he thought my wolf had run.

Knowing that owls have incredible hearing, I stayed silent until I no longer heard the rustle of wings. On the brink of blacking out, I shifted back to human form and ran to the car.

"Dammit!" I hissed. The keys weren't in the trunk lock.

After frantically searching the ground, I decided he must have put them back in the car. When I peered inside, it dawned on me that it hadn't been a spontaneous kidnapping. No decision he'd made had been in haste. He'd placed the keys in the bag along with whatever else—probably weapons.

I jogged around to the trunk and snatched up my pants. There was no telling how much control he had in animal form, but if by chance he had none, then his owl was busy searching the woods for a wolf on the run, not a human. My worst fear was that Crow didn't black out during his shifts. If he circled back and saw me running toward the road, I'd have no choice but to shift. He would bait my wolf, and she would instinctively fight him, facing off against a man who, based on the previous murders, likely had a knife.

It wasn't uncommon for people in the sticks to leave their doors unlocked, so I dashed toward the small house and turned the knob. Once inside, I locked the door behind me and caught my breath.

The first thing I did was search for a phone. Enough light filtered through the front window to keep me from having to switch on a lamp. I saw no trace of a landline. Maybe he only carried a cell phone, but I doubted he would have been careless enough to leave it in his car knowing that I might return. I wasn't willing to run outside just yet and take that chance.

Instead, I rummaged through kitchen drawers for a weapon. The first thing I found was a large butcher knife. I gripped the handle and scanned the small living quarters. The kitchen and living room didn't have a divider wall between them, so it made the house feel like a cabin. When I tiptoed down the short hall in the back, it led to a tiny bathroom on the left, a coat closet straight ahead, and a bedroom to the right. Since the bedroom didn't have a window, I switched on the overhead light.

Crow lived in a dump. The headboard rested against the left wall, only a blanket and a pillow covering the stained mattress. Ashtrays were on the floor beside it, ashes scattered everywhere. To the immediate right of the door was a dresser with arrowheads, lighters, pieces of jewelry, and an empty beer can on top. I opened a drawer and found several stacks of large bills.

Why would he choose to live like this if he had money?

The cedar chest at the end of the bed seemed like an odd thing for a man to own, so I lifted the lid and peered inside. "Purses?"

I pulled three out. Each was filled with items like lipstick, pens, wallets, and keys. If I'd had an inkling about it before, I was now certain that Crow had to be the serial killer. What else would he be doing with all these personal items? I thought about the covetous look in his eyes when he admired my pendant. Even though he was an owl, it seemed that Crow couldn't be a more fitting name for him. It perfectly described his thieving nature, as crows were bandits and loved stealing.

No pictures were on the walls—no sign that the purses might have belonged to a mate or a girlfriend, as he'd implied. It must have been a ruse to make women feel more comfortable around him. I wondered if he'd slept with any of the victims and gotten a kick out of hunting them afterward.

I need to get out of here.

I switched off the light and hurried through the living room. Before I made it to the front door, I skidded to a stop.

A wooden bow was propped against the couch, and the quiver beside it looked like the same kind that Tak owned. In fact, other tribal possessions were lying around the house—a small dreamcatcher, a doll, a necklace.

My eyes narrowed. "That asshole!"

I grabbed the necklace for a closer look. It was the turquoise pendant that I'd given to Koi's mother. He'd flown overhead while they were at the funeral and pilfered it! He must have sat in the treetops, spying on them all the time. No wonder Tak was an easy target to pin the murders on. Crow could see his comings and goings and use that information to time when he decided to kill his next victim. I put the necklace in my jeans pocket and traded my knife for the bow and arrows.

I wondered how well Crow could see in the dark without a glowing moon in the sky. After a quick glance outside, I tiptoed toward the car. That stupid light pole felt like a big blinking arrow pointing right at me.

Torn, I glanced at the private road just ahead. Eventually he was going to circle back. I wondered how far I could get. Even though my wolf could eat that owl for dinner, I wasn't about to fall into his trap of hunter and prey. I needed to outwit Crow and do what he least expected—turn the tables and hunt *him* instead.

Lakota barreled down the road until he reached the turnoff to Crow's property. The truck tilted when he made a sharp right turn, a cloud of dust kicking up behind the rear tires as it skidded onto the dirt road.

His wolf thrashed and snarled beneath his skin, hungry for blood. He'd never felt so overwhelmed with the desire to kill—the need to protect what was his.

Lakota shut off the headlights and forced himself to slow down so that he didn't announce his arrival to Crow.

Then again, what the hell was that joker doing if not

sending out an open invitation to come find him? Kidnapping Mel and then waving at the cashier as he left the scene of the crime—he *wanted* Lakota to follow him, but he also wanted enough lead time to allow him to do whatever it was that he had planned. Perhaps that was exactly what had happened with Koi and his girl, and with that in mind, Lakota needed to think rationally and not make any hasty decisions.

He slammed on the brakes and killed the engine. When the headlights shut off, the night cloaked him in darkness. Lakota emerged from the truck and headed up the dirt road, his footsteps masked by the chirping crickets and rustling grass. Seeing a light in the distance made him slow down and pay attention to his surroundings. In front of a run-down house, he spotted Crow's green car, the trunk and the driver's-side door wide open. Lakota sidled off the road and into the brush. He didn't see anyone outside, and there was no movement inside the car. The front door to the house was wide open, but no lights were on.

He unsheathed his knife and sprinted toward the house. Bracing for an attack, Lakota used his left arm as a shield as he quietly made his way inside, his heart pounding and the taste of adrenaline on his tongue. The outside light barely revealed the empty kitchen and living room. He moved to the hall, his gaze briefly skating down to a human skull with a melted candle on top. Anyone might have assumed it was decorative until they gave it a closer look.

The bathroom door was open and the room empty. Lakota flipped on the bedroom light and shouldered the door open. He scanned the empty room for clues. Tokens that belonged to Shikoba's tribe were on top of the dresser. In the corner was a large box filled with cartons of Pilgrim cigarettes. Lakota did a brief calculation in his head of how much money Crow had wasted on those things. Yet despite all that money, he slept in a room with deep cracks in the walls and water stains on the ceiling.

Inside one of the drawers, he found two daggers that

belonged to the Iwa tribe. More specifically, they were weapons the warriors carried. The blade had a distinct shape, with a backward hook on the dull spine that would do significant damage when pulled out of a body. One had dark stains on the wood handle.

A chill ran down his spine when he realized that Crow had intentionally used sacred tribal weapons to commit the crimes. It must have frustrated Crow that the Council had kept those details secret until the time of Tak's arrest. Had he also scattered tokens from the tribe around the bodies? No wonder the higher authority had specifically requested Lakota for the case. They knew that as a Native, he would gravitate toward the tribes and be able to infiltrate their community, which was whom they'd suspected all along. Given the tension that existed among the people in this territory, Crow had played a smart game.

A floorboard creaked. Lakota whirled around just in time to grip someone's raised arm, preventing a knife from going into his chest.

Kaota's eyes widened. "I thought you were Crow," he said, lowering his arm. "I saw your truck parked down the road and came up on foot. Where is he?"

"Not in here. What did the Council say?"

"They're coming."

Lakota didn't blink. "*All* of them?"

Kaota regarded the arrowheads on the dresser. "Only Jack and Robert were at the compound. It'll take the rest too long to get out here, and someone has to stay with Tak. Only one of them is coming."

Lakota moved into the hall. "We need to find Melody."

They jogged out the front door, the air sticky and warm.

"Take a look at this," Kaota said, pointing at the open trunk.

Lakota peered in.

Kaota held up a brown shirt with a design on the front.

"This was Koi's," he said, his face full of rage and grief. "He was wearing it the day he went missing."

Lakota couldn't imagine the pain Kaota must have felt losing his brother. Most of the items were women's clothes, and some still had what appeared to be bloodstains on them.

"I bet those are Crow's," Lakota said, pointing at a pair of bloody men's jeans. Reno had been right about him being both smart and stupid. Elaborately carrying out murders, only to stuff evidence in his trunk—it probably gave him a thrill driving around, knowing he was getting away with it.

Kaota squeezed Koi's shirt in his fist. "And the rest?"

Lakota stepped back. "Souvenirs."

He'd been at his job long enough to have seen the signature habits of a killer who took pride in his work. Serial killers collected items to remind them of the kill. Contract killers didn't, because keeping evidence was far too risky. Crow was a rare breed because he'd turned a passion into a career. Based on the tokens inside the house, he must have trespassed on tribal land numerous times. The tribe would have scented his wolf, so Lakota had a feeling he was another species of animal, one elusive enough to slip in and out without getting caught. Maybe Crow had finally hit rock bottom because no one was hiring him, and he was taking out all his anger on innocent victims, using the tribe as a scapegoat to divert attention from his sadistic pleasures.

A strange calm came over Lakota, as if the danger had temporarily passed. He couldn't explain it, but he somehow knew it was the invisible connection he shared with Melody. His gut told him she was okay.

For now.

He twirled the knife in his hand and looked around. *Where the hell did this guy run off to in the dark of night?*

Kaota tossed his brother's shirt back into the trunk. "I'll shift and look for a scent."

Lakota made a slow turn and scanned the woods. "We don't know what kind of animal we're dealing with, so keep your wolf quiet. I'll follow behind you. If Crow's a grizzly, we're going to need my knife."

Kaota pulled a slender flashlight from the trunk and handed it to Lakota. "Just don't stab me with that thing," he said, nodding at the blade as he shifted.

His wolf lifted his nose, distinguishing Melody's scent from Crow's. He stopped in front of a pile of clothes on the ground and snorted. Lakota watched the wolf trot up to the car and then run back down the road. Seconds later, he reappeared, his nose working overtime as he scurried into the woods.

"And so it begins," Lakota said, shadowing him.

Without moonlight, the darkness was all-encompassing. Kaota's wolf could see better, but Lakota wasn't completely blind. He drew what light he could from the stars. His father had taught him at an early age how to use his other senses. He moved slowly, stealthily, deciding against using the flashlight so he wouldn't draw attention to himself, not until he knew what they were dealing with.

In the distance, Kaota's wolf yelped. Lakota switched on his flashlight and picked up speed when the raucous sound of fighting grew louder. As he reached a small clearing, the flashlight tumbled to the ground, spraying light on the grim scene. Crow stood naked before Kaota, who had shifted to human form and was lying on the ground, bleeding.

Lakota charged ahead, palming his knife. Crow turned, the flash of a silver blade slicing the air. Taken by surprise, Lakota pivoted, but the sharp knife sliced across the front of his shoulder. He fell on one knee and drove his knife into Crow's leg. With impeccable speed, Crow brought down his arm in a stabbing motion. Lakota had no time to think. He rolled out of reach and sprang to his feet.

It only took seconds for him to realize Crow was a skilled fighter. He was not a man lashing out with ineptitude—his moves were calculated and fast. He had an Iwa knife in his possession. It had a backward hook and could tear flesh from bone. Crow pulled Lakota's knife free and tossed it into the woods.

Kaota was still lying to the side. Lakota remained focused, his spirit wolf smelling prey and the thrill of the chase.

"This is the end of the line," Lakota declared, his arms wide as he circled around Crow. "The Council knows what you've done. It would be foolish to kill one of us when they're on their way over."

Crow shook his head, a sardonic grin on his face. "You simpleminded little half-breed."

Lakota remained quiet. Crow's animal was likely not a predator, yet he didn't seem keen on fleeing the scene. An impulsive man fled, but an intelligent man never left behind witnesses.

"You're my big fat paycheck," Crow declared, nearing his bag.

Lakota quickly edged him away from it, suspecting he might have a gun or another weapon that would give him more of an advantage. Crow looked irritated and backed away.

"Where's the girl?" Lakota demanded.

"You're so easy to bait," Crow remarked with a slow chuckle. "And I thought the girls were easy prey."

Lakota's blood boiled when Crow didn't answer his question.

Crow moved in a flash and sliced Lakota's arm. Instead of retreating, Lakota tried to muscle him to the ground, his hand tightly gripped around Crow's wrist. They struggled for the knife, Lakota digging in his feet until Crow stumbled. When they slammed into a tree trunk, Lakota lost his footing and fell to the side, a stick jabbing him in the hip.

Kaota suddenly shifted back to wolf form and rose to his feet.

Crow bit down on a tassel hanging from the knife handle, the blade swinging below his chin like a pendulum. He didn't need to turn around to know that Kaota's wolf was advancing.

He raised his arms high, and when he lowered them, they morphed into wings as he shifted.

"Get him!" Lakota shouted, surging forward.

The giant owl flapped his wings and quickly ascended before either of them could capture him. Lakota spotted his dagger and snatched it. He held it over his shoulder as he took aim and then threw it in a quick motion. The flashlight on the ground didn't provide enough light for Lakota to see, and the knife missed, striking a tree in the distance.

Lakota hurried to Crow's bag and dumped out its contents. Keys fell out along with a coil of nylon rope, a serrated knife, what looked like a poison dart, and a few tribal trinkets. He grabbed the knife in one hand and the flashlight in the other and sprang to his feet when Kaota's wolf took off. "Stay on him!" he shouted.

Lakota's footfalls were the only sounds as he ran, the flashlight slicing in erratic motions like a light show at a club. When he heard a woman screaming up ahead, his heart caught in his throat. He couldn't make out the words, only the desperate sound of someone in trouble, and that someone was Melody.

After a short distance, he reached a small clearing where Kaota's wolf was pacing in a circle. Lakota skidded to a stop and aimed the flashlight overhead, his eyes fixed on the skyscraper trees. The beam didn't reach very far, but he was searching for the distinct illumination of two large eyes. Owls were clever at hiding, and Crow wouldn't wander far if it meant his prey escaping.

Kaota shifted to human form and stood beside Lakota. "He's up there. I can smell him."

Lakota continued searching every branch. "How good is your aim?"

"Better than yours with a knife. Let me have it."

With the blade in hand, Kaota raised his arm, reached back, and prepared to strike. Lakota slowly moved his flashlight around the area where Kaota was looking.

When a large bird ascended from a high branch, Lakota blocked the throw with his arm. "Wait! That's a hawk. Don't blow your shot." He lowered his voice, shining his light in the wrong direction so as not to tip off Crow. "I see him. He's at your three o'clock."

"How high?"

"Thirty-five... maybe forty feet. You think you can clear that?"

Kaota swept his hair back, his shoulder still weeping blood. "We have no choice."

"Get ready. Throw it when I aim my light at him," Lakota said. "One... two..."

Lakota swung his light up at the tree. The owl's head spun around like a cap unscrewing from a bottle, and when his enormous eyes locked on them, he pushed off the branch and flapped his wings. Kaota backed up a step.

"Now!" Lakota shouted.

Kaota's arm snapped forward, and the blade rotated through the air. Lakota's breath caught when the bird twisted chaotically. The moment the blade struck the ground in the distance, Lakota cursed.

It was impossible to scale the tree in time. "We're going to lose the bastard!"

Suddenly a shadow moved stealthily in a tree to his right. A figure circled around the trunk and into view, her appearance so gradual that she could have been slow-moving fog.

It was Melody. Not the quirky woman he had come to know but the brave warrior he remembered as a child. Anchoring her feet on the bough, she could have easily been mistaken for a tree nymph. Melody had exquisite form, her bowstring drawn back so steadily that she looked like a seminude statue.

"Holy shit," Lakota whispered, turning his flashlight back onto Crow.

The owl moved erratically. It was obvious by his struggle that Kaota's knife must have clipped his wing. When he ascended skyward, his wings stretched wide, and Lakota felt a cold wave of terror that he might escape. After a breathless second, Melody's arrow whistled through the air and struck the bird.

Lakota raised his arms and howled victoriously. There was nothing more admirable than a woman taking down her foe. He swung his gaze over to Melody, who then gracefully lowered her bow and looked down at him. *Fates*, he wanted to pull that female into his arms. He'd never felt so much pride.

In the last seconds of victory, time stopped when Melody slipped from the high branch and fell.

CHAPTER 21

A FTER I MADE THE DECISION to hunt down Crow, I discovered it wasn't terribly difficult to find him.

He'd expected me to run, and to his credit, he was right. I'd run a good distance in search of an ideal spot to lure him to me.

Once I found the perfect clearing, stars shining, I scaled a tall tree with sturdy branches. Crow's owl was an innocuous creature, so if he was going to kill me, the only way would be to climb after me or land on a branch and shift. Either way, I had an arrow with his name on it.

I selected a secure bough high in the treetop. Once in position, I pushed my vocal cords to the limit. "Somebody, please help me!" Of course I didn't need help, but those were undoubtedly the words he was listening for—words that were probably music to his ears.

The stars glimmered through a gap in the trees. I stilled when I heard the flapping of wings and a rustle from across the way.

Gotcha.

I paid attention to every sound, mentally pinpointing his location and distance. When a sharp light pierced the darkness below, I held my breath and hid. Indistinct whispers came from below, but I couldn't risk looking. They might have been with Crow, but if not, they could spook his animal. This was my only shot, so I relied on the light from below to help me scan the surrounding trees.

There you are. Peering around the tree trunk, I spied the owl perched on the edge of a branch across the clearing. He had turned his head away to blend in with the leaves. I planted my right foot on the adjoining bough, my left shoulder pressed firmly against the trunk to steady me. With the bow in my left hand and the arrow in my right, I mentally rehearsed every step—the exact pull of the bowstring needed to clear the distance, my aim, finding balance, and how fast I could retrieve another arrow if I missed.

The light swung toward the trees to my left. Ignoring it, I kept my attention locked on Crow's location, though I couldn't see exactly where he was. I remained utterly still. As my vision adjusted to the light, I centered my eyes on only one thing—that damn owl.

A hawk flew out from his nest and startled me enough that my foot slipped.

Stay calm.

The light abruptly swung back to Crow, and someone shouted. My heart skipped a beat when the owl suddenly ascended from the branch. A knife spiraled through the air and clipped the tip of his wing before it disappeared into the shadows. I couldn't discern what was happening below, nor did I care. At first I thought Crow might fall, but his owl was struggling to process the injury and make his escape.

I stepped onto the bough facing the clearing, my left leg in front to steady my balance. With careful precision, I pulled back the bowstring and released. The arrow sliced straight through his wing—right where it connected to his breast.

When I swung my gaze downward to assess the threat, I saw Lakota. The way he looked at me put goose bumps on my arms, and when he howled, it made my heart flutter. The person next to him aimed a flashlight in my eyes, and when I took a step back, my foot slipped.

Panic shot through me as I fell like a stone. A branch

scraped my arm, and another below snapped in two when I struck it with my back. It happened so fast. One minute I was balanced and in control, and the next, I was spinning through darkness in what must have been a forty-foot drop. If my neck broke, that was it.

Realizing I might be falling to my death, I screamed. It didn't sound like me. None of this was real. Branches slipped through my fingers like icicles, and I squeezed my eyes shut before slamming into the ground. The impact knocked the wind out of my lungs, but I felt no pain.

When my eyes snapped open, I realized that Lakota had somehow caught me. We went toppling over, and he fell onto his side, taking the brunt of the impact, but he never let go.

We looked at each other.

"You okay?" he asked. An inexplicable light sparked in his eyes.

"You keep saving me" was all I could say.

The corners of his mouth hooked into a smile. "You act like that's a bad thing."

Kaota's flashlight darted to the treetops, pulling us out of the moment. Lakota sprang to his feet and turned around. Confusion swam through me when metal glinted from above. The beam of light stopped on Crow's owl, and as he lost balance grasping for a branch, something fell from his beak. I drew in a sharp breath when I realized what I'd seen.

"Lakota!" Before I finished saying his name, the knife made a quick descent and disappeared.

I sat paralyzed for a moment. As Lakota slowly pivoted toward me, he collapsed onto his back.

"No!" I scrambled to his side on my hands and knees.

When I reached for the knife handle, Kaota seized my shoulders.

"Wait! You'll kill him."

That was enough to stop me in my tracks.

He placed one hand on Lakota's chest and aimed the light on it. "There's a hook on the top of the knife, and it's penetrated his chest. If you twist it the wrong way, you might slice his heart or an artery."

Instead of the blade being in his body to the hilt like with most stab wounds, it had fallen at an angle since he'd been standing up.

"Slow your heart," Kaota urged. "I'm going to do this fast, but you need to shift as soon as it comes out. Not a second later. It will hurt, so don't lose awareness. Embrace the pain— let it guide you."

My hands were shaking, my chest tight, tears welling in my eyes. How could this be happening? Had I not struck the owl, would he have dropped the knife? Oh, please no... *Not Lakota.*

Crow bellowed from where he'd fallen and shifted. He tried desperately to break the tip of the arrow jutting out of his chest so he could pull it out and heal.

Kaota gave me a cursory glance. "We must hurry. Hold him down."

I laughed mirthlessly. "Do you really think I'm strong enough to manage that?"

He gave me a stern look, so I anchored my hands on Lakota's shoulder. Blood trickled from the wound but not much since the blade was still in place.

"It should come clean out," Kaota promised, lightly touching the handle. "I can't see if it twisted when it went inside him. If it did, he could die instantly."

"Quit talking and just do it! You're wasting time."

Then I realized how frightening this must be for Lakota. I leaned over his face and searched for some sign that he could hear me. His eyes were open, but he was somewhere else—in a dark place that people went when hanging on to this world by a delicate thread. Lakota must have instinctively gone catatonic, knowing that one wrong twist or deep breath could pierce his heart. He was short of breath, and his color was off.

"Look at me," I whispered, tears slipping down my nose.

It felt as if the knife were in *my* chest. Pain glittered in his eyes, but his strength shone through. Lakota dragged his gaze to meet with mine, and a peaceful look softened his features.

"Freckles," he whispered.

I couldn't bear it. "Stay still. You're not allowed to breathe."

His lips twitched.

"You can't die on me," I continued. "You won't. This isn't how it ends. Do you hear me? The second he pulls the knife out, I want you to shift. Then shift right back. Keep doing it as many times as you can." I cradled his head in my hands, my thumbs lightly brushing over his thick eyebrows. Never had there been a more courageous man than Lakota Cross.

When his mouth moved silently, I bent over and put my ear against his lips.

"You were... so beautiful," he whispered.

Memories flashed in my mind—Lakota's bright smile, how fast he could run when we raced to the creek as children, the way he always looked out for his little sister, how fiercely he held me, how tender his lips were against mine, the way his face beamed whenever he saw his family. Memories scattered like ashes in the wind, resting on a final image of me in his arms, surrounded by his smell and soft words as I drifted to sleep. I'd never felt so safe and protected with anyone, not even my own family.

I was going to lose him—right there in my arms.

"Let's do this so I can put the knife in that white man," Kaota growled. He lightly gripped the handle and whispered the dreaded countdown.

Lakota clenched his teeth and stared at the night sky. I braced my hands on his shoulders, a quiet prayer on my lips.

Kaota lifted his arm lightning fast, and I cringed at the terrible sound as the knife ripped out. A piece of flesh hung from the hook, and I almost screamed from the shocking sight of it. Lakota arched his back, his eyes rounding and his mouth open in a silent scream.

"Shift!" I pleaded.

His body swirled into Shifter magic, changing form.

Normally a Shifter turned their body in such a manner that the garments fell away, but his pants were tangled around him, so I stripped them off.

"Again," Kaota urged, nudging him. "Lakota!"

His wolf was unresponsive.

Kaota held his hand over Lakota's snout and searched his eyes. After a pregnant pause, he said quietly, "It's too late. He's gone."

I clawed the earth and swung my gaze skyward. "Don't you dare leave this body! If you're watching, I want you to come back to me." Tears spilled from my eyes, and I shook his wolf.

Kaota placed his hand over my back. "I was there the day my brother was born. And if I had been there the day of his death, I would have sung to him. Do not let the dead see your pain. If you care for Lakota, let his spirit go in peace." He somberly rose to his feet with the knife in hand and stalked toward Crow, who was struggling with the arrow.

I circled around Lakota and put my hands on his chest, horrified by the absence of breath. Though I'd never done compressions on anyone, let alone a wolf, I couldn't accept his death and refused to give up without a fight. He was too young, too strong, and had his whole life ahead of him. I imagined the immeasurable grief his mother would experience the moment she found out that her only son had been struck down. All the years his adoptive parents spent loving and nurturing him, reading him to sleep and making him into a man. And for what? So he could die before he'd had a chance to live?

I placed my hands on his side and began compressions. After twenty, I cupped my hands around his snout and blew through his nostrils. Some of it escaped, but I went back to compressions.

"Don't you do this to me," I said, my voice broken. "Don't you do this to your family. They *need* you."

I cupped my hands around his snout again and blew out

another breath. When he didn't respond, I rested my cheek next to his, my lip quivering. "I need you, Lakota. I've always needed you."

On the fifth compression, he gurgled and coughed.

I frantically rubbed his face when I saw a flicker of life in his eyes. "Shift, Lakota! Do you hear me? Shift!"

His eyelids fluttered. Unlike the last time, his body morphed very slowly until it took the shape of a beautiful, wounded man. Blood covered his chest, so I used his shirt to carefully wipe it away and examine the wound. It was still fleshy and raw, and there was no way to tell about internal damage. The flashlight beside me shone on my bloodstained hands.

"Please, Lakota. Shift again. I know it's hard, but you can't give up."

Each time a Shifter used his magic to heal, it made him weaker. It was the body's way of storing energy. I slapped his cheeks and pulled his gaze to mine. When he changed back to wolf form, his fur was too dense and concealed the wound. But he was alive, and that meant he had a fighting chance.

My body trembled like an autumn leaf clinging to a tree. I placed a kiss on his head, my hand tracing his silken fur. He was a magnificent creature—strong and muscular, large ears, dark lines around his eyes, and a silver coat to be envied.

"Don't kill Crow," I growled at Kaota. "We need him alive for answers."

"Wasn't planning on it."

Another scream poured out of Crow.

"Did that hurt?" Kaota asked mockingly.

Relief came over me when a Councilman appeared from the shadows.

"What's going on here?" It was Jack, the hefty one with the pasty complexion. Beads of sweat were on his brow, and his cheeks were red, as if someone had slapped him.

"Thank God. How did you find us?"

"Saw the light. Heard the commotion."

"Tak's not the killer." I rose to my feet and pointed at Crow. "That's the man you're looking for."

Jack's gaze darted between Lakota's wolf and Kaota as he assessed the scene. "On what evidence?"

"My kidnapping and attempted murder?" I offered. "Crow killed all those women. Not the tribe."

He wiped the sweat from his upper lip. "What proof do you have?"

"What substantial proof do *you* have that Tak did it? A few arrowheads? A satchel and a knife? Anyone could have planted that evidence, and you know it. Crow planned to hunt me down, and he tried to kill Lakota. Look inside the trunk of his car, and you'll find clothes that belonged to the victims. There's proof all inside his house that he's been trespassing on tribal land and stealing weapons. You can take him in on those charges if nothing else."

Jack rubbed his chin slowly. "Anything else?"

I blinked as I sat there topless, my hands covered in blood, scratches on my arms, with Lakota half-alive while Kaota guarded our prisoner.

Jack shifted his stance. "Fine. Bring him in."

"You motherfucker!" Crow spat. He had gashes on his thighs from Kaota's punishment. "We had a deal."

Confused, I turned my head slowly to Jack, then back to Crow. When I saw the looks they exchanged, it dawned on me that they were in it together.

A gun muzzle pressed against my temple. Jack gripped my left arm so I couldn't move or knock the gun away. "Crow, why can't you just keep your mouth shut?"

"Why?" I asked.

"Sorry, but you're just a casualty of war," he replied.

"There *is* no war. Why would you murder all those innocent girls? And Koi?"

"I didn't kill anyone," he snarled. "Crow's the killer."

"But you hired him. Why would you target all those women?"

"My family made a pact with the tribe centuries ago that entitles me to this land if they're evicted."

Kaota rose to his feet, the blade still in his hand. "I know of that contract. We made it as a show of trust when we needed your protection from the humans that were trying to exterminate us. It wasn't a trade; it was meant to prove we weren't a threat."

Jack's family must have had power and influence at a time when human settlers were slaughtering Natives and forcing them off their land. Some Shifters found ways to hold on to their rightful territories, often bartering with Vampires to either charm or slay those who were targeting them.

"You killed those girls," I began, "just so you could pin it on the tribe and get their land?"

"I didn't kill *anyone*." He pressed the gun harder against my temple. "The girls were *his* idea."

"But you authorized it! You're a Councilman. What do you need with all this land?"

The more information he revealed, the more trouble I knew I was in. But I needed to keep him talking to buy us time.

"I've lived here for seventy years, and nothing's changed. I serve on the Council, but do you think I have decent property? Land for my animal to roam? Room for a family? Their land is worth a fortune."

"Ah, so you just want to make a fast buck at the expense of all these lives. Didn't you swear some kind of oath?"

He tightened his grip on my arm. "These people are nothing but rapists and liars. They lured you out here to have their way before killing you. I got here during the struggle, but it was too late."

Jack wasn't talking to me anymore; he was rehearsing. Was he bold enough to pull the trigger? Maybe he didn't possess the courage or the audacity to kill. Kaota still had his knife, but a bullet was faster than a blade.

"I'm just a girl," I said in a small voice, hoping it would be enough to tug at his conscience.

He suddenly pointed his gun at Crow and fired.

I stood paralyzed as the gun continued going off—shots so loud that my ears were ringing. Kaota and Crow fell to the ground. When the tip of the muzzle pressed against my cheek, I wrenched my arm and cried out. My entire life flashed before my eyes, and I realized how short a life it had been.

Lakota's wolf sprang to life. He moved so fast that he blurred, his jaws locking around Jack's arm and forcing the gun away from my head. It went off as I ducked forward and stumbled to safety.

Jack flailed, Lakota's wolf astride him and thrashing violently. The gun was nowhere in sight. Jack used his arm to protect his head and neck, but Lakota was ripping it to shreds. When Jack didn't shift, it revealed that his animal couldn't stand up to a wolf.

No mercy. Lakota was going for the kill.

I crawled over to Kaota and gaped at the gory scene. Fragments of Crow's skull were visible where the bullet had raced through his brain and killed him instantly. He'd taken another bullet in the neck and one in the chest.

Kaota had bullet holes in his throat and shoulder. I reached around and felt an exit wound on his nape. He was gurgling in an attempt to breathe, but the fact that he hadn't shifted led me to believe that the bullet in his shoulder had found no escape.

When I felt a bump on his back, I knew what had to be done. "Roll over," I ordered, pushing his arm.

Kaota rolled onto his side, clutching his throat and choking on his own blood. I found his knife on the ground and sliced over the lump, hoping the bullet would magically pop out. Unfortunately, it didn't.

"This is going to hurt," I warned him. At first I squeezed his skin, but nothing happened. Then I buckled down and did what needed to be done. Unable to see very well, I used my finger since I didn't want to stick the blade back in there and cut him worse.

He gave a raspy moan, and I dug fast to get it over with. Once I felt the metal lodged inside him, I quickly dug it out.

"Hurry and shift!" I squeezed his shoulder and scurried backward so his wolf wouldn't attack me. Kaota shifted and swung his head around.

I lowered my eyes submissively, uncertain if he had the strength to control his animal. The growl intensified, but before I could think about a plan, Lakota was at my side. He pressed himself against me and bared his bloodstained teeth at Kaota. It wasn't an aggressive gesture to provoke an attack but a warning that I was off-limits. Kaota shifted back to human form, breathing easier.

Dizzy, I leaned against Lakota and put my arm around him. "Lakota, this looks bad. Crow, the Councilman—they're going to arrest us."

Lakota suddenly shifted back to human form and stood. He turned away as if assessing the situation. When he looked back and saw me on my knees, he crouched down and cupped my face in his hands. "Are you all right? Mel, are you bleeding?" The urgency in his voice startled me.

I looked down at my hands as the horrifying reality sank in. "They're going to blame us for this. We'll get the death penalty for killing an official."

The higher authority played no games when it came to protecting anyone who fell under their umbrella, either directly or indirectly. Execution was swift and certain once they issued the sentence.

Wearily, he shook his head. "My wolf didn't kill Jack all the way."

I glanced over my shoulder at a wounded deer lying on its side. Jack's breathing was labored, his eyes glassy. He had healed some but not enough to prevent the permanent scars he would carry from Lakota's savage attack.

"Everything's going to be fine, Mel. On my word. If

he doesn't confess, I'll drag a Vampire down here myself to charm the truth out of him. Three of us heard his admission of guilt. His ancestors had an agreement with the tribe, so he has motive. The gas station owner saw them together a few times. Crow was also foolish enough to have kept everything, like a packrat. His compulsion to steal was his downfall. That's why Jack took him down. Even if Crow didn't squeal, Jack wouldn't get the land."

Still in shock, I asked, "If he knew Crow was going to kill us, why did he come out here and expose himself?"

"Kaota summoned the Council, so he didn't have a choice. He couldn't risk Robert finding out what was really going on. If I were a betting man, I would say he made a decision to get rid of the last link in the chain that would lead back to him." Lakota cradled my head in his hands. "We'll find out soon enough, but it's over."

I touched the raw scar on his chest where the knife had gone in, the taste of tears still on my tongue. "You died," I croaked, my voice as broken as my heart.

Lakota pulled me into his arms. "You brought me back to life."

CHAPTER 22

SINCE WE DIDN'T WANT TO disturb or abandon the scene, Lakota volunteered to head back to the house and call Robert to explain the situation while Kaota and I guarded Jack's wounded animal, making sure he didn't escape. After Jack shifted back to human form, Kaota's wolf sat beside him as a warning not to run.

When the remaining members of the local Shifter Council arrived, they searched Crow's house and property, collecting every scrap of evidence. They took statements and called the higher authority, which sent out two Regulators to review the evidence and formally serve Jack with an arrest warrant. He didn't say a word as they put him in the car.

Not that it mattered. Now that they had sufficient proof, a Vampire questioning was probably in his future to expose his sordid plan. There were strict rules about using Vampires to charm the truth out of people; the higher authority preferred hard evidence to a confession since a person's mind could be manipulated too easily. Jack had coveted the tribe's land, but the only way to acquire it was if Shikoba's people were convicted of something so heinous that the Council would have to legally evict them. And what better way to oversee that than to take a seat on the Council? It made me wonder how long he'd been scheming against the Iwa tribe. Robert didn't seem to have any knowledge about the old contract between

Jack's family and the tribe, but it was legally binding and easily accessed through their archives.

After giving the Council my side of the story, I went out to Lakota's truck and fell asleep. I was emotionally spent and physically exhausted. I didn't remember the drive back, only the sensation of him carrying me in his arms. How he had the strength and energy after the hell he'd just been through was beyond my understanding. I'd underestimated what a warrior Lakota truly was.

At one point, I opened my eyes and found myself curled up in his lap in Shikoba's living room. A bright glow from a burning log on the grate brought warmth, but it was incomparable to the warmth of the man holding me. Lakota was sitting straight up on the couch, his head resting against his shoulder, eyes closed, and arms wrapped around me. Though I had questions about Tak and the Council, Lakota needed rest, so I didn't wake him. Instead, I nestled against his chest and listened to the sound of his heart beating—the most beautiful sound in the world.

"Melody, time to wake up."

The blanket slid away from my face, and I groaned. Light slipped between my closed eyelids and forced them open. It wasn't from the fire. Sunlight leaked through a window on the second floor, where an older woman was leaning against the railing, watching us. When she smiled, deep lines formed in her cheeks.

I swung my gaze to the left, where Lakota was standing, dressed like I'd never seen him—brown trousers, a matching vest, and a long-sleeve white shirt. His hair was silky and loose, and a beaded choker made from black and turquoise stones encircled his neck. My eyes traveled down to the plate of food in his hand.

Despite the inquisitive stares from above, I sat up and

grabbed the plate like a ravenous animal. Two biscuits and five pieces of bacon later, I noticed that someone had dressed me in a turquoise-blue shirt. Fortunately, I still had on my jeans, but my hands were clean and no longer stained with blood.

Lakota folded my blanket and set it on the hearth.

"Where's Tak?" I asked. "Did they let him go?"

Lakota put his hands in his pockets. "They won't release him just yet. They found his bag and weapon by the last victim, and he's still not denying involvement."

"Why not? We caught the killer."

"He has no idea what happened last night. The Council is treating it like two separate crimes until they get Jack's testimony, and I don't know how much Jack knew about what Crow was doing at the crime scenes."

I set the empty plate aside. "It's not right."

"Agreed. But that's for the tribe to resolve. And to think, all this time, they were looking for a wolf. Koi's wolf had gashes on his neck. If Crow didn't do that with his knife, you can bet it came from his owl's sharp talons. The tribe won't dig up Koi's body and shave his fur just to verify the exact cause of death. It would be violating sacred ground." Lakota shook his head. "I don't know what will become of Tak."

Lakota suddenly swung his gaze up to a man walking by on the upper floor. Then he lowered his voice. "Your phone rang three times while you slept. I don't know if it was Hope or your family, but your absence hasn't gone unnoticed. It's time for you to go home."

"Why are you all dressed up?"

He held out his hand. "Come with me, wife. We have a wedding to attend."

I rose to my feet. "I'm a little underdressed for a mating ceremony."

Lakota smirked. "I wouldn't have it any other way."

"That's because it's not for real. Why did you bother dressing up?"

He pinched my chin. "My clothes are drenched in blood."

After he directed me to the nearest bathroom on the first floor, I washed up. My hair wouldn't cooperate, so I tied it in a ponytail and pulled a few strands free on each side. Strangely, I felt torn about returning to my normal, humdrum life where I belonged. Business here felt unfinished. Maybe it was Tak not returning, or maybe I'd grown too comfortable being around a pack again.

Or maybe I'd fallen in love with Lakota.

I was old-fashioned, so I didn't want to be the one to make the first move. Although I had to laugh. Did I actually want Lakota to court me when we were about to get mated in a few minutes? While we'd gotten tangled up in each other's lives for a few days, Lakota didn't love me. He couldn't. I'd been through enough relationships in my life that I could feel the difference, but Lakota had never learned how to separate sex from emotions. It was all new to him. Even if he *did* feel something for me, he would quickly come to his senses in a few days.

Or after bedding another woman.

Eventually he would return to Austin with more experience under his belt, literally. It would never be the same between us, and our reunions would be awkward. Perhaps that was what saddened me the most, knowing that what I felt for him was real and true, and that the mating ceremony would stand as a mockery of my feelings. I was going home alone, and my heart cried out for Lakota to make a declaration of love.

When I emerged from the bathroom, someone had left a pair of moccasins at the door. Blue patterns were stitched into the brown leather, and they fit perfectly.

Lakota lingered at the end of the hall, my multicolored purse in one hand and a large leather bag in the other.

"What's in there?" I asked.

"They packed you a meal. You can keep the bag."

I took the items. "That was nice of them."

He touched a strand of my loose hair and twirled it around

his finger before it sprang free. "If you don't make any stops, you should be home in six hours."

"I'll call Hope from the car and let her know I'm on my way. She'll relay the message to everyone else."

It was the first time I'd shared an awkward moment with Lakota. I scratched my head, uncertain of what to say or what he might say. Instead, neither of us said anything. Disheartened, I took his arm and let him lead me outside.

Shikoba was waiting in front of the Jeep at the far end of the gravel driveway. The vehicle sparkled in the sunlight, not a speck of mud or dirt on the tires. Members of the tribe were gathered, creating a pathway to their leader. Others watched from the porch and upper balcony. A young woman with feather earrings presented me with a beautiful handmade crown of wildflowers.

Two teenagers giggled madly when I slung my purse strap over my shoulder and hiked down the steps ahead of Lakota like a soldier marching to battle. He quickly jogged to my side and took my arm, coaxing me to match his slower pace.

Shikoba had on traditional clothing but no headdress—just a feather tucked in one braid and a large squash blossom necklace made from silver around his neck.

"We are here to witness the joining of two spirits," he began. "The fates have chosen you as life mates. We don't always know the reasons behind their decisions, but we must follow that chosen path and trust our wolf spirits to guide us."

From that point, he began speaking in his native tongue, and I didn't understand a word. I wasn't sure Lakota did either, by the blank look on his face. After Shikoba's lengthy speech, someone handed him a wooden cup, and he said a blessing over it. Then he placed his hand on Lakota's head. "You will feel no fear, for you are each other's protector. You will feel no loneliness, for you are each other's companion." Then he placed his hand over my head. "Your wolves will unite this day in spirit and will forever respect and love each other. Once found, we can never be lost."

He pushed down on my head, a smile tugging at his lips. I realized he wanted me to kneel or something, so I got down on my knees. Then he glared at Lakota, who quickly dropped to his knees beside me.

Shikoba held the cup between us. "Offer this to your mate to drink."

Lakota took the chalice first and gingerly cupped the back of my head as I took a sip of what I thought was wine but turned out to be something more like moonshine or pure gasoline. I coughed and gasped when it slid down the back of my throat like fire. Shikoba rocked with laughter.

When it was my turn, Lakota took a sniff and glared at me. "Are you going to be okay to drive?"

I tilted the chalice. "Drink up, husband." Some of the liquid dribbled out of the cup and down his chin as I made him finish every drop.

As soon as we completed the ritual, Shikoba said something in his language, then everyone whooped and hollered. They slowly dispersed, a few of them singing as they went back to their normal routine. I suspected their mating rituals were more elaborate and probably took up the whole day. Ours was more like a drive-through mating.

"It's not our traditional ceremony," Shikoba explained privately when we stood. "You're not of our tribe, but it's the joining in front of witnesses that makes it official."

I snorted. "And the moonshine?"

He shrugged. "A muscle relaxant for nervous wolves."

Taking his hand, I bowed my head. "Thank you for honoring our deal. This means a lot to Hope and me, and we look forward to a long relationship with you and your tribe."

The lines in his face cracked. "We have all done each other a good turn," he said, shifting his gaze to Lakota.

I reached into my pocket and handed him the turquoise turtle pendant. "Can you give this to Koi's mother? Crow stole it, but I want her to keep it."

He palmed the necklace and then leaned in close so no

one could hear. "You might have fooled them, but you haven't fooled me."

Lakota furrowed his brow. "What do you mean?"

"You two know each other. I may be old, but I'm not blind."

My shoulders sagged. "If you knew all along that we were friends, then why did you mate us? We could have made another arrangement."

His eyes twinkled as he looked up at a passing cloud. "My son is not the only one with a sense of humor. When you first came to me, you gave up too quickly. You accepted your fate without sacrifice or a fight. That is not the way of the world, young wolf. This mating will teach you more than you know about choosing your battles. Have a safe journey." With a wink, he followed his tribe into the house.

I ambled up to the Jeep and set my purse and the bag inside.

"Wait!" someone yelled.

I glanced back at Kaota jogging after us, his long braid flapping behind him.

He handed me something large wrapped in cloth.

"What's this?"

"My apology. You've honored my brother, and I hope you can forgive me. If my words aren't enough, then maybe one day this will save your life, and we'll be even. I'm an old wolf, and I don't always admit when I'm wrong." Kaota bowed. "Safe journey." Without another word, he walked away.

Lakota watched me unfold the cloth. "What is it?"

I held up a wooden bow—a finely crafted weapon, far superior to the one his friend had broken in two. It didn't have all the old memories, but maybe it was time to make new ones.

"That's an excellent bow," he remarked. "But I'm still going to knock his lights out for handling you the way he did."

"What stopped you from doing it before?"

"Bad luck to pick a fight on our wedding day."

I set the gift in the backseat and shut the door. As crazy as the past few days had been, I hated to see it all coming to an end. We stood there for a beat, listening to the rustle of leaves overhead and Shikoba's tribe singing in the house.

A small yellow butterfly flitted over Lakota's head, and I smiled.

His eyes steered up. "Butterflies signify change when they land on you. It's good luck. That's what my mother's tribe believes."

After a brief dance, the butterfly caught a breeze and floated away. I watched wistfully as it disappeared into the trees. "I guess it's time to go our separate ways. What are you going to do now?"

He looked back at the house. "I still have to settle things with Shikoba now that he knows who I am. He's not happy about me coming into their lives under false pretenses. We made amends this morning, but it's still not right between us. His son is still incarcerated, and—"

"Do you normally do this?"

"What?"

"Clean up the mess you made?"

His hair blew away from his face. "It's not part of the job, if that's what you mean. I guess it doesn't feel right to leave just because the assignment's complete. These are good people."

I scooted into the Jeep. "I guess that's it, then."

"Wait." He held my gaze and rested his arm against the roof. Lakota's eyes twinkled in the sunlight like a river running through a carved piece of rich soil.

"Yeah?"

"I'll be there for the opening. Your store, I mean."

"Don't make promises you can't keep."

"Can I ask you something?"

My heart skipped a beat. "Sure."

"What's your Shifter craving?"

I felt my cheeks flush. "Why?"

"I just feel like it's something I need to know."

Lowering my eyes, I revealed a personal detail about myself that I told few people. "Lemons. I crave lemons." A soft breeze cooled the inside of the cab. "What about you?"

Still leaning against the Jeep, he avoided eye contact. "Salt."

I barked out a laugh. "Seriously?"

Humor danced in his eyes. "It's not something I brag about. I can eat cups and cups of it."

Who was I to judge? I sucked on lemons after a shift. Besides, I found it endearing that he had a bizarre craving. All this time, I'd imagined him gnawing on steak or something manly like that.

"I hope everything works out with Tak."

"Me too." He slammed the door, and we smiled at each other. Even though things hadn't turned out as I'd hoped, the memories would stay with us always, just like the scar across his heart.

Then I killed the moment with a sledgehammer when I turned on the car and Engelbert Humperdinck sang "Release Me."

Lakota belted out a laugh and stepped back. "Goodbye, wife."

"Goodbye, husband. See you around someday."

I waved before turning the Jeep around and departing tribal lands. I couldn't help but smile as I looked back at Lakota standing beneath a canopy of trees in that adorable vest. Even though I felt a tugging at my heart, our friendship, if nothing else, would always keep us connected. We'd come full circle. The fates had finally privileged me with the opportunity to repay my debt for his saving my life twice over. Though he couldn't be mine, he was my soul mate in all the ways that mattered.

Maybe that was all we were meant to be to each other.

A lifeline.

CHAPTER 23

Moonglow
Opening day

"THEY'RE HERE!" I SANG, SEARCHING the open doorway behind the counter. "Hurry up or you'll miss the action!"

Hope appeared with a platter of homemade cookies that my aunt Lexi had brought over earlier that day. "The only action is going to be watching our family members collapse from heat exhaustion," she said, nodding at the front windows, where everyone had gathered outside.

My uncle Denver put his mouth to the glass and blew hard.

I put my hands on my hips. "Trust me, the line will attract attention."

She set the platter of sweets on a table next to the champagne. "So will Naya in that leather dress."

"It's all part of the plan," I said slyly.

The clock on the wall read two minutes till nine. Saturday morning was a good day for an opening, and the weather couldn't have been more agreeable.

Hope examined the table, which was filled with cookies, brownie bites, and champagne. We wanted the customers to feel welcome even if they didn't buy anything on their first visit. Business cards were neatly laid out, and instead of wearing uniforms, we were modeling our clothing and jewelry lines. Hope's brown harem pants lent too much mystery to a girl blessed with attractive curves and a round backside, but she was showing off her narrow waistline with a puffy blouse tied at the midsection. I'd decided to wear the same jean shorts we'd put on one of the mannequins. The lace hem went perfectly with my sheer white lace top and black undershirt.

Hope had displayed all my custom sneakers in the front-right window to attract the kids, and we'd put all the purses in the left window for their moms.

She dusted a few crumbs out of sight. "What if no one buys anything?"

"Are you kidding? I bet your dad is going to snatch up half your jewelry for your mother. I didn't realize so many people in my old pack would actually show up," I said with worry. "Especially my uncles. Shopping isn't something they like doing. I hope they don't crowd the store."

"I'll send them outside to sit at the tables," she said decidedly, smoothing her long hair. "Your brothers had a good idea about putting those out front."

"Yeah, but people are going to think we're a café."

She lifted a cookie off a plate, her hand shaking. "Today we are anything they want us to be, so long as they come inside. And who knows—maybe if it's in the budget, we can buy pastries from your aunt and do this once a week."

I took the cookie from her hand and put it back on the plate. "That's not a bad idea. You see how good we are as business partners?"

Hope's face flushed, and she wrung her hands. I sensed it was more than nerves.

"Are you okay?" I asked, noticing she was breathing faster than normal. "We can wait a few more minutes if you want. There's no rush."

I knew opening day would be overwhelming for both of us, but Hope suffered occasional panic attacks—particularly in public places with a lot of people. Hope had grown up more sheltered than I had, and she'd never been quite herself after the wolf attack she'd experienced as a girl. The episodes came on unexpectedly, and once she'd even shifted. Although it brought an unpredictable danger, she never allowed those fears to rule her life in a way that prevented her from living it. I admired her in so many ways for that.

Hope wrapped her arms around me. "Thank you for making my dreams come true, sister."

Squeezing her tight, I said, "Same goes to you."

"I mean it."

Without even seeing them, I could sense her tears. The deal had meant so much to her, and we'd celebrated the night I came home.

Hope drew back and took a deep breath. "Shall we?"

I gripped her hand. "We shall."

Both our packs were lingering by the windows, peering in and talking among themselves. My dad held a proud look on his face, and he'd even dyed a purple streak in his long hair that matched mine. My mother wiped away a tear and smiled in hopes of hiding all those mushy feelings, but I felt the emotion and support like never before. It wasn't just that they knew I would be okay financially, whether I joined a pack or not. After years of watching a little girl digging for change to buy scrap material, my family was finally getting to see my dreams realized.

It looked like Lorenzo and my dad were going to beat the hell out of each other for the privilege of being the first inside.

I unlocked the door and opened it slowly. "Moonglow is officially open for business."

Cheers erupted, and one by one, they piled in. Everyone gave us a hug and their congratulations as they passed by.

"Now *this* is what I'm talkin' about," Wheeler said, scoping out the boutique.

My handsome alpha brothers swaggered in next, their

russet hair caught in a flash of sunlight. They were strong men with good hearts, but they would always be my little brothers.

"Thanks for helping." I gave Lennon a hug, then Hendrix. They were incredibly tall and had inherited that trait from our father. "Try not to hit on all the female customers, but feel free to sit at the tables outside and draw them over."

Hendrix chuckled. "Don't worry, sis. There's a line to get in."

"We'll save our good looks for a last resort," Lennon added. "That champagne is calling my name."

Arching a brow, Hendrix said, "Yum. Cookies."

"Don't eat them all!" I tried to keep my voice down as they hurried to the snack table.

Not everyone was there to buy. Some members of the pack gave their congratulations, grabbed a cookie, and headed outside to linger on the sidewalk and chatter. Others were doing some serious shopping. Our clothes were not only displayed on the racks but also hanging up on the walls to utilize space. We had long rods with hooks at the ends so we could reach the higher ones.

Hope and I greeted each new customer who came in, many of them people we didn't know.

"I'll work the register," she said quickly when a line formed at the checkout counter.

In a sudden moment of panic, I thought, *What if everyone cleans out the store in one day?* We had plenty of merchandise in a storage facility, but I hadn't planned on restocking the same day.

"*Bow chicka wow wow.* You bought the sexy ones," my uncle Denver said to his mate. My aunt pinched his side, and he stole a kiss before heading over to the snack table.

My former Packmaster put his hand on my shoulder. "I'm real proud of you. Someday you're going to join a pack, and this store is going to be a huge contribution."

I didn't have the heart to tell him that my plan for opening a store wasn't a means to impress a pack, but I knew what he meant, so I thanked him. Our kind had a long history of slavery, so it was a big deal when a Shifter found financial success. Packmasters were more inclined to accept you into their pack because of it.

When the crowd thickened, two of my aunts ushered our family out the door so new customers could move around.

"Darling, this is fabulous!" Naya purred. "I'm going to tell all my contacts about the best little boutique in town."

"Thanks so much." I smiled down at her two bags. "You could have gotten that for free."

She shook back her curly dark hair and winked. "Call me when you have that red shirt with the lace in stock. It's fabulous. The wench by the counter took the last one."

I smiled blithely as she sauntered out the door.

Two weeks ago, I'd placed an ad in an online Breed newspaper. Word of mouth wasn't enough for me, and I wanted to make sure everyone knew about the new shop in town. By the looks of the crowd gathering outside, the ad had been worth every penny. A few Vampires in dark shades wandered in to check things out, as well as a few Relics I recognized. Most of the crowd were Shifters, and most importantly, several Natives were admiring the jewelry display. Two of them were from a prominent pack in the territory. We'd included a guarantee in the ad that all our gemstones were "Iwa tribe certified," and since their reputation preceded them, that was all it took to get the message across.

Toward the end of the day, sales were stellar and spirits high. Hope and I kept busy assisting customers with questions, ringing up orders, cleaning, and handing out coupons for their next visit. My feet were killing me, and I planned to burn my sandals in a lake of fire as soon as I took them off.

Most of our former packmates had gone home, but a few remained. Three of my uncles had headed up the street to a hardware store and killed about three hours in there. My aunts and a few women in Hope's old pack had gone to lunch at a nearby café, then later returned to help us clean up after the shop closed. Cookie crumbs were everywhere, not to mention the trash cans were filled up.

Lennon and Hendrix could have taken off early, but they'd sat outside, flirting with shoppers and coaxing them inside. Redheads were rare, but a common belief that they always produced alphas existed, and since alphas weren't born into every family, redheaded males received plenty of attention from the ladies.

At six o'clock, we turned the sign on the front door and closed shop.

"Move those out of the way," Lorenzo ordered, pointing at a rack of clothes. "I don't want any food or drinks to spill on them."

Denver and one of Lorenzo's packmates dragged a few racks of clothes against the wall to make an open space in the middle of the store. We had temporarily rearranged things, moving the outdoor tables and chairs inside so we could have dinner as a family. Though we could have gone out for barbecue, Hope and I suggested gathering together for a meal in the store. We wanted to build memories *in* the store, not just around it. The long snack table filled the center of the room, and they'd bought a few cheap folding chairs from the hardware store.

Sitting at that table suddenly made me miss home—miss the feeling that only a pack could give. As much as I resisted the idea, I knew my uncle Will was right. Someday the calling would be too great, and I would have to make a tough decision about joining a pack alone or finding a mate who might not support my dreams. Maybe that was selfish, but my dreams were all I had. They were the very core of my identity.

Lexi turned a paper sack upside down and dumped burgers from the local Whataburger onto the table. They quickly got passed around. Hope and I sat across from each other, exhausted smiles on our faces. Her parents sat at the head of the table on my left, while my former Packmaster sat to the right with his back to the windows.

My dad nudged my shoulder. "You did good, Mel. This is a kickass place, and if you ever need a live band—"

I laughed and glanced to my right. "I'm not sure if we could manage the stampede of all your adoring fangirls."

He kissed the top of my head. "Nothing I wouldn't do for my baby girl. You dig?"

While everyone chatted, I managed to gobble down two junior burgers and a small fry. While listening to everyone chatter about the great turnout and the beautiful weather, I sat back and sucked on a chocolate milkshake, basking in the glow of a successful launch.

My father raked his fingers through his hair. "I still remember when she was six and went into that shoe store."

I gripped his arm. "Please don't tell that story. You *swore* you'd never tell that story."

He stared at me straight-faced. "I paid over five hundred dollars for those boots. I *earned* the right to tell this story. So we're going through this department store in the mall, and while I'm asking a saleslady where the belts are, I turn around and Mel's gone."

Everyone at the table chuckled. It wasn't the first time I'd taken off in a department store.

My dad played with a bear claw hanging from a chain on his neck. "So after thirty minutes, I find her in the shoe department. Fancy shoes. Dolce & Cabana."

"Gabbana," I corrected.

"That's what I said."

Uncle Reno covered his face, a laugh caught in his throat. "Don't tell me she had the markers."

The ladies' mouths dropped.

Hope's brows knitted. "What markers?"

I laughed and shook my head. "You've never heard this story. I went through a permanent-marker phase. Blame

Denver. He showed me how easy it was to make Reno's boots look like new again."

Reno glared at Denver, who smiled at his burger and said nothing.

"Anyway," my father said, gathering everyone's attention. "I walked up and found Mel coloring a pair of knee-high boots. White boots."

Hope cringed.

"Not leather but some kind of lacy, expensive shit. When I asked her what she was doing, she said, 'They did these wrong. I'm fixing them.' So I had no choice. Mel needed to learn her lesson."

Reno's eyes narrowed.

My dad ate another fry, holding everyone's rapt attention. "I don't mess around. If you cross the line with me, I'll kick your ass. The salesman grabbed her by the arm, and I gave him a close-up of my knuckles. Three times, just in case he missed the first two. Then I bought the boots for Isabelle. They didn't fit, but she's still got 'em up in the closet somewhere. The lesson Mel learned that day was that I'll support her no matter what."

He messed up my hair as if I were that little girl again, and I smiled nostalgically.

"Tell me how it is that you secured a deal with the Iwa tribe," Lorenzo said, dipping his fry in his ketchup container. "Hope was evasive with her answers. I've met Shikoba, and he's a shrewd businessman who's turned down more people than he's negotiated deals with."

I scratched my throat. "Trade secret. I'm afraid I can't discuss contractual details. It would be... unprofessional."

Denver barked out a laugh. "You tell him!"

Lorenzo looked peeved and sat back. "Fair enough."

I had a sinking feeling that he might call Shikoba to try to pry the answer out of him. Hopefully Shikoba would be discreet and not discuss what I'd actually done to lock in our deal.

My thoughts ran away with me, and I glanced wistfully at a man passing by the front window.

"Is something wrong?" Hope asked.

I swung my gaze across the table and feigned a grin. "No, I'm just exhausted."

Lexi snorted. "Welcome to my world, ladies. Why don't you look at your budget at the end of the month and see if you can afford hired help? Atticus has been a godsend, working at the bakery these past few years. You're going to have days when you have to negotiate with vendors or just don't feel good and want to stay home. It's more stressful to close the shop unexpectedly, so think about hiring a part-time worker who can fill in when a bomb drops on your life."

"What bomb?" I asked. "Nothing could possibly turn my world upside down overnight."

Just then, knuckles rapped on the glass door. When I leaned back to get a look, I saw Lakota with his hands cupped around his eyes, peering inside.

Boom.

CHAPTER 24

"LAKOTA!" HOPE'S MOTHER FLEW OUT of her seat and rushed for the door, her long braid swinging behind her.

Lorenzo rose to his feet while wiping his hands on a napkin. He looked like he wanted to say something, but he remained quiet with a skeptical look on his face. Hope covered her mouth, her eyes filled with tears of joy as she sprang from her seat and ran over to greet him.

I scooted down in my chair, panic rising like a tide. After hugging his mother, Lakota lifted Hope off the ground in a bear hug that only a brother could give. I envied her in that moment.

"You did it, baby sister. I'm proud of you."

When her feet touched the ground again, my heart began to beat so fast that I couldn't breathe or think straight. I casually lifted my milkshake from the table. "Hey, Lakota." My trembling hands belied my calm greeting, so I set the cup down without drinking from it.

He flicked a glance at me and smiled as he bowed in greeting to everyone. Caleb, Lorenzo's second-in-command, gave up his seat so that the only thing between Lakota and me was my uncle Wheeler.

Hendrix coolly leaned back in his chair, balancing on the

rear legs. "Good to see you, stranger. Do you want to sit with us at the kiddie table?"

Lakota set down a small box and looked at the round table behind me. "Let's hang at Howlers tonight and catch up over a few beers."

"Sounds like a plan," Lennon said, returning to his conversation with William.

I felt sweat beading on my upper lip and the back of my neck. While I hadn't expected Lakota to show up for our opening, I'd been preparing for it in my head. I would be sophisticated and greet him with a friendly kiss, ask him how life was treating him. We would drink champagne and laugh like old friends. But there I was, gripping my chair like a terrified passenger on a jetliner plummeting toward the sea.

Why does he have to look so damn good? That sleeveless blue shirt was practically married to his chest. His dark denims were a perfect fit for a man his size, and the leather choker with a silver arrow wasn't a piece I'd seen on him before. The silver wolf belt buckle encased in turquoise pulled my attention right to his crotch. Even with my uncle between us, I could smell his cologne, and he'd never been big on that kind of thing. Then again, the old Lakota had wanted to repel women's sexual advances, not invite them.

I peered down at his black boots, and when I realized that he was noticing me noticing him, I stripped my gaze away.

Lorenzo patted his shoulder before taking a seat. "What brings you back home? Vacation?"

"You could say that. I wouldn't miss the store opening for anything, even a free barbecue day at The Pit."

Everyone chuckled.

Ivy looked across the table, her face fraught with worry. "How long will you be staying this time?"

Lakota pilfered a fry off Wheeler's napkin. "Actually, I've been thinking about retiring. Not sure if everyone here knew, but I've been working as a bounty hunter these past few years.

It's given me a lot of experience and income, but my wolf feels the call to come home."

"Good for you," Austin said, slapping his hand on the table.

Lakota flashed me a look I couldn't discern, and I shot out of my seat.

"I have a cake. Let me go get it," I said robotically, fleeing the scene before someone in the room picked up on my anxiety.

As soon as I entered the break room, I paced back and forth. *I can't believe he actually came! And here I am, acting like a startled rabbit. What if he says something? When did he start looking and smelling so damn good? I probably smell like sweat and hamburgers.*

I walked past the four-chair table and yanked open the fridge door. My heart still racing, I pulled out the red velvet cake and set it on the table. *Snap out of it, Mel.*

"Hey."

Lakota startled me so much that I stumbled backward.

"What are you doing in here?" I whispered.

"I told them I'd help you cut the cake." He chortled and closed the distance between us. "Is something wrong?"

"No, nothing."

I flipped open the box and stared at the white icing with MOONGLOW written across it in fancy letters. My aunt had made it especially for our first day. She'd decorated it with a crescent moon and tiny yellow sprinkles as stars. It was simple, delicious, and melting on my fingertips as I sliced the first row.

I tried to remember the original plan to act like a calm, rational human being. "Is Tak still in jail, or did the Council finally come to their senses?"

Lakota folded his arms. "That's a long story. I didn't think they were going to let him out, so while they questioned him, I took food out to the families he's been helping. It wasn't easy to find them all, and when they heard what was happening with Tak, they went to the Council and pled for his release. They were living illegally on the corners of private land, so they knew the risk of coming out in the open."

"Why did they do it?"

"I guess they didn't want to see a man arrested for doing them a good turn. The Council released him, but I don't know. I have a feeling things will never be right between us." Lakota rubbed his chin. "I don't usually make friends on the job, but Tak was different."

After wiping icing off the knife, I sliced a second row. "What happened when he got home? He was worried what his father would think about his actions. Not so much taking the fall for the murders, but what he'd been doing all that time. Stealing from the tribe... even if it *was* to help others."

"That's the thing about family. Sometimes you spend your whole life fearing that you won't live up to their expectations, then they turn around and surprise you. Shikoba was proud of Tak for being a man and standing up for what he believed in, even though his silence had kept him in jail. He ended up giving a piece of his land to one of the families so they can build a homestead, and he hopes that other Shifters in the region will be as compassionate for the lost."

I set the knife on a napkin. "No kidding? Wow. That was an awesome gesture. I bet Tak really liked that."

Lakota took the knife and began cutting the cake in the other direction. "The Council was so impressed by it that they offered Shikoba a seat."

"Did he take it?"

His blue eyes twinkled at me. "I see the worry in your eyes, but Shikoba isn't quitting his job as a gemstone dealer anytime soon. That's his bread and butter. He accepted the position. The Council has been less than inclusive over the years, and they think it might help to mend the rift in the community. Shikoba makes good money, and he offered to create opportunities in the more populated areas of the territory—building retail shops to sell blankets, jewelry, and other goods the tribes make. Locals are free to sell their wares and apply for jobs, and some of the Shifters in the community need work. It's a good plan. It'll build up the economy and create friendships."

Shikoba was a wealthy man, but you would never know it. I didn't remember any flashy cars on his property or expensive electronics. "Maybe he should open a casino for tourists," I suggested. "That would create a lot more jobs."

"I'll tell him. He might take it under advisement, but I don't know where he stands on gambling." Lakota eased up beside me and tucked a lock of hair behind my ear. "You look pretty today, wife."

I gave him a lethal glare. "Keep your voice down."

Lakota grasped my hand and drew my finger into his mouth, sucking off the white icing. I wanted to pull away, but all I could do was watch his lips gliding over my fingertip and the hot look in his eyes.

He let my fingertip rest on his bottom lip. "Or what?"

When my cheeks flushed, I spun around to get the paper plates.

Lakota came up behind me and caged me against the counter, his body pressed against my back, his mouth to my ear. "I missed my wife." He slid his hand between my legs, briefly reminding me of our passionate lovemaking. Something about the way he cupped me was wonderfully possessive. "I came back for you, Mel."

"No, no, no," I said, turning around and pushing him back. "You can't say things you don't mean. I get the humor in this, but it's not something I want to joke about."

"I only partially went through the mating ceremony to help you with your business."

"It was just a lie."

He stepped forward, his voice sincere. "Not in my heart. I came here to court you for real."

Laughter erupted inside the store, but it was barely enough to distract me.

I looked at the way his rich brown hair framed his face, and his eyes were so striking that I couldn't seem to notice anything else. "I know you, Lakota. You're always trying to do the right thing. But you don't have to feel guilty just because you're not looking out for me. That wasn't part of the deal. The ceremony was for Shikoba. Don't quit your job because of this."

He cradled my neck in his hands, his thumbs gently stroking my cheeks. "I'm not doing this because of obligation or pride. I want to be your mate because I love your wild heart."

Breathless, I stood frozen for a second. "It's just the sex talking. You can't fall in love with the first woman you sleep with."

"I didn't fall in love with you because of the sex. I had sex with you because of the love."

My pulse quickened.

Lakota looked deep into my eyes. "My wolf felt something for you that night in the snowstorm. And when you walked back into my life and I felt that same feeling again, I wasn't sure what it was."

"Nausea?"

"Love, Melody. A different kind of love from the one I feel for family—a love my heart has never carried for another."

"Why didn't you tell me this before I left?"

"I had to finish the case. Don't think it wasn't hell to let you go, but I couldn't leave you hanging with words." He touched his forehead to mine, his voice softening as he placed my hand over his heart. "Do you feel anything for me?"

I'd fallen hard and fast for Lakota—there was no denying it.

Not waiting for an answer, he placed a reverent kiss on each cheek. "I'll never take away your dreams—I'll help you build them. It took me years to understand this feeling, and maybe this is all sudden, but you're my life mate. I know it, and my wolf knows it. I'm not going to walk away from us, and I'll fight to the death for you."

My wolf sang. Lakota gave me the words I'd longed to hear but no man had ever given me—words of reassurance. A promise that he would stand by my side and build a life *with* me, not around me. I wanted to fall into his arms and give him everything.

"I'm only asking for one thing in return," he continued.

"What's that?" I whispered.

Lakota gazed at me ardently. "Your heart."

"Where's that cake?" someone yelled.

When I tried to look away, he lifted my chin with the crook of his finger. "Do you have any feelings for me?"

"Lakota…" My lip trembled. "I can't even breathe when I think of life without you. And I'm not that girl. I've never been that girl who hangs on the dream of a man. I can't stand here and pretend that I don't love you, but it will never work out. Not like this. My deal saved Hope, but it ruined everything for us." My breath hitched, and I felt on the verge of tears. "How can we do this and expect everyone to just accept it? My pack, your stepfather, the lies—"

His mouth was on mine, his strong hands encircling my waist. My head whirled with fear and worry, but my heart only knew one thing: I needed Lakota in my arms. When our kiss broke, I nuzzled my face against his neck. I belonged in his embrace, and maybe I'd always known that he was my home.

"I want to be your shelter," he whispered. "I want to be your shield. Tell me you don't want that."

"I'm just afraid of being blindsided," I said, breaking down my walls. "I'm afraid of loving you so hard that I won't even see it when you realize I'm not what you really want."

"You're everything—my world, my heart, my soul, my future. There is no other. You're the only female I want to share my life with—the only one who makes me feel alive. I know what you're afraid of, but I'm never going to hurt you. I would end my life before causing you pain."

He delivered a crushing kiss, his tongue still sweet from icing. I melted against him until our kiss became feather-soft. Lakota lifted me off my feet and held me tight for what seemed like ten lifetimes.

"Did you two fall in a hole?" Denver shouted. "Don't make me come in there."

Panicked, I wriggled free and danced around him. "You get the plates and—"

"I'll get the cake, female." He lifted the box and winked. "I wouldn't want your nervous hands to drop it on my stepfather's lap. Don't worry, Mel. I'll sort this out with our family. We'll do it together."

I followed him through the doorway with a stunned expression, still uncertain about how to label our situation. Were we a couple? Mated? Secret lovers? Friends with benefits? What did he mean by sorting it out? My family would never respect me after finding out what we'd done.

"Finally," Reno grumbled. "People are starving in here."

Everyone applauded the cake, even though most of them had seen it when Lexi brought it over earlier that morning. Lakota set it on the table in front of Lorenzo, and Ivy began placing the sliced pieces onto the empty plates before passing them around.

Meanwhile, Lakota and I moseyed back to our seats. Wheeler was still sitting between us.

Lakota reached around and handed me a package. "Someone left this in my truck with your name on it."

"What is it?"

"Open it and see."

I tore away the brown paper and opened the small cardboard box. Inside was a tiny black box with a card. I read the card first, and the only thing on it was Tak's signature scribbled beneath a big heart with an arrow drawn through it. I furrowed my brow and opened the box. Tucked inside the black felt was a silver ring in the shape of a snake that wrapped around three times.

"Who's that from?" Hope asked.

I smiled, thinking about the scene at the creek when I'd crawled onto Lakota's back. "Someone who thinks he's funnier than he is." I showed Lakota, who smiled back in amusement.

My dad leaned over. "Cool ring. What's the occasion?"

"Someone has an admirer," April teased.

"One that doesn't know her very well," Hope added. "Mel hates snakes."

"It's a wedding gift," Lakota announced. "For the bride."

All eyes looked up in thunderstruck silence. Lakota was a jokester, but when he didn't laugh, Lennon and Hendrix turned in their chairs, alpha energy pulsing off them. "What's going on?"

My mom leaned around my dad to look me straight in the eye, and my hair stood on end. "You *mated* someone? Without telling me?"

My dad grabbed the card. "Who's this *Tak*?" When I didn't answer, he searched the packaging for a return address.

The tension in the room was palpable.

Lakota held his head high, a smile playing on his lips as if he didn't have a care in the world about what was going to happen next. "Melody and I fell in love. We ran into each other recently, and while you might want to call it coincidence, the fates brought us together."

Lorenzo placed his hands flat on the table, his hair curtaining his face as he stared down. His alpha power licked against my skin. "And you had a mating ceremony?"

I nodded.

Wheeler sat back. "And boom goes the dynamite."

It felt like a gorilla had just sat on my chest, especially when I heard my brothers kick back their chairs.

Lakota strode around to the back of my chair and took my hand for me to stand beside him. "We're not children anymore. I'm a man, and Melody is an extraordinary woman. Our decision wasn't meant to hurt you."

"I don't get it. When did all this happen?" my aunt Maizy asked, a look of bewilderment and curiosity in her eyes.

Hope walked away from her chair.

I've ruined our special day, I thought.

When she circled the table and reached us, she looked up at Lakota, tears falling from her eyes. "Is this one of your jokes?"

"No, sister. I've always been friends with Melody, but now it's different. *We're* different."

She searched our eyes while I ignored the grumbles coming from the table. After a pregnant pause, she surprised me with a tight hug. "My sister," she whispered.

I felt a lump in my throat. Hope had always been the sister I'd never had, and her approval made it real. Now we were bound together by family.

Lakota's mother came around next and kissed my cheeks.

"I didn't think you would be happy about this," I said, barely able to look her in the eye. "About me."

"Why would I not be happy? You were always a daughter to me, and now the fates have made it so. But you two had no reason to keep this a secret."

When my father rose to his feet, his chair fell over. He stood taller than everyone in the room. "Come with me," he said tersely, grabbing Lakota by the arm and hauling him into the back room.

My mother was crying, still seated in her chair. I'd rarely seen her cry, and it scared me.

I bent down and wrapped my arms around her shoulders, burying my face in her red hair. "Please don't be mad at me. I'm sorry I didn't tell you sooner. It just happened so fast."

She turned in her seat. "Do you love him?"

The pack ceased their chatter. Couldn't they see my answer by the look in my eyes or the blush on my cheeks?

Before I could answer, Lakota strode back into the room,

my father behind him. "I have a confession to make," he boomed. "You want to know the real reason Melody and I are mated?"

Oh my God. My life is over.

Lakota stopped at the end of the table by Lorenzo. "By chance, we ran into each other in Oklahoma while I was working a case. Mel was there for a business meeting. The reason I chose to have a mating ceremony with Melody is because... I love her. If you doubt my conviction, then we'll do it again for all the packs to witness. This female has my heart—has my wolf's heart. You can judge us for making an impulsive decision, but that won't change how we feel about each other. I won't have talk that paints us in a bad light in this town. I'll do whatever it takes to make amends with her family," he said, looking toward Austin. "But I don't owe anyone an explanation for loving the woman. My love doesn't come with apologies."

My father stood behind him, the baleful look from moments ago replaced with a look of satisfaction. Maybe he understood what it was like to be caught up in something you had no control over and be on the receiving end of so much criticism. Whatever Lakota had said to him had smoothed things over, but my brothers still looked ready to kick someone's ass.

"So what's your plan?" Lorenzo asked. "To quit your job to work a cash register?"

"You can balk about my decisions all you want, but my first duty is to protect my mate. I know some of the Breed around here might give Hope and Mel trouble because they're two single women on a prime piece of real estate. If anyone so much as gives them a dirty look, I'll bury them deep in the mountains. My presence will extinguish any assumption that it's open season to harass or drive them out. Once I make sure there's no threat to their business, I'll focus on what comes next. Bounty work has paid me well, so I'm not exactly hurting for money."

Austin cracked his knuckles. "What about a pack? You can't just get mated and stay rogue. Without a pack to protect the business or my niece, you'll have a target on your back."

Lakota's eyes met mine. "My pack is standing right there. Any decisions we make, we make together. Right now, we've got a new business to focus on. No worries, people. We're going to head over to the Council and make our union legal so there's no doubt that we're together. Another mating ceremony is unnecessary, but a peace party would give me a chance to make a few connections and make sure everyone in the territory knows that Mel is mine. I was hoping you might help us celebrate, Austin. Nobody throws a peace party like the Weston pack."

"True that," Denver agreed before shoving a handful of fries into his mouth. He wiped his salty fingers on his T-shirt and noticed Austin giving him a cross look for undoubtedly trying to lighten the mood. "What did I say?"

I took a deep breath. "You're my family. And family doesn't keep secrets. We include each other in our lives. I know this is sudden, but I chose to be with Lakota. If you love me, you won't try to make me regret that choice. I never will." I looked around the table at each and every one of them. "Being mated always terrified me because of the changes and sacrifices that go with it, but I'm not afraid anymore. The only thing I'm afraid of is losing my family because of it."

We stood there quietly, waiting for someone to say *something*.

Wheeler abruptly rose from his chair and sat in my empty seat, murmuring to himself, "Stay for burgers, they said. It'll be fun, they said."

Lakota rocked on his heels. "Today is Hope and Melody's celebration. If anyone wants to confront us about our union, let's do it after we celebrate the most kickass store this side of Texas. Agreed?"

Lorenzo clapped his hand on Lakota's shoulder and smiled. "You sly dog, you."

People chuckled, and everyone resumed eating, except my brothers, who were staring daggers at Lakota. Sensing their disapproval, he walked over and spoke quietly with them. My brothers had no say over my decisions, but they'd always been protective of me since we were kids. Clearly they felt like any man who wanted to court me should have gone to them for their approval. My mother appeared satisfied with Lakota's speech, and she smiled at me. We would have a lot to talk about later, but part of her reluctance had to do with watching her little girl grow up, and my belonging to someone else was probably the hardest part of all. Suddenly everything felt normal again.

Lakota took my hand and gestured to the front of the store. "Come with me."

We branched away from the group and stepped outside, the door closing behind us. My skin warmed immediately in the glow of the afternoon sunshine.

"I'll make it right with the packs," he said. "On my word. No matter how long it takes to win back their trust, I'll do whatever's necessary."

"I know. You didn't tell them about my agreement with Shikoba."

Lakota shook his head. "That's our business. Do you really think I would have gone through a mating ceremony with someone I didn't feel anything for, just to help Shikoba save face? I'm not going to risk damaging my sister's reputation, and I'll be damned if I'm going to let the town gossip about my mate. If you want to tell them, I'll stand behind you. But not all secrets are lies. I'm going out tonight with your brothers to smooth things over."

"Good idea. Otherwise they might try to kill you in your sleep. On second thought, they still might. Just don't turn your back on them if you decide to play darts."

He grinned handsomely. "After I set things right with them, you and I are going deep into the woods on my stepfather's land. There's a clearing on the edge that's private. We're going to sleep under the stars and make love against a tree."

I gave a riotous laugh, but Lakota didn't blink. When he held my hands, a warm feeling swelled in my chest, and I moved closer to him.

"Are you sure you want to do this? You don't want to be with other women to see what it's like?"

His eyebrows gathered in a frown. "What could they teach me that you haven't already? Where my heart belongs? You are all there is, and you're all I want. Eventually we'll head up to Cognito and talk to my other parents," he continued. "My father can scent emotions, so he'll dispel any doubts you might have about my true feelings for you."

I placed my hand over his heart. "Then he can do the same for you."

"I don't need my father to tell me that. I knew you loved me the first time you looked at my ass."

Shaking my head, I laughed. "You just love making me laugh."

He stroked my cheek with his hand and pressed a kiss to my forehead. "Yes, wife. And now I get to hear that laugh for the rest of our lives. My love and loyalty will always be yours. You're the bravest wolf I've ever met, and I want no other by my side."

A monarch butterfly flitted by us and landed on top of his head. I didn't say anything about it, because I didn't need a butterfly to tell me that our lives were about to change for the better. For the first time in my life, I let go of all the fears, doubts, and worries about what would happen with my future. I knew Lakota was going to love me the way I needed to be loved, because he knew me inside and out. I would always have laughter and passion in my life. And no one would respect and adore him the way I would. We would be each other's protectors. Whenever I became lost in the world, he would find me.

Just as he'd found my heart.

I kissed my mate passionately in front of everyone on that warm summer day, with his arms wrapped around me and our hearts beating as one.

ACKNOWLEDGMENTS

A huge thanks to all my brilliant beta readers, my wonderful editors, and everyone who has supported my writing. No one who succeeds does it alone.

Author's Note

The Native American tribes, customs, and rituals within this book are fictional. Shifter tribes have developed a separate culture, and the worldbuilding is often based on their animal type and unique history within the Breed world.

Printed in Great Britain
by Amazon

61987647R00180